nora roberts
Ein Leuchten im Sturm

nora roberts

Ein Leuchten im Sturm

Roman

Aus dem Amerikanischen
von Christiane Burkhardt

DIANA

Verlagsgruppe Random House FSC® N001967

Taschenbucherstausgabe 04/2018
Copyright © 2015 by Nora Roberts
Published by Arrangement with Eleanor Wilder
Die Originalausgabe erschien 2015 unter dem Titel *The Liar*
bei G. P. Putnam's Sons, Published by the Penguin Group (USA) LLC,
a Penguin Random House Company, New York
Copyright © der deutschsprachigen Ausgabe 2016
und © dieser Ausgabe 2018 by Diana Verlag, München,
in der Verlagsgruppe Random House GmbH,
Neumarkter Straße 28, 81673 München
Dieses Werk wurde vermittelt durch die Literarische Agentur
Thomas Schlück GmbH, 30827 Garbsen
Redaktion: Claudia Krader
Umschlaggestaltung: t.mutzenbach design, München
Umschlagmotiv: © Elisabeth Ansley/TrevillionImages;
Elenamiv/Shutterstock; Krivosheev Vitaly/Shutterstock
Satz: Leingärtner, Nabburg
Druck und Bindung: GGP Media GmbH, Pößneck
Printed in Germany
Alle Rechte vorbehalten
ISBN 978-3-453-35947-5

www.diana-verlag.de
Besuchen Sie uns auch auf www.herzenszeilen.de
 Dieses Buch ist auch als E-Book lieferbar.

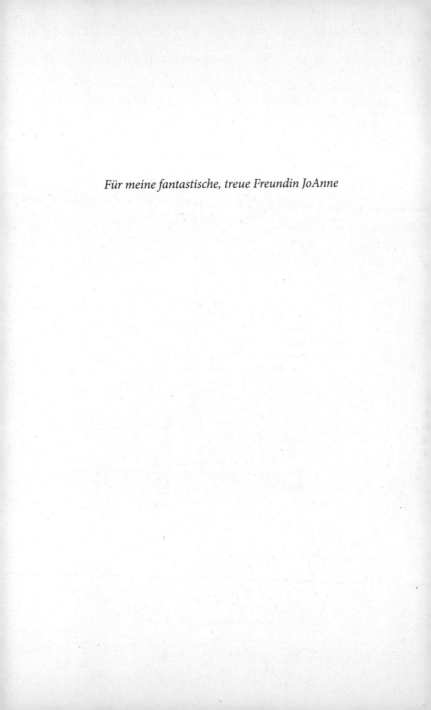

Für meine fantastische, treue Freundin JoAnne

Teil I
Alles Lug und Trug

Nicht die Lüge schmerzt, die zum einen Ohr hinein- und zum anderen wieder hinausgeht, sondern die, die uns im Gedächtnis haften bleibt.

Francis Bacon

1

In dem riesigen Haus, das Shelby insgeheim immer nur *das Riesenhaus* nannte, nahm sie am wuchtigen Schreibtisch ihres Mannes Platz. Sie saß in dem Ledersessel, der die Farbe von Espresso hatte und nicht etwa einfach nur braun war. Auf solche Feinheiten hatte Richard großen Wert gelegt. Der glänzende Designer-Schreibtisch war aus afrikanischem Zebraholz und eine Maßanfertigung aus Italien.

Als sie einmal im Scherz gesagt hatte, ihr sei neu, dass es in Italien Zebras gebe, bedachte er sie nur mit diesem Blick, der besagte, dass sie trotz der Riesenvilla, trotz der eleganten Kleider und trotz des dicken Diamantrings am Finger immer Shelby Anne Pomeroy aus dem kleinen Kürbiskaff in Tennessee bleiben würde, in dem sie geboren und aufgewachsen war.

Früher hätte er über so eine Bemerkung gelacht. Früher hätte er gemerkt, dass sie nur einen Scherz machte. Früher, als sie sein Ein und Alles gewesen war. Doch leider hatte sie für ihn viel zu rasch an Reiz verloren.

Der Mann, den sie vor knapp fünf Jahren in einer sternenklaren Sommernacht kennengelernt hatte, hatte sie umgehauen und aus allem herausgerissen, was ihr vertraut war, in Welten entführt, von denen sie niemals zu träumen gewagt hätte.

Er hatte sie auf Händen getragen, ihr Orte gezeigt, die sie nur aus Büchern oder Filmen kannte. Und er hatte sie einmal geliebt, das durfte sie auf keinen Fall vergessen. Er hatte sie geliebt, begehrt und ihr alles zu Füßen gelegt, was sich eine Frau nur wünschen kann.

Er war für alles aufgekommen, wie er nie versäumte zu betonen.

Gut, er war ausgerastet, als sie schwanger geworden war, sodass sie es mit der Angst zu tun bekommen hatte. Aber dann hatte er sie nach Las Vegas entführt und geheiratet, als wäre das Leben ein einziges Abenteuer. Damals waren sie glücklich gewesen, das musste sie sich wieder in Erinnerung rufen. Sie durfte die guten Zeiten nicht vollkommen ausblenden, die es durchaus gegeben hatte.

Eine Frau, die mit vierundzwanzig Witwe wird, ist auf schöne Erinnerungen angewiesen.

Wenn eine Frau erfährt, dass ihr ganzes Leben eine einzige Lüge gewesen und sie nicht nur pleite ist, sondern erdrückende Schulden hat, ist sie gezwungen, sich an diese guten Zeiten zu klammern.

Die Anwälte, Steuerberater und Finanzbeamten hatten ihr alles erklärt, aber genauso gut hätten sie Chinesisch reden können: Hebelprodukte, Hedgefonds und Zwangsvollstreckung. Das Riesenhaus, das sie von Anfang an eingeschüchtert hatte, gehörte nicht ihr, sondern der Bank. Die Autos waren sowieso nur geleast, und sie war mit den Raten im Rückstand.

Die Möbel? Auf Pump angeschafft und längst nicht abbezahlt.

Hinzu kamen die Steuerschulden. Schon beim bloßen Gedanken daran wurde ihr ganz schlecht.

In den zwei Monaten und acht Tagen seit Richards Tod hatte sie sich nur mit Dingen beschäftigt, mit denen sie sich bisher nicht hätte abgeben sollen. Angeblich, weil sie sie nichts angingen, wie Richard ihr mit seinem warnenden Blick unmissverständlich klargemacht hatte.

Doch im Augenblick gingen sie ausschließlich sie etwas an. Sie war diejenige, die Schulden bei verschiedenen Gläubigern, bei der Bank und beim Staat hatte. Schulden, die so gigantisch waren, dass sie sich wie gelähmt fühlte. Aber sie konnte es sich nicht erlauben, in dieser Schockstarre zu verharren, denn sie hatte ein

Kind zu versorgen. Ihre Tochter Callie war alles, was zählte, und sie war erst drei. Am liebsten hätte Shelby den Kopf auf die kühle, glänzende Tischplatte gelegt und hemmungslos geweint.

»Das wirst du nicht tun«, sagte sie sich. »Du bist alles, was sie hat, und deswegen wirst du tun, was getan werden muss.«

Sie öffnete einen der Kartons mit der Aufschrift *Persönliche Unterlagen*. Die Anwälte und Steuerfahnder hatten bereits alles durchsucht, sichergestellt und kopiert.

Callie zuliebe musste sie sich einen Überblick verschaffen und gucken, was sich retten ließ.

Irgendetwas musste sich retten lassen, damit sie ihr Kind ernähren und ihm ein Dach über dem Kopf bieten konnte, nach Abzug der Schulden natürlich. Sie würde sich selbstverständlich einen Job suchen, aber das war leider nicht genug.

Das Geld ist mir egal, dachte sie, als sie die Quittungen für Anzüge, Schuhe, Restaurant- und Hotelbesuche durchsah. Für Flüge mit dem Privatjet. Das war ihr bereits in dem ersten, stürmischen Jahr nach Callies Geburt klar geworden.

Damals hatte sie sich nichts sehnlicher als ein Zuhause gewünscht.

Shelby schaute sich in Richards Büro um, ließ die grellen Farben der modernen Kunst, die er so geliebt hatte, auf sich wirken, die knallweißen Wände, vor denen sie angeblich am besten zur Geltung kam, das dunkle Holz und das Leder.

Nein, das war kein Zuhause und wäre es auch nie geworden – nicht einmal, wenn sie acht Jahre hier gewohnt hätte statt der drei Monate, die seit ihrem Einzug vergangen waren.

Er hatte es gekauft, ohne sie nach ihrer Meinung zu fragen, und es eingerichtet, ohne Rücksicht auf ihren Geschmack zu nehmen. »Überraschung!«, hatte er gerufen und die Türen zu diesem monströsen Klotz in Villanova aufgerissen, dem angeblich besten Vorort von ganz Philadelphia. Sie hatte Begeisterung geheuchelt, aus Dankbarkeit, sesshaft werden zu können, auch wenn sie die grellen Farben und hohen Decken einschüchterten. Callie würde endlich ein Zuhause haben, auf eine gute Schule gehen, Freunde finden und behütet aufwachsen. Und auch sie würde hoffentlich bald Freundschaften schließen.

Nur dass sie gar nicht erst die Chance dazu bekommen hatte.

Genauso wenig wie die, sich die Lebensversicherung über zehn Millionen Dollar auszahlen zu lassen. Auch sie war eine einzige Lüge gewesen, genau wie die angeblichen Rücklagen für Callies College-Ausbildung.

Warum?

Sie verdrängte die Frage, weil sie sich nicht mehr beantworten ließ.

Sie konnte seine Anzüge, Schuhe, Krawatten, Sportsachen, Golfschläger und Ski zu Secondhandläden schleppen und sie zu Geld machen, alles verkaufen, was ihr noch geblieben war. Auf eBay, wenn es sein musste, oder über einen Pfandleiher.

Auch in ihrem eigenen Kleiderschrank gab es mehr als genug Überflüssiges, sogar Schmuck.

Sie betrachtete den Diamantring, den er ihr in Las Vegas angesteckt hatte. Den Ehering würde sie behalten, nicht aber den diamantenen Vorsteckring. Es gab genügend Dinge, die sie veräußern konnte.

Callie zuliebe.

Sie ging die Papiere durch, eines nach dem anderen. Sämtliche Computer waren beschlagnahmt worden, aber die Papiere waren noch da.

Sie schlug seine Patientenakte auf.

Er hatte sehr auf seine Gesundheit geachtet, und ihr fiel ein, dass sie die Mitgliedschaften im Country- und Fitnessclub kündigen musste. Er war topfit gewesen und hatte sich regelmäßig vom Arzt durchchecken lassen.

Sie nahm sich vor, die Vitamintabletten und Nahrungsergänzungsmittel wegzuwerfen, die er täglich genommen hatte. Wozu sie behalten, wozu diese Unterlagen behalten? Ihr kerngesunder Mann war mit gerade mal dreiunddreißig Jahren im Atlantik ertrunken, nur wenige Kilometer vor der Küste von South Carolina.

Am besten, sie vernichtete seine Patientenakten. Darin war Richard gut gewesen, er hatte einen Aktenvernichter im Büro. Die Gläubiger hatten kein Interesse an den Werten seiner letzten Blutuntersuchung, an seiner Grippeimpfung vor zwei Jahren oder an den Unterlagen aus der Notaufnahme, als er sich damals beim Basketball den Finger verstaucht hatte.

Meine Güte, drei Jahre war das jetzt her! Für jemanden, der bergeweise Akten vernichtete, hatte er seine medizinischen Unterlagen erstaunlich lange aufbewahrt.

Sie seufzte laut und entdeckte noch ein Dokument, das vor knapp vier Jahren ausgestellt worden war.

Sie wollte es gerade beiseitelegen, als sie stirnrunzelnd innehielt. Der Name des Arztes sagte ihr nichts. Gut, sie hatten damals in dem riesigen Wolkenkratzer in Houston gelebt, und wenn man jedes Jahr mindestens einmal umzieht, kann man sich unmöglich alle Namen merken. Aber dieser Arzt praktizierte in New York City.

»Das kann nicht sein«, murmelte sie. »Warum sollte Richard einen Arzt in New York aufsuchen, nur um …«

Sie erstarrte und hielt sich das Blatt Papier mit zitternden Fingern ganz nah vor die Augen.

Aber der Inhalt blieb derselbe.

Richard Andrew Foxworth hatte sich einem chirurgischen Eingriff unterzogen, durchgeführt von Dr. Dipol Haryana im Mount Sinai Medical Center am 12. Juli 2011. Einer Vasektomie.

Richard hatte sich heimlich sterilisieren lassen. Als Callie keine zwei Monate alt gewesen war, hatte er dafür gesorgt, dass sie keine weiteren Kinder bekommen konnten. Dabei hatte er so getan, als wünschte er sich mehr als ein Kind, sobald sie von einem zweiten gesprochen hatte. Er hatte eingewilligt, sich untersuchen zu lassen, genau wie sie, nachdem sie ein Jahr lang vergeblich versucht hatte, schwanger zu werden.

Sie hörte förmlich, wie er gesagt hatte: *Du musst dich einfach nur entspannen, Shelby. Wenn du dich verkrampfst, wird es nie klappen.*

»Nein, es hat deshalb nicht geklappt, weil du heimlich dafür gesorgt hast! Sogar in diesem Punkt hast du mich angelogen, während ich Monat für Monat erneut verzweifelt bin. Wie konntest du nur? Wie konntest du?«

Sie schob den Stuhl zurück und schlug die Hände vors Gesicht. Juli, Mitte Juli: Callie war damals erst acht Wochen alt gewesen. »Eine Geschäftsreise«, hatte er gesagt, daran konnte sie sich genau erinnern. Nach New York. In Bezug auf den Ort hatte er sie nicht angelogen.

Sie hatte mit dem Neugeborenen nicht in eine so chaotische Großstadt fahren wollen. Das hatte er gewusst und alles von Anfang an genau geplant. Noch so eine Überraschung! Damals hatte er sie in ein Privatflugzeug gesetzt und nach Tennessee zurückgeschickt, sie und ihr Baby.

Damit sie Zeit mit ihrer Familie verbringen, das Baby herumzeigen und sich von ihrer Mutter und Großmutter verwöhnen lassen konnte.

Sie hatte sich so darüber gefreut, war ihm so dankbar gewesen. Dabei hatte er sie bloß loswerden wollen, um dafür zu sorgen, dass er keine Kinder mehr zeugen konnte.

Shelby griff nach dem Foto von Callie und sich, das sie für ihn hatte rahmen lassen. Ihr Bruder hatte es damals gemacht. Ein Geschenk, über das er sich angeblich gefreut hatte. Zumindest hatte er es in jedem ihrer Häuser auf den Schreibtisch gestellt.

»Noch so eine Lüge. Du hast uns nie geliebt, denn sonst hättest du uns nicht ständig belogen.«

Vor lauter Wut hätte sie am liebsten den Bilderrahmen zertrümmert, nur das Gesicht ihrer Kleinen darin hielt sie davon ab.

Sie stellte ihn so behutsam zurück, als wäre er aus kostbarem Porzellan.

Dann setzte sie sich auf den Boden, denn an diesem Schreibtisch konnte sie jetzt unmöglich Platz nehmen. Sie setzte sich vor die mit greller Kunst behängte Wand und wiegte sich weinend vor und zurück. Nicht nur, weil der Mann tot war, den sie geliebt hatte, sondern auch, weil es ihn nie gegeben hatte.

* * *

Shelby konnte es sich nicht leisten, sich hinzulegen. Obwohl sie keinen Kaffee mochte, machte sie sich mit Richards italienischer Espressomaschine einen Riesenbecher.

Mit Kopfschmerzen vom vielen Weinen und mit Herzrasen vom Koffein sortierte sie die Unterlagen aus dem Karton zu mehreren Stapeln.

Jetzt, wo sie sie mit ganz anderen Augen sah, merkte sie an den Hotel- und Restaurantquittungen, dass er nicht nur ein Lügner, sondern auch ein Betrüger gewesen war.

Die Rechnungen für den Zimmerservice waren viel zu hoch für einen allein reisenden Mann. Nahm man dann noch die Quittung für den silbernen Armreif von Tiffany hinzu, den er ihr nie geschenkt hatte, die Fünfhundert-Dollar-Rechnung für La-Perla-Unterwäsche, die er auch an ihr sehr geliebt hatte, den Beleg für ein Wochenende in einem Bed & Breakfast in Vermont, an dem er angeblich ein Geschäft in Chicago abgewickelt hatte, dann war eigentlich alles klar.

Warum hatte er diese Dinge aufbewahrt, all die Beweise für seine Lügen, für seine Untreue? Ganz einfach. Weil sie ihm vertraut hatte.

Andererseits auch wieder nicht. Sie hatte geahnt, dass es Affären gab, und das dürfte auch ihm nicht verborgen geblieben sein. Trotzdem hatte er diese Unterlagen aufbewahrt, weil er davon ausgegangen war, dass sie es niemals wagen würde, darin zu wühlen.

Er hatte seine vielen Leben einfach unter Verschluss gehalten, ohne dass sie Zugang dazu gehabt hätte. Und sie hätte ihm niemals Fragen gestellt.

Wie viele Frauen hatte es gegeben? Spielte das überhaupt eine Rolle? Jede neben ihr war eine zu viel. Und jede Einzelne von ihnen war bestimmt deutlich raffinierter, erfahrener und klüger gewesen als das naive Mädchen aus dem Gebirgskaff in Tennessee, dem er mit neunzehn ein Kind gemacht hatte.

Warum hatte er sie bloß geheiratet?

Vielleicht hatte er sie doch geliebt, zumindest ein bisschen. Sie begehrt. Aber sie hatte ihm einfach nicht genügt, hatte es nicht geschafft, ihn so glücklich zu machen, dass er ihr treu blieb.

Spielte das wirklich eine Rolle? Er war schließlich tot.

Ja, dachte sie. Und ob es eine Rolle spielt!

Er hatte sie lächerlich gemacht, sie gedemütigt und ihr Schulden hinterlassen, die sie viele Jahre beschäftigen würden und die Zukunft ihrer Tochter bedrohten.

Noch eine ganze Stunde lang durchsuchte sie systematisch sein Büro. Der Safe war bereits leer geräumt worden. Sie hatte zwar gewusst, dass es ihn gab, aber die Zahlenkombination nicht gekannt. Deshalb erlaubte sie den Anwälten, ihn öffnen zu lassen.

Sie hatten fast alle Unterlagen mitgenommen, aber es lagen fünftausend Dollar in bar darin. Shelby legte sie genauso wie Callies Geburtsurkunde und ihre Pässe auf die Seite.

Sie schlug Richards Pass auf und betrachtete sein Foto.

Wie gut er ausgesehen hatte! Wie ein Filmstar mit dem dichten dunklen Haar und den bernsteingoldenen Augen. Wenn Callie nur seine Grübchen geerbt hätte! Sie war ganz hin und weg gewesen von diesen verdammten Grübchen.

Sie legte die Pässe auf die Seite. Auch wenn Callie und sie in nächster Zeit kaum verreisen würden, steckte sie ihren Ausweis ein. Richards Pass würde sie vernichten oder die Anwälte fragen, was sie damit machen sollte.

Sie fand nichts von Interesse, würde aber noch einmal alles durchgehen, bevor sie die Unterlagen vernichtete oder in Umzugskartons packte.

Benebelt von Traurigkeit und Kaffee, lief sie durchs Haus, querte das zwei Stockwerke hohe Foyer und ging die Wendeltreppe hinauf, glitt lautlos auf ihren dicken Socken über das Parkett.

Als Erstes sah sie nach Callie, ging in ihr hübsches Zimmer und küsste ihre wie immer auf dem Bauch schlafende Tochter auf die Wange, bevor sie die Decken um sie herum feststopfte.

Sie ließ die Tür offen und ging ins Schlafzimmer.

Sie hasste diesen Raum – wie sehr, wurde ihr erst in diesem Augenblick bewusst. Sie hasste die grauen Wände, das schwarze Betthaupt aus Leder und die scharfkantigen Möbel.

Da sie nun wusste, dass sie sich in diesem Bett geliebt hatten, nachdem er durch fremde Betten getobt war, hasste sie es noch mehr.

Ihr Magen zog sich schmerzhaft zusammen, und ihr dämmerte, dass sie zum Arzt musste. Sie musste sich untersuchen lassen, um sicherzugehen, dass er sie nicht angesteckt hatte.

Denk nicht weiter darüber nach, ermahnte sie sich. Mach gleich morgen früh einen Termin aus, und denk nicht weiter darüber nach.

Shelby ging zu seinem Kleiderschrank, der so groß war wie ihr Zimmer zu Hause in Rendezvous Ridge.

Das meiste darin war fast ungetragen. Richard bevorzugte italienische Designer, zumindest in puncto Anzüge und Schuhe. Sie nahm ein Paar schwarze Schnürschuhe aus dem Regal und drehte sie um, um sich die Absätze anzusehen.

Dann holte sie sechs Kleiderschutzhüllen aus einem Schrank.

Morgen würde sie so viel Garderobe wie möglich zum Secondhandladen bringen.

»Das hätte ich schon längst tun sollen«, murmelte sie.

Aber wie nach dem Schock und der Trauer? Anschließend waren die Anwälte aufgetaucht, die Buchprüfer und Steuerfahnder.

Sie kontrollierte die Taschen eines grauen Nadelstreifenanzugs, überzeugte sich, dass sie leer waren, und steckte ihn in die Schutzhülle. In jede Schutzhülle passten fünf Anzüge, sodass sie vier für die Anzüge und dann noch einmal fünf oder sechs für die Sakkos und Mäntel brauchen würde. Anschließend würde sie sich um die Hemden und Freizeithosen kümmern.

Die mechanische Arbeit hatte etwas Beruhigendes, und das Ausräumen der Schränke fühlte sich irgendwie befreiend an.

Nachdem sie sich bis zur dunkelbraunen Lederjacke vorgearbeitet hatte, zögerte sie. Er hatte diese Fliegerjacke geliebt, und sie hatte ihm ausgezeichnet gestanden, vor allem der satte Braunton. Das war eines der wenigen Geschenke von ihr, die wirklich gut angekommen waren.

Sie strich über das butterweiche Leder der Ärmel und wollte die Jacke aus sentimentalen Gründen beiseitelegen.

Dann fiel ihr die Quittung des Arztes wieder ein, und sie durchwühlte rücksichtslos sämtliche Taschen.

Sie waren natürlich leer, denn er hatte seine Taschen allabendlich sorgfältig geleert. Das Wechselgeld kam in das Glas auf seiner Kommode, das Handy in die Ladestation, die Schlüssel in die Schale im Flur oder in seine Schreibtischschublade.

Nie vergaß er etwas in den Taschen, das sie ausbeulen könnte.

Doch als sie sie abtastete, spürte sie etwas. Diese Angewohnheit hatte sie sich beim Wäschesortieren von ihrer Mutter abgeschaut. Erneut kontrollierte sie die Tasche, doch sie war leer. Sie stülpte sie um.

Und entdeckte ein kleines Loch im Futter. Ja, er hatte die Jacke geliebt.

Sie trug sie zurück ins Schlafzimmer, holte ihre Nagelschere und erweiterte vorsichtig das Loch. Sie nahm sich vor, es zu flicken, bevor sie die Jacke verkaufte.

Dann griff sie in das Futter und zog einen Schlüssel hervor.

Ein Türschlüssel sieht anders aus, dachte sie und drehte ihn hin und her. Es war auch kein Autoschlüssel. Sondern der Schlüssel zu einem Schließfach.

Nur, in welcher Bank befand sich dieses Schließfach? Was wurde darin aufbewahrt? Wozu ein Schließfach, wo er doch einen Safe im Büro hatte?

Eigentlich müsste sie die Anwälte informieren, doch sie beschloss, darauf zu verzichten. Bei all den Frauen, mit denen er in den letzten fünf Jahren geschlafen hatte, hatte sie etwas bei ihm gut. Sie war genug gedemütigt worden.

Sie würde die Bank mit dem Schließfach ausfindig machen und sich einfach nehmen, was darin war.

Die Anwälte konnten das Haus behalten, die Möbel und Autos, die Aktien, Wertpapiere und Geldanlagen, die nicht gehalten hatten, was Richard versprochen hatte. Sie konnten die Kunst behalten, den Schmuck und den Nerz, den er ihr zu ihrem ersten – und letzten – Weihnachten in Pennsylvania geschenkt hatte.

Das bisschen Stolz, das sie noch hatte, würde sie sich nicht nehmen lassen.

∗ ∗ ∗

Shelby schrak aus einem verstörenden Albtraum hoch, weil jemand an ihrer Hand zerrte.

»Mama, Mama, aufwachen!«

»Was ist denn?« Ohne die Augen zu öffnen, zog sie ihr kleines Mädchen zu sich ins Bett.

»Zeit zum Aufstehen«, sang Callie. »Fifi hat Hunger.«

»Hm.« Fifi, Callies heiß geliebtes Stofftier, wachte stets mit großem Hunger auf. »Okay.« Noch eine Minute.

Irgendwann hatte sie sich gestern Nacht voll bekleidet auf

ihrem Bett ausgestreckt, sich mit der schwarzen Kaschmirdecke zugedeckt und war eingeschlafen. Auch wenn es ein Ding der Unmöglichkeit war, Callie – oder Fifi – dazu zu bewegen, noch eine Stunde zu schlafen, ließen sich durchaus ein paar Minuten herausschinden.

»Deine Haare riechen so gut«, murmelte Shelby.

»Callies Haare. Mamas Haare.«

Als Shelby spürte, wie jemand daran zog, musste sie lächeln. »Wir haben genau die gleichen.«

Das tiefe Goldrot stammte von ihrer Mutter, von der Seite der MacNees. Genauso wie die wilden Locken, die sie allwöchentlich herausgeföhnt und geglättet hatte, weil Richard das so besser gefiel.

»Callies Augen. Mamas Augen.«

Callie schob Shelbys Lider hoch, woraufhin tiefblaue Augen zum Vorschein kamen, die je nach Lichteinfall fast violett wirkten.

»Wir haben genau die gleichen«, bestätigte Shelby blinzelnd.

»Sie sind rot.«

»Allerdings! Worauf hat Fifi heute Appetit?«

Noch fünf Minuten, dachte sie.

»Fifi will Bonbons.«

Die Begeisterung in der Stimme ihrer Tochter brachte Shelby dazu, die rot unterlaufenen Augen aufzuschlagen. »Fifi?« Shelby drehte das fröhliche Plüschgesicht des rosa Pudels zu sich her. »Von wegen.«

Dann kitzelte sie Callie und genoss ihr entzücktes Quietschen, obwohl sie Kopfschmerzen hatte.

»Gut, frühstücken wir.« Sie hob Callie aus dem Bett. »Danach müssen wir einiges erledigen, Prinzessin, und ein paar Leute besuchen.«

»Martha? Kommt Martha wieder?«

»Nein, Schätzchen.« Shelby dachte an die Nanny, auf der Richard bestanden hatte. »Ich hab dir doch erklärt, dass Martha nicht mehr kommen kann.«

»Genau wie Daddy«, sagte Callie, als Shelby sie nach unten trug.

»Nicht ganz. Ich mache uns jetzt ein fantastisches Frühstück. Weißt du, was fast genauso lecker schmeckt wie Bonbons?«

»Kuchen.«

Shelby lachte. »Fast! Pfannkuchen, winzige Hundepfannkuchen.«

Kichernd ließ Callie den Kopf an Shelbys Schulter sinken. »Ich hab dich lieb, Mama.«

»Ich hab dich auch lieb, Callie.« Shelby schwor sich, alles zu tun, um ihrer Tochter ein behütetes Leben zu schenken.

***

Nach dem Frühstück half Shelby Callie beim Anziehen und packte sie dick ein. An Weihnachten hatte sie den Schnee genossen und ihn im Januar, nach Richards Unfall, kaum noch wahrgenommen.

Inzwischen war März, und sie konnte bald keinen mehr sehen. Draußen war es nach wie vor schneidend kalt und Tauwetter nicht in Sicht. Zum Glück war es in der Garage einigermaßen warm. Sie schnallte Callie in ihrem Sitz an und verstaute die schweren Tüten mit den Kleidern in dem Geländewagen, der ihr vermutlich nicht mehr lange gehören würde.

Sie musste genügend Geld für einen Gebrauchtwagen auftreiben, für ein gutes, sicheres, kinderfreundliches Auto. Am besten ein Kombi, dachte sie beim Zurücksetzen.

Shelby fuhr vorsichtig. Der Schneepflug war zwar schon durch, aber selbst dieses vornehme Viertel zollte dem Wetter Tribut, und es gab Schlaglöcher.

Sie kannte niemanden in der Gegend. Der Winter war so hart und kalt gewesen und ihre Lebensumstände waren so chaotisch, dass sie hauptsächlich drinnen geblieben war. Außerdem hatte

Callie eine scheußliche Erkältung gehabt. Die Kälte war auch der Grund gewesen, warum Shelby zu Hause blieb, als Richard nach South Carolina fuhr. Eine Reise, die sie eigentlich mit der ganzen Familie hatten machen wollen.

Normalerweise wären sie mit ihm auf dem Boot gewesen, und als sie hörte, wie ihre Tochter sich mit Fifi unterhielt, konnte sie den Gedanken kaum ertragen. Sie beschloss, sich lieber auf den Verkehr und den Weg zum Secondhandshop zu konzentrieren.

Sie setzte Callie in den Kinderwagen, verfluchte den beißenden Wind und nahm die obersten drei Tüten aus dem Wagen. Während sie mit der Ladentür, den Tüten und dem Kinderwagen kämpfte, öffnete ihr eine Frau.

»Oh, wow! Warten Sie, ich helfe Ihnen.«

»Danke, aber sie sind schwer, ich sollte lieber …«

»Ich hab sie schon. Macey, hier kommen wahre Schätze.«

Eine weitere Frau kam aus dem Hinterzimmer, sie war hochschwanger. »Guten Morgen. Hallo, Süße«, sagte sie zu Callie.

»Du hast ein Baby im Bauch.«

»Ja, das stimmt.« Macey legte die Hand darauf und sagte lächelnd zu Shelby: »Willkommen bei *Second Chance*. Sie haben uns etwas mitgebracht?«

»Ja.« Shelby sah sich kurz um und entdeckte Ständer und Regale mit Kleidern und Accessoires. Sowie einen winzigen Bereich, der für Herrengarderobe reserviert war.

Enttäuschung machte sich breit.

»Ich hatte keine Gelegenheit, vorher vorbeizuschauen, deshalb wusste ich nicht, was Sie … Das meiste sind Anzüge, Herrenanzüge, Oberhemden und Sakkos.«

»Wir kriegen viel zu wenig Herrensachen.« Die Frau, die ihr aufgemacht hatte, klopfte auf die Schutzhülle, die sie auf die breite Ladentheke gelegt hatte. »Darf ich einen kurzen Blick darauf werfen?«

»Ja, bitte.«

»Sie sind nicht von hier, oder?«, bemerkte Macey.

»Äh, nein.«

»Sind Sie zu Besuch?«

»Wir … ich wohne momentan in Villanova, aber erst seit Dezember, allerdings …«

»Alle Achtung! Das sind fantastische Anzüge in einem fantastischen Zustand, soweit ich das beurteilen kann. Macey?«

»In welcher Größe, Cheryl?«

»52, Standard. Es sind bestimmt zwanzig.«

»Zweiundzwanzig«, sagte Shelby und verschränkte nervös die Hände. »Im Auto ist noch mehr.«

»Noch mehr?«, staunten die beiden Frauen unisono.

»Schuhe, Herrenschuhe. Mäntel und Jacken … Mein Mann …«

»Daddys Kleider«, rief Callie, als Cheryl einen weiteren Anzug an den Garderobenständer hängte. »Nicht mit klebrigen Fingern anfassen.«

»Das stimmt, Liebes. Es ist nämlich so, dass …« Shelby suchte nach den richtigen Worten, um ihre Situation zu erklären. Doch Callie war schneller.

»Mein Daddy ist im Himmel.«

»Das tut mir leid.« Macey berührte Callies Arm.

»Im Himmel ist es schön«, verkündete diese. »Dort gibt es Engel.«

»Ja, das stimmt.« Macey warf Cheryl einen kurzen Blick zu und nickte. »Holen Sie ruhig den Rest«, forderte sie Shelby auf. »Sie können sie … wie heißt du, Süße?«

»Callie Rose Foxworth. Und das ist Fifi.«

»Hallo, Fifi. Wir passen auf Callie und Fifi auf, während Sie die restlichen Sachen holen.«

»Wenn Sie meinen.« Shelby zögerte. Aber warum sollten zwei Frauen, von denen eine im siebten Monat schwanger war, mit Callie davonlaufen, während sie kurz zum Wagen ging? »Ich bin gleich wieder da, Callie, bitte sei schön brav. Mama holt nur was aus dem Wagen.«

* * *

Sie sind nett, dachte Shelby, als sie anschließend zur Bank fuhr, um sich dort nach dem Schließfach zu erkundigen. Die meisten Leute waren nett, wenn man ihnen Gelegenheit dazu gab. Die Frauen vom Secondhandshop hatten ihr alles abgenommen, vermutlich mehr, als sie brauchen konnten. Callie hatte sie mit ihrem Charme restlos verzaubert.

»Du bist mein Glücksbringer, Callie!«

Callie verzog die Lippen, zwischen denen ein Strohhalm steckte, zu einem breiten Grinsen, allerdings ohne den Blick vom an der Rücklehne befestigten DVD-Player abzuwenden, auf dem gerade zum millionsten Mal *Shrek* lief.

2

Sechs Banken später musste sich Shelby eingestehen, dass ihre Glückssträhne vorbei war. Außerdem musste die Kleine dringend etwas zu Mittag essen und ein Schläfchen machen.

Sie gab Callie ihr Mittagessen, ging mit ihr ins Bad und steckte sie ins Bett. Letzteres dauerte doppelt so lange wie gedacht. Dann hörte sie den Anrufbeantworter und ihre Handy-Mailbox ab.

Sie hatte Zahlungspläne mit den verschiedenen Kreditkartenfirmen ausgehandelt, die sie den Umständen entsprechend fair behandelt hatten. Mit dem Finanzamt hatte sie es genauso gehandhabt. Die Bank war einverstanden, dass sie das Haus kurzfristig verkaufte. Eine der Nachrichten stammte von der Maklerin, die die ersten Besichtigungstermine vereinbaren wollte.

Shelby hätte sich gern kurz hingelegt, aber sie musste die Stunde nutzen, die Callie hoffentlich schlafen würde.

Weil es am praktischsten war, benutzte sie Richards Büro. Sie hatte fast alle Zimmer in dem riesigen Haus abgesperrt, um Heizkosten zu sparen. Sie sehnte sich nach einem Kaminfeuer und schaute zu dem Gaskamin unter dem schwarzen Marmorsims hinüber. Er war das Beste an dem riesigen Haus. Wärme und Geborgenheit auf Knopfdruck.

Aber Gas war teuer. Dicke Pullis und Socken würden sie ebenfalls warm halten.

Sie holte ihre To-do-Liste hervor, rief die Maklerin zurück und erklärte sich einverstanden, ihr Haus samstags und sonntags für Besichtigungen zu öffnen.

Sie würde dann mit Callie verschwinden und alles der Maklerin überlassen. Inzwischen hatte sie die Firma ausfindig gemacht, die ihr die Anwälte genannt hatten, und die vielleicht das Mobiliar aufkaufen würde.

Sollte es ihr nicht gelingen, es im Ganzen oder zu einem guten Preis zu verkaufen, würde sie die Sachen eben einzeln im Internet anbieten. Vorausgesetzt, sie bekäme irgendwann den Computer zurück.

Im schlimmsten Fall würden sie gepfändet.

Ein Flohmarkt war in dieser noblen Gegend wenig vielversprechend, außerdem war es dafür zu kalt.

Als Nächstes rief sie ihre Mutter, ihre Großmutter und ihre Schwägerin zurück und bat sie, den Tanten und Cousinen, die ebenfalls angerufen hatten, auszurichten, dass es ihr gut gehe. Callie sei wohlauf, und sie schwer damit beschäftigt, alles zu organisieren.

Sie konnte ihnen unmöglich die Wahrheit sagen, zumindest nicht die ganze Wahrheit – noch nicht. Ein paar Dinge wussten sie natürlich, aber mehr konnte sie ihnen einfach nicht zumuten. Immer, wenn sie darüber reden musste, wurde sie wütend oder brach in Tränen aus. Das konnte sie sich im Moment nicht erlauben.

Um nicht untätig zu bleiben, ging sie nach oben ins Schlafzimmer und inspizierte ihren Schmuck. Ihren Verlobungsring und die Diamantohrringe, die Richard ihr zum vierundzwanzigsten Geburtstag geschenkt hatte. Den Smaragdanhänger, den sie zu Callies Geburt bekommen hatte, sowie weitere Schmuckstücke und Geschenke. Seine sechs Uhren und seine Manschettenknöpfe.

Sie legte eine detaillierte Liste an wie bei den Kleidern, die sie zum Secondhandladen gebracht hatte. Sie verpackte den Schmuck mit den dazugehörigen Zertifikaten und Versicherungsunterlagen. Dann suchte sie mithilfe ihres Handys nach einem Juwelier in der Nähe, der Schmuck ankaufte.

Alles, was sie als ihren Privatbesitz betrachtete, verstaute sie in Umzugskartons. Das waren vor allem die Fotos und Geschenke ihrer Verwandten. Die Maklerin hatte ihr geraten, das Haus zu *entpersonalisieren*. Genau das würde sie tun.

Als Callies Mittagsschlaf beendet war, beschäftigte Shelby sie mit kleineren Aufgaben. Während des Packens begann sie mit dem Putzen. Personal, das die vielen Quadratmeter Fliesen, Holzdielen, Chrom- und Glasflächen schrubbte und polierte, hatte sie schließlich keines mehr.

Sie kochte das Abendessen und aß, so viel sie konnte. Nachdem sie Callie gebadet, ihr vorgelesen und mit ihr gekuschelt hatte, packte sie weiter und schleppte die Kartons anschließend in die Garage. Erschöpft gönnte sie sich ein heißes Bad in der Designer-Wanne mit den Massagedüsen und ging dann mit dem Notizblock ins Bett, um eine Liste für den nächsten Tag zu machen. Bevor sie das Licht löschen konnte, schlief sie ein.

* * *

Am nächsten Morgen zog Shelby wieder los. Mit Callie, Fifi, *Shrek* und Richards Aktenkoffer aus Leder, in dem sich ihr Schmuck, seine Uhren und seine Manschettenknöpfe befanden. Sie versuchte es bei drei weiteren Banken und vergrößerte ihren Radius, bis ihr klar wurde, dass sie sich Stolz nicht leisten konnte. Sie hielt vor einem Juwelier.

Callie war wütend, weil sie den Film nicht weiterschauen durfte, also bestach sie die Dreijährige und versprach ihr eine neue DVD. Sie redete sich ein, dass sie nur ein Geschäft abwickelte, nichts weiter, und schob Callie in den Laden.

Alles funkelte, und es herrschte eine Atmosphäre wie in einem Gotteshaus. Am liebsten hätte Shelby auf dem Absatz kehrtgemacht, zwang sich aber, auf die Frau zuzugehen, die ein schlichtes schwarzes Kostüm und geschmackvolle Goldohrringe trug.

»Entschuldigen Sie bitte, ich hätte gern mit jemandem gesprochen, der sich mit Schmuck auskennt.«

»Das tun wir alle. Das ist unser Beruf.«

»Nein, was ich eigentlich sagen wollte, ist Folgendes: Ich besitze ein paar Preziosen, die ich gern veräußern würde. Sie kaufen auch Schmuck an?«

»Natürlich.« Der Blick der Frau war genauso unterkühlt wie ihr Kostüm, während sie sie vom Scheitel bis zur Sohle musterte.

Gut möglich, dass ich im Moment nicht in Hochform bin, dachte Shelby. Gut möglich, dass es mir nicht gelungen ist, die dunklen Ringe unter meinen Augen zu kaschieren. Aber ich habe von meiner Großmutter gelernt, dass man Kunden immer mit Respekt behandelt.

Shelby richtete sich zu ihrer vollen Größe auf und sah der Frau direkt in die Augen. »Gibt es einen Ansprechpartner für mich, oder soll ich meine Geschäfte lieber anderswo abwickeln?«

»Haben Sie die Original-Quittungen der einzelnen Schmuckstücke dabei?«

»Nein, nicht für alle, da es sich um Geschenke handelt. Aber ich habe die dazugehörigen Prospekte und Versicherungsunterlagen mitgebracht.«

Sah sie etwa aus wie eine Diebin, die ihre Tochter zu vornehmen Juwelieren schleifte, um Hehlerware loszuwerden? Shelby spürte, dass sie kurz davorstand zu explodieren. Das schien auch die Verkäuferin zu spüren, denn sie trat einen Schritt zurück.

»Einen Moment, bitte.«

»Mama, ich will heim.«

»Ach, Schätzchen, ich auch. Wir gehen gleich.«

»Kann ich Ihnen helfen?«

Der Mann, der nun auf sie zukam, sah aus wie der gütige Großvater in einem Hollywoodstreifen. Wie jemand, der reich geboren war und immer reich bleiben würde.

»Ja, Sir, gern. Wie ich gehört habe, kaufen Sie Schmuck an. Ich habe welchen dabei, den ich veräußern muss.«

»Natürlich. Am besten gehen wir dort hinüber, damit Sie sich setzen können, während ich mir in Ruhe alles anschaue.«

»Danke.«

Sie zwang sich, ihre aufrechte Haltung beizubehalten, während sie quer durch den Raum zu einem antiken Tisch gingen. Er zog den Stuhl für sie vor – eine Geste, nach der sie fast wie eine Idiotin drauflosgebrabbelt hätte.

»Ich habe einige Stücke dabei, die mir mein … mein Mann geschenkt hat. Samt den Broschüren und Versicherungsunterlagen.« Sie fummelte am Verschluss des Aktenkoffers herum, holte die Tütchen und Schmuckkästchen heraus sowie den braunen Umschlag mit den Unterlagen.

»Ich … er … wir …« Sie verstummte, schloss die Augen und atmete ein paar Mal tief durch. »Entschuldigen Sie bitte, ich habe so etwas noch nie gemacht.«

»Das ist vollkommen in Ordnung, Mrs. …?«

»Foxworth. Shelby Foxworth.«

»Wilson Brown.« Er nahm ihre Hand und schüttelte sie sanft. »Dann wollen wir doch einmal schauen, was Sie da haben, Mrs. Foxworth.«

Sie beschloss, das wertvollste Stück zuerst zu präsentieren, und öffnete das Kästchen mit ihrem Verlobungsring.

Er legte ihn auf ein Samtkissen, und während der Juwelier zu seiner Lupe griff, öffnete sie den Umschlag.

»Hier steht, dass er dreieinhalb Karat hat, Smaragdschliff und Farbe D. Den Unterlagen zufolge ist das ziemlich gut. Hinzu kommen sechs kleinere, in Platin gefasste Steine, stimmt's?«

Er hob den Kopf. »Mrs. Foxworth, ich fürchte, das ist ein künstlicher Diamant.«

»Wie bitte?«

»Dieser Diamant wurde im Labor hergestellt genauso wie die kleineren Steine.«

Sie versteckte die Hände unter dem Tisch, damit er nicht sah, wie sie zitterten. »Das bedeutet, dass der Schmuck falsch ist.«

»Das bedeutet nur, dass er im Labor hergestellt wurde. Es ist ein sehr schönes Exemplar eines synthetischen Diamanten.«

Callie begann zu quengeln. Shelby hörte es trotz des lauten Pochens in ihrem Kopf. Mechanisch griff sie in ihre Handtasche und zog das Spielzeughandy heraus.

»Ruf Oma an, Schätzchen, und erzähl ihr, was du so treibst. Das bedeutet also, dass das kein Diamant mit der Farbbezeichnung D ist. Dass dieser Ring nicht den Wert besitzt, der hier angegeben ist. Er ist also keine hundertfünfundfünfzigtausend Dollar wert?«

»Nein, meine Verehrteste«, sagte er sanft, als wollte er sie trösten. Das machte es nur noch schlimmer. »Ich kann Ihnen gern andere Gutachter nennen, wenn Sie eine zweite Meinung einholen wollen.«

»Sie sagen die Wahrheit. Ich weiß, dass Sie die Wahrheit sagen.« Ganz im Gegensatz zu Richard, dem notorischen Lügner. Aber sie würde nicht zusammenbrechen, nicht hier. »Wären Sie bereit, sich den Rest anzuschauen, Mr. Brown, und mir zu sagen, ob er ebenfalls falsch ist?«

»Selbstverständlich.«

Die Diamantohrringe waren echt, mehr aber auch nicht. Sie hatten ihr gefallen, weil sie so schlicht waren, einfache Ohrstecker, mit denen sie sich nicht verkleidet vorkam.

Am stolzesten war sie auf den Smaragdanhänger gewesen, weil er ihn ihr zu Callies Geburt geschenkt hatte. Er war genauso falsch, wie Richard zeit seines Lebens gewesen war.

»Ich kann Ihnen fünftausend für die Diamantohrringe geben, falls Sie sie verkaufen möchten.«

»Ja, danke, das wäre prima. Können Sie mir sagen, wo ich den Rest hinbringen kann? Soll ich zu einem Pfandleiher gehen? Kennen Sie einen, den Sie mir empfehlen können? Ich möchte Callie nicht an Orte bringen, die ... Sie wissen schon. Und wenn es Ihnen nichts ausmacht, wäre ich froh, wenn Sie mir in etwa sagen könnten, was das alles wert ist.«

Er lehnte sich zurück und musterte sie. »Der Verlobungsring ist gut gearbeitet, und, wie gesagt, der synthetische Diamant ist sehr schön. Ich könnte Ihnen achthundert dafür geben.«

Shelby musterte ihn, während sie den dazugehörigen Ehering vom Finger zog. »Wie viel können Sie mir für das ganze Set bieten?«

Sie brach nicht zusammen, sondern verließ den Laden mit fünfzehntausendsechshundert Dollar. Richards Manschettenknöpfe waren ebenfalls echt gewesen, was sich sicherlich positiv ausgewirkt hatte. Und fünfzehntausendsechshundert waren besser als nichts. Nicht genug, um ihre Schulden zu bezahlen, aber besser als nichts.

Außerdem hatte sie einen weiteren Laden genannt bekommen, wo man sich Richards Uhren ansehen würde.

Sie stellte Callies Geduld auf eine harte Probe, indem sie es bei zwei weiteren Banken versuchte, anschließend hatte sie für heute genug.

Callie suchte sich die DVD *My Little Pony – Freundschaft ist Magie* aus, und Shelby erstand ein Notebook und ein paar USB-Sticks. Eine vernünftige Investition, beruhigte sie sich, ich brauche das, um den Überblick zu behalten.

Sie nahm sich vor, den falschen Schmuck nicht als weiteren Betrug zu werten, sondern als Chance, Zeit zu gewinnen.

Während Callie ein Schläfchen machte, erstellte Shelby eine Excel-Tabelle mit den einzelnen Schmuckstücken und der jeweiligen Summe, die sie dafür bekommen hatte. Die Versicherung dafür kündigte sie, auch das sparte Geld.

Die Nebenkosten des riesigen Hauses waren trotz der abgesperrten Zimmer enorm, aber das Geld aus dem Schmuckverkauf erwies sich als eine große Hilfe.

Ihr fiel der Weinkeller ein, auf den Richard so stolz gewesen war. Also schleppte sie das Notebook nach unten und begann, die Flaschen zu katalogisieren.

Irgendjemand würde sie schon kaufen.

Ach, was soll's, dachte sie, eine davon werde ich mir heute zum Abendessen gönnen. Sie entschied sich für einen Pinot Grigio. In den letzten viereinhalb Jahren hatte sie einiges über Wein gelernt und wusste, welcher ihr schmeckte. Der hier passte bestimmt gut zu Hühnersuppe mit Klößen, Callies Leibgericht.

Als es Abend wurde, hatte sie das Gefühl, einen besseren Überblick zu haben.

Erst recht, nachdem sie fünftausend Dollar in einem der Kaschmirsocken in Richards Schublade gefunden hatte.

Sie besaß jetzt zwanzigtausend Dollar, die das Schlimmste abfederten und ihr erlaubten, neu anzufangen.

Im Bett musterte sie den Schlüssel.

»Zu welchem Schließfach gehörst du? Und was werde ich darin vorfinden? So schnell gebe ich nicht auf.«

Was, wenn sie einen Privatdetektiv beauftragte? Der würde zwar eine ganze Stange Geld kosten, war aber vielleicht die beste Lösung.

Sie würde eine Weile warten und es bei anderen Banken versuchen, die weiter in der Stadt lagen, vielleicht sogar im Zentrum.

Am nächsten Tag konnte Shelby weitere fünfunddreißigtausend Dollar aus dem Verkauf von Richards Uhren verbuchen sowie die zweitausenddreihundert Dollar, die sie für seine Golfschläger, seine Ski und seinen Tennisschläger bekommen hatte.

Das machte sie dermaßen euphorisch, dass sie Callie zwischen den verschiedenen Bankbesuchen auf eine Pizza einlud.

Vielleicht konnte sie sich diesen Detektiv jetzt leisten? Doch erst musste sie einen Kombi kaufen, was ihre achtundfünfzigtausend Dollar gehörig zusammenschmelzen lassen würde. Außerdem sollte sie etwas von dem Geld dazu verwenden, die Kreditkartenschulden abzutragen.

Sie würde versuchen, den Wein zu verkaufen, und den Detektiv von diesem Geld bezahlen. Bevor sie nach Hause fuhr, würde sie es außerdem bei einer weiteren Bank versuchen.

Anstatt den Kinderwagen rauszuholen, setzte sie sich Callie auf die Hüfte.

Deren Augen funkelten gefährlich, sie war bockig und schmollte. »Ich will nicht, Mama.«

»Ich auch nicht, aber das ist wirklich die letzte, versprochen. Danach fahren wir nach Hause und spielen Verkleiden, mein Schatz.«

»Ich möchte Prinzessin sein.«

»Ganz, wie Sie wünschen, Eure Hoheit.«

Sie trug ihre inzwischen kichernde Tochter in die Bank.

Shelby wusste inzwischen, wie sie vorgehen musste, und stellte sich bei der kürzesten Schlange an.

Sie konnte Callie auf keinen Fall länger so herumzerren. Auch sie hatte große Lust zu bocken und zu schmollen, obwohl sie deutlich älter als drei war.

Das war wirklich die allerletzte Bank, anschließend würde sie sich nach einem Privatdetektiv umschauen.

Sie konnte die Möbel verkaufen und den Wein.

Höchste Zeit, dass sie etwas optimistischer wurde, statt sich ständig Sorgen zu machen.

Sie setzte Callie auf die andere Hüfte und marschierte auf die Angestellte zu, die sie über ihre rote Lesebrille hinweg musterte.

»Wie kann ich Ihnen helfen?«

»Ich hätte gern mit einem der Geschäftsführer gesprochen. Ich bin Mrs. Richard Foxworth und habe eine Vollmacht dabei. Mein Mann ist letzten Dezember gestorben.«

»Mein herzliches Beileid.«

»Danke. Soweit ich weiß, hatte er in dieser Bank ein Schließfach. Ich habe den Schlüssel dabei und die Vollmacht.«

Das war deutlich zielführender, als dem Personal zu erklären, dass sie zwar einen Schlüssel hatte, aber nicht wusste, zu welchem Schließfach er gehörte.

»Mrs. Babbington ist in ihrem Büro, sie wird Ihnen bestimmt weiterhelfen. Geradeaus und dann links.«

»Danke.« Shelby fand das Büro und klopfte an die offene Glastür. »Bitte entschuldigen Sie, Madam, aber man hat mir gesagt, dass Sie mir Zugang zum Schließfach meines Mannes verschaffen können.«

Sie betrat den Raum und setzte sich, nahm Callie auf den Schoß – noch so etwas, das sie inzwischen gelernt hatte.

»Wie gesagt, ich habe die Vollmacht dabei und den Schlüssel. Ich heiße Mrs. Richard Foxworth.«

»Lassen Sie mich kurz nachsehen. Du hast aber schöne rote Haare«, sagte die Dame von der Bank zu Callie.

»Die hab ich von meiner Mama geerbt.« Callie streckte die Hand aus und griff nach einer Strähne von Shelby.

»Ja, das stimmt. Sie haben keine Vollmacht für das Schließfach von Mr. Foxworth. Ihre Unterschrift ist nie bei uns hinterlegt worden.«

»Er hat also ein Schließfach hier?«

»Ja. Trotzdem wäre es besser, wenn Sie mit Mr. Foxworth persönlich vorbeischauen könnten, um Ihre Unterschrift zu hinterlegen.«

»Das … das geht leider nicht. Er hatte …«

»Daddy ist im Himmel.«

»Ach herrje.« Mrs. Babbingtons Gesicht war voller Mitleid. »Das tut mir sehr leid.«

»Im Himmel singen die Engel, Mama. Fifi möchte nach Hause.«

»Gleich, Schätzchen. Richard, mein Mann, ist mit dem Boot

verunglückt, er kam in einen Sturm. Im Dezember. Am achtundzwanzigsten Dezember. Ich habe die Unterlagen dabei. Man bekommt keinen Totenschein, wenn der Leichnam nicht ...«

»Ich verstehe. Ich brauche Ihre Unterlagen, Mrs. Foxworth, und einen Lichtbildausweis.«

»Ich habe meine Heiratsurkunde dabei, das müsste eigentlich genügen. Und den Polizeibericht über den Unfall sowie diese Briefe von meinen Anwälten.« Shelby überreichte ihr die Dokumente und hielt gespannt die Luft an.

»Sie könnten einen Gerichtsbeschluss beantragen.«

»Ist das wirklich notwendig? Ich könnte mich an Richards Anwälte wenden – na ja, inzwischen sind es auch meine Anwälte.«

»Warten Sie einen Moment.«

Mrs. Babbington las sich die Unterlagen durch, während Callie nervös auf Shelbys Schoß herumrutschte. »Ich will Verkleiden spielen, Mama. Du hast gesagt, wir machen eine Kostümparty.«

»Das machen wir auch, sobald wir fertig sind. Die Prinzessin bekommt ihre Kostümparty. Überleg schon mal, welche Puppen du einladen willst.«

Callie begann, sie aufzuzählen, und Shelby merkte, dass sie vor lauter Nervosität dringend aufs Klo musste.

»Mit der Vollmacht ist alles in Ordnung, genauso wie mit Ihren übrigen Unterlagen. Ich zeige Ihnen das Schließfach.«

»Jetzt?«

»Wenn Sie ein andermal wiederkommen möchten?«

Shelby bekam kaum noch Luft und ihr war schwindelig. »Ich habe so etwas noch nie gemacht. Ich weiß nicht, wie das geht.«

»Ich zeige es Ihnen. Aber zuerst brauche ich Ihre Unterschrift. Lassen Sie mich das kurz ausdrucken. Du scheinst ja jede Menge Gäste zu erwarten«, sagte Mrs. Babbington zu Callie. »Ich habe eine Enkelin in deinem Alter. Auch sie liebt Kostümpartys.«

»Sie ist herzlich eingeladen.«

»Ach, sie würde bestimmt gern kommen, aber sie lebt in Richmond, Virginia, und das ist ziemlich weit weg. Wenn Sie das bitte unterschreiben würden, Mrs. Foxworth.«

Shelbys Gedanken überschlugen sich, und sie hatte Mühe, sich den Text durchzulesen.

Mrs. Babbington benutzte einen elektronischen Ausweis und einen Code, um eine Art Gewölbe zu betreten. Darin befanden sich lauter nummerierte Schließfächer. Nummer fünfhundertzwölf.

»Ich lasse Sie allein, damit Sie sich alles in Ruhe anschauen können. Sollten Sie Hilfe brauchen, geben Sie bitte Bescheid.«

»Vielen Dank. Darf ich den Inhalt mitnehmen?«

»Sie haben die Vollmacht dafür. Lassen Sie sich Zeit«, sagte Mrs. Babbington und zog einen Vorhang vor, sodass sie etwas Privatsphäre hatte.

»Meine Güte.« Shelby legte die Umhängetasche mit Callies Sachen, ihre Handtasche und Richards Aktenkoffer auf den Tisch und trug ihre Tochter zum Schließfach.

»Quetsch mich nicht so, Mama.«

»Tut mir leid, aber ich bin einfach nervös. Wahrscheinlich sind es nur Unterlagen, die er nicht zu Hause aufbewahren wollte. Vielleicht ist es sogar leer.«

Also, worauf wartest du noch? Sperr endlich auf!

Mit zitternden Händen steckte sie den Schlüssel ins Schloss. Als es mit einem Klicken aufging, zuckte sie zusammen.

»So, das hätten wir geschafft. Wenn es leer ist, ist es auch egal. Hauptsache, ich habe es gefunden. Ich muss dich kurz absetzen, Schätzchen. Bitte bleib da und lauf nicht weg.«

Sie setzte Callie ab, zog den Behälter aus dem Schließfach und stellte ihn auf den Tisch.

Dann starrte sie auf den Inhalt.

»Verdammte Scheiße!«

»Verdammte Scheiße, Mama!«

»Das sagt man nicht. Ich hätte das nicht sagen dürfen.« Shelby musste sich mit einer Hand am Tisch abstützen.

Denn der Behälter war nicht leer. Das Erste, was sie sah, war ein Bündel Scheine. Lauter Hundertdollarnoten.

»Jedes Bündel hat einen Wert von zehntausend Dollar, und, meine Güte, Callie, davon gibt es jede Menge.«

Jetzt zitterten ihr nicht nur die Hände, jetzt zitterte sie am ganzen Körper. Sie zählte die Geldbündel. »Es sind fünfundzwanzig, das macht also zweihundertfünfzigtausend Dollar in bar.«

Sie kam sich vor wie eine Diebin, als sie das Geld mit einem ängstlichen Blick auf den Vorhang in ihrem Aktenkoffer verstaute.

»Ich muss die Anwälte fragen, was ich damit machen soll.«

Aber das betraf nur das Geld. Was war mit dem Rest? Was sollte sie mit den drei Führerscheinen anfangen, in denen zwar Richards Foto prangte, die aber auf verschiedene Namen lauteten. Was mit den Pässen?

Und was mit der halb automatischen Handfeuerwaffe Kaliber .32?

Sie griff nach der Pistole, zog die Hand aber gleich wieder zurück. Am liebsten hätte sie sie dagelassen. Keine Ahnung, warum sie sie nicht anfassen wollte. Aber sie zwang sich dazu und entfernte das Magazin.

Shelby war in den Bergen von Tennessee aufgewachsen, als einziges Mädchen unter lauter Brüdern. Einer davon war heute Polizist. Sie wusste, wie man mit einer Waffe umging, würde aber in Callies Beisein ganz bestimmt nicht mit einer geladenen Pistole herumlaufen.

Sie legte sie zusammen mit den beiden Ersatzmagazinen in den Aktenkoffer, nahm die Pässe und Führerscheine und entdeckte Sozialversicherungsausweise, die auf dieselben drei Namen ausgestellt waren, dazu Kreditkarten.

War irgendetwas davon echt?

War irgendetwas davon je echt gewesen?

»Mama, komm, wir gehen.« Callie zerrte an ihrer Hose.

»Gleich.«

»Jetzt! Jetzt, Mama.«

»Gleich.« Der scharfe Ton brachte Callies Unterlippe zum Zittern, aber manchmal muss man einem Kind klarmachen, wer das Sagen hat.

So, wie sich eine Mutter eigentlich klar darüber sein müsste, dass sie eine Dreijährige nicht Tag für Tag in der Gegend herumzerren darf.

Shelby küsste Callie auf den Scheitel. »Ich bin so gut wie fertig. Ich muss das nur noch einräumen.«

Callie war echt, dachte Shelby. Das war das Einzige, was zählte. Den Rest würde sie herausfinden oder auch nicht. Aber Callie war echt. Von über zweihunderttausend Dollar konnte man einen anständigen Kombi kaufen, Schulden abtragen und vielleicht sogar eine Anzahlung auf ein kleines Haus leisten, vorausgesetzt, sie bekam einen festen Job.

Gut möglich, dass das nie Richards Absicht gewesen war, aber woher sollte sie das wissen? Unabhängig davon hatte er auf diese Weise für Callies Zukunft vorgesorgt. Und ihr eine Verschnaufpause verschafft. Um alles andere würde sie sich später kümmern.

Shelby nahm Callie auf den Arm, schulterte die Taschen und umklammerte den Aktenkoffer, als hinge ihr Leben davon ab.

»Gut, Kleines. Jetzt wird Party gemacht, versprochen!«

3

Shelby sperrte sämtliche Zimmer auf, drehte die Heizung hoch und machte sogar alle sieben Kamine an.

Sie kaufte Plätzchen und frische Blumen.

Als sie recherchiert hatte, wie man am besten und schnellsten ein Haus verkauft, hatte sie gelesen, dass man Plätzchen und Blumen bereithalten soll. Jetzt musste sie das Haus entpersonalisieren. Wie ihr die Maklerin bereits geraten hatte, sollte alles so neutral wie möglich aussehen.

Shelby hätte nicht gewusst, wie man dieses Haus noch neutraler gestalten sollte. Sie fand nichts daran gemütlich. Wenn die Einrichtung und die Farben wärmer und weicher gewesen wären, hätte sie sich darin vielleicht zu Hause fühlen können.

Aber das war ihr Geschmack, und der spielte im Moment keine Rolle.

Je schneller sie das verdammte Ding loswurde, desto eher wäre sie auch die erdrückenden Hypothekenraten los.

Als die Maklerin kam, hatte sie Plätzchen und Blumen dabei. Die Zeit und das Geld hätte sich Shelby also sparen können. Die Frau brachte ein ganzes Team mit, um das Haus in Szene zu setzen. Das wirbelte herum, verschob Möbel, stellte weitere Vasen auf und zündete Kerzen an. Auch Shelby hatte ein Dutzend Duftkerzen gekauft, beschloss aber, sie umzutauschen oder zu behalten, je nachdem, wie die Sache ausging.

»Das Haus ist ja wie neu.« Die Maklerin strahlte und klopfte Shelby aufmunternd auf die Schulter. »Ihre Putzkolonne hat ganze Arbeit geleistet.«

Shelby dachte an ihre nächtlichen Putzaktionen und lächelte. »Es soll ja was hermachen.«

»Glauben Sie mir, das tut es! Wenn man kurzfristig verkaufen muss, ist das nicht einfach. Manche Interessenten lassen sich davon abschrecken. Ich bin mir sicher, dass wir bald ein paar gute Angebote auf dem Tisch haben werden.«

»Hoffentlich. Am Montag schaut übrigens jemand wegen der Möbel vorbei. Aber wenn sie einer der Käufer erwerben will – gern.«

»Das ist ja fantastisch. Es gibt so viele tolle Stücke. Ich werde die Leute darauf hinweisen.«

Shelby sah sich gründlich um und dachte an die Waffe, die Papiere und das Bargeld, die in Richards Bürosafe lagen.

Dann griff sie zu der großen Umhängetasche, die sie immer mit sich herumtrug.

»Callie und ich gehen jetzt, damit Sie freie Bahn haben. Ich muss einiges erledigen.«

Einen Kombi kaufen zum Beispiel.

* * *

Ihr Vater hätte es vermutlich lieber gehabt, wenn sie einen amerikanischen Wagen gekauft hätte. Doch der fünf Jahre alte Toyota, den sie bei einem Autohändler entdeckt hatte, war in puncto Sicherheit und Zuverlässigkeit top bewertet worden. Und der Preis stimmte.

Er war sogar noch besser geworden, als sie sich zwang zu handeln und anbot, bar zu bezahlen.

Ihre Hände drohten zu zittern, als sie dem Verkäufer das Geld in die Hand zählte. Die Hälfte sofort, den Rest bei Abholung morgen Nachmittag. Sie riss sich zusammen.

Gut möglich, dass sie nach drei Blocks anhalten und die Stirn aufs Lenkrad legen musste. Noch nie im Leben hatte sie so viel

Geld auf einmal ausgegeben. Noch nie im Leben hatte sie ein Auto gekauft.

Jetzt erlaubte sie sich zu zittern, wenn auch nicht vor Nervosität, sondern vor Freude.

Sie war Shelby Anne Pomeroy, auch wenn in ihren Papieren etwas anderes stand, und hatte gerade einen kirschroten Toyota-Kombi erworben. Und zwar ganz allein.

Außerdem hatte sie es geschafft, den Verkäufer um tausend Dollar runterzuhandeln. Weil sie sich getraut hatte.

»Wir schaffen das, Callie«, sagte sie, auch wenn ihre Tochter inzwischen eingenickt war. »Wir schaffen das.«

Übers Handy rief sie die Leasingfirma an und organisierte jemanden, der den Geländewagen abholte. Sie zwang sich zu fragen, ob man sie bei der Gelegenheit zu ihrem Kombi bringen könne.

Wo sie schon einmal dabei war, konnte sie gleich das mit der Versicherung regeln. Callie schlief. Da musste zur Abwechslung der Geländewagen als Büro herhalten.

Nachdem sie die Versicherung auf den neuen Wagen umgemeldet hatte, ging sie auf die Website, auf der sie ihren Wein angeboten hatte.

»Ach, du meine Güte! Callie, es sind schon Angebote da.«

Ebenso entzückt wie fasziniert, addierte sie alles zusammen und stellte fest, dass bereits tausend Dollar geboten worden waren.

»Heute Abend werde ich weitere zwölf Flaschen ins Netz stellen.«

Da sie gerade eine Glückssträhne zu haben schien, beschloss sie, nach Philadelphia hineinzufahren. Trotz ihres Navis bog sie falsch ab, und der viele Verkehr stresste sie. Dennoch fand sie das Pelzgeschäft und schleppte ihren ungetragenen Nerz samt ihrer Tochter hinein.

Zu ihrer Überraschung erntete sie dort keine mitleidigen Blicke. Niemand sah auf sie herab, weil sie den Mantel zurückgab.

Mit dem Geld konnte sie einen beträchtlichen Teil der Kreditkartenschulden abtragen, sodass der Rest gleich weniger furchterregend wirkte. Ganz abgesehen davon, dass es die Zinsen senkte.

Sie hatte viel zu lange in Schockstarre verharrt. Jetzt war das Eis gebrochen, jetzt würde sie so schnell nichts mehr aufhalten. Vor lauter Begeisterung lud Shelby ihre Tochter zu McDonalds ein.

Kaum hatte sie die Stadt wieder verlassen, tankte sie, fluchte über die Kälte und die hohen Benzinpreise und fuhr eine Weile ziellos herum, während Callie wieder schlief. Zweimal kam sie an ihrem beziehungsweise dem Haus der Bank vorbei und startete durch, als sie die vielen Autos davor sah. Das war ein gutes Zeichen, natürlich war das ein gutes Zeichen. Jeder, der es besichtigte, war schließlich ein potenzieller Käufer. Trotzdem wäre sie lieber mit Callie hineingegangen und hätte ihre Excel-Tabelle vervollständigt.

Irgendwann war sie lange genug fort gewesen. Die Maklerin wartete schon.

»Entschuldigen Sie«, rief Shelby im Rennen. »Callie muss dringend aufs Klo.«

Als sie das große Wohnzimmer betrat, tippte die Maklerin gerade auf ihrem Tablet herum.

»Die Besichtigungen waren sehr erfolgreich. Über fünfzig Leute waren da. Zu dieser Jahreszeit ist das wirklich ordentlich. Es gab viele ernsthafte Interessenten und zwei konkrete Angebote.«

»Angebote.« Verblüfft setzte Shelby Callie ab.

»Niedrige Angebote. Ich glaube nicht, dass die Bank sie akzeptieren wird. Aber es ist ein Anfang. Eine vierköpfige Familie war besonders interessiert, bei der habe ich ein gutes Gefühl. Sie wollen darüber nachdenken und sich dann noch mal melden.«

»Das ist ja großartig!«

»Ich habe ein Angebot für Ihre Schlafzimmereinrichtung. Eine der Besucherinnen hatte ihre Schwester dabei, und die interessiert sich sehr für Möbel. Viel hat sie meiner Meinung nach nicht geboten, außerdem will sie sie sofort haben, spätestens am Montag.«

»Damit sind sie so gut wie verkauft.«

Die Maklerin lachte und blinzelte erstaunt, als sie merkte, dass Shelby es ernst meinte. »Shelby, ich habe Ihnen noch gar nicht gesagt, wie viel sie genau geboten hat.«

»Das ist mir egal. Ich hasse diese Möbel, ich hasse jedes einzelne Möbelstück in diesem Haus, mit Ausnahme der in Callies Zimmer.« Sie strich sich eine Strähne hinters Ohr, während ihre Tochter den Korb mit dem Spielzeug hervorholte, den Shelby in einem Küchenunterschrank aufbewahrte. »Das sind die einzigen, die ich selbst ausgesucht habe. Von mir aus kann sie sie sofort mitnehmen. Ich habe genug andere Übernachtungsmöglichkeiten.«

»Können wir uns kurz setzen?«

»Entschuldigen Sie, aber selbstverständlich, Ms. Tinsdale. Ich bin nur ein bisschen aufgeregt.«

»Wie gesagt, nennen Sie mich bitte Donna.«

»Donna. Möchten Sie vielleicht einen Kaffee oder so? Ich weiß wirklich nicht, wo ich meine guten Manieren gelassen habe.«

»Setzen Sie sich einfach, Sie haben schon genug um die Ohren. Ehrlich gesagt weiß ich nicht, wie Sie das alles schaffen. Ich möchte Ihnen nur helfen, das ist mein Job. Das Angebot für die Möbel ist zu niedrig. Lassen Sie mich ein Gegenangebot machen. Man kann schließlich handeln, Shelby, und ich möchte nicht, dass man Ihre Situation ausnutzt … auch wenn es sich bloß um hässliche Möbel handelt.«

»Ach?« Shelby verspürte so etwas wie Genugtuung. »Finden Sie das etwa auch?«

»Ja, das gilt für alle Möbelstücke mit Ausnahme der in Callies Zimmer.«

Shelby stieß ein lautes Lachen aus, das sich zu ihrem Entsetzen in Weinen verwandelte.

»Tut mir leid, o Gott, es tut mir so leid.«

»Mama.« Callie kletterte auf ihren Schoß. »Nicht weinen, Mama, nicht weinen.«

»Es geht mir gut.« Shelby zog Callie an sich und wiegte sie in ihren Armen. »Es geht mir gut, ich bin bloß müde.«

»Mama muss ein Schläfchen machen.«

»Es geht mir wirklich gut, Schätzchen, mach dir keine Sorgen.«

»Ich werde Ihnen ein Glas Wein holen«, verkündete Donna und zückte ein Taschentuch. »Sie bleiben einfach sitzen. Wie ich sah, steht eine Flasche im Kühlschrank.«

»Dafür ist es noch ein bisschen früh, oder?«

»Nein, heute nicht. So, und jetzt erzählen Sie mal«, fuhr Donna fort, während sie ein Glas holte. »Was möchten Sie alles verkaufen? Die Bilder auch?«

»Du lieber Himmel, ja.« Zu Tode erschöpft, ließ Shelby zu, dass Callie ihr das Taschentuch aufs Gesicht legte. »Darum wollte ich mich heute eigentlich auch kümmern. Ich verstehe nichts von Kunst, nicht von dieser Art Kunst jedenfalls.«

»Was ist mit den Teppichen, den Lampen?«

»Alles, was ich mitnehmen möchte, habe ich eingepackt, mit Ausnahme der Sachen in Callies Zimmer und in meinem Kleiderschrank. Hinzu kommen ein paar Dinge, die ich brauche, solange wir hier wohnen. Ich möchte nichts davon behalten, Mrs. … Donna. Nicht einmal das Geschirr ist von mir.«

»Im Keller befindet sich eine stolze Weinsammlung.«

»Ich habe bereits vierundzwanzig Flaschen ins Internet gestellt. Die Leute bieten schon darauf. Ein weiteres Dutzend werde ich heute Abend einstellen.«

Donna legte den Kopf schräg und sah Shelby bewundernd an. »Sie sind echt clever.«

»Wenn ich wirklich so clever wäre, hätte ich diese Probleme nicht. Trotzdem danke«, fügte sie hinzu, als Donna ihr den Wein reichte.

»Das sehe ich anders. Schauen wir, was wir tun können. Verraten Sie mir den Namen der Firma, die sich die Möbel anschauen wird?«

»*Dolby & Sons* aus Philadelphia.«

»Gut, sehr gut, die hätte ich Ihnen auch empfohlen.« Donna nippte an ihrem Wein und machte sich Notizen. Dann sagte sie: »Ich werde ein Gegenangebot machen. Diese Frau muss eine realistische Summe nennen, wenn sie wirklich Interesse an der Schlafzimmereinrichtung hat. Ansonsten wird Ihnen Chad Dolby einen fairen Preis bieten. Er ist der älteste Sohn und wird vermutlich kommen, um Ihnen ein Angebot zu machen. Ich kenne jemanden, der Ihnen das Geschirr, die Gläser und die Barutensilien abkaufen könnte. Und ich kann Ihnen zwei Kunsthändler wegen der Bilder empfehlen.«

»Ich weiß gar nicht, wie ich Ihnen danken soll.«

»Das gehört zum Job«, rief Donna ihr in Erinnerung. »Außerdem tue ich das gern. Ich habe eine Tochter, nur ein paar Jahre jünger als Sie. Ich fände es schön, wenn ihr auch jemand hilft, sollte sie sich jemals … in so einer Situation befinden. Ich habe gesehen, dass Sie den Kleiderschrank Ihres Mannes ausgeräumt haben.«

»Ja. Mama geht es gut, Schätzchen.« Sie küsste Callies Scheitel. »So, nun geh spielen. Das meiste habe ich zu *Second Chances* gebracht«, erklärte sie Donna, als Callie von ihrem Schoß rutschte.

»Perfekt. Macey und Cheryl verstehen etwas von ihrem Job, außerdem haben sie viele Kunden.«

»Sie kennen anscheinend jeden in der Gegend?«

»Auch das gehört zu meinem Job. Was ist mit den Büchern?«

»Meine sind bereits gepackt, jedenfalls diejenigen, die mir gefallen. Diejenigen, die in der Bibliothek stehen, hat Richard gekauft. Meterweise. So hat er sich zumindest ausgedrückt.«

»Genauso werden wir sie auch verkaufen.« Donna nickte und tippte wieder auf ihrem Tablet herum. »Ich werde mir das notieren. Wenn Sie nichts dagegen haben, werde ich meinen Kontakten Ihre Nummer geben. Die melden sich dann bei Ihnen.«

»Das wäre toll. Ich bin Ihnen wirklich äußerst dankbar. Ich fühle mich, als wäre ich eine Ewigkeit kopflos herumgeirrt.«

»Nach dem, was ich bisher gesehen habe, scheinen Sie eher sehr genaue Vorstellungen zu haben.«

»Danke, aber es tut einfach gut, wenn einem jemand mit Rat und Tat zur Seite steht. Sie sind wirklich ganz reizend. Keine Ahnung, warum ich Ihretwegen so nervös war.«

Jetzt musste Donna lachen. »Ich kann ziemlich furchterregend wirken. Soll ich meinen Kontakten Ihre Handy- oder Ihre Festnetznummer geben?«

»Am besten beides. Das Handy habe ich in der Regel dabei, aber es kann vorkommen, dass ich es vergesse.«

»Gut. Das sind alles Geschäftsleute, die was verdienen wollen. Aber sie werden Sie nicht über den Tisch ziehen. Wenn Ihnen sonst noch etwas einfällt, sagen Sie mir bitte Bescheid.« Donna lächelte. »Ich kenne hier wirklich jeden. Und ich werde dafür sorgen, dass Sie für dieses Haus ein anständiges Angebot bekommen, Shelby. Es ist eine tolle Immobilie in bester Lage. Irgendwo da draußen wartet der perfekte Käufer dafür. Ich werde ihn finden.«

»Daran habe ich keine Zweifel.«

Weil das die Wahrheit war, schlief Shelby in dieser Nacht so gut wie schon lange nicht mehr.

***

Während der nächsten Woche wusste Shelby kaum, wie ihr geschah. Sie verkaufte Möbel an *Dolby & Sons*, veräußerte Wein über die Online-Plattform und nahm einen beträchtlichen Scheck vom Secondhandladen entgegen. Daraufhin schleppte sie drei Tüten mit eigenen Sachen dorthin.

Sie akzeptierte das Angebot für das Geschirr und die Gläser und packte alles ein. Danach kaufte sie je vier bunte Teller, Schälchen und Tassen aus Plastik.

Die mussten fürs Erste genügen.

Obwohl es vielleicht schlauer gewesen wäre, die Schulden gleichmäßig abzutragen, zahlte sie bei einer Kreditkartenfirma alle ab.

Einer von elf.

Die Kunst war längst nicht so viel wert, wie sie gehofft hatte, denn es handelte sich natürlich nicht um Originale, wie von Richard behauptet. Aber allein aufgrund der Menge kam eine stolze Summe zusammen.

Von Tag zu Tag wurde ihr leichter ums Herz, daran konnte nicht einmal der Schneesturm mit vierzig Zentimeter Neuschnee etwas ändern. Sie vermummte Callie wie ein Eskimomädchen, und gemeinsam bauten sie ihren ersten Schneemann.

Viel zu berichten gab es nicht, trotzdem machte sie ein paar Handyfotos und schickte sie nach Tennessee, in ihre Heimat.

Das Abenteuer hatte ihre Kleine müde gemacht, sodass Callie und Fifi um Punkt sieben im Bett lagen. Damit hatte Shelby einen ganzen Abend für sich, an dem sie sich ihrer Excel-Tabelle und ihrer To-do-Liste widmen konnte.

Inzwischen waren ihre Schulden um vierhundertsechsundachtzigtausendvierhundert Dollar geschrumpft. Blieben noch zwei Millionen und einhundertachtzigtausend. Die Anwalts- und Steuerberaterkosten nicht mit eingerechnet. Aber im Moment waren das wirklich Peanuts.

Das Telefon klingelte. Als sie Donnas Namen auf dem Display sah, ging sie dran.

»Hallo?«

»Hi, Shelby, ich bin's, Donna. Ich weiß, es ist reichlich spät, aber ich wollte Ihnen sagen, dass ein gutes Angebot für das Haus vorliegt.«

»So? Das sind ja tolle Neuigkeiten.«

»Ich bin mir sicher, dass es die Bank akzeptieren wird. Wie Sie wissen, kann das Wochen oder sogar Monate dauern, aber ich werde versuchen, die Sache so schnell wie möglich über die Bühne zu bringen. Es ist die Familie, von der ich Ihnen schon erzählt habe, die von der ersten Besichtigung. Sie sind wirklich begeistert von dem Haus und der Lage. Und noch etwas: Sie hassen die Möbel.«

Shelby musste laut lachen.

»Wirklich?«

»Total. Sie meinten, dass sie sich zwingen müssten, sie zu ignorieren, um das Haus und seinen Schnitt richtig auf sich wirken zu lassen. Er ist ein bisschen nervös, weil es so überstürzt verkauft wird, aber sie will es unbedingt. Sollte die Bank mehr Geld verlangen, werden sie bestimmt mitziehen.«

»Meine Güte, Donna.«

»Ich kann nichts versprechen, aber ein bisschen dürfen Sie schon mal feiern.«

»Vor lauter Glück könnte ich splitterfasernackt durchs Haus tanzen.«

»Tun Sie sich keinen Zwang an.«

»Vielleicht behalte ich die Kleider auch an. Danke, danke, danke, danke!«

»Toi, toi, toi, Shelby. Ich werde die Bank gleich morgen früh anrufen. Gute Nacht!«

»Das wünsche ich Ihnen auch. Danke noch mal.«

Shelby zog sich zwar nicht splitternackt aus, holte aber ihr Kofferradio. Als Adele lief, tanzte sie durchs Büro und sang lauthals mit.

Auch sie hatte einst Pläne gehabt, Träume. Sie hatte Sängerin werden wollen, denn sie besaß eine tolle Stimme und hatte Gesangsunterricht genommen.

Über ihre Stimme hatte sie auch Richard kennengelernt, in

dem kleinen Club in Memphis, in dem sie als Leadsängerin ihrer Band *Horizon* aufgetreten war.

Mit gerade mal neunzehn. Noch nicht einmal alt genug, um legal ein Bier zu trinken, auch wenn der ein bisschen in sie verknallte Schlagzeuger Ty ihr gern eines zugeschoben hatte. Ach, tat das gut, wieder zu singen und zu tanzen! Etwas anderes zu singen als Schlaflieder, denn zu mehr hatte sie im letzten halben Jahr kaum Gelegenheit gehabt. Nach Adele kam Taylor Swift an die Reihe. Als das Telefon erneut klingelte, machte sie schnell das Radio leiser.

Strahlend und tanzend nahm sie den Anruf entgegen.

»Hallo.«

»Ich hätte gern mit David Matherson gesprochen.«

»Tut mir leid, aber da müssen Sie sich verwählt haben.«

»David Matherson«, wiederholte die Männerstimme und nannte eine Telefonnummer.

»Ja, das ist die Nummer, aber …« Sie bekam einen Kloß im Hals und musste sich räuspern, umklammerte fest den Hörer. »Hier wohnt niemand, der so heißt.«

Sie legte auf, bevor der Anrufer einhaken konnte, und eilte dann zum Safe, gab sorgfältig den Code ein.

Sie nahm den Briefumschlag heraus, trug ihn zum Schreibtisch und öffnete ihn mit zitternden Fingern.

Darin befanden sich die Ausweispapiere, die sie im Schließfach gefunden hatte und aus denen ihr Richard entgegengrinste.

Eines davon war auf den Namen David Allen Matherson ausgestellt.

Auf einmal war ihr gar nicht mehr nach Singen und Tanzen zumute. Aus irgendeinem Grund musste sie sämtliche Türen und Fenster kontrollieren und nachschauen, ob die Alarmanlage eingeschaltet war.

Obwohl es Stromverschwendung war, ließ sie im Flur das Licht an. Anstatt in ihr Bett zu gehen, schlüpfte sie zu Callie.

Lange lag sie wach und wünschte sich inständig, dass das Telefon nicht wieder klingelte.

* * *

Die Möbelfirma schickte Leute, die die Einrichtung der beiden Gästezimmer, des Foyers und des Esszimmers abholten, in dem Shelby seit Richards Unfall nicht mehr gegessen hatte. Das Schlafzimmermobiliar hatte sie nach einigem Feilschen an die Privatinteressentin verkauft.

Danach konnte Shelby wieder ein paar Raten streichen und die Schulden einer zweiten Kreditkarte abzahlen. Zwei erledigt, blieben noch neun.

Ohne die Möbel fühlte sich das Haus noch riesiger und abweisender an. Sie konnte es kaum erwarten, ebenfalls zu verschwinden. Doch vorher gab es einiges zu erledigen.

Um halb zwei hatte sie einen Termin mit dem Mann, der sich für die Bücher interessierte. Sie hatte den Zeitpunkt absichtlich gewählt, weil Callie dann Mittagsschlaf hielt. Shelby band die Haare zurück und legte die hübschen Ohrhänger mit den Aquamarinen an, die sie von ihren Großeltern zu Weihnachten bekommen hatte. Sie trug etwas Bronzepuder und Rouge auf, um nicht mehr so blass auszusehen. Dann tauschte sie die dicken Socken, die sie im Haus trug, gegen hohe Schuhe.

Auch wenn ihre Großmutter der Auffassung war, dass sie die Zehen quetschten, waren sie doch in der Lage, das Selbstbewusstsein einer Frau gehörig zu heben.

Als es klingelte, zuckte sie zusammen. Der Büchermann war eine gute Viertelstunde zu früh dran, in der sie eigentlich Kaffee hatte kochen und einen Teller mit Plätzchen in die Bibliothek hatte tragen wollen.

Sie eilte nach unten und hoffte, dass er kein zweites Mal klingelte. Callie hatte mittags einen ziemlich leichten Schlaf.

Sie öffnete einem Mann, der jünger und attraktiver war als gedacht. So viel zu ihren Vorurteilen.

»Mr. Lauderdale, Sie sind aber früh dran.«

»Ms. Foxworth.« Er hatte einen angenehmen Händedruck.

»Bitte kommen Sie doch rein. Ich werde mich nie an diese Kälte gewöhnen.«

»Sie wohnen noch nicht lange hier?«

»Nein, es ist mein erster Winter im Norden. Geben Sie mir Ihren Mantel?«

»Danke schön.«

Er hatte eine muskulöse Figur, ein markantes Gesicht, haselnussbraune Augen und so gar keine Ähnlichkeit mit dem hageren, älteren, bebrillten Bücherwurm, den sie sich vorgestellt hatte.

»Donna … Ms. Tinesdale meinte, Sie hätten vielleicht Interesse an meinen Büchern.« Sie hängte die dicke Cabanjacke in den Flurschrank. »Am besten, ich bringe Sie gleich in die Bibliothek.«

»Sie haben ein beeindruckendes Haus.«

»Es ist tatsächlich ziemlich groß«, bestätigte sie und führte ihn durchs Wohnzimmer mit dem Flügel, auf dem niemand spielte, durch den Loungebereich mit Billardtisch, den sie auch noch verkaufen musste, und schließlich in die Bibliothek.

Neben Callies Zimmer wäre das ihr Lieblingszimmer gewesen, wenn sie es wärmer und gemütlicher hätte einrichten dürfen. Fürs Erste hatte sie den Kamin angemacht und die schweren Vorhänge abgenommen, die ebenfalls zu verkaufen waren. So kam ein bisschen von der Wintersonne oder was davon übrig war, herein.

Die Möbel, also das zitronengelbe Ledersofa, die dunkelbraunen Sessel und die glänzenden Tische, würden gegen Ende der Woche abgeholt werden.

Hoffentlich waren die ledergebundenen Bände, die nie jemand gelesen hatte, dann ebenfalls verschwunden.

»Wie bereits gesagt, werde ich bald ausziehen, weshalb ich die

Bücher verkaufen möchte. Diejenigen, die ich behalte, habe ich bereits weggepackt. Was noch herumsteht, hat mein Mann ehrlich gesagt nur gekauft, weil er fand, dass es optisch was hermacht.«

»Eine Bibliothek, die ebenso beeindruckend ist wie das ganze Haus.«

»Vermutlich schon. Mich interessiert eher, was drinsteht als wie es im Regal aussieht. Schauen Sie sich in Ruhe um, ich mache uns so lange einen Kaffee.«

Er ging zum Regal und zog ein beliebiges Buch heraus. *Faust.*

»Anscheinend gibt es häufiger Leute, die Bücher meterweise kaufen. Zu reinen Dekorationszwecken.«

Am liebsten hätte sie die Hände hinter dem Rücken verschränkt, um ihre Nervosität zu verbergen. Dabei sollte sie an solche Gespräche eigentlich inzwischen gewöhnt sein.

»Ich persönlich finde es besser, wenn sie nicht alle gleich aussehen, was Format und Einband betrifft. Außerdem muss ich gestehen, dass ich nicht unbedingt der Typ bin, der sich mit *Faust* an den Kamin setzt.«

»Da sind Sie nicht die Einzige.« Er schob das Buch zurück und musterte sie kühl. »Ms. Foxworth, ich bin nicht Mr. Lauderdale. Ich heiße Ted Privet.«

»Ach, dann schickt Sie Mr. Lauderdale, damit Sie sich einen Eindruck verschaffen können?«

»Ich bin weder Buchhändler noch Antiquar, sondern Privatdetektiv. Wir haben vor ein paar Tagen telefoniert. Ich habe Sie nach David Matherson gefragt.«

Sie wich einen Schritt zurück. Obwohl sie hohe Absätze trug, konnte und würde sie schneller sein als er. Sie würde ihn vor die Tür setzen und von Callie fernhalten.

»Ich hatte Ihnen gesagt, dass Sie sich verwählt haben. Sie sollten lieber gehen. Ich erwarte jede Minute Besuch.«

»Ich brauche nur eine Minute.« Lächelnd hob er die Hände, als wollte er signalisieren, dass er keinerlei Bedrohung darstellte. »Ich mache nur meine Arbeit, Ms. Foxworth. Ich konnte David Matherson bis hierher verfolgen, und wenn ich richtig informiert bin … Ich habe ein Foto dabei.« Er griff in seine Sakkoinnentasche. »Wenn Sie einen kurzen Blick darauf werfen würden … Kennen Sie diesen Mann?«

Das Herz klopfte ihr bis zum Hals. Sie hatte einen Wildfremden hereingelassen. Sie war leichtsinnig geworden, weil so viele Leute ein- und ausgingen. Sie hatte ihn hereingelassen, während ihre Kleine oben schlief.

»Sie haben mich in dem Glauben gelassen, dass Sie jemand anders sind«, sagte sie mit schneidender Stimme. »Ist das Ihre Art zu arbeiten?«

»Ja, ehrlich gesagt schon. Manchmal.«

»Ich halte nicht viel von Ihrer Arbeit.« Sie riss ihm das Bild aus der Hand. Und starrte es an.

Sie hatte geahnt, dass es Richard zeigte. Als sie ihn mit seinem Zahnpastalächeln und seinen braunen, gold gesprenkelten Augen vor sich sah, haute sie es doch um. Seine Haare waren dunkler, und er trug ein Ziegenbärtchen, das ihn älter machte. Genau wie in dem Ausweis aus dem Schließfach. Aber es war eindeutig Richard.

Der Mann auf dem Foto war einmal ihr Mann gewesen. Ihr Mann war ein Lügner gewesen.

Was war dann sie?

»Das ist ein Foto von meinem verstorbenen Mann Richard.«

»Vor sieben Monaten hat dieser Mann unter dem Namen David Matherson eine Frau in Atlanta um fünfzigtausend Dollar gebracht.«

»Ich weiß nicht, wovon Sie reden. Ich kenne keinen David Matherson. Mein Mann war Richard Foxworth.«

»Zwei Monate zuvor hat David Matherson mehrere Investoren aus Jacksonville, Florida, um eine doppelt so hohe Summe erleichtert. Ich könnte Ihnen noch viel mehr erzählen, unter anderem von einem größeren Einbruch in Miami vor fünf Jahren. Achtundzwanzig Millionen in seltenen Briefmarken und Schmuck.«

Dass er gelogen hatte, schockierte sie nach den letzten Wochen weniger. Aber der Diebstahl, die Höhe der Beute, führten dazu, dass sich ihr Magen schmerzhaft zusammenzog und ihr ganz schwindelig wurde.

»Ich weiß wirklich nicht, wovon Sie reden. Bitte gehen Sie.«

Während er das Foto einsteckte, ließ er sie nicht aus den Augen. »Bis vor Kurzem hat Matherson in Atlanta gelebt, wo er sich auf Immobilienbetrug spezialisiert hatte. Auch Sie haben in Atlanta gewohnt, bevor Sie hierhergezogen sind, nicht wahr?«

»Richard war Finanzberater. Und jetzt ist er tot, kapiert? Er ist kurz nach Weihnachten gestorben, kann Ihre Fragen also nicht mehr beantworten. Ich habe auch keine Antworten darauf. Sie haben nicht das Recht, unter falschen Angaben bei mir hereinzuplatzen und mir Angst einzujagen.«

Wieder hob er die Hände, aber etwas in seinem Blick sagte Shelby, dass er alles andere als harmlos war.

»Ich will Ihnen gar keine Angst einjagen.«

»Das tun Sie aber. Ich habe Richard Foxworth in Las Vegas, Nevada, geheiratet, und zwar am 8. Oktober 2010. Nicht David Matherson. Ich kenne niemanden, der so heißt.«

Sein Mund verzog sich zu einem hämischen Grinsen. »Sie waren vier Jahre verheiratet und behaupten, nicht zu wissen, womit Ihr Mann seinen Lebensunterhalt verdient hat? Wer er wirklich war?«

»Wenn Sie damit sagen wollen, dass ich naiv bin, sind Sie nicht der Einzige. Seinen Lebensunterhalt verdient? Welchen Lebensunterhalt?« Sie machte eine weit ausholende Geste. »Dieses Haus vielleicht? Wenn ich es nicht schleunigst verkaufen kann, wird es zwangsversteigert. Sie behaupten, Richard hätte andere betrogen und bestohlen? Sie um fast dreißig Millionen Dollar gebracht?

Nun, wenn das stimmt, ist Ihr Auftraggeber nicht der Einzige. Ich versuche gerade, die drei Millionen an Schulden abzubezahlen, die er mir hinterlassen hat. Sie sollten jetzt gehen. Sagen Sie Ihrem Auftraggeber, dass er den Falschen im Visier hat. Dass der Betreffende tot ist. Ich kann ihm da leider nicht weiterhelfen. Und wenn er sich das Geld von mir holen will: Wie gesagt, es gibt schon massenweise andere, die das gerade versuchen.«

»Lady, ich soll Ihnen allen Ernstes glauben, dass Sie vier Jahre mit ihm zusammengelebt und nie von einem Mr. Matherson gehört haben? Dass Sie von nichts wissen?«

Nach der Angst kam die Wut. Shelby reichte es endgültig. Das war der Tropfen, der das Fass überlaufen ließ. »Es ist mir ganz egal, was Sie glauben, Mr. Privet. Wenn Sie sich in der irrigen Annahme eingeschlichen haben, dass ich mir Briefmarken, Schmuckstücke oder Hunderttausende von Dollar aus dem Ärmel schütteln kann, müssen *Sie* ziemlich naiv sein. Ebenso naiv wie unverschämt. Und jetzt verschwinden Sie!«

»Ich suche nur nach Informationen über …«

»Ich habe keine Informationen. Ich weiß nichts davon. Ich weiß nur, dass ich an diesem Ort festsitze, den ich kaum kenne, mit diesem Haus, das ich nicht will, weil ich …«

»Weil?«

»Ach, vergessen Sie's!« Ihre Wut war verebbt, und sie war einfach nur noch müde. »Ich kann Ihnen nicht sagen, was ich nicht weiß. Wenn Sie Fragen haben, wenden Sie sich an Michael Spears oder Jessica Broadway. Von der Kanzlei *Spears, Cannon, Fife & Hannover* in Philadelphia, die versucht, Ordnung in dieses Chaos zu bringen. Gehen Sie endlich, sonst rufe ich die Polizei.«

»Ich geh ja schon.« Er folgte ihr und ging direkt zu dem Schrank, in dem sein Mantel hing.

»Sollte Ihnen etwas einfallen, rufen Sie mich bitte an.« Er gab ihr seine Visitenkarte.

»Mir kann nichts einfallen, ganz einfach weil ich nichts weiß.«

Trotzdem nahm sie seine Karte. »Sollte Richard das Geld Ihres Auftraggebers veruntreut haben, tut mir das leid. Aber bitte sehen Sie von weiteren Besuchen ab. Ich werde Ihnen kein zweites Mal aufmachen.«

»Vielleicht schaut ja demnächst die Polizei vorbei«, sagte er. »Vergessen Sie das nicht. Genauso wenig wie meine Karte.«

»Nur weil man naiv ist, kommt man noch lange nicht ins Gefängnis. Und das ist mein einziges Verbrechen.« Sie öffnete die Tür und schrie auf, als sie den Mann sah, der gerade die Klingel drücken wollte.

»Ah, Mrs. Foxworth, hab ich Sie erschreckt? Ich bin Martin Lauderdale.«

Er war deutlich älter, hatte blassblaue Augen hinter einer Nickelbrille und einen grau melierten Bart.

»Danke, dass Sie gekommen sind, Mr. Lauderdale. Auf Wiedersehen, Mr. Privet.«

»Bewahren Sie meine Karte gut auf«, rief Privet und lief an Mr. Lauderdale vorbei zu einem grauen Kombi.

Shelby kannte sich mit Autos aus. Ihr Großvater war nicht umsonst Automechaniker. Sie prägte sich den grauen Honda mit einem Kennzeichen aus Florida gut ein.

Sollte er erneut in ihrem Viertel auftauchen, würde sie die Polizei rufen.

»Kommen Sie, ich nehme Ihnen den Mantel ab«, sagte sie zu Lauderdale.

* * *

Gegen Ende der Woche waren sowohl die Bibliothek als auch das Schlafzimmer leer. Den Billardtisch, den Flügel, Richards Fitnessgeräte und diversen Kleinkram verkaufte Shelby übers Internet.

Es fehlte nicht viel, und die Schulden bei einer weiteren Kreditkartenfirma waren ebenfalls beglichen.

Sie nahm die restlichen Kunstwerke von den Wänden und verscherbelte sie, genauso wie den raffinierten Kaffeeautomaten und den edlen Barmixer.

***

Als Shelby am sogenannten Frühlingsanfang aufwachte und sah, dass knapp zwei Meter Schnee lagen und es schneite, wäre sie am liebsten wieder in ihren Schlafsack gekrochen, der im Moment als Bettzeug diente.

Sie wohnte in einem so gut wie leeren Haus. Noch schlimmer war, dass ihr kleines Mädchen in einem so gut wie leeren Haus lebte. Ohne Freunde, ohne Spielkameraden, nur mit ihrer Mutter.

Viereinhalb Jahre zuvor, an einem warmen Oktoberabend, hatte sie ein hübsches blaues Kleid gekauft, weil Richard fand, dass ihr Blau ganz besonders gut stand. Dann föhnte sie sich eine Stunde lang die Haare, weil er sie lieber glatt mochte, und schritt anschließend in der kleinen, albernen Kapelle mit einer einzigen weißen Rose zum Altar.

Sie hatte diesen Tag für den schönsten ihres Lebens gehalten, dabei war es gar nicht ihr Leben gewesen, sondern nur eine Illusion, schlimmer noch, eine einzige Lüge.

Von da an hatte sie Tag für Tag versucht, eine gute Ehefrau zu sein, zu kochen, was Richard schmeckte, Umzugskartons zu packen, wenn Richard wieder einmal einfiel umzuziehen. Sie hatte sich darum gekümmert, dass Callie gebadet, gefüttert und adrett angezogen war, wenn er nach Hause kam.

All das ist längst passé, dachte sie.

»All das ist längst passé«, sagte sie mit fester Stimme. »Fragt sich nur, warum wir dann immer noch hier wohnen.«

Sie ging ins Ankleidezimmer, in dem sie halbherzig begonnen hatte, die Louis-Vuitton-Reisetasche zu packen, die Richard ihr in New York geschenkt hatte. Als Ersatz für den mit Klamotten vollgestopften alten Seesack, den sie dabeigehabt hatte, als sie mit Richard davongelaufen war.

Shelby räumte sorgfältig ihre Sachen in die Tasche – nachdem sie gegen eine ihrer Grundregeln verstoßen und Callie mit einer Schale Cornflakes und der *Shrek*-DVD in der Küche geparkt hatte. Nur so konnte sie die Sachen ihrer Tochter ungestört zusammensammeln. Gleichzeitig befolgte sie eine der Grundregeln ihrer Mutter, die da lautete, dass man vor neun Uhr mit Ausnahme der Polizei, der Feuerwehr oder des Klempners niemanden anruft. Um Punkt neun wählte sie Donnas Nummer.

»Hallo, Shelby, wie geht's?«

»Es schneit schon wieder.«

»Der Winter scheint gar nicht mehr aufzuhören. Hoffentlich ist das nur ein letztes Aufbäumen.«

»Darauf würde ich mich eher nicht verlassen. Bis auf Callie und mich ist das Haus so gut wie leer. Ich würde gern den Fernseher in der Küche mitnehmen, für meine Oma. Und den großen Flachbildfernseher. In diesem Haus gibt es insgesamt neun Fernseher, ich habe nachgezählt. Ich möchte einen für meinen Vater haben. Vielleicht wollen die anderen ja die Käufer übernehmen? Ich weiß, dass der Vertrag noch nicht unterschrieben ist, aber die Fernseher können sie gern dazuhaben. Ehrlich gesagt ist mir egal, was sie dafür zahlen.«

»Ich kann es ihnen natürlich vorschlagen. Wenn du erlaubst, mache ich ihnen ein Angebot.«

»Das wäre super. Sobald ich aufgelegt habe, werde ich ein Umzugsunternehmen beauftragen. Callies Möbel passen nicht in den Kombi. Nicht mit den ganzen Kartons, den Koffern und ihren Spielsachen. Außerdem möchte ich dich um einen Riesengefallen bitten, Donna.«

»Ja, natürlich, was kann ich für dich tun?«

»Ich möchte, dass du einen Schlüsselsafe an der Haustür anbringst und sämtliche Formalitäten per Post oder E-Mail mit mir abwickelst. Ich muss nach Hause, Donna.«

Sie brauchte es nur auszusprechen, und sofort fiel ihr eine Riesenlast von den Schultern.

»Ich muss Callie nach Hause bringen. Aufgrund der Umstände hat sie keine Möglichkeit, Kinder in ihrem Alter kennenzulernen. Das Haus ist leer. Das war es schon immer, aber jetzt lässt es sich nicht mehr leugnen. Ich kann unmöglich länger bleiben. Wenn alles gut geht, brechen wir morgen auf, allerspätestens am Samstag.«

»Das ist kein Problem. Ich kümmere mich um das Haus, mach dir keine Sorgen. Willst du die weite Strecke wirklich ganz allein fahren?«

»Callie ist ja dabei. Ich werde den Festnetzanschluss abmelden, bin aber nach wie vor auf dem Handy oder per E-Mail zu erreichen. Sollte das mit dem Verkauf nicht klappen, organisierst du eben neue Besichtigungen. Ich hoffe allerdings, dass es hinhaut und sich die neuen Bewohner wohlfühlen. Doch wir müssen dringend weg.«

»Schickst du mir eine kurze Mail, wenn du gut angekommen bist? Damit ich mir keine Sorgen mache.«

»Ja, versprochen, aber es wird alles gut gehen. Schade, dass ich nicht früher gemerkt habe, wie nett du bist. Entschuldige, das klingt blöd.«

»Nein, gar nicht.« Donna lachte. »Mir geht es ganz genauso. Wenn du mal wieder nach Philadelphia kommst, Shelby, hast du wenigstens eine Freundin.«

»Und du eine in Tennessee.«

Kaum hatte sie aufgelegt, atmete Shelby tief durch. Dann machte sie sorgfältig eine Liste mit allem, was noch erledigt werden musste. Sobald der letzte Punkt abgehakt war, würde sie nach Hause fahren.

Und Callie nach Rendezvous Ridge zurückbringen.

4

Es erforderte viel Kraft und Fantasie, Callie so zu beschäftigen, dass Shelby ungestört war. Konten mussten gekündigt, Gelder überwiesen und Nachsendeanträge gestellt werden. Der Preis, den ihr die Umzugsfirma nannte, um Callies Möbel zu verschicken und in Tennessee wiederaufzubauen, ließ sie kurz zusammenzucken. Sie überlegte, einen Möbelwagen zu mieten und es selbst zu machen. Aber ohne fremde Hilfe konnte sie das Bett und die Kommode unmöglich verladen.

Deshalb schluckte sie schwer und vergab den Auftrag an die Firma. Was sich wirklich auszahlte, da die Möbelpacker gegen ein Trinkgeld von zwanzig Dollar bereit waren, den großen Flachbildfernseher von der Wand zu nehmen, ihn zu verpacken und zu ihrem Kombi zu tragen.

Donna hatte Wort gehalten und einen Schlüsselsafe installieren lassen.

Shelby packte ihre restlichen Sachen und warf das Wichtigste für unterwegs in ihre große Umhängetasche.

Vielleicht war es dumm, so spät an einem Freitag aufzubrechen. Es wäre vernünftiger, morgens loszufahren. Aber sie wollte keine Nacht länger in dem Haus bleiben, das nie ihres gewesen war.

Sie ging noch einmal alle Etagen ab und stand schließlich in dem zwei Stockwerke hohen Foyer.

Jetzt, wo die grelle Kunst und die Möbel weg waren, sah sie das Potenzial des Hauses. Wärmere, gedämpfte Farben, ein großes altes Möbelstück, Blumen und Kerzen im Foyer. Eine Mischung aus Alt und Neu, Familienfotos und sorgfältig ausgewählten Kleinigkeiten …

Doch das war nicht mehr ihr Zuhause, nicht mehr ihr Problem.

»Ich würde nicht sagen, dass ich es hasse. Das wäre nicht fair meinen Nachfolgern gegenüber. Genauso gut könnte ich es verfluchen. Deshalb beschränke ich mich darauf zu sagen, dass ich mich darum gekümmert habe, so gut es ging«, murmelte Shelby und legte die Schlüssel auf die Küchentheke, zusammen mit einem Zettel für Donna, um sich bei ihr zu bedanken.

»Komm, Schätzchen.« Sie nahm Callies Hand. »Wir machen uns auf den Weg.«

»Zu Granny und Grandpa, zu Grandma und Granddaddy.«

»Ja. Und zu all den anderen, die schon sehnsüchtig auf uns warten.«

Sie ging mit Callie zur Garage. »Dann wollen wir Fifi und dich mal anschnallen.«

»Ist es noch weit?«

Oje! Halb amüsiert, halb resigniert, strich Shelby über Callies Wange. Wenn der Satz *Ist es noch weit?* schon fiel, bevor sie überhaupt losgefahren waren, würde es wahrscheinlich eine sehr lange Reise werden.

»Wir müssen bis nach Tennessee, und das dauert eine Weile. Dafür werden wir unterwegs in einem richtigen Motel übernachten. Nur du und ich.«

Sie fuhr rückwärts aus der Garage und wartete, bis sich das Tor geschlossen hatte.

»So, das war's dann also.«

Mit diesen Worten fuhr sie davon, ohne sich auch nur einmal umzusehen.

* * *

Der Verkehr war die reinste Katastrophe, aber das war Shelby egal. Es dauerte, so lange, wie es eben dauerte.

Um *Shrek* für richtig dramatische Langeweile aufzubewahren, unterhielt sie Callie mit Liedern, die ihre Kleine bereits kannte, und mit neuen, damit es nicht zu eintönig wurde.

Das funktionierte ganz gut.

Als sie die Grenze zu Maryland überquerte, war das ein kleiner Triumph. Am liebsten wäre sie durchgefahren, zwang sich aber, nach drei Stunden eine Pause einzulegen.

Noch zwei Stunden, dachte Shelby, dann habe ich mehr als die Hälfte geschafft. Das Motel war bereits reserviert, die Route ins Navi eingegeben.

Als sie in Virginia anhielt, wusste sie, dass sie die richtige Entscheidung getroffen hatte. Callie hatte genug und begann zu quengeln. Dass sie auf einem Motelbett herumhüpfen durfte, heiterte sie wieder auf.

Ein frischer Schlafanzug, Fifi und eine Gutenachtgeschichte stellten sie endgültig zufrieden. Obwohl Callie vermutlich nicht einmal mehr eine Bombe geweckt hätte, beschloss Shelby, vom Bad aus zu Hause anzurufen.

»Hallo, Mama, wir sind wie angekündigt im Motel.«

»Wo bist du jetzt?«

»Im *Best Western* in der Nähe von Wytheville, Virginia.«

»Ist es dort sauber?«

»Ja, Mama. Ich hab mir vorher die Bewertungen im Internet angesehen.«

»Hast du auch abgeschlossen?«, fragte Ada Mae.

»Ja, Mama.«

»Stell einen Stuhl unter die Türklinke. Nur zur Sicherheit.«

»Mach ich.«

»Wie geht es unserem Engelchen?«

»Sie schläft tief und fest. Sie war während der Fahrt sehr brav.«

»Ich kann es kaum erwarten, euch zu sehen. Du hättest uns vorwarnen sollen, dann wäre Clay junior gekommen und hätte euch abgeholt.«

Sie war das einzige Mädchen, und sie hatte eine Dreijährige dabei. Kein Wunder, dass ihre Mutter sich Sorgen machte.

»Es geht mir gut, Mama, wirklich. Die Hälfte haben wir bereits geschafft. Clay muss arbeiten und hat selbst Familie.«

»Du gehörst auch zur Familie.«

»Ich kann es kaum erwarten, euch alle wiederzusehen.«

Die Gesichter, die Stimmen, die Berge, das viele Grün. Fast hätte sie geweint, doch sie zwang sich, fröhlich zu klingen.

»Ich werde versuchen, gegen acht aufzubrechen, es kann auch ein bisschen, später werden. Aber spätestens um zwei müssten wir da sein. Ich ruf dich an. Danke, Mama, dass wir bei dir wohnen können.«

»Ich bitte dich! Du bist schließlich meine Tochter, und Callie ist meine Enkelin. Das ist euer Zuhause. Du kommst nach Hause, Shelby Anne.«

»Morgen Mittag. Sag Daddy, dass wir die heutige Etappe geschafft haben.«

»Ja. Ruh dich aus, du klingst müde.«

»Bin ich auch. Gute Nacht, Mama.«

Obwohl es erst acht war, ging sie ins Bett. Genau wie ihre Tochter war sie schon nach wenigen Minuten eingeschlafen.

* * *

Shelby schreckte im Dunkeln hoch, erwachte aus einem Albtraum, an den sie sich nur vage erinnerte. Ein Sturm auf dem Meer, Wellen, die ein Boot volllaufen ließen. Ein hin und her rollender weißer Fleck inmitten der schwarzen, tosenden See. Sie war am Steuerrad gestanden und hatte alles getan, um das Boot vor dem Kentern zu bewahren. Callie, die nach ihr gerufen hatte.

Und Richard in einem seiner feinen Anzüge, der sie von der Kommandobrücke zerrte, weil sie keine Ahnung hatte, wie man ein Boot steuert. Weil sie von nichts eine Ahnung hatte.

Dann ein endloser Sturz in die Tiefe, in das alles verschlingende Meer.

Zitternd setzte sie sich in dem ihr fremden dunklen Zimmer auf und versuchte, sich wieder zu beruhigen.

Richard war über Bord gegangen, nicht sie. Richard war ertrunken.

Callie schlief, warm und geborgen, den süßen kleinen Po in die Höhe gereckt. Shelby strich Callie behutsam über den Rücken, um sich zu trösten. An Schlaf war nicht mehr zu denken, deshalb ging sie leise ins Bad.

Sollte sie die Tür auflassen, damit Callie beim Aufwachen gleich wusste, wo ihre Mutter war? Oder sollte sie sie zumachen, damit ihre Kleine nicht vom Licht oder dem Rauschen der Dusche geweckt würde?

Sie entschied sich für einen Kompromiss und ließ die Tür einen Spalt offen.

Noch nie hatte ihr eine Moteldusche so gutgetan, sie verscheuchte die Kälte aus ihrem Traum und das letzte bisschen Müdigkeit.

Sie hatte ihr eigenes Shampoo und Duschgel dabei. Schon bevor sie Richard kennenlernte, hatte sie Wert auf Qualität gelegt. Schließlich war sie mit guten Produkten aufgewachsen. Ihre Großmutter hatte den besten Friseursalon in Rendezvous Ridge betrieben.

Der inzwischen ein Wellnesscenter war. Granny konnte so schnell nichts aufhalten.

Wohlwissend, dass es so ewig dauern würde, bis ihre Haare trocken wurden, wickelte sie sich ein Handtuch um den Kopf. Dann machte sie, was ihre Mutter ihr beigebracht hatte, als sie kaum älter als Callie gewesen war.

Sie cremte sich dick mit Körpermilch ein. Das tat so gut, auch wenn es nur ihre eigenen Berührungen waren. Sie war lange von niemandem mehr berührt worden.

Anschließend zog sie sich an, schaute nach Callie und ließ die Tür etwas weiter offen stehen, als sie sich schminkte. Sie hatte nicht vor, blass und mit dunklen Ringen unter den Augen nach Hause zurückzukehren.

Dass sie so dünn aussah, ließ sich nicht ändern. Aber wenn sie erst daheim und ein paar Sorgen mehr los war, würde sie bestimmt wieder Appetit bekommen.

Was sie anhatte, war hübsch, schwarze Leggings und dazu die grasgrüne Bluse. Sie legte ihre Ohrringe an und trug etwas Parfüm auf, denn laut Ada Mae Pomeroy war eine Frau ohne Parfüm nur halb angezogen.

Nachdem sie getan hatte, was sie konnte, ging sie zurück ins Schlafzimmer und packte alles bis auf die Sachen ein, die Callie im Auto tragen würde. Ein hübsches blaues Kleid mit weißen Blumen und darüber ein weißer Pulli. Anschließend machte sie eines der Nachttischlämpchen an und setzte sich aufs Bett, um ihre Tochter zu wecken.

»Callie Rose, wo steckt meine Callie Rose? Ist sie noch im Land der Träume und reitet auf rosa Ponys?«

»Hier bin ich, Mama.« Warm und weich wie ein Babykaninchen schmiegte sie sich in Shelbys Arme. »Und ich hab nicht ins Bett gemacht.«

»Ich weiß, du bist ein großes Mädchen. Jetzt gehen wir aufs Klo und ziehen uns an.«

Obwohl sie Callies Haare zu einem Zopf flocht und mit einer blauen, zum Kleid passenden Schleife fixierte, die Reste vom Waffelfrühstück aufräumte und tankte, waren sie bereits um halb acht unterwegs.

Um zehn machten sie eine Pinkelpause. Shelby trank eine Cola gegen den Durst und schrieb ihrer Mutter eine SMS.

Bin früh losgekommen, kaum Verkehr, sollten gegen halb eins da sein. Drück dich!

Als sie sich wieder in den Verkehr einfädelte, schob sich drei Wagen hinter ihr ein grauer Kombi nach vorn und klemmte sich hinter sie. Shelby fiel das nicht auf.

Die junge Witwe fuhr also in ihrem gebrauchten Kombi nach Hause. Alles, was sie tat, war nachvollziehbar, völlig normal.

Trotzdem wusste sie etwas, davon war Privet fest überzeugt. Und er würde bestimmt herausfinden, was das war.

***

Beim Anblick der Berge mit ihren grünen Hängen machte Shelbys Herz einen Freudensprung. Fast kamen ihr die Tränen, so überwältigend war es, wieder nach Hause zu kommen. Zurück in die Heimat.

»Schau nur, Callie, schau aus dem Fenster. Das sind die Smoky Mountains.«

»Grandma wohnt in den Okaymountins.«

»Smoky Mountains«, verbesserte Shelby ihre Tochter und lächelte ihr im Rückspiegel zu.

»Mokaymountins. Grandma und Granny und Grandpa und Granddaddy und Onkel Clay und Tante Gilly und Onkel Forrest.«

Zu Shelbys Erstaunen konnte sie fast alle Namen ihrer Verwandten aufzählen und sogar die der Hunde und Katzen.

Vielleicht war Shelby nicht die Einzige, die Heimweh hatte.

Gegen Mittag schlängelte sie sich durch die grünen Hügel nach oben. Sie hatte das Fenster heruntergelassen, damit sie die Berge riechen konnte, die Pinien, Bäche und Flüsse. Hier lag kein Schnee. Stattdessen sprossen überall Wildblumen aus der Erde. Die Häuser und Blockhütten, an denen sie vorbeikam, waren mit dottergelben Narzissen geschmückt. Wäsche flatterte draußen im Wind, um genau diesen Duft einzufangen, und Habichte kreisten am blauen Himmel.

»Ich hab Hunger, Mama. Fifi hat Hunger. Sind wir bald da? Wie weit ist es noch, Mama?«

»Nicht mehr weit, Schätzchen«

»Können wir nicht jetzt schon da sein?«

»Gleich. Fifi und du, ihr bekommt bei Grandma was Gutes zu essen.«

»Wir wollen Plätzchen.«

»Vielleicht.«

Shelby überquerte den Bach, den die Einheimischen nur Billys Creek nannten, nach dem Jungen, der hier vor der Geburt ihres Vaters ertrunken war. Dann nahm sie die Schotterstraße ins Tal hinunter, passierte einige baufällige Häuser und Wohnwagensiedlungen, wo Jagdhunde in Zwingern bellten und geladene Gewehre stets griffbereit waren.

Sie kam an dem Schild für den Mountain-Spring-Campingplatz vorbei. Dort hatte ihr Bruder Forrest vor vielen Jahren einen Sommer lang gearbeitet und mit Emma Kate Addison mehr als nur nackt gebadet … Das wusste Shelby, weil Emma Kate von klein auf ihre beste Freundin gewesen war.

Bei der Ferienanlage, die man gebaut hatte, als sie ungefähr zehn gewesen war, bog sie ab. Ihr Bruder Clay arbeitete dort und überredete Touristen zum Wildwasser-Rafting. Seine Frau Gilly hatte er ebenfalls dort kennengelernt. Sie arbeitete als Patisserie-Chefin im Hotel und war gerade mit ihrem zweiten Kind schwanger.

Aber bevor sie geheiratet, Kinder bekommen und Karriere gemacht hatten, hatten sie hier herumgetobt.

Shelby kannte die Pfade und Flüsse, die Schwimmgumpen und Stellen, wo es Schwarzbären gab. An heißen Sommertagen war sie mit ihren Brüdern und Emma Kate in die Stadt gegangen, um Cola zu kaufen oder ihre Großmutter im Friseursalon um Taschengeld anzubetteln.

Sie kannte Orte, an denen man endlos sitzen und einfach nur

gucken konnte. Sie wusste, wie die Schwarzkehl-Nachtschwalbe klang, wenn die Dämmerung anbrach und die Sonne hinter den Gipfeln verschwand.

Doch was noch viel wichtiger war: Ihre Tochter würde es irgendwann auch wissen, ihn auch erleben, den Rausch von warmem Gras unter ihren Füßen, vom kühlen Bach um ihre Knöchel.

»Bitte, Mama, bitte. Können wir nicht gleich ankommen?«

»Es ist wirklich nicht mehr weit. Siehst du das Haus da? Ich kannte ein Mädchen, das dort gewohnt hat. Sie hieß Lorilee, und ihre Mama, Miz Maybeline, hat für Granny gearbeitet. Das tut sie heute noch. Wenn ich mich nicht täusche, hat mir Großmutter erzählt, dass Lorilee auch bei ihr angestellt ist. Ein Stück weiter vorn, bei der Weggabelung?«

»Weggabel.«

Shelby musste lachen. »Es heißt nicht Weggabel, sondern Weggabelung, der Weg gabelt sich, das heißt, er teilt sich, sodass man in die eine oder in die andere Richtung fahren kann. Würden wir rechts abbiegen, kämen wir nach Rendezvous Ridge. Aber wir biegen links ab.«

Mit wachsender Aufregung nahm Shelby die linke Abzweigung ein bisschen schneller als erlaubt. »Und sind gleich zu Hause.«

»Bei Grandma.«

»Ja, genau.«

Hier standen ein paar Häuser. Einige davon waren erst gebaut worden, nachdem sie weggegangen war. Ansonsten gab es nur die sich weiter den Berg hinaufschlängelnde Straße.

Dann kam Emma Kates Haus. In ihrer Einfahrt stand ein großer Lieferwagen mit der Aufschrift *The Fix-it Guys*.

Und da war es, ihr Zuhause.

Ihr fiel auf, dass überall Autos parkten: In der Auffahrt, am Straßenrand … Kinder tobten mit Hunden durch den Vorgarten.

Die Frühlingsblumen vor dem zweistöckigen Haus, die ihre Eltern hegten und pflegten, waren eine echte Schau. Die Dachschindeln glänzten in der Sonne, und der rosa Hartriegel blühte, als wäre es bereits Ostern.

Zwischen den Verandasäulen hing ein Transparent.

Willkommen daheim, Shelby und Callie Rose!

Sie hätte weinen können vor lauter Dankbarkeit, aber Callie hüpfte ungeduldig in ihrem Sitz auf und ab.

»Ich will raus, ich will raus, mach schnell, Mama!«

Da sah sie ein weiteres Schild, das vor dem Haus im Boden steckte.

Reserviert für Shelby.

Sie lachte laut, als zwei Jungen ihren Kombi entdeckten und jubelnd auf sie zurannten.

»Wir räumen es fort, Shelby.«

Das waren die Söhne ihres Onkels Grady, die seit Weihnachten bestimmt zehn Zentimeter gewachsen waren.

»Gibt es was zu feiern?«, rief sie.

»Ja, deine Heimkehr. Hallo, Callie, hallo!« Der ältere der beiden, Macon, klopfte an Callies Scheibe.

»Wer ist das, Mama?«

»Das ist dein Cousin Macon.«

»Cousin Macon!« Callie winkte beidhändig. »Hallihallo!«

Shelby parkte und stellte erleichtert den Motor ab. »Wir sind da, Callie. Endlich.«

»Raus, raus, raus!«

»Ich komm ja schon.«

Noch bevor sie um den Kombi herumgelaufen war, stürzten sich die Kinder auf sie, auch ihre Mutter kam ihr entgegengerannt.

Die fast eins achtzig große Ada Mae hatte lange Beine, mit denen sie im Nu am Wagen war. Ein gelbes Sommerkleid umflatterte ihre Waden und betonte ihre roten Haare.

Noch bevor Shelby Luft holen konnte, wurde sie fast erdrückt und in eine Parfümwolke gehüllt.

»Da bist du ja! Da sind ja meine Mädchen! Meine Güte, Shelby Anne, bist du dünn geworden. Das werden wir ändern. Du lieber Himmel, Kinder, zerquetscht uns nicht. Schau dich nur an.« Sie nahm Shelbys Gesicht in beide Hände und hob ihr Kinn. »Nicht weinen, sonst verschmiert deine Wimperntusche. Alles wird gut! Wie geht diese Tür auf?«

Shelby zog an der Klinke, und die Tür glitt auf.

»Grandma, Grandma.« Callie streckte ihr die Arme entgegen. »Raus, raus, raus!«

»Ich hol dich ja schon. Meine Güte, wie bekommst du sie da bloß raus? Ja, wen haben wir denn da?« Ada Mae bedeckte Callies Gesicht mit Küssen, während Shelby sie abschnallte. »Bist du aber hübsch! Und was für ein schönes Kleid du anhast. Drück deine Grandma, aber ganz fest, ja?«

In ihren gelben Pumps drehte sich Ada Mae um die eigene Achse, während Callie sich von ihr herumwirbeln ließ.

»Wir sind ganz außer uns vor Freude.« Tränen strömten über Ada Maes Wangen.

»Nicht weinen, Grandma.«

»Das sind doch nur Freudentränen. Außerdem habe ich wasserfeste Wimperntusche aufgetragen. Wir sind hinten im Garten, der Grill ist schon an. Wir haben genug Essen für eine ganze Armee und jede Menge Sekt, um auf dich anzustoßen.«

Mit Callie auf der Hüfte zog Ada Mae Shelby in eine Drei-Generationen-Umarmung. »Willkommen daheim, Schätzchen.«

»Danke, Mama, mir fehlen die Worte.«

»Rein mit dir, du bekommst als Erstes ein schönes Glas Eistee. Der Umzugswagen war vor zwei Stunden da.«

»So früh?«

»Sie haben alles in Callies Zimmer geschleppt. Wir haben es bereits perfekt eingerichtet. Dein Zimmer liegt direkt neben ihrem«, sagte sie auf dem Weg zum Haus. »Ich habe dich in Clays früherem Zimmer untergebracht, Shelby, weil das größer ist. Es ist frisch gestrichen, außerdem haben wir eine neue Matratze gekauft, die alte war einfach zu durchgelegen. Callie schläft in Forrests altem Zimmer, ihr könnt also das Bad dazwischen benutzen. Wir haben ein paar schöne neue Handtücher für euch bereitgelegt. Sie sind aus Grannys Wellnessoase, also wirklich sehr hübsch.«

Bitte nicht so viele Umstände, hätte Shelby am liebsten gesagt. Aber wenn Ada Mae sich keine Umstände machte, wäre sie nicht Ada Mae gewesen.

»Gilly hat eine tolle Torte gebacken. Die Geburt ihres Kindes steht unmittelbar bevor, trotzdem hat sie geschuftet, was das Zeug hält.«

Shelbys Bruder Clay kam herein. Er war genauso groß wie seine Eltern und hatte vom Vater den Teint, die dunklen Haare und Augen geerbt. Strahlend hob er Shelby hoch und wirbelte sie durch die Luft.

»Na endlich«, flüsterte er ihr ins Ohr.

»Ich habe mich beeilt.«

»Her mit ihr«, befahl er seiner Mutter und schnappte sich Callie. »Hallo, Süße, weißt du überhaupt noch, wer ich bin?«

»Onkel Clay.«

»An gut aussehende Männer können sich Mädchen immer erinnern. Komm, schauen wir, was wir alles gemeinsam anstellen können.«

Ada Mae legte den Arm um Shelbys Taille. »Du brauchst was Kaltes zu trinken und einen Stuhl.«

»Ich habe eine gefühlte Ewigkeit gesessen, aber gegen ein kaltes Getränk hätte ich nichts einzuwenden.«

Weitere Familienmitglieder drängten herein, sodass noch mehr umarmt und geküsst wurde – erst recht, als sie die Küche erreichte. Gilly, die wirklich aussah, als würde sie gleich platzen, hatte einen Jungen auf der Hüfte sitzen, der genau ein Jahr jünger war als Callie.

»Ich hab ihn.« Clay nahm ihr Jackson ab. »Bald kommt Nummer zwei.« Er rannte aus der Hintertür und stieß ein Kriegsgeheul aus, das beide Kinder entzückt aufkreischen ließ.

»Der geborene Vater. Zum Glück«, sagte Ada Mae und tätschelte vorsichtig Gillys Bauch. »Du setzt dich jetzt endlich hin.«

»Es geht mir gut, besser denn je.« Sie umarmte Shelby und wiegte sie hin und her. »Wie schön, dich zu sehen. Draußen steht ein Krug mit Eistee, außerdem gibt es jede Menge Bier und vier Flaschen Sekt. Deine Mutter hat gesagt, der ist nur für uns Frauen, weil Männer den ohnehin nicht zu schätzen wissen.«

»Das klingt vernünftig. Ich fang mit Tee an. Gilly, du siehst wirklich fantastisch aus.«

Während Clay dunkel war, war sie hellblond und hatte das Haar zu einem hübschen Pferdeschwanz gebunden. Das brachte ihr schönes, durch die Schwangerschaft volles Gesicht mit den kornblumenblauen Augen richtig zur Geltung. »Im Ernst, geht's dir gut?«

»Mir geht es bestens. Noch fünf Wochen und zwei Tage.«

Shelby trat auf die breite Veranda hinaus und warf einen Blick in den großen Garten. Im Gemüsebeet sprossen bereits die ersten Pflänzchen. Kinder schaukelten, und der Grill rauchte. Es waren jede Menge Picknicktische und mit Luftballons geschmückte Stühle aufgebaut worden.

Ihr Vater bediente den Grill und trug eine seiner albernen Schürzen. Dieses Modell forderte dazu auf, ihm den Schneid abzukaufen.

Sofort umarmte er sie. Nein, sie würde nicht zusammenbrechen, diesen Moment nicht ruinieren. »Hallo, Daddy.«

»Hallo, Shelby.«

Er küsste sie auf den Scheitel. Der gut aussehende, durchtrainierte Marathon-Genussläufer und Landarzt drückte sie an sich.

»Du bist zu dünn.«

»Mama meint, das kriegt sie schon hin.«

»Das wird sie auch.« Er hielt sie auf Armeslänge von sich ab. »Hiermit verschreibe ich dir Essen, Trinken und jede Menge Schlaf. Wir päppeln dich wieder auf. Das macht zwanzig Dollar bitte.«

»Setz sie auf meine Rechnung.«

»Das sagen alle. Los, hol dir was zu trinken, ich muss die Rippchen fertig machen.«

Als sie einen Schritt zurücktrat, wurde sie von hinten umarmt. Sie erkannte das Kitzeln eines Schnurrbarts, wirbelte herum und drückte … ihren Großvater.

»Erst kürzlich habe ich zu Vi gesagt, dass irgendwas fehlt. Ich wusste bloß nicht, was. Jetzt hab ich's: Du warst das.«

Sie strich über den steingrauen Schnurrbart und sah in seine blitzblauen Augen. »Schön, dass du mich gefunden hast.« Sie lehnte ihren Kopf an seine breite Brust. »Das ist ja der reinste Karneval. Alles so schön bunt hier!«

»Es wird Zeit, dass du wieder was zu feiern hast. Wirst du bleiben?«

»Jack«, murmelte Clayton.

»Man hat mir befohlen, keine Fragen zu stellen.« Die blitzenden Augen konnten einen ganz schön durchbohren. »Aber einen Teufel werd ich tun. Ich werde meine Enkelin wohl fragen dürfen, ob sie diesmal vorhat zu bleiben.«

»Ist schon gut, Daddy. Ja, ich werde bleiben.«

»Gut. Vi schaut mich schon ganz böse an, weil ich dich ihr vorenthalte. Sie steht hinter dir«. Er drehte sie herum.

Da war sie auch schon, Viola MacNee Donahue. In einem

knallblauen Kleid, das tizianrote Haar zu einer schicken Banane gedreht und mit einer Filmstarbrille auf der Nase, über deren Rand sie mit blauen Augen hinwegsah.

Sie hatte überhaupt nichts von einer Großmutter, trotzdem rief Shelby, als sie quer über die Wiese auf sie zurannte:

»Granny.«

Viola streckte die Arme aus.

»Das wurde aber auch Zeit. Ich gehe davon aus, dass du dir das Beste bis zum Schluss aufgehoben hast.«

»Granny, du siehst so schön aus.«

»Du kannst von Glück sagen, dass wir uns ähneln. Zumindest früher einmal, vor vierzig Jahren. Das liegt bei uns MacNees in der Familie, hinzu kommt die gute Hautpflege. Dein kleiner Schatz hat dieselben Gene abbekommen.«

Shelby drehte den Kopf und lächelte, als sie sah, wie sich Callie mit ihren Cousins und ein paar jungen Hunden im Gras wälzte. »Sie ist mein Ein und Alles.«

»Ich weiß.«

»Ich hätte nie …«

»Hätte, hätte, Fahrradkette! Komm, wir machen einen kleinen Spaziergang«, schlug ihre Großmutter vor, als Shelbys Augen sich mit Tränen füllten. »Du musst dir unbedingt den Gemüsegarten von deinem Dad ansehen. Er züchtet die besten Tomaten von ganz Rendezvous Ridge. Vergiss deine Sorgen wenigstens für diesen Moment.«

»Es sind einfach zu viele, Granny. Mehr, als ich euch sagen kann.«

»Sich zu sorgen hilft niemandem weiter, das macht bloß hässliche Falten. Wir kriegen das schon hin. Wir sind schließlich auch noch da, Shelby.«

»Ich … ich habe ganz vergessen, wie sich das anfühlt. Mir ist, als würde ich träumen.«

»Nein, das ist die Wirklichkeit. Komm her, Schätzchen, drück mich.« Sie zog Shelby an sich und tätschelte ihr den Rücken. »Du bist wieder zu Hause.«

Shelby warf einen Blick auf die von Wolken umkränzten Berge, die so stark waren, so unverrückbar.

Endlich war sie wieder zu Hause.

5

Irgendjemand holte das Banjo von Shelbys Großvater, und bald darauf hatte Rosalee, die Frau ihres Onkels Grady, eine Geige in der Hand und ihr Bruder Clay seine Gitarre. Alle wollten Bluegrass hören, die Musik der Berge. Die hohen, schwingenden Töne und Harmonien aus gezupften und gestrichenen Saiten weckten Erinnerungen und schenkten Shelby wieder Kraft. Sie fühlte sich wie neugeboren.

Hier lagen ihre Wurzeln, in dieser Musik und den Bergen, inmitten dieser grünen Pracht und dieser Familientreffen.

Freunde, Verwandte und Nachbarn scharten sich um die Picknicktische. Shelby sah, wie ihre Cousins auf der Wiese tanzten und wie ihre Mutter den kleinen Jackson zum Rhythmus der Musik hin und her schwenkte. Wie ihr Vater Callie auf dem Schoß hatte und sich ernsthaft mit ihr unterhielt, während sie Kartoffelsalat und gegrillte Rippchen aßen.

Sie hörte ihre Großmutter Viola schallend lachen, die im Schneidersitz auf dem Rasen saß, an ihrem Sekt nippte und zu Gilly emporstrahlte.

Wynona, die jüngere Schwester ihrer Mutter, ließ ihre Jüngste nicht aus den Augen. Vermutlich zu Recht, denn Shelbys sechzehnjährige Cousine Lark hatte so viele Kurven wie eine Gebirgsstraße. Sie und ein schlaksiger Kerl in zerfetzten Jeans schafften es kaum, sich voneinander zu lösen.

Alle boten Shelby etwas zu essen an, und sie griff jedes Mal zu, weil ihre Mutter sie nicht aus den Augen ließ. Dazu trank sie ein Glas Sekt, obwohl sie das an Richard erinnerte.

Als ihr Großvater sie darum bat, sang sie. *Cotton-Eyed Joe* und *Salty Dog. Lonesome Road Blues* und *Lost John.* Sie kannte die Songs in- und auswendig, und es machte großen Spaß, aus voller Kehle zu singen, die Musik zum blauen Himmel emporsteigen zu lassen. Ein ungeheuer tröstliches Gefühl.

All das habe ich aufgegeben, dachte sie. Für einen Mann, den ich im Grunde nicht gekannt habe. Für ein Leben, das eine einzige Lüge gewesen ist.

Es grenzte fast an ein Wunder, dass das hier echt war und die ganze Zeit auf sie gewartet hatte.

In einem unbeobachteten Moment schlüpfte sie ins Haus und ging die Treppe hoch. Als sie Callies Zimmer betrat, ging ihr das Herz auf.

Rosa geblümte Tapeten und weiße Samtvorhänge, vom Fenster aus sah man direkt auf den Garten und die Berge dahinter. Die schönen weißen Möbel einschließlich des Himmelbetts waren bereits aufgebaut. Sogar ein paar Puppen, Spielsachen und Bücher schmückten Regale und Bett.

Auch wenn dieser Raum nur halb so groß war wie Callies früheres Kinderzimmer, sah alles genau so aus, wie es sein sollte. Shelby ging durch das blitzblanke Bad in das Zimmer, das einmal ihrem Bruder gehört hatte. Ab heute durfte sie darin wohnen.

Das alte schmiedeeiserne Bett, in dem sie als Kind geschlafen hatte, stand am Fenster, genau wie in ihrem früheren Zimmer am Ende des Flurs. So hatte sie es am liebsten, denn dann konnte sie gleich nach dem Aufwachen die Berge sehen. Es war mit schlichter weißer Bettwäsche bezogen. Aber Ada Mae wäre nicht Ada Mae gewesen, wenn sie die spitzenverzierten Kissen nicht aufgeklopft und das Bett nicht zusätzlich mit weiteren Kissen in verschiedenen Grün- und Blautönen geschmückt hätte. Ein farblich darauf abgestimmter Bettüberwurf, den ihre Großmutter gehäkelt hatte, lag zusammengefaltet am Fußende.

Die Wände waren in einem warmen Blassgrün gehalten, das

die Farbe der Berge aufnahm. Dort hingen zwei Aquarelle von ihrer Cousine Jesslyn, eine Frühlingswiese und ein grüner Wald bei Sonnenaufgang in zarten verträumten Farben. Auf ihrer alten Kommode standen eine Vase mit weißen Tulpen, ihren Lieblingsblumen, und ein silber gerahmtes Foto von ihr mit der zwei Monate alten Callie.

Ihr Gepäck war heraufgetragen worden, ohne dass sie darum hätte bitten müssen. Ihre Kartons standen bestimmt schon aufeinandergestapelt in der Garage und warteten darauf, dass sie entschied, was mit den Dingen geschehen sollte, die zu einem Leben gehörten, das nicht mehr das ihre war.

Überwältigt ließ sie sich auf die Bettkante sinken. Durch das geschlossene Fenster hörte sie Musik und Stimmengewirr. Genauso fühlte sie sich auch, ein wenig abseits, getrennt von den anderen durch eine Glasscheibe. Im Zimmer ihrer Kindheit fragte sie sich, was sie mit ihren Altlasten anfangen sollte. Dabei musste sie bloß das Fenster aufmachen, um wieder dazuzugehören.

Wobei …

Heute hießen sie alle willkommen, vieles blieb unausgesprochen. Doch bald würden sie Fragen stellen. Zu ihren Altlasten gehörten Antworten, aber noch viel mehr Fragen.

Wie viel konnte sie ihnen zumuten? Wie viel musste sie ihnen sagen?

Was brachte es, ihnen zu erklären, dass ihr Mann ein Lügner und Betrüger gewesen war und vielleicht noch Schlimmeres? Insgeheim hatte sie schon früher befürchtet, dass er sich als Schwindler und Dieb erwies. Doch auch wenn ihre Befürchtungen bestätigt und sogar noch übertroffen worden waren, war er nach wie vor der Vater ihres Kindes.

Jetzt, nach seinem Tod, konnte er sich nicht rechtfertigen, nichts mehr erklären.

Was half all das Grübeln? Damit ruinierte sie nur das Willkommensfest, diesen sonnigen Tag mit der schönen Musik. Deshalb würde sie gleich wieder nach unten gehen und etwas Torte essen, obwohl ihr schon fast schlecht war. Sie wollte sich gerade zwingen aufzustehen, als sie Schritte im Flur hörte.

Sie erhob sich und setzte ein entspanntes Lächeln auf.

Ihr Bruder Forrest hatte sie noch nicht begrüßt und stand im Türrahmen.

Er war mit seinen knapp eins zweiundachtzig nicht so groß wie Clay und etwas gedrungener. Ein echter Ringertyp, wie ihre Großmutter stets stolz verkündete. Er hatte die dunklen Haare seines Vaters geerbt, doch seine Augen waren knallblau, genau wie Shelbys. Sie fixierten sie im Augenblick kühl und stellten die Fragen, die sonst niemand stellte.

Noch nicht.

»Hi.« Sie versuchte, richtig zu strahlen. »Mama meinte, du musst heute arbeiten?« Forrest war Polizist und wie gemacht für den Job.

»Ja.«

Er hatte die markanten Wangenknochen seines Vaters, und ein blasser blauer Fleck zierte sein Kinn.

»Bist du in eine Schlägerei geraten?«

Er sah sie einen Moment verständnislos an und strich sich dann übers Kinn. »So was Ähnliches. Arlo Kattery hat sich gestern in *Shady's Bar* etwas aufgeführt. Du erinnerst dich bestimmt noch an ihn. Sie suchen unten nach dir, und ich hab mir schon gedacht, dass du hier oben bist.«

»Dort, wo alles angefangen hat.«

Er lehnte sich an den Türrahmen und musterte sie eindringlich. »Sieht ganz so aus.«

»Meine Güte, Forrest.« Niemand aus ihrer Familie konnte sie so aufregen und trösten wie Forrest. »Wann hörst du endlich auf, sauer zu sein? Es ist vier Jahre her, fast fünf. Du kannst nicht ewig wütend auf mich sein.«

»Ich bin nicht wütend auf dich. Das ist vorbei. Im Moment bin ich eher genervt.«

»Wann wirst du aufhören, genervt zu sein?«

»Keine Ahnung.«

»Willst du von mir hören, dass ich mich geirrt, dass ich einen furchtbaren Fehler gemacht habe, als ich mit Richard auf und davon bin?«

Er dachte nach. »Das wäre immerhin ein Anfang.«

»Nun, das geht nicht. Denn dann«, sie zeigte auf die Kommode, »dann wäre Callie auch ein Fehler. Doch sie ist ein Geschenk, das Beste, was mir je passiert ist.«

»Du bist mit einem Arschloch auf und davon, Shelby.«

Jeder Muskel ihres Körpers verspannte sich. »Damals habe ich das anders gesehen, sonst wäre ich wohl kaum mit ihm weggegangen. Wieso bist du eigentlich so selbstgerecht, Deputy Pomeroy?«

»Ich bin nicht selbstgerecht, sondern gerecht. Es nervt mich, dass meine Schwester mit einem Arschloch auf und davon ist, sodass ich die Nichte, die ihr so ähnlich sieht, kaum zu Gesicht bekommen habe.«

»Wann immer es ging, bin ich gekommen, und zwar mit Callie. Ich habe getan, was ich konnte. Willst du, dass ich sage, Richard war ein Arschloch? Den Gefallen tue ich dir gern, denn wie sich herausgestellt hat, war er genau das. Ich war so dumm, ein Arschloch zu heiraten. So, geht's dir jetzt besser?«

»Ein bisschen.« Er ließ sie nicht aus den Augen. »Hat er dich jemals geschlagen?«

»Nein, um Himmels willen, nein.« Erstaunt hob sie die Hände. »Er hat mich nicht angefasst, nicht so, wirklich nicht.«

»Du bist weder zu Beerdigungen noch zu Geburten oder Hochzeiten gekommen. Sogar zu Clays Hochzeit hast du es kaum geschafft. Wie ist es ihm nur gelungen, dich von uns fernzuhalten?«

»Das ist nicht so einfach, Forrest.«

»Erklär es mir.«

»Er hat Nein gesagt.« Langsam wurde sie wütend. »Reicht dir das?«

Er zuckte mit den Achseln. »Früher hätte dich so was kaum aufgehalten.«

»Wenn du glaubst, es wäre einfach gewesen, dann täuschst du dich.«

»Ich muss wissen, warum du so traurig und erschöpft warst, als du an Weihnachten gefühlte zehn Minuten vorbeigeschaut hast.«

»Vielleicht, weil ich endlich gemerkt hatte, dass ich ein Arschloch geheiratet habe. Noch dazu eines, das mich nicht geliebt hat.«

Wut kämpfte mit Schuldgefühlen, Schuldgefühle kämpften mit Erschöpfung.

»Bevor ich Witwe geworden bin und mein Kind seinen Vater verloren hat, habe ich gemerkt, dass ich ihn nicht liebe und nicht einmal besonders mag.«

Ihre Kehle war wie zugeschnürt. Sie konnte die lang aufgestauten Tränen nicht mehr zurückhalten.

»Trotzdem bist du nicht nach Hause zurückgekehrt?«

»Nein. Vielleicht war ich ja selbst ein Arschloch, schließlich hatte ich ein Arschloch geheiratet. Vielleicht wusste ich nicht, wie ich Callie und mich aus dem Schlamassel befreien sollte, in das ich uns gestürzt hatte. Reicht dir das fürs Erste? Wenn ich dir gleich alles erzählen muss, breche ich zusammen.«

Er setzte sich neben sie aufs Bett. »Vielleicht bin ich nicht mehr genervt, sondern nur noch ein bisschen sauer.«

Tränen strömten über ihre Wangen, ohne dass sie etwas dagegen tun konnte. »Ein bisschen sauer, na, immerhin.« Sie barg ihr Gesicht an seiner Schulter. »Ich hab dich so vermisst.«

»Ich weiß.« Er legte den Arm um sie. »Ich dich auch. Deshalb hat es fünf Jahre gedauert, bis ich nur noch ein bisschen sauer war. Ich habe viele Fragen.«

»Die hast du immer.«

»Zum Beispiel warum du mit einem Kombi aus Philadelphia gekommen bist, der älter als Callie ist. Mit mehreren Koffern, einem

Haufen Kartons und etwas, das aussieht wie ein riesiger Flachbildfernseher.«

»Der ist für Daddy.«

»Aha. Angeberkram! Ich habe weitere Fragen, aber das kann
warten. Ich bin hungrig und freu mich auf ein Bier, nein, auf mehrere. Aber wenn du nicht bald wieder runterkommst, wird Mama
nach dir suchen und mich umbringen, weil ich dich zum Weinen
gebracht habe.«

»Ich brauche einfach etwas Zeit, bis ich deine Fragen beantworten kann. Eine kleine Verschnaufpause.«

»Dann bist du hier genau richtig. Los, komm, gehen wir nach
unten.«

»Einverstanden.« Sie stand auf. »Ich bin ein bisschen sauer,
weil du meinetwegen ein bisschen sauer bist.«

»Das ist nur fair.«

»Du kannst es wiedergutmachen, indem du zusammen mit
Clay diesen Fernseher reinträgst und dir überlegst, wo wir ihn
aufstellen sollen.«

»Ich würde sagen, in meiner Wohnung. Zur Not komm ich
einfach zum Fernsehen her und esse Dad alles weg.«

»Das ist nur fair.«

»Ich bin sehr für Fairness.« Er hatte den Arm um ihre Schultern gelegt. »Du weißt, dass Emma Kate wieder da ist?«

»Wie bitte? Tatsächlich? Ich dachte, sie wohnt in Baltimore?«

»Das hat sie bis vor reichlich einem halben Jahr. Ihr Dad hatte
einen Unfall. Er ist von Clyde Barrows Dach gefallen und hat sich
ziemlich schwer verletzt.«

»Das habe ich gehört, aber ich dachte, es geht ihm wieder
besser?«

»Na ja, sie ist zurückgekommen, um ihn zu pflegen. Du weißt
ja, wie ihre Mutter ist.«

»Hilflos wie ein Welpe.«

»Allerdings. Emmas Vater musste mehrmals ins Krankenhaus,

und dann kam die Reha … Als ausgebildete Krankenschwester war ihm Emma Kate eine große Stütze. Ihr Freund hat sie in dieser Zeit regelmäßig besucht, ein wirklich netter Kerl. Um es kurz zu machen – weil sie so viel weg war, hat sie ihren Job im Krankenhaus verloren. Also ist sie mit ihrem Freund hergezogen, nachdem sie eine Stelle an der hiesigen Klinik bekommen hat.«

»Dad sei Dank.«

»Ja. Er hält große Stücke auf sie. Matt, ihr Freund, hat mit seinem Kompagnon aus Baltimore bei uns eine Baufirma aufgezogen. Die beiden nennen sich *The Fix-it Guys*.«

»Ich habe einen Lieferwagen mit diesem Namen vor Emma Kates Haus gesehen.«

»Matt und Griff bauen gerade eine neue Küche bei Miz Bitsy ein. Angeblich überlegt sie es sich alle fünf Minuten wieder anders, sie dürften also eine Weile beschäftigt sein. Emma Kate und Matt wohnen bei mir gegenüber, Griff in dem Tripplehorn-Haus an der Five Possum Road.«

»Das Ding war doch schon baufällig, als wir Kinder waren.«

Shelby staunte. Sie hatte das Haus bereits damals geliebt.

»Er restauriert es gerade. Vermutlich wird er bis zum Ende seines Lebens damit beschäftigt sein, aber er hat viel geschafft.«

»Du hast wirklich viel zu erzählen, Forrest.«

»Nur weil du so selten hier warst. Du solltest Emma Kate besuchen.«

»Ich wünschte, sie wäre heute da.«

»Sie muss arbeiten und ist vermutlich nach wie vor nicht besonders gut auf dich zu sprechen. Es könnte etwas dauern, bis du dich mit ihr ausgesöhnt hast.«

»Keine Ahnung, wie viele Menschen ich damals verletzt habe.«

»Dann mach den gleichen Fehler nicht noch mal. Wenn du beschließt zu gehen, verabschiede dich wenigstens anständig.«

Sie warf einen Blick aus der Hintertür und sah, wie Clay mit seinem Sohn auf den Schultern durch die Gegend lief und ihre Großmutter Callie auf der Schaukel anschubste.

»Ich gehe nirgendwohin. Ich war viel zu lange fort.«

* * *

Shelby schlief auf der neuen Matratze in ihrem ehemaligen Jugendbett. Obwohl es draußen kühl war, ließ sie das Fenster einen Spalt offen, damit die Nachtluft hereinkam. Als sie aufwachte, regnete es. Sie kuschelte sich lächelnd in ihre Decke, weil das Geprassel so schön vertraut klang.

Gleich stehe ich auf und schau nach Callie, redete sie sich ein. Gleich mach ich meiner Kleinen ein Frühstück. Auspacken kann ich später, nur noch fünf Minuten …

Als sie erneut wach wurde, regnete es nur noch leicht, und das Wasser gurgelte in der Dachrinne. Vogelgezwitscher. Sie konnte sich nicht daran erinnern, wann sie das letzte Mal mit Vogelgezwitscher aufgewacht war.

Sie warf einen Blick auf die schöne Glasuhr auf dem Nachttisch, um dann wie von der Tarantel gestochen aufzuspringen.

Schnell raste sie durchs Bad in Callies Zimmer, wo das Bett leer war.

Was war sie nur für eine Mutter, dass sie bis weit nach neun schlief, ohne zu wissen, wo sich ihre Tochter befand? Barfuß und in leichter Panik eilte sie nach unten. Im Wohnzimmer brannte Feuer im Kamin. Callie saß auf dem Fußboden, die alte Promenadenmischung Clancy neben sich.

Sie hatte ihre Stofftiersammlung um sich herum aufgebaut und fummelte konzentriert an einem rosa Elefanten herum, der auf einem Küchenhandtuch lag und alle viere in die Luft streckte.

»Er ist sehr krank, Grandma.«

»Ja, das sehe ich.« Ada Mae hatte es sich in einem Sessel gemütlich gemacht und nippte lächelnd an ihrem Kaffee. »Er ist wirklich schwer mitgenommen. Nur gut, dass du so eine erfahrene Ärztin bist.«

»Bestimmt geht es ihm bald wieder besser. Aber er muss tapfer sein, denn er braucht eine Spritze.« Vorsichtig drehte Callie ihn um und benutzte eine ihrer Wachsmalkreiden als Spritze. »So, heile, heile Segen. Und ein Küsschen, damit es nicht so wehtut.«

»Küsschen helfen immer. Guten Morgen, Shelby.«

»Es tut mir so leid, Mama. Ich hab völlig verschlafen.«

»Es ist gerade erst neun, außerdem regnet es«, erwiderte Ada Mae, während Callie aufsprang und zu Shelby rannte.

»Wir spielen Krankenhaus, und alle meine Tiere sind krank. Ich werde sie gesund machen. Komm, hilf mir, Mama.«

»Deine Mama muss erst was frühstücken.«

»Okay, ich hole mir nur …«

»Frühstücken ist wichtig, stimmt's, Callie?«

»Hm. Grandma hat mir schon was gemacht, Rohrei und Toast mit Marmelade.«

»Rührei.« Shelby nahm Callie auf den Arm und küsste sie. »Bist du aber hübsch angezogen! Wann bist du denn aufgestanden?«

»So um sieben. Und bitte sag jetzt nichts, ich habe die Stunden mit meiner einzigen Enkelin sehr genossen. Hatten wir es nicht schön, Callie Rose?«

»Total schööööön! Ich habe Clancy einen Hundekuchen gegeben. Er ist ganz lieb und hat Pfötchen gegeben. Und Granddaddy hat mich auf seinen Schultern runtergetragen, damit ich leise bin und dich nicht wecke. Er ist fort, zu seinen Kranken, und ich helfe den kranken Tieren.«

»Warum nimmst du sie nicht mit in die Küche, während ich deiner Mutter ein Frühstück mache? Sie wird es verschlingen so wie du deines.«

»Bitte mach dir keine … Na gut, okay«, sagte Shelby, als sie den mahnenden Blick ihrer Mutter auffing.

»Du kriegst eine Cola, weil du nie gelernt hast, wie jeder zivilisierte Mensch mit Kaffee zu frühstücken. Callie, du kannst deine kranken Tiere da drüben behandeln. Und du, Shelby, bekommst Rührei mit Schinken und Käse, ein paar ordentliche Proteine. Ich habe Zeit, weil ich mir bis Mitte der Woche freigenommen habe. Ich verstehe mich nämlich ausgezeichnet mit meiner Chefin.«

»Wie schafft das Granny bloß ganz allein?«

»Ach, die kommt schon klar. Die Arbeit tut ihr gut, Shelby. Dich brauche ich wohl nicht zu fragen, wie du geschlafen hast. Du siehst deutlich besser aus.«

»Ich habe zehn Stunden durchgepennt.«

»Die neue Matratze.« Ada Mae würfelte Schinken. »Und der Regen. Da könnte man den ganzen Tag im Bett bleiben. Du hast nicht viel Schlaf bekommen in letzter Zeit, was?«

»Nein, nicht wirklich.«

»Und nicht viel gegessen.«

»Ich hatte einfach keinen Appetit.«

»Wir werden dich so richtig verwöhnen.« Ada Mae sah zu Callie hinüber. »Was die Kleine anbelangt, hast du wirklich ganze Arbeit geleistet. Ein bisschen Veranlagung ist natürlich dabei, aber sie ist gut erzogen, ohne altklug zu sein, was ich an Kindern wirklich hasse. Und sie ist glücklich.«

»Sie kann es kaum erwarten, morgens aufzustehen.«

»Als Erstes wollte sie zu dir, aber ich musste ihr nur zeigen, wo du schläfst, dann war sie zufrieden. Das ist sehr gut, Shelby. Ein Kind, das zu sehr klammert, bedeutet, dass die Eltern auch klammern. Ich kann mir vorstellen, dass es schwer war, nicht zu klammern. Vor allem jetzt, wo du auf dich allein gestellt bist.«

»In meinem Viertel gab es keine anderen Kinder, zumindest habe ich nie welche gesehen. Andererseits war es oben im Norden auch furchtbar kalt, es hat ständig geschneit. Trotzdem wollte ich sie in einen guten Kindergarten stecken, damit sie Freunde findet, aber … Aber nach allem, was passiert ist, konnte ich mich nicht dazu durchringen. Dann bist du mit Daddy und Grandma gekommen, und das hat gutgetan. Es hat uns wirklich gutgetan, euch dazuhaben.«

»Das will ich doch hoffen. Wir hatten Angst, dich viel zu früh allein gelassen zu haben.« Ada Mae goss verquirlte Eier über die Schinkenwürfel in der Pfanne und hobelte etwas Käse darüber. »Wenn du nicht gesagt hättest, dass du so bald wie möglich nachkommst, wäre ich bestimmt nicht so bald abgereist.«

»Keine Ahnung, wie ich das ohne euch geschafft hätte. Mama, das reicht dicke für zwei Personen.«

»Iss einfach, so viel du willst.« Sie warf Shelby einen strengen Blick zu. »Es stimmt einfach nicht, dass man nie zu dünn sein kann, denn du bist eindeutig zu dünn. Wir werden deine Mama wieder aufpäppeln, Callie, damit sie rosige Wangen bekommt.«

»Warum?«

»Weil sie es bitter nötig hat.« Ada Mae ließ das Rührei auf einen Teller gleiten und legte eine Scheibe Toast dazu. »Los, hau rein.«

»Zu Befehl, Ma'am.«

»So.« Ada Mae machte sich daran, die Küche aufzuräumen. »Um zwei Uhr hast du einen Termin bei Mama, zu einer Hot-Stone-Massage.«

»Ach ja?«

»Eine Gesichtsbehandlung könnte auch nicht schaden. Aber darum kümmere ich mich gegen Ende der Woche. Eine Frau, die mit einem Kleinkind von Philadelphia bis hierher gefahren ist, hat eine anständige Massage verdient. Callie und ich haben nämlich Pläne für heute Nachmittag.«

»Ach ja?«

»Ich gehe mit ihr zu Suzanna. Erinnerst du dich an meine alte Freundin Suzannah Lee? Sie konnte gestern leider nicht kommen, da sie bei Hochzeitsvorbereitungen helfen musste. Die Tochter ihrer Schwester wird bald heiraten. Scarlet, weißt du noch, Scarlet Lee? Du bist mit ihr zur Schule gegangen.«

»Scarlet ist verlobt?«

»Ja, und sie wird im Mai heiraten, einen netten Jungen, den sie auf dem College kennengelernt hat. Sie werden hier heiraten und dann nach Boston ziehen, wo er in der Werbung arbeitet. Scarlet bekommt dort eine Stelle als Lehrerin.«

»Scarlet ist Lehrerin?« Shelby musste lachen. »Soweit ich mich erinnern kann, hat Scarlet die Schule immer gehasst.«

»Nun, wie dem auch sei. Ich werde mit Callie zu Suzannah gehen und ein bisschen mit ihr angeben. Die hat wiederum ihre Enkelin Chelsea eingeladen. Die ist drei, genau wie Callie. Die Tochter ihres Sohnes Robbie, der Tracey Lynn Bowman geheiratet hat. Die kennst du nicht, glaube ich. Sie stammt aus Pigeon Forge – eine wirklich nette junge Frau, die als Töpferin arbeitet. Das ist eine von ihren Schalen, die da mit den Zitronen.«

Shelby warf einen Blick auf die tiefbraune Glasur mit den blauen und grünen Kringeln. »Sehr schön.«

»Sie hat ein Atelier mit eigenem Brennofen und verkauft ihre Sachen auch im Ort bei *The Artful Ridge* und im Souvenirshop des Hotels. Wir verschaffen Tracey und dir also einen kinderfreien Tag, indem wir ein Treffen für unsere Enkelinnen organisieren.«

»Callie wird begeistert sein.«

»Ich freue mich auch. Ich habe so viel nachzuholen und hoffe, du hast Verständnis dafür. Gegen elf wollen wir aufbrechen. Die beiden werden sich gegenseitig beschnuppern, anschließend gibt es Mittagessen. Wenn es das Wetter zulässt, gehen wir mit den Kindern nach draußen.«

»Callie macht nach dem Essen gern ein Schläfchen.«

»Kein Problem, das können wir einplanen. Mach dir keine Sorgen.« Die Hand energisch in die Seite gestemmt, sah Ada Mae sie an. »Ich habe es geschafft, dich und zwei Jungs großzuziehen, da werde ich mit einem Kleinkind wohl noch klarkommen.«

»Ich weiß. Es ist bloß so, dass … Dass wir eigentlich nie getrennt waren. Dass es mir Angst macht loszulassen, sagt in der Tat viel über mich aus.«

»Du warst schon immer ein kluger Kopf.« Ada Mae lief um die Kücheninsel herum und legte Shelby die Hände auf die Schultern. »Meine Güte, bist du verspannt. Ich hab dir einen Termin bei Vonnie gemacht. Kannst du dich noch an Vonnie erinnern? Sie ist eine Cousine väterlicherseits.«

Vage, dachte Shelby. Cousinen gab es in ihrer Familie haufenweise.

»Vonnie Games«, fuhr Ada Mae fort. »Die mittlere Tochter von Daddys Cousine Jed. Die wird dir das wegmassieren.«

Shelby griff nach der Hand ihrer Mutter. »Fühl dich bitte nicht verpflichtet, dich um mich zu kümmern.«

»Würdest du deiner Tochter unter diesen Umständen dasselbe sagen?«

Shelby seufzte. »Nein. Ich würde ihr sagen, dass es meine Pflicht und mein Wunsch ist, mich um sie zu kümmern.«

»Na also! Iss weiter, noch einen Bissen«, murmelte Ada Mae und küsste Shelby auf den Scheitel.

Shelby gehorchte.

»Ab morgen wirst du dein Geschirr selbst spülen, aber heute nicht. Was hast du Schönes vor?«

»Ach, ich denke, ich sollte langsam auspacken.«

»Was Schönes, hab ich gesagt«, rief ihr Ada Mae in Erinnerung, während sie Shelbys Teller abräumte.

»Nein, im Ernst. Erst wenn ich alles verstaut habe, bin ich richtig angekommen.«

»Callie und ich werden dir helfen. Wann kommen eigentlich deine anderen Sachen?«

»Ich habe alles mitgebracht.«

»Das ist alles?« Ada Mae starrte sie an. »Schatz, du hast nur ein paar Koffer dabei und Sachen von Callie, das stand zumindest auf den Kartons. Clay junior hat höchstens sechs Kartons in der Garage verstaut.«

»Was hätte ich mit all dem Zeug anfangen sollen, Mama? Selbst wenn ich ein Haus finde, hätte ich keine Verwendung dafür. Zuerst muss ich sowieso einen Job finden. Wusstest du, dass es Firmen gibt, die ganze Einrichtungen komplett aufkaufen?«

Sie stand auf und nahm Callie auf den Arm, die ihr tanzend die Arme entgegenstreckte. »Die Maklerin hat mir mehrere Firmen genannt. Sie hat mir überhaupt sehr geholfen. Wenn der Verkauf über die Bühne gegangen ist, sollte ich ihr einen dicken Blumenstrauß schicken, oder was meinst du?«

Die Frage lenkte ihre Mutter nicht so ab wie erhofft. »All die Möbel, Shelby. Meine Güte, das Haus hatte sieben Zimmer und das große Büro. An die anderen Zimmer kann ich mich gar nicht mehr erinnern. Es war, als hätte ich ein Herrenhaus besichtigt, ohne Einritt bezahlen zu müssen. Lauter neue Möbel.« Ada Mae war sichtlich geschockt. »Ich hoffe, du hast gutes Geld dafür bekommen.«

»Ich habe mit einer seriösen Firma zusammengearbeitet, die es bereits seit dreißig Jahren gibt. Ich habe viel online recherchiert, allerdings hätte ich mich nach der ersten Woche wirklich erschießen können.«

»Wir gehen auspacken, Callie. Hilfst du uns, bevor Grandma mit dir aufbricht?«

»Ich helfe. Ich helfe meiner Mama gern.«

»Eine bessere Hilfe kann man sich gar nicht vorstellen. Also los. Weißt du, ob Clay auch den Karton in die Garage getragen hat, in dem Callies Kleiderbügel sind? Die normalen sind zu groß für ihre Sachen.«

»Er hat alles mitgenommen, auf dem ihr Name stand. Ich geh nachsehen.«

»Danke, Mama. Lass mich das machen, dann kann ich gleich den Kindersitz in deinem Wagen befestigen.«

»Hallo? Ich bin schließlich nicht von gestern.« Ada Maes Tonfall entnahm Shelby, dass ihre Mutter immer noch über den Verkauf der Möbel schockiert war.

Dabei kannte sie noch nicht einmal die halbe Wahrheit.

»Daddy und ich haben denselben gekauft«, fügte Ada Mae hinzu. »Wir haben an alles gedacht.«

»Mama.« Shelby umarmte sie fest. »Callie, du hast die beste Grandma auf der ganzen Welt.«

»Meine Grandma.«

Das genügte, um Ada Mae abzulenken.

* * *

Es war seltsam, dass Callie nicht da war, aber die Kleine hatte sich riesig auf die Verabredung zum Spielen gefreut. Außerdem ging das Auspacken doppelt so schnell, wenn Callie nicht mithalf.

Als Shelby mittags alles verstaut und die Betten gemacht hatte, wusste sie zunächst nichts mit sich anzufangen.

Sie warf einen lustlosen Blick auf ihr Notebook, zwang sich aber, es einzuschalten. Immerhin hatte sie keine Mails von irgendwelchen Gläubigern bekommen, hörte aber auch nichts in puncto Hausverkauf, womit sie gerechnet hatte. Sie las eine kurze Mail vom Secondhandshop, der sie entnahm, dass zwei von Richards Lederjacken, sein Kaschmirmantel und zwei von ihren Cocktailkleidern verkauft worden waren.

Sie schrieb eine Dankesmail und bestätigte, dass es genügte, wenn sie Ende des Monats einen Scheck an ihre Nachsendeadresse schickten.

Als Nächstes duschte sie und zog sich an. Noch war es zu früh für die Massage, die bestimmt himmlisch sein würde. Deshalb beschloss sie, einen Spaziergang zu machen. Der würde ihr sicher guttun.

Es nieselte nach wie vor, aber sie ging gern im Regen spazieren.

Sie zog eine Kapuzenjacke und weiche Lederstiefel an und wollte nach ihrer großen Umhängetasche greifen. Da fiel ihr ein, dass sie die ihrer Mutter mitgegeben hatte, und sie steckte ihren Geldbeutel in die hintere Hosentasche ihrer Jeans.

Es war ungewohnt, so ohne Tasche. Sie wusste erst gar nicht, wohin mit den Händen. Sie steckte sie der Einfachheit halber in die Taschen ihrer Kapuzenjacke, wo sie eine Packung Feuchttücher entdeckte. Als sie die Jacke das letzte Mal angehabt hatte, war sie nicht so … sorglos gewesen.

Sie trat vor die Tür und saugte gierig die kühle, feuchte Luft ein. Sie umklammerte Callies Feuchttücher und dachte an den freien Nachmittag, der vor ihr lag.

Überall grünte und blühte es, was durch den Nieselregen noch verstärkt wurde. Während sie über vertraute Wege schritt, genoss sie den Duft nach nassem Gras und Narzissen. Sie konnte bei den Lees vorbeigehen, nur kurz gucken. Es war Zeit für Callies Schläfchen, und ihre Tochter könnte noch in die Hose machen. Die Chance war zwar äußerst gering, aber wenn ihr ein Missgeschick passierte, würde es ihr bestimmt furchtbar peinlich sein. Gut möglich, dass ihre Oma vergessen hatte, sie vorher aufs Töpfchen zu bringen.

Sie konnte nur kurz nach ihr sehen und …

Hör auf damit. Hör einfach auf damit, ermahnte sich Shelby. Es geht Callie gut. Alles ist bestens.

Sie würde auf ihre Mutter hören und zur Abwechslung nur tun, wozu sie Lust hatte. Im Regen spazieren gehen, die Berge, den tief hängenden Nebel, die Frühlingsblumen und die Stille genießen.

Sie sah kurz zum Haus von Emma Kate hinüber und entdeckte den Lieferwagen in der Einfahrt, dahinter ein knallrotes Auto. Wie sollte sie sich Emma Kate gegenüber verhalten, jetzt wo sie beide wieder in Rendezvous Ridge lebten?

In diesem Moment stieg ihre Freundin aus dem Wagen.

Sie trug ebenfalls eine Kapuzenjacke, in Knallpink. Callie wäre begeistert gewesen. Und sie hatte eine neue Frisur. Shelby sah zu, wie Emma Kate zwei Einkaufstüten vom Rücksitz nahm. Sie hatte den langen, haselnussbraunen Zopf abgeschnitten und gegen einen kurzen Fransenschnitt mit Pony eingetauscht.

Sie wollte Emma Kates Namen rufen, aber ihr fiel nichts ein, was sie dann hätte sagen können.

Emma Kate warf die Autotür zu und entdeckte sie. Sie zog die Brauen hoch und rückte die Träger einer Einkaufstasche zurecht.

»Sieh mal einer an, wer steht denn da im Regen?«

»Es nieselt bloß.«

»Nass ist es trotzdem.« Emma Kate blieb eine Weile so stehen, ohne sie anzulächeln. Der Blick aus ihren tiefbraunen Augen war kühl, das konnte Shelby selbst durch den dichten Regen erkennen. »Du bist also wieder da?«

»Du anscheinend auch. Ich hoffe, deinem Vater geht es gut.«

»Ja.«

Weil Shelby sich so noch blöder vorkam, betrat sie die Einfahrt. »Schöne Frisur.«

»Granny hat mich dazu überredet. Das mit deinem Mann tut mir leid.«

»Danke.«

»Wo steckt die Kleine?«

»Bei Mama. Sie hat eine Verabredung mit Miz Suzannahs Enkelin organisiert.«

»Mit Chelsea. Die ist wirklich ein Energiebündel. Willst du irgendwohin, oder läufst du bloß so im Regen rum?«

»Ich gehe zu Viola, hab aber ein bisschen Zeit, weil Callie mit Mama unterwegs ist. Deshalb mache ich einen Spaziergang.«

»Komm kurz rein und begrüße meine Mutter. Ich bringe ihr gerade Lebensmittel.«

»Gern. Komm, gib mir was ab.«

»Das passt schon.«

Shelby schluckte wegen der schroffen Zurückweisung und ging

mit hochgezogenen Schultern hinter ihrer einstigen Freundin her. »Ich … Forrest hat mir erzählt, dass du einen Freund hast. Und dass ihr im Ort wohnt.«

»Ja, Matt Baker. Wir sind seit zwei Jahren zusammen. Er ist gerade bei Viola und repariert eines ihrer Waschbecken.«

»Ich dachte, das ist sein Lieferwagen?«

»Sie haben zwei. Der hier gehört seinem Kompagnon Griffin Lott. Mama bekommt eine neue Küche und treibt uns damit alle in den Wahnsinn.«

Emma Kate sah sich nach Shelby um. »Du bist das Ortsgespräch. Das hübsche Pomeroy-Mädchen, das reich geheiratet hat und jung Witwe wurde, ist wieder nach Hause zurückgekehrt. Was wird sie jetzt machen?« Emma Kate verzog den Mund zu einem vorsichtigen Lächeln. »Tja, was wird sie jetzt machen?«, wiederholte sie und trug ihre Taschen ins Haus.

6

Griff hielt sich eigentlich für sehr geduldig. Normalerweise verlor er nicht so schnell die Beherrschung. Aber wenn doch, rastete er richtig aus.

Im Moment zog er ernsthaft in Erwägung, Emma Kates Mutter mit Klebeband zu knebeln.

Er hatte den ganzen Vormittag geschuftet, um die Unterschränke einzupassen, und sie hatte ihn ununterbrochen mit Fragen gelöchert.

Ständig saß sie ihm im Nacken.

Er wusste verdammt gut, dass Matt zu Miz Vis Salon gegangen war, um sich Ärger mit dieser reizenden, gesprächigen und, ehrlich gesagt, ziemlich durchgeknallten Mutter zu ersparen.

Das Schlimmste war, dass sie sich nicht sicher war, was die Schränke betraf, die er gerade eingebaut hatte. Sollte er sie wieder ausbauen müssen, nur weil sie es sich zum x-ten Mal anders überlegte, würde er auf drastischere Maßnahmen als Knebeln zurückgreifen müssen.

Er hatte Bungee-Seile dabei und konnte damit umgehen.

»Ach, Griff, vielleicht hätte ich mich doch nicht für Weiß entscheiden sollen. Die Schränke sind arg schlicht. Und Weiß ist so eine kalte Farbe. Dabei sollte die Küche eigentlich ein warmer, gemütlicher Ort sein. Vielleicht hätte ich doch die aus Kirschholz nehmen sollen. Man kann es sich eben erst richtig vorstellen, wenn alles eingebaut ist. Woher wissen Sie eigentlich, wie es aussieht, bevor Sie es in natura sehen?«

»Klar und frisch«, sagte er bemüht fröhlich, obwohl er am

liebsten laut mit den Zähnen geknirscht hätte. »Küchen sollten klar und frisch sein. So eine bekommen Sie auch.«

»Finden Sie?« Sie stand direkt neben ihm und rang die Hände. »Ach, ich weiß nicht. Henry hat einfach irgendwann achselzuckend gesagt, dass ihm alles recht ist. Aber wenn es nicht passt, wird es ihm nicht recht sein.«

»Es wird toll aussehen, Miz Bitsy.« Griff hatte das Gefühl, dass seine Stirn von einem Bohrer durchlöchert wurde.

Matt und er hatten auch in Baltimore schwierige Kunden gehabt. Kontrollfreaks, Nörgler, Oberfeldwebel und ewige Zauderer. Aber Louisa »Bitsy« Addison war die ungekrönte Königin der Zauderer.

Im Vergleich zu ihr waren die bisherigen Rekordhalter John und Rhonda Turner direkt zielstrebig. Die hatten sie gebeten, eine Zwischenwand rauszureißen, sie wiedereinzubauen, nur um sie dann erneut rausreißen zu lassen.

Ein Auftrag, der eigentlich innerhalb von drei Wochen über die Bühne hätte gehen sollen, war nach fünf Wochen immer noch nicht fertig. Keine Ahnung, ob er je ein Ende nehmen würde.

»Ich weiß nicht«, sagte sie zum millionsten Mal und faltete die Hände unterm Kinn. »Weiß ist wirklich sehr schlicht.«

Er stellte den Schrank ab, holte die Wasserwaage heraus und fuhr sich ratlos durch seinen dunkelblonden Haarschopf. »Brautkleider sind weiß.«

»Da haben Sie recht, außerdem …« Ihre ohnehin großen Augen wurden noch größer und begannen zu funkeln. »Brautkleider? Ach, Griffin Lott, wissen Sie vielleicht mehr als ich? Hat Matt ihr einen Antrag gemacht?«

Am liebsten hätte er seinen Kompagnon vor einen Bus gestoßen und ihn damit mehrmals überfahren. »Das war nur so ein Vergleich. Wie …« Er zermarterte sich das Hirn. »So weiß wie Magnolien zum Beispiel. Oder …« Himmel, hilf! »So weiß wie … Golfbälle.«

Falsch. Ganz falsch.

»Die Armaturen geben dem Ganzen einen eleganten Anstrich«, fuhr er zunehmend verzweifelt fort. »Und die Arbeitsplatte erst. Das Anthrazit wirkt freundlich und gleichzeitig edel.«

»Vielleicht ist was mit der Wandfarbe nicht in Ordnung. Vielleicht sollte ich …«

»Mama, du wirst die Wände nicht neu streichen lassen.« Emma Kate kam herein.

Griffin hätte sie küssen, ja, ihr die Füße küssen können. Doch dann hatte er plötzlich nur noch Augen für die Rothaarige, die hinter ihr hereingekommen war.

Holla, die Waldfee, dachte er und konnte nur hoffen, dass er es nicht laut ausgesprochen hatte.

Sie war wunderschön. Ein Mann von dreißig Jahren sollte in seinem Leben einige schöne Frauen gesehen haben, und sei es nur im Kino. Aber die da war einfach nur … wow!

Jede Menge Locken in der Farbe des Sonnenaufgangs umrahmten ein Gesicht, das aussah wie in Porzellan gemeißelt. Falls man überhaupt in Porzellan meißeln konnte. Wohl eher nicht. Dazu weiche, volle Lippen mit dem perfekten Amorbogen und tiefblaue, traurige Augen.

Sein Herz setzte tatsächlich mehrere Schläge aus, und es rauschte so laut in seinen Ohren, dass er so gut wie nichts von der Auseinandersetzung zwischen Emma Kate und ihrer Mutter mitbekam.

»Die Küche ist die Seele des Hauses, Emma Kate.«

»Bei deinem ewigen Hin und Her kannst du froh sein, wenn sie anschließend überhaupt noch steht. Lass Griff in Ruhe arbeiten, Mama, und sag Shelby Hallo.«

»Shelby? Shelby? Ach, du meine Güte!«

Miz Bitsy rannte quer durchs Zimmer und drückte die Rothaarige an sich, wiegte sie hin und her.

Shelby, sie heißt Shelby, dachte Griff. Ein schöner Name, so einen schönen hatte er noch nie gehört.

Dann fiel der Groschen. Shelby. Shelby Anne Pomeroy, die Schwester seines Freundes Forrest.

Die Enkelin von Miz Vi, Miz Viola, in die er heimlich vernarrt war.

Nachdem er sich von Shelbys Anblick einigermaßen erholt hatte, sah er, wie Miz Vi als junge Frau ausgesehen haben musste. Und Ada Mae vor über zwanzig Jahren.

Miz Vis Enkelin, dachte er erneut. Die junge Witwe.

Kein Wunder, dass sie so traurig aussah.

Sofort hatte er ein schlechtes Gewissen, denn am liebsten hätte er sie genauso an sich gezogen, wie Miz Bitsy es gerade tat. Er konnte schließlich nichts dafür, dass ihr Mann tot war.

»Ach, es tut mir so leid, dass wir gestern nicht zu deiner Willkommensfeier kommen konnten. Henry und ich mussten zu Hochzeitsvorbereitungen von der Tochter einer Cousine, in der Nähe von Memphis. Dabei mag ich seine Cousine gar nicht. Eine hochnäsige Ziege, die sich Wunder was einbildet, bloß weil sie einen Anwalt aus Memphis geheiratet hat.«

»Mama, lass Shelby erst mal Luft holen.«

»Oh, entschuldige. Ich stehe hier und rede … Ich freu mich bloß so, dich wiederzusehen. Griff, wissen Sie, Emma Kate und Shelby waren unzertrennlich, seit sie ein Jahr alt waren bis …«

Erst da schien ihr einzufallen, warum Shelby nach Hause zurückgekehrt war.

»Ach, Schätzchen, du armes Schätzchen, es tut mir ja so leid. Du bist viel zu jung für so eine Tragödie. Wie geht es dir?«

»Es tut gut, wieder zu Hause zu sein.«

»Trautes Heim, Glück allein! Bei mir ist gerade die Hölle los, sodass ich dir gar nichts anbieten kann. Dabei bist du so dünn, dünner als die Models in New York. Die Größe hättest du. Emma Kate, haben wir Cola da? Du hast Cola geliebt, stimmt's, Shelby?«

»Ja, Ma'am, aber bitte machen Sie sich keine Umstände. Ich finde Ihre neuen Küchenschränke wunderschön, Miz Bitsy. Sie wirken so klar und frisch und sehen vor diesen blaugrauen Wänden einfach entzückend aus.«

Witwe hin oder her, in diesem Moment hätte Griff sie wirklich küssen können. Und zwar überall.

»Das hat Griff auch gerade gesagt. Klar und frisch hat er gesagt. Findest du wirklich?«

»Mama, wir haben Shelby noch nicht richtig vorgestellt. Shelby, das ist der Kompagnon meines Freundes, Griffin Lott. Griff, Shelby … Foxworth, oder?«

»Ja.« Sie musterte ihn mit diesen Wahnsinnsaugen, und er stellte fest, dass Herzen tatsächlich einen Schlag aussetzen können. »Schön, Sie kennenzulernen.«

»Hallo, ich bin ein Freund Ihres Bruders.«

»Von welchem?«

»Im Grunde von beiden, aber vor allem von Forrest. Ich sollte vielleicht dazusagen, dass ich richtig verknallt in Ihre Großmutter bin. Ich versuche seit Langem, sie dazu zu überreden, mit mir nach Tahiti durchzubrennen.«

Dieser wunderbar geformte Mund verzog sich zu einem Lächeln, und die traurigen Augen strahlten. Zumindest ein bisschen.

»Das kann ich Ihnen gut nachfühlen.«

»Griff wohnt in dem alten Tripplehorn-Haus«, erklärte Emma Kate. »Er restauriert es gerade.«

»Sie können also Wunder vollbringen?«

»Solange ich das richtige Werkzeug habe. Sie können gern mal vorbeikommen und es sich ansehen. So langsam wird es.«

Sie lächelte, aber diesmal erreichte das Lächeln die Augen nicht. »Dann haben Sie ja genau den richtigen Job. Ich muss leider los, meine Großmutter wartet.«

»Shelby, wenn alles fertig ist, musst du unbedingt wiederkommen, dann können wir uns in Ruhe unterhalten.« Bitsy umschwirrte sie. »Ich hoffe, du lässt dich wieder öfter blicken. Du gehörst schließlich zur Familie, das weißt du, oder?«

»Danke, Miz Bitsy. Und schön, Sie kennengelernt zu haben«, sagte sie zu Griff und drehte sich um.

»Ich bring dich zur Tür.« Emma Kate drückte ihrer Mutter die Einkaufstüten in die Hand. »Ich habe Aufschnitt und Salat gekauft, jede Menge Fertigmahlzeiten. Bis der neue Ofen da ist, brauchst du also nicht zu kochen. Ich bin gleich zurück.«

Auf dem Weg zur Tür verlor Emma Kate kein einziges Wort. »Grüß deine Granny«, meinte sie nur, als sie Shelby aufmachte.

»Wird gemacht.« Im Vergleich zu Bitsys herzlicher Aufnahme tat Emma Kates Reserviertheit besonders weh. »Bitte verzeih mir.«

»Warum sollte ich?«

»Weil du meine beste Freundin bist.«

»Das war einmal. Menschen ändern sich.« Nachdem sie ihren Pony aus dem Gesicht geschüttelt hatte, steckte Emma Kate die Hände in die Taschen ihrer Kapuzenjacke. »Shelby, du hast einen harten Schicksalsschlag erlitten, und das tut mir aufrichtig leid. Aber …«

»Du musst mir verzeihen.« Ihr Stolz verlangte, dass sie ging, aber die Liebe wusste das zu verhindern. »Ich habe mich nicht korrekt verhalten. Ich habe dir wehgetan, und das tut mir leid. Es wird mir immer leidtun. Bitte verzeih mir, denk an die Freundschaft, die wir einmal hatten. Bitte vergib mir. Zumindest so weit, dass du wieder mit mir redest, mir sagst, was du so machst und wie es dir geht.«

Emma Kate musterte die dunklen Ringe unter Shelbys Augen. »Verrat mir nur eines: Warum bist du nicht zur Beerdigung meines Großvaters gekommen? Er hat dich geliebt. Und ich habe dich gebraucht.«

»Ich wäre so gern gekommen. Aber ich konnte nicht.«

Mit langsamem Kopfschütteln trat Emma Kate einen Schritt zurück. »Nein, das genügt mir nicht. Du erzählst mir jetzt, warum du so etwas Wichtiges nicht gemacht und nur Blumen und eine Karte geschickt hast. Sag mir wenigstens in diesem Punkt die Wahrheit.«

»Er hat Nein gesagt.« Shelbys Gesicht glühte vor Scham. »Er hat Nein gesagt, und ich hatte weder das Geld noch die Energie, mich durchzusetzen.«

»An Energie hat es dir eigentlich nie gefehlt.«

Shelby erinnerte sich genauso vage an das mutige Mädchen, das sie einst gewesen war, wie an ihre Cousine Vonnie.

»Ich fürchte, die ist aufgebraucht. Ich muss all meine Kraft zusammennehmen, um überhaupt stehen und dich um Vergebung bitten zu können.«

Emma Kate atmete tief durch. »Kennst du noch die *Bootlegger's Bar*?«

»Natürlich.«

»Dann treffen wir uns morgen dort. Gegen halb acht müsste ich es schaffen. Dann reden wir.«

»Ich muss erst Mama fragen, ob sie auf Callie aufpassen kann.«

»Ach so, ja.« Die Kälte kam zurück, kühler und feuchter als der Regen draußen. »Das ist bestimmt deine Tochter, die ich bisher nicht zu Gesicht bekommen habe.«

Wieder diese Scham, diese Schuldgefühle. »Ich kann mich gern noch mal bei dir entschuldigen. So lange, bis du mir glaubst.«

»Ich werde gegen halb acht da sein. Wenn du es schaffst, schau vorbei.«

Mit diesen Worten ging Emma Kate wieder hinein, um sich von innen gegen die Tür zu lehnen und ein bisschen zu weinen.

* * *

Griff baute in aller Ruhe den letzten Schrank ein, da Emma Kate sich bereit erklärt hatte, mit ihrer Mutter ein paar Besorgungen zu erledigen. Er gönnte sich eine Pause, trank eine Limo direkt aus der Flasche und bewunderte seine Fortschritte.

Er wusste, dass die ungekrönte Königin der Zauderer jeden Millimeter ihrer neuen Küche lieben würde, wenn sie erst fertig war. Sie würde so klar und frisch aussehen wie die Rothaarige.

Trotzdem, irgendwas stimmt da nicht, dachte er. Warum hatte Miz Bitsy so sehr betont, wie befreundet Kate und Shelby von klein auf waren, während Emma Kate so stocksteif und kühl gewesen war, wie er sie noch nie erlebt hatte und die Rothaarige traurig und verlegen.

Ein Streit unter Frauen vermutlich. Er hatte eine Schwester und wusste, wie ausdauernd und verbittert solche Zerwürfnisse sein konnten. Er würde Emma Kate einen Schubs in die richtige Richtung geben. Wenn er sie auf dem richtigen Fuß erwischte, würde sie sich ihm bestimmt anvertrauen.

Er war unglaublich neugierig.

Gleichzeitig fragte er sich, wie viel Zeit eigentlich verstreichen musste, bis man eine Witwe um ein Rendezvous bitten konnte.

Vermutlich sollte er sich schämen, aber er konnte einfach nicht anders. Noch nie hatte er so heftig auf eine Frau reagiert, dabei stand er durchaus auf Frauen.

Er stellte seine Limo ab und beschloss, mit den Oberschränken anzufangen. Matt schien den ganzen Tag zu brauchen, um das Waschbecken zu reparieren. Vermutlich nicht nur dafür, dachte Griff und holte seine Trittleiter. Bestimmt wurde ausgiebig gequatscht. In Rendezvous Ridge geschah nichts, ohne dass ausgiebig gequatscht wurde.

Es gab Eistee, Fragen und lange Gesprächspausen.

So langsam gewöhnte er sich daran und stellte fest, dass ihm das geruhsame Tempo gefiel, das Kleinstadtflair.

Griff hatte eine Entscheidung fällen müssen, als Matt beschlossen hatte, mit Emma Kate nach Tennessee zu ziehen. Bleiben oder gehen. Sich einen neuen Kompagnon suchen und die Firma übernehmen. Oder den Sprung wagen, einen Neuanfang an einem neuen Ort mit neuen Leuten.

Er bereute es nicht, den Sprung gewagt zu haben.

Dann hörte er, wie die Haustür aufging. Auch daran musste man sich erst gewöhnen: dass die Leute so gut wie nie abschlossen.

»Musstest du ihr erst ein neues Waschbecken bauen?«, rief Griff und zog die letzte Schraube des ersten Oberschranks fest.

»Miz Vi hatte noch mehr Reparaturaufträge für mich. Aha, du bist ja wirklich gut vorangekommen. Das sieht toll aus.«

Griff grunzte nur und stieg von der Leiter, um sein Werk zu begutachten. »Ich sage nur eines, mir ist noch nie jemanden begegnet, der so unentschlossen ist wie Miz Bitsy.«

»Ja, sie tut sich nicht leicht, eine Entscheidung zu treffen.«

Matt war berühmt für sein Understatement.

»Keine Ahnung, wie sie es schafft, morgens überhaupt aus dem Bett zu kommen. Wäre deine Freundin früher aufgetaucht, um Bitsy zu entführen, wäre ich ein gutes Stück weiter. Sie findet das Weiß zu weiß, und vielleicht hat sie sich für die falsche Arbeitsfläche entschieden. Oder aber für die falsche Wandfarbe, vom Spritzschutz ganz zu schweigen.«

»Nun, dafür ist es ein bisschen zu spät.«

»Sag ihr das!«

»Man muss sie einfach liebhaben.«

»Allerdings. Meine Güte, Matt, können wir sie die nächsten drei Tage nicht irgendwo einsperren?«

Grinsend zog Matt seine Jacke aus. Er war klein und kompakt, Griff dagegen groß und schlaksig. Matt trug das schwarze Haar kurz geschnitten, Griffs war leicht gelockt und fiel ihm bis über den Kragen. Matts markantes Gesicht war glatt rasiert, Griffs schmales, hohlwangiges zierte meist ein Dreitagebart.

Matt spielte Schach und ging gern zu Weinproben.

Griff stand auf Poker und Bier.

Seit fast zehn Jahren waren die beiden so etwas wie Brüder.

»Ich hab dir ein Sandwich mitgebracht«, verkündete Matt.

»Ach ja, was denn für eines?«

»Das mit der scharfen Chilisoße, das du so gern magst. Eines, das dich Feuer spucken lässt.«

»Cool.«

»Wie wär's, wenn wir noch ein paar Schränke aufhängen und dann erst Pause machen? Eine kurze Pause? Keine Ahnung, wie lange Emma Kate uns Bitsy noch vom Hals halten kann.«

»Abgemacht.«

Sie hatten gerade erst mit der Arbeit begonnen, als Griff beschloss, ein bisschen nachzubohren.

»Miz Vis Enkelin hat vorbeigeschaut. Die, die gerade wieder hergezogen ist. Die Witwe.«

»Ja? Ich hab so was gehört. Und, wie ist sie so?«

»Umwerfend. Im Ernst«, sagte Griff, als Matt ihn amüsiert ansah. »Sie hat dieselbe Haarfarbe wie ihre Mutter und Miz Vi. Wie die von dem Maler.«

»Tizianrot.«

»Ganz genau. Lange Locken. Und erst die Augen! Dunkelblau, fast violett. Sie sieht aus wie eine Muse, dazu passt auch der traurige Blick.«

»Na ja, ihr Mann ist kurz nach Weihnachten gestorben.«

Drei Monate, überschlug Griff. Vermutlich war es zu früh, sie um eine Verabredung zu bitten.

»Was ist mit ihr und Emma Kate? Irgendwas stimmt da nicht.«

»Wie meinst du das? Auf deiner Seite muss er ein bisschen höher. Stopp, perfekt.«

»Bitsy hat betont, wie gut die beiden befreundet waren, aber von ihrer Körpersprache her sah es gar nicht danach aus. Ich kann mich nicht erinnern, dass Emma Kate je von ihr erzählt hat.«

»Keine Ahnung«, sagte Matt, während Griff die Schrauben festzog. »Ich glaube, sie ist sauer, weil Shelby kurz vor ihrer Hochzeit einfach abgehauen ist.«

»Da muss mehr dahinterstecken.« Griff ließ nicht locker und überlegte, noch etwas dreister nachzuhaken. Matt achtete nicht besonders auf Details, was Menschen anging. »Viele Leute ziehen weg, wenn sie heiraten.«

»Sie haben sich einfach aus den Augen verloren.« Matt zuckte mit den Schultern. »Emma Kate hat sie ein paar Mal erwähnt, aber viel hat sie nicht von ihr erzählt.«

Griff konnte nur den Kopf schütteln. »Matt, du verstehst wirklich gar nichts von Frauen. Wenn eine Frau etwas erwähnt, ohne weiter darauf einzugehen, spricht das Bände.«

»Warum erzählt sie es dann nicht einfach?«

»Weil die Umstände stimmen müssen und sie auf den richtigen Moment warten will. Forrest hat auch kaum was gesagt, aber der macht ohnehin nicht viele Worte. Ich habe es versäumt, für die richtigen Umstände zu sorgen.«

»Bevor du gemerkt hast, wie umwerfend sie ist.«

»Ja, genau.«

Matt kontrollierte erneut, ob alles gerade war, bevor sie mit dem nächsten Schrank weitermachten.

»Lass lieber die Finger von einer Witwe mit Kind, die noch dazu die kleine Schwester eines Freundes ist.«

Griff grinste nur, während sie den zweiten Schrank positionierten. »So, wie du die Finger von der coolen Frau aus dem Süden gelassen hast, die meinte, sie wäre zu beschäftigt für eine Beziehung.«

»Ich hab sie rumgekriegt, oder etwa nicht?«

»Ja. Das war das Beste, was du je getan hast. Kapiert?«

»Kapiert.«

Griff hielt den Schrank so fest, dass er nahtlos an den anderen anschloss. »Du solltest Emma Kate fragen, was eigentlich los ist.«

»Warum?«

»Weil sie es war, die traurig dreingeschaut hat, nachdem die Rothaarige weg war. Vorher wirkte sie eher sauer. Aber dann hat sie traurig ausgesehen.«

»Tatsächlich?«

»Ja. Du solltest sie fragen.«

»Wozu schlafende Hunde wecken?«

»Meine Güte, Matt! Sie bedrückt etwas. Solange du es nicht ansprichst, kann sie es sich nicht von der Seele reden.«

»Genauso gut könnte ich in einem Wespennest herumstochern.«

Matt sah das anders. »Wenn du so neugierig bist, frag sie doch selbst.«

»Waschlappen.«

»Deswegen? Das ist doch lächerlich.« Er kontrollierte alles mit der Wasserwaage. »Perfekt. Wir haben ganze Arbeit geleistet.«

»Wir heißen nicht umsonst *The Fix-it Guys*.«

»Ja. Lass uns den letzten in dieser Reihe aufhängen und dann ein Sandwich essen.«

»Gern, Kumpel.«

* * *

Viola hatte anfangs nur zum Spaß frisiert, ihren Schwestern und Freundinnen die Haare gemacht, wie sie es in Zeitschriften gesehen hatte. Sie erzählte gern, wie sie das erste Mal Schere und Großvaters Rasierapparat mit den Haaren ihrer Schwester Evalynn in Berührung gebracht hatte. Mit Erfolg, denn es sah genauso aus wie das, wofür Miz Brenda in *Brendas Beauty Salon* eine schöne Stange Geld verlangte.

Damals war sie zwölf gewesen. Seitdem hatte sie sämtliche Familienmitglieder frisiert und die Mädels, aber auch ihre Mutter zu besonderen Anlässen gestylt.

Bevor das erste Kind kam, hatte sie für Miz Brenda gearbeitet und nebenher selbstständig in der winzigen Küche des Wohnwagentrailers, in den sie mit Jackson gezogen war. Als dann Grady geboren wurde, war sie nicht einmal siebzehn gewesen, hatte zusätzlich Maniküre angeboten und nur noch von zu Hause aus gearbeitet. Damals waren sie gerade in das kleine Haus gezogen, das sie von Jacks Onkel Bobby gemietet hatten.

Bald darauf kam das zweite Kind, und während ihre Mutter die Kinder hütete, machte sie eine Ausbildung zur Kosmetikerin.

Viola MacNee Donahue war schon immer sehr ehrgeizig gewesen und scheute sich nicht, auch ihrem Mann gehörig Dampf unterm Hintern zu machen.

Als sie zwanzig war, drei Kinder hatte und eine Totgeburt, die eine Lücke riss, die sich nie mehr schließen ließ, kaufte sie Brenda den Salon ab und machte sich selbstständig. Brenda wiederum hatte es vorgezogen, ihren Mann zu verlassen, um mit einem Gitarristen aus Maryland auf und davon zu gehen.

Anschließend hatte Viola nichts als Schulden. Obwohl sie es nicht mit den Pfaffen hielt, die behaupten, der liebe Gott werde es schon richten, glaubte sie jedoch sehr wohl, dass Gott diejenigen, die sich redlich bemühen, wohlwollend im Auge behält.

Und sie bemühte sich, indem sie sich achtzehn Stunden am Tag die Beine in den Bauch stand, während Jack in *Fester's Garage* genauso hart schuftete.

Die beiden bekamen ein viertes Kind, trugen ihre Schulden ab und stürzten sich in neue, als Jack seine eigene Werkstatt samt Abschleppdienst gründete. Jackson Donahue war der beste Automechaniker weit und breit und hatte im Grunde Fester den Laden geschmissen, der an fünf von sieben Tagen schon mittags betrunken war.

Beide hatten sich selbstständig gemacht, vier Kinder großgezogen und ein schönes Haus gekauft.

Von den Ersparnissen, die Viola anschließend zur Seite legen konnte, kaufte sie schöne alte Textilien, expandierte und war das Ortsgespräch, als sie drei schicke Pedikürestühle anschaffte.

Die Geschäfte liefen gut, aber wer mehr wollte, musste sich was einfallen lassen. Ab und zu kamen Touristen, die nach etwas suchten, das authentischer, günstiger, malerischer oder gemütlicher war, als sie es von Gatlinburg oder Maryville kannten.

Sie kamen zum Wandern, Angeln und Zelten, einige stiegen im

Rendezvous Hotel ab und machten Wildwasserrafting. Die Urlauber waren großzügiger als die Einheimischen und bereit, sich so richtig verwöhnen zu lassen.

Also wagte Viola den Sprung und expandierte erneut. Und erneut.

Die Leute im Ort nannten ihren Salon einfach nur *Vi's*, aber die Touristen kamen in *Violas Friseursalon & Wellnessoase*.

Das gefiel ihr.

Die neueste und, wie Viola behauptete, letzte Expansion war der Anbau gewesen, der als Entspannungsraum diente. Es handelte sich dabei im Grunde um einen besseren Wartebereich. Er war eine echte Schau. Obwohl Vi persönlich kräftige Farben liebte, hatte sie sich für gedämpfte Töne entschieden, einen Gaskamin installieren lassen und sämtliche Elektrogeräte verbannt. Sie bot spezielle Tees an, die mit hiesigem Quellwasser aufgegossen wurden, weich gepolsterte Liegen und flauschige Bademäntel, die mit ihrem Logo bestickt waren.

Da all diese Neuerungen stattgefunden hatten, als Shelby von Atlanta nach Philadelphia gezogen war, konnte sie sie erst heute bewundern.

Typisch Großmutter, dachte sie, als sie durch die Umkleide in den Entspannungsraum geführt wurde, der dezent nach Lavendel roch.

»Das ist ja fantastisch, Granny.«

Sie sprach mit gedämpfter Stimme, um die beiden Unbekannten nicht zu stören, die auf den beigen Liegen saßen und in Hochglanzzeitschriften blätterten.

»Probier einen Jasmintee. Er wird in Ridge hergestellt. Und ruh dich schön aus, bevor Vonnie dich holt.«

»Dieses Spa ist mindestens so schön wie die anderen, in denen ich vorher gewesen bin. Wenn nicht sogar noch schöner.«

Zu den Annehmlichkeiten gehörten flache Gefäße mit Sonnenblumenkernen, eine Holzschale mit knallgrünen Äpfeln, Glaskaraffen mit Wasser, das mit Zitronen oder Gurkenscheiben aromatisiert war, und Kannen mit heißem Tee, den die Kundinnen aus hübschen kleinen Tässchen tranken.

»Du bist einfach ein Genie.«

»Ideen zu haben reicht nicht, man muss sie auch umsetzen. Wenn Vonnie mit dir fertig ist, komm bitte zu mir.«

»Gut. Könntest du vielleicht kurz bei Mama vorbeischauen? Ich möchte nur wissen, ob Callie sich gut benimmt.«

»Mach dir keine Sorgen.«

Das ist leichter gesagt als getan, dachte Shelby, als Vonnie, die höchstens fünfunddreißig war, sie auf einen vorgewärmten Massagetisch bettete. Das Licht im Raum war gedimmt, und es lief leise Musik.

»Meine Güte, Mädel, deine Schultern sind ja hart wie Beton. Bitte tief einatmen. Noch einmal. So ist es gut. Und jetzt schön locker lassen.«

Shelby bemühte sich, und irgendwann ging es wie von selbst. Sie ließ sich treiben.

»Und, wie geht es dir jetzt?«

»Wie bitte?«

»Das ist eine gute Antwort. Bitte schön langsam aufsetzen. Ich werde das Licht ein wenig heller machen und dir den Bademantel über die Beine legen.«

»Danke, Vonnie.«

»Ich werde Miz Vi sagen, dass du nächste Woche noch einen Termin gebrauchen kannst. Es dauert ein bisschen, bis alles schön locker ist, Shelby.«

»Ich fühle mich schon deutlich lockerer.«

»Das freut mich. Nicht zu schnell aufstehen, okay? Ich hole dir frisches Quellwasser. Du hast bestimmt Durst.«

Shelby trank das Wasser, zog sich wieder an und ging in den Salonbereich.

Vier von sechs Friseurstühlen waren besetzt und zwei von vier

Pedikürestühlen. Sie sah, wie zwei Frauen eine Maniküre bekamen, und warf einen Blick auf ihre eigenen Nägel. Sie war das letzte Mal vor Weihnachten bei der Maniküre gewesen.

Während im Entspannungsraum heilige Stille geherrscht hatte, ging es im Salon hoch her. Frauen plapperten, Fußbäder blubberten und Föne liefen auf Hochtouren. Gleich fünf Leute begrüßten sie herzlich, drei Kosmetikerinnen und zwei Kundinnen. Im Nu war sie mit ihnen im Gespräch und bekam Beileidsbekundungen, bevor sie bis zu ihrer Großmutter durchdringen konnte.

»Du kommst genau im richtigen Moment. Ich bin gerade mit Dolly Wobucks Strähnchen fertig, und mein nächster Termin fällt aus. Ich habe also Zeit, dir eine Gesichtsbehandlung angedeihen zu lassen. Schlüpf wieder in den Bademantel.«

»Ach, aber …«

»Callie geht es gut. Chelsea und sie geben eine Kostümparty. Ada Mae hat mir erzählt, dass sich die beiden auf Anhieb verstanden haben, fast so wie Emma Kate und du damals.«

»Das freut mich.« Shelby versuchte, den kühlen Blick ihrer Sandkastenfreundin zu vergessen.

»In ein paar Stunden nimmt sie deine Kleine wieder mit nach Hause. Du hast also genug Zeit für eine Gesichtsbehandlung und für einen Plausch.« Viola neigte den Kopf, und das durchs Fenster einfallende Licht verlieh ihrem roten Haar einen goldenen Glanz. »Vonnies Massage hat dir gutgetan, nicht wahr?«

»Sie ist fantastisch. Ich hatte ganz vergessen, wie zierlich sie ist.«

»Genau wie ihre Mutter.«

»Dafür hat sie erstaunlich kräftige, magische Hände. Sie hat sich geweigert, Trinkgeld anzunehmen, Granny. Angeblich hat Mama das erledigt. Außerdem würde ich zur Familie gehören.«

»Du kannst mir ein Trinkgeld geben, indem du mir eine Stunde deiner kostbaren Zeit schenkst. Los, zieh dich um. Die Kabinen für die Gesichtsbehandlungen sind da drüben. Wir nehmen die Nummer eins. Los!«

Shelby gehorchte. Sie wünschte sich so sehr, dass Callie Freunde fand und jemanden zum Spielen hatte. Das wäre gut für sie. Außerdem war es dumm, ein schlechtes Gewissen zu haben, nur weil sie den Tag im Salon ihrer Großmutter verbrachte.

»Ich hab genau das Richtige für dich«, sagte Viola, als Shelby hereinkam. »Eine energetisierende Gesichtsmaske. Die wird deiner Haut guttun. Häng den Bademantel an diesen Haken, leg dich hin und lass dich zudecken.«

»Das ist auch neu. Nicht die Kabine, aber der Sessel und einige Geräte.«

»Wenn man konkurrenzfähig bleiben will, muss man sich anstrengen.« Viola holte einen Kittel und zog ihn über ihre Dreiviertelhose und das knallorange T-Shirt.

»Im Nebenraum steht eine Maschine, die mit Elektroimpulsen arbeitet.«

»Tatsächlich?« Shelby schlüpfte unter die Decke.

»Nur zwei von uns wurden daran ausgebildet, ich und deine Mutter. Und jetzt Maybeline, du erinnerst dich doch an Maybeline?«

»Ja, soweit ich weiß, arbeitet sie schon eine Ewigkeit für dich.«

»Das dürften einige Jährchen sein, ihre Tochter arbeitet übrigens auch hier. Lorilee ist genauso begabt für Maniküre wie ihre Mutter. Also, Maybeline lässt sich gerade an dem neuen Gerät ausbilden, sodass wir es zu dritt nutzen können. Aber noch sind Falten dein geringstes Problem.« Viola band Shelbys Haare zurück. »Dann wollen wir mal sehen. Deine Haut ist ein wenig dehydriert, Schätzchen. Das kommt vom Stress.«

Sie begann mit einer Gesichtsreinigung, und ihre Hände waren so weich wie die eines Kindes.

»Es gibt Dinge, die man seiner Mutter nicht anvertraut, aber der Großmutter durchaus. Weil sie dort besser aufgehoben sind. Ada Mae konzentriert sich gern auf die positiven Dinge, das ist eine große Stärke von ihr. Aber dich bedrückt etwas, und zwar unabhängig von deiner Trauer, denn mit Trauer kenne ich mich aus.«

»Ich habe aufgehört, ihn zu lieben.« Endlich konnte sie es aussprechen, mit geschlossenen Augen, während sie die Hände ihrer Großmutter auf ihrem Gesicht spürte. »Vielleicht habe ich ihn nie wirklich geliebt. Heute weiß ich, dass er mich auch nicht geliebt hat. Es tut weh, das festzustellen, und es tut weh, dass wir nicht bekommen haben, was uns zustand. Und jetzt ist er tot.«

»Du warst sehr jung.«

»Älter als du damals.«

»Ich hatte ein Wahnsinnsglück! Dasselbe galt für deinen Großvater.«

»Ich war eine gute Ehefrau, Granny. Das kann ich wirklich behaupten. Und Callie … wir haben Callie gezeugt, das ist ein großes Glück. Ich wollte noch ein Baby. Es mag falsch sein, sich ein zweites Kind zu wünschen, wenn nicht alles so ist, wie es sein sollte, aber ich hätte mich so darüber gefreut. Ich hatte solche Sehnsucht nach einem zweiten Kind.«

»Das Gefühl kenne ich gut.«

»Er hat Ja gesagt, meinte, dass es Callie guttun würde, einen Bruder oder eine Schwester zu haben. Nur dass es nie dazu kam, obwohl es beim ersten Mal sofort geklappt hat. Ich habe mich untersuchen lassen, und er hat gesagt, er hätte sich auch untersuchen lassen.«

»Er hat gesagt?«, wiederholte Viola, während sie ein sanftes Peeling auftrug.

»Ich … Ich musste nach seinem Tod all seine Unterlagen durchsehen. Es gab Unmengen davon.«

Anwälte, Steuerberater, Steuerfahnder, Gläubiger, Rechnungen, Schulden.

»Da habe ich eine Quittung oder Rechnung gefunden von einem Arzt in New York. Richard hat alles peinlich genau aufbewahrt. Wenige Wochen nach Callies Geburt musste er plötzlich auf eine

Geschäftsreise. Aber in Wahrheit hat er einen Arzt in New York aufgesucht und eine Vasektomie vornehmen lassen.«

Violas Hände erstarrten. »Er hat sich die Samenstränge durchschneiden lassen und dir vorgemacht, ihr könntet noch ein Kind kriegen?«

»Das werde ich ihm niemals verzeihen. Das ist das Einzige, das ich ihm niemals verzeihen werde.«

»Es war sein gutes Recht zu entscheiden, ob er noch ein Kind will oder nicht. Aber nicht, sich heimlich sterilisieren zu lassen. Damit hat er dich furchtbar hintergangen. Ein Mann, der zu so etwas in der Lage ist, muss ziemlich gestört sein.«

»Es gab so viele Lügen, Granny, aber das habe ich alles erst nach seinem Tod herausgefunden.« Da war diese Leere, die nie mehr gefüllt werden konnte. »Ich bin mir so dumm vorgekommen. Es war, als hätte ich mit einem Wildfremden zusammengelebt. Ich verstehe nicht, warum er mich überhaupt geheiratet hat.«

Trotz ihres inneren Aufruhrs blieben Violas Bewegungen sanft und ihre Stimme ruhig. »Du bist eine wunderschöne junge Frau, Shelby Anne, und du hast gesagt, dass du ihm eine gute Ehefrau gewesen bist. Du musst dir nicht dumm vorkommen, nur weil du deinem Mann vertraut hast. Worüber hat er noch gelogen? Gab es andere Frauen?«

»Ich bin mir nicht sicher, und fragen kann ich ihn nicht mehr. Aber nach allem, was ich gefunden habe, muss es andere Frauen gegeben haben. Erstaunlicherweise macht mir das gar nichts aus, dafür ist er viel zu oft ohne uns verreist. Außerdem war ich vor ein paar Wochen beim Arzt und habe einen Test gemacht … Er hat mich nicht angesteckt. Wenn er andere Frauen hatte, hat er wenigstens aufgepasst. Insofern ist mir egal, wie viele es waren.«

Während Viola die Maske auftrug, nahm Shelby ihren ganzen Mut zusammen.

»Und das Geld, Granny. Auch das war gelogen. Ich habe mich nie darum gekümmert, weil er meinte, das wär seine Angelegenheit. Ich sollte mich lieber um das Haus und Callie kümmern. Seine Stimme wurde dann immer ganz schneidend, er hat gar nicht erst laut werden oder die Hand gegen mich erheben müssen.«

»Kalte Verachtung kann verletzender sein als heiße Wut.«

Getröstet schlug Shelby die Augen auf und sah in die ihrer Großmutter.

»Er hat mich reingelegt. Ich gebe es nur ungern zu und weiß gar nicht, wie das passieren konnte. Im Rückblick ist mir vieles klar geworden. Er wollte nicht, dass ich Fragen über die Herkunft des Geldes stelle, also habe ich nicht gefragt. Es gab schließlich mehr als genug davon … All die Kleider, Möbel und Restaurantbesuche, die vielen Reisen. Nichts davon war echt, er war ein Betrüger und hat unsaubere Geschäfte gemacht. Ich weiß immer noch nicht über alles Bescheid.«

Sie schloss erneut die Augen, nicht aus Scham vor ihrer Großmutter, sondern aus reiner Erschöpfung. »Alles lief auf Pump, und beim Haus oben im Norden hatte er nicht einmal die erste Rate bezahlt. Ich wusste nichts davon, bis er mir im November eröffnet hat, dass wir umziehen. Dann waren da noch die Autos, die Kreditkarten und weitere Ratenzahlungen plus die Schulden, die er in Atlanta hatte. Die Steuern, die er nachzahlen musste.«

»Er hat dir Schulden hinterlassen?«

»Ich verschaffe mir gerade einen Überblick und stelle Zahlungspläne auf. Außerdem habe ich in den letzten Wochen viel verkauft. Für das Haus liegt bereits ein Angebot vor, und wenn das klappt, ist mir sehr geholfen.«

»Wie hoch sind die Schulden, die er dir hinterlassen hat?«

»Im Moment?« Shelby sah ihrer Großmutter direkt in die Augen. »Eine Million neunhundertsechsundneunzigtausend Dollar und neunundachtzig Cent.«

»Aha.« Viola holte tief Luft. »Verstehe. Himmel, Arsch und Zwirn, Shelby Anne, das ist eine ziemlich stolze Summe.«

»Wenn das Haus verkauft ist, wird es weniger. Ich habe ein Angebot für eins Komma acht Millionen Dollar vorliegen. Die Hypothek ist hundertfünfzigtausend höher, aber weil es ein Notverkauf ist, lässt die Bank es dabei bewenden. Ursprünglich waren es insgesamt drei Millionen Schulden. Wenn man die Rechnungen der Anwälte und Steuerberater dazurechnet, noch mehr.«

»Du hast seit Januar eine Million Dollar abbezahlt?« Viola schüttelte den Kopf. »Das muss ein ziemlich luxuriöser Flohmarkt gewesen sein, den du da veranstaltet hast.«

7

Eine Massage, eine energiespendende Gesichtsbehandlung und ihre Kleine, die nur so sprudelte vor Glück, schafften es, Shelbys Laune deutlich zu heben.

Doch am allermeisten hatte ihr das Gespräch mit ihrer Großmutter geholfen. Shelby hatte ihr alles anvertraut. Das mit dem Banksafe und was darin gewesen war, das mit dem Privatdetektiv. Dass sie eine Excel-Tabelle angelegt hatte und so bald wie möglich Arbeit finden musste.

Nachdem sie Callie gefüttert, gebadet und ins Bett gebracht hatte, wusste sie mehr als genug über Chelsea und hatte versprochen, sie so bald wie möglich einzuladen.

Sie ging nach unten und fand ihren Vater in seinem Lieblingssessel vor. Er sah sich gerade ein Basketballspiel auf seinem neuen Fernseher an, während ihre Mutter auf dem Sofa saß und häkelte.

»Ist sie problemlos eingeschlafen?«

»Sie war sofort weg, noch bevor ich die Gutenachtgeschichte zu Ende lesen konnte. Du hast sie heute richtig müde gemacht, Mama.«

»Sie hatte einen Riesenspaß. Die beiden Mädchen waren voll in ihrem Element und haben keine Minute stillgesessen. Suzannah und ich haben ausgemacht, uns abzuwechseln. Mal kommt Chelsea zu uns, und mal bringe ich Callie zu ihr. Außerdem hab ich dir Traceys Telefonnummer aufgeschrieben, sie hängt am Schwarzen Brett in der Küche. Du solltest Chelseas Mutter bald anrufen, Schätzchen, Kontakt zu ihr knüpfen.«

»Das werde ich. Du hast Callie heute so richtig verwöhnt. Darf ich dich um einen weiteren Gefallen bitten?«

»Aber natürlich.«

»Ich hab zufällig Emma Kate getroffen.«

»Das hab ich mitbekommen.« Ada Mae häkelte weiter, sah aber lächelnd auf. »Du bist in Rendezvous Ridge, Liebes. Es dauert keine zehn Minuten, bis sich alles rumspricht. Sollte ich eines Tages nichts mehr mitkriegen, weiß ich, dass mit meinen Ohren was nicht stimmt und ich mich von deinem Vater untersuchen lassen muss. Du kennst doch Hattie Munson, Bitsys Nachbarin von gegenüber? Die beiden streiten ständig. Im Augenblick, weil Bitsy sich eine neue Küche machen lässt, ohne Hattie vorher um Rat gebeten zu haben. Hatties Sohn arbeitet bei LG, und Bitsy hat Geräte von einer anderen Firma bestellt, was ihr Hattie übel nimmt. Andererseits ist die schon beleidigt, wenn sie zu Hause niest, und man ihr nicht von hier aus *Gesundheit* wünscht.«

Shelby amüsierte sich über die Anekdoten ihrer Mutter und die Flüche ihres Vaters wegen des Basketballspiels. Sie ließ sich auf der Sofalehne nieder.

»Sosehr sie streiten, Hattie entgeht trotzdem nichts. Sie hat Emma Kate mit dir gesehen. Auch, dass ihr gemeinsam ins Haus gegangen seid. Wie macht sich die neue Küche so? Ich bin bestimmt seit einer Woche nicht mehr drüben gewesen.«

»Sie bauen gerade die Oberschränke ein. Sieht hübsch aus.«

»Emma Kates Freund Matt und Griff. Zwei ganz besonders reizende junge Männer, die hervorragend arbeiten. Ich will mir von ihnen ein neues Bad einbauen lassen, angrenzend an dein altes Zimmer.«

»Moment, Ada Mae.« Clayton hatte es geschafft, sich so lange von dem Spiel loszureißen, dass er das mit dem Bad mitbekam.

»Ich bin fest entschlossen, Clayton. Besser, du findest dich gleich damit ab. Griff meinte, man könnte die Zwischenwand entfernen und ein richtiges Wellnessbad einbauen. Ich hab schon in

Zeitschriften geblättert, um mich inspirieren zu lassen. Und Griff hat ganze Kataloge mit Armaturen, Designs, die ich noch nirgendwo gesehen habe. Er hat sich selbst auch ein neues Bad eingebaut. Ich bin extra zum alten Tripplehorn-Haus gefahren, um es mir anzusehen. Wie in einem Hochglanzmagazin. Obwohl er immer noch mit einer Matratze auf dem Boden schläft. Inzwischen hat er auch die Küche fertig. Ich könnte grün werden vor Neid.«

»Vergiss es, Ada Mae.«

»Mir gefällt meine Küche«, sagte sie zu Clayton und grinste Shelby an, während ihre Lippen das Wörtchen *noch* formten. »Ich nehme an, zwischen Emma Kate und dir war auf Anhieb alles so wie früher?«

Schön wär's, dachte Shelby. »Genau deshalb möchte ich dich um einen Gefallen bitten. Sie hat vorgeschlagen, dass wir uns morgen im *Bootlegger's* treffen, so gegen halb acht.«

»Dann trefft euch. Freunde gehören zum Wichtigsten im Leben. Ich wüsste wirklich nicht, was ich ohne Suzannah machen sollte. Dein Vater und ich passen auf Callie auf und bringen sie ins Bett. Wir freuen uns darauf.«

»Endlich was, dem ich voll und ganz beipflichten kann.« Clayton sah zu seiner Tochter hinüber. »Nimm dir Zeit für Emma Kate, in der Zwischenzeit werden wir Callie nach Herzenslust verwöhnen.«

»Danke.« Shelby beugte sich vor und küsste ihre Eltern. »Ich geh nach oben, dieser Wellnesstag hat mich auf eine angenehme Art müde gemacht. Vielen Dank dafür, Mama. Außerdem werden wir morgen um sechs zu Abend essen müssen. Ich koch uns was.«

»Ach, aber …«

»Ich mach das, Ada Mae«, sagte sie in demselben Ton, den ihre Mutter gerade wegen des Badezimmers angeschlagen hatte. Clayton gluckste.

»Ich bin nämlich eine ausgezeichnete Köchin, ihr werdet schon sehen. Außerdem möchte ich mich erkenntlich zeigen, solange Callie und ich hier wohnen. Schließlich habe ich eine gute Kinderstube genossen. Gute Nacht.«

»Das hat sie wirklich«, sagte Clayton, als Shelby nach oben ging. »Wir können stolz auf sie sein. Lassen wir uns morgen Abend von ihr überraschen.«

»Sie sieht so blass und erschöpft aus.«

»Quatsch! Hab ein paar Tage Geduld. Wir können froh sein, dass sie wieder da sind.«

»Ja, das stimmt. Noch mehr würde ich mich allerdings freuen, wenn sie sich wieder mit Emma Kate verträgt.«

* * *

Shelby kam nicht dazu, sich zu langweilen. Schon am Vormittag holte sie den Kinderwagen raus. Wenn sie Callie ausfuhr und für den Abend einkaufte, konnte sie sich dabei gleich ein bisschen in Ridge umsehen. Vielleicht suchte ja jemand Personal?

Die Wolken hatten sich verzogen, und es roch nach Frühling. Sie steckte Callie in ihre rosa Jeansjacke und setzte ihr eine leichte Mütze auf. Für den Fall, dass sie sich irgendwo vorstellen würde, schminkte sie sich.

»Gehen wir Chelsea besuchen, Mama?«

»Wir gehen in den Ort, Schätzchen, einkaufen. Außerdem muss ich ein Bankkonto eröffnen. Vielleicht schauen wir kurz bei Granny vorbei.«

»Granny besuchen! Und Chelsea!«

»Ich werde Chelseas Mama nachher anrufen. Mal sehen.«

Als sie an Emma Kates Haus vorbeikam, sah sie den Lieferwagen in der Auffahrt und musste sich zwingen, nicht zu winken. Bestimmt hatte Hattie Munson sie fest im Blick.

Leute wie Ms. Munson waren furchtbare Klatschbasen. Die

meisten Einwohner dürften sich über ihre Rückkehr freuen. Doch es gab bestimmt genug andere, die sich am Gartenzaun, im Supermarkt oder im Café genüsslich das Maul über das arme Pomeroy-Mädchen zerrissen, das als Witwe und alleinerziehende Mutter nach Hause zurückgekehrt war. Was konnte man auch anderes erwarten, wenn man mit einem Mann auf und davon ging, den niemand kannte?

Sie hatten schon gelästert, dass sie nach Norden gezogen und nur selten heimgekommen war. Dass sie ihr teures Studium abgebrochen hatte, für das ihre Eltern tief in die Tasche greifen mussten.

Zu tratschen gab es mehr als genug. Dabei kannten sie nicht mal die halbe Wahrheit.

Am besten, Shelby hielt sich bedeckt, blieb freundlich und suchte sich einen festen Job. Dann würde sie sich allerdings um eine Tagesbetreuung für Callie kümmern müssen.

Doch so ein Hortplatz würde ihrer Tochter auf jeden Fall guttun. Das merkte man bereits daran, wie sie sich auf Chelsea gestürzt hatte. Callie brauchte dringend Kontakt zu anderen Kindern, auch wenn das bedeutete, dass die Hortgebühren ihren Verdienst mehr oder weniger auffressen würden.

Während Callie sich mit Fifi unterhielt, schaute sich Shelby nach Häusern um, die zum Verkauf angeboten wurden. Am besten wäre etwas in der Nähe, damit Callie zu ihren Omas laufen konnte. Zu Freundinnen und in den Ort, genau wie Shelby früher.

Ein kleines Haus, zwei Zimmer, Küche, Bad, vielleicht ein kleiner Garten. Den hatte sie in dem Apartmentblock schmerzlich vermisst, und in Philadelphia hatte sie gar nicht erst die Chance gehabt, mit der Gartenarbeit zu beginnen.

In ihrer Fantasie malte sich Shelby alles aus. Ein kleines Cottage würde vollauf genügen. Sie würde Blumen pflanzen, einen Gemüsegarten anlegen und ein paar Kräuter ziehen. Sie würde Callie zeigen, wie man Pflanzen versorgt und Früchte erntet.

Die Einrichtung würde sie auf Flohmärkten zusammensuchen, schließlich konnte man die Möbel anschließend streichen, restaurieren oder neu aufpolstern. Warme Farben und weiche Sessel …

Sie würden es sich so richtig schön machen.

Shelby ging durch die gewundene, von alten Häusern gesäumte Hauptstraße.

Sie könnte in einem Geschenkeladen arbeiten, kellnern gehen, im Drogerie- oder Supermarkt an der Kasse sitzen. Granny hatte ihr angeboten, im Salon mitzuarbeiten, aber sie war keine besonders begabte Friseurin. Man würde sie mühsam anlernen müssen, und ihre Familie tat auch so schon genug für sie.

Sie konnte beim Hotel oder in der Ferienlodge außerhalb des Ortes nachfragen. Doch nicht heute, weil sie Callie dabeihatte. Sie beschloss, das auf ihre To-do-Liste zu setzen.

Was Shelby von ihrer Umgebung sah, gefiel ihr ausnehmend gut. Die Ladenfronten glänzten in der Sonne, Blumenampeln und -kästen schmückten die Gebäude. Sie genoss es zu sehen, wie die Leute stehen blieben, um ein paar Worte miteinander zu wechseln. Touristen marschierten den Bürgersteig entlang. Wanderer mit großen Rucksäcken machten Fotos vom Dorfbrunnen, an dem sich einer alten Legende nach ein heimliches Liebespaar aus verfeindeten Familien getroffen hatte. So lange, bis der Vater des Mädchens den Jungen erschossen hatte und das Mädchen an gebrochenem Herzen gestorben war. Ihre Treffen, so wurde gemunkelt, hätten dem Ort seinen Namen gegeben. So kam es, dass der Brunnen, in dem es natürlich spukte, auf unzähligen Fotos und Gemälden prangte.

Vielleicht sollte sie sich lieber einen Bürojob suchen, die nötigen Computerkenntnisse hatte sie. Andererseits fehlte es ihr an Erfahrung auf diesem Gebiet. Sie hatte nichts anderes vorzuweisen als Babysitten, Aushilfsjobs im Salon wie Shampoo nachfüllen, den Boden wischen und die Kasse bedienen, von dem Studentenjob in der Buchhandlung abgesehen.

Ansonsten hatte sie in einer Band gesungen.

Aber eine Band würde sie in nächster Zeit wohl kaum gründen, und zum Shampoo-Nachfüllen war sie inzwischen eindeutig zu alt. Ein Job als Verkäuferin also. Oder sie eröffnete einen Kinderhort. Doch es gab schon einen in Ridge. Und die meisten Eltern hatten eine Mutter, Cousine oder Schwester, die auf die Kinder aufpasste, wenn sie arbeiteten.

Also doch Verkäuferin oder Kellnerin. Da gab es bestimmt offene Stellen, vor allem jetzt, wo der Sommer vor der Tür stand.

Bei *The Artful Ridge*, wo überwiegend Künstler aus der Region ausstellten. Bei *Mountain Treasures*, die Souvenirs und Geschenkartikel verkauften. Oder im *Hasty Market*. Dort bekam man alles, was man brauchte, wenn einem der Weg bis zum Supermarkt zu weit war. Außerdem gab es die Apotheke, die Eisdiele, die Bar und das Steakhouse. Die Pizzerien und *Al's Liquor Store*.

Ein Stück weiter unten an der Straße lag *Shady's Bar*, die genauso war, wie ihr Name schon sagte – zwielichtig. Ihre Mutter würde einen Herzinfarkt bekommen, wenn sie dort anheuerte.

Während Shelby im Stillen ihre Möglichkeiten durchging, lief sie zum Schönheitssalon, damit ihre Oma mit Callie angeben konnte.

»Ich werde dir die Haare machen«, sagte Viola zu Callie. »Crystal, besorg mir einen Kindersitz. Du darfst bei deiner Oma sitzen, Callie Rose. Ich habe schon deine andere Oma und deine Mama frisiert. Jetzt bist du an der Reihe.«

»Callies Haare!« Callie streckte Viola die Arme entgegen und strich ihr anschließend übers Haar. »Omas Haare.«

»Wir haben ähnliches Haar, stimmt's? Auch wenn ich mit meinem inzwischen ziemlichen Aufwand betreiben muss.«

»Aufwandeteiben«, echote Callie und brachte Viola zum Schmunzeln.

»Du setzt dich hierher, Shelby. Crystal hat in der nächsten halben Stunde keinen Termin. Schaut euch nur diese Haarpracht an!«

Callie, die manchmal hibbelig und nervös sein konnte, wenn sie frisiert wurde, bewunderte sich glücklich im Spiegel.

»Ich will eine Prinzessin sein, Granny.«

»Du bist eine Prinzessin, aber wir werden dir eine Frisur machen, die sich geziemt.« Sie bürstete Callies Locken und griff nach einer der großen Silberklemmen, um sie ihr aus dem Gesicht zu stecken. Anschließend flocht sie ihr seitlich einen raffinierten französischen Zopf.

»Bonnie Jo Farnsworth, eine Cousine vom Mann von Gillys Schwester, lässt sich angeblich scheiden. Von Les Wickett, der früher mit Forrest gespielt hat. Sie sind keine zwei Jahre verheiratet und haben ein knapp sechs Monate altes Baby. Das riesige Hochzeitsfest hat ihren Dad ein Vermögen gekostet.«

»An Les kann ich mich vage erinnern. Wie schade für ihn.«

»Nach allem, was man so hört, hatten sie schon vor dem Anschneiden der Hochzeitstorte Probleme.« Crystal, die eine blonde Löwenmähne hatte, runzelte nachdenklich die Stirn. »Aber das sollte ich wohl lieber für mich behalten.«

»Quatsch.« Viola fixierte den ersten Zopf und begann mit dem zweiten. »Es gibt da nämlich ein paar pikante Details.«

»Na ja, Bonnie Jo war nämlich früher mit Boyd Kattery zusammen.«

»Der mittlere Sohn von Loretta Kattery. Die Kattery-Jungs sind ziemlich üble Burschen. Forrest ist bereits mit Arlo aneinandergeraten, dem Jüngsten. Das ist noch gar nicht so lange her. Arlo ist stockbesoffen ins *Shady's* und hat dort wegen einer Billardpartie eine Schlägerei angezettelt. Arlo hat Forrest eine verpasst, als er gerade schlichten wollte. Du erinnerst dich doch an Arlo, oder, Shelby? Dieser dürre strohblonde Kerl, der seit jeher einen schlechten Ruf genießt? Ständig ist er mit dem Motorrad vorbeigebraust und hat versucht, deine Aufmerksamkeit zu erregen.«

»Daran kann ich mich sogar noch sehr gut erinnern. Er war eine Weile im Gefängnis, weil er einen Jungen vor der Schule zusammengeschlagen hat, der halb so alt war wie er.«

»Boyd ist noch schlimmer.« Während sie erzählte, bereitete Crystal den Platz für die nächste Kundin vor. »Bonnie Jo und er hatten was miteinander. Als er dann verhaftet wurde, haben sie sich getrennt. Wegen ...«

Sie warf einen kurzen Seitenblick auf Callie, aber die war viel zu sehr beschäftigt, ihr Spiegelbild zu bewundern, um etwas mitzubekommen.

»Wegen unerlaubten Drogenbesitzes. Anschließend hat Bonnie Jo was mit Les angefangen, und auf einmal wollten sie heiraten. Meiner Meinung nach war ihr Vater so erleichtert, dass sie einen anständigen Mann gefunden hat, dass er jeden Preis für die Hochzeit bezahlt hätte. Nur ist Boyd kurz vor der Hochzeit wieder rausgekommen, und Bonnie Jo soll wieder was mit ihm angefangen haben. Jetzt sind die beiden in Florida, bei Cousins von ihm. Das Baby hat sie einfach zurückgelassen, als wäre es überflüssiger Ballast. Angeblich sollen die Cousins Drogen herstellen. Das Zeug, wegen dem er damals verhaftet worden ist.«

Das tat fast so gut wie eine Massage und eine Gesichtsbehandlung. Einfach nur dazusitzen und zuzuschauen, wie ihre Oma die fasziniert in den Spiegel starrende Callie in eine Prinzessin verwandelte. Dem neusten Klatsch zu lauschen.

Viola flocht die beiden Zöpfe zu einem Krönchen und band die restlichen Locken zu einem Pferdeschwanz.

»Schön. Ich bin schön, Oma.«

»Allerdings.« Viola beugte sich vor, sodass ihre beiden Köpfe im Spiegel zu sehen waren. »Ein Mädchen sollte wissen, wann es schön aussieht. Aber ich glaube, es gibt Wichtigeres.«

»Was denn?«

»Klug zu sein. Bist du klug, Callie Rose?«

»Mama sagt Ja.«

»Na, wenn sie das sagt, muss es stimmen. Auch nicht ganz unwichtig ist es, nett zu sein. Erst wenn du schön, klug und nett bist, bist du eine richtige Prinzessin.«

Sie küsste Callie auf die Wange und hob sie vom Stuhl. »Wenn ich nicht gleich einen Termin hätte, hätte ich euch zum Essen ausgeführt. Ein andermal!«

»Ein andermal führen wir dich zum Essen aus.« Shelby setzte Callie in den Kinderwagen. »Weißt du zufällig, ob jemand einen Job zu vergeben hat?«

»Lass mich überlegen. Im Frühling und Sommer wird immer zusätzliches Personal eingestellt. Aber ich hätte nicht gedacht, dass du dir gleich eine Arbeit suchst, Shelby. Nicht bei all dem Geld, das du …«

Viola schlug die Hand vor den Mund und sah Shelby schuldbewusst an. »Es tut mir so leid. Wie heißt es so schön? Erst denken, dann reden.«

»Ist nicht so schlimm. Ich will mich einfach nur beschäftigen. Du weißt ja, wie das ist.«

»Ich weiß, wie es ist, für seinen Lebensunterhalt arbeiten zu müssen. Wenn du dich nützlich machen willst, dann vielleicht drüben bei *The Artful Ridge*. Der Laden hat echt Stil, außerdem macht er gute Geschäfte, vor allem jetzt in der Touristensaison. Vielleicht brauchen sie auch eine Bedienung im Restaurant? Gut aussehende Kellnerinnen werden immer gesucht. Ach, und dann sind da noch die *Rendezvous Gardens*. Zu dieser Jahreszeit brauchen sie im Park mehr Unterstützung. Das könnte Spaß machen … vorausgesetzt man hat einen grünen Daumen.«

»Danke, ich denk drüber nach. Jetzt gehen wir in den Supermarkt. Ich koche heute Abend für Mama und Daddy. Grandpa und du, ihr solltet auch kommen.«

»Gern! Ich werde Jackson Bescheid sagen.«

»So gegen sechs? Ihr könnt auch früher kommen. Um zwanzig nach sieben muss ich weg, ich treff mich mit Emma Kate.«

»Hast du schon Emma Kates Freund kennengelernt?«, fragte Crystal.

»Noch nicht.«

»Die hat einen echt guten Fang gemacht. Und sein Kumpel Griff ...« Sie fasste sich an die Brust. »Wenn ich nicht verlobt wäre und kurz davorstehen würde, ein zweites Mal zu heiraten, würde ich mir den genauer anschauen. Der hat was.«

»Dein Termin für halb zwölf ist da, Crystal.«

»Ich geh die Dame holen. Schön, mit dir geplaudert zu haben, Shelby.« Sie hatte einen angenehm festen Händedruck. »Toll, dass du wieder da bist.«

»Ja.«

»Ihr erster Mann hatte auch was«, flüsterte Viola. »Das hat er bei allem, was einen Rock anhatte, weidlich ausgenutzt.«

»Na, hoffentlich hat sie diesmal mehr Glück.«

»Der jetzige Kandidat gefällt mir. Kein Schönling, aber solide und zuverlässig. Genau das, was ihr guttut. Ich liebe dieses Mädchen wie eine Tochter, sie braucht jemanden, der sie erdet. Was gibt's denn zum Abendessen?«

»Das wird eine Überraschung. Ich muss jetzt wirklich los, sonst müssen wir nachher Pizza bestellen.«

Im Supermarkt traf Shelby Chelsea und ihre Mutter, was sie eine weitere halbe Stunde kostete ... und eine Spielverabredung für den nächsten Tag ergab.

Shelby musste für sechs Personen kochen, also machte sie sich ausführlich Gedanken über das Menü. Sie würde Huhn aus dem Ofen mit Knoblauch, Salbei und Rosmarin machen, dazu Kartoffelsalat mit dem raffinierten Dressing, das sie in einer Zeitschrift entdeckt hatte. Außerdem die Karotten mit Butter und Thymian, die Callie so liebte. Und grüne Erbsen. Brötchen würde sie auch backen.

Richard hatte sich nie etwas aus ihren Brötchen gemacht, weil so etwas seiner Meinung nach nur Hinterwäldler aßen. Ach, er konnte sie mal!

Vielleicht würde sie vorab ein paar Appetithäppchen reichen. Und Profiteroles zum Dessert. Der Koch, der in Atlanta dreimal die Woche zu ihnen gekommen war, hatte ihr gezeigt, wie man die machte.

Sie kaufte die Zutaten ein, bestach Callie mit Zookeksen und musste laut schlucken, als sie bezahlen sollte.

Es ist für meine Familie, ermahnte sie sich. Für die Menschen, die mir und meiner Tochter ein Dach über dem Kopf geben. Sie konnte und wollte eine ordentliche Familienmahlzeit bezahlen.

Erst als sie den Einkaufs- und Kinderwagen hinausschob, fiel ihr ein, dass sie zu Fuß hergekommen war.

»Meine Güte, wie blöd kann man sein.«

Drei schwere Lebensmitteltüten, ein Kinderwagen und ein kilometerlanger Fußmarsch.

Laut fluchend, verstaute sie zwei Tüten im Ablagefach des Kinderwagens, hängte sich die große Tasche mit Callies Sachen um und trug die dritte Tüte in der Hand. Auf halber Strecke musste sie die Hand wechseln und überlegte ernsthaft, ihre Mutter anzurufen. Oder beim Sheriff vorbeizuschauen. Vielleicht war Forrest da und konnte sie heimfahren?

»Wir schaffen das. Wir schaffen das locker.«

Sie dachte daran zurück, wie sie dieselbe Strecke als Kind hin und her gerannt war. Die Hügel rauf und runter, eine Serpentine nach der anderen.

Nun, inzwischen hatte sie selbst ein Kind und drei Tüten mit Lebensmitteln dabei. Gut möglich, dass sie sich Blasen lief.

Sie schaffte es bis zur Weggabelung. Die Arme taten ihr weh, und sie machte eine kurze Pause, um sich für das letzte Stück auszuruhen.

In diesem Moment hielt der Lieferwagen der *Fix-it Guys* neben ihr. Griff beugte sich aus dem Fenster.

»He, ist dein Auto kaputt? Griff«, fügte er erklärend hinzu, als ob sie das jemals vergessen hätte. »Griffin Lott.«

»Ich erinnere mich. Nein, mein Auto ist nicht kaputt. Ich hab es gar nicht erst mitgenommen, weil ich nicht vorhatte, so viele Lebensmittel zu kaufen.«

»Scheißauto«, sagte Callie zu Fifi, und Shelby seufzte.

»Verstehe. Soll ich euch mitnehmen? Ich weiß, dass wir uns erst gestern kennengelernt haben, aber Emma Kate kennt mich schon ein paar Jährchen. Wär ich ein Axtmörder, säß ich längst im Gefängnis. Na, Süße, und wer bist du?«

»Callie.« Das kleine Mädchen legte den Kopf schräg und fuhr sich durch die neue Frisur. »Ich bin schön.«

»Klar. Deshalb kann ich euch auf keinen Fall einfach so stehen lassen.«

»Ich würd ja mitfahren, aber du hast keinen Kindersitz.«

»Oje. Stimmt.« Griff fuhr sich durchs Haar. »Wir verstoßen gegen das Gesetz, aber es ist nicht weit. Ich werd ganz langsam fahren. Sobald ein anderer Wagen auftaucht, fahr ich rechts ran.«

Ihre Ferse brannte, ihre Arme schmerzten, und ihre Beine fühlten sich an wie aus Gummi. »Das sollte eigentlich genügen.«

»Warte, ich helf dir.«

Da bot ihr tatsächlich wieder jemand, der nicht direkt zur Familie gehörte, seine Hilfe an. Er stieg aus und nahm ihr die Tüten ab. Endlich kehrte wieder Gefühl in ihren Arm zurück, leider kribbelte es unangenehm.

»Danke.«

»Gern geschehen.«

Er verstaute die Lebensmittel, während sie Callie aus dem Kinderwagen hob. »Du bleibst da sitzen, während ich den Kinderwagen zusammenklappe«, befahl Shelby.

»Wie geht denn der – ah, ich hab's.« Griff klappte ihn bereits zusammen, als hätte er seit Jahren nichts anderes getan.

In dem Moment sah Shelby, dass ihre Tochter eine Tüte aufriss, die auf dem Sitz neben ihr lag, und sich ein paar Pommes in den Mund steckte.

»Callie, die sind nicht für dich.«

»Ich hab Hunger, Mama.«

»Halb so schlimm.« Lachend stieg Griff ein. »Wer meinen Pommes widerstehen kann, dem traue ich ohnehin nicht über den Weg. Ich musste ein paar Sachen besorgen und habe bei der Gelegenheit was für Matt und mich zum Mittagessen geholt. Sie kann gern ein paar Pommes abhaben.«

»Sie hätte eigentlich längst essen müssen. Ich hatte nicht vor, so lange wegzubleiben.«

»Du bist hier aufgewachsen, oder?«

Er fuhr los. Shelby atmete erleichtert auf, dass er tatsächlich Wort hielt und nur im Schritttempo fuhr. »Ich hätte damit rechnen müssen.«

Callie, die auf ihrem Schoß saß, bot Griff großzügig von seinen Pommes an.

»Danke. Du siehst genauso aus wie deine Mutter.«

»Mamas Haare.«

»Deine Frisur ist wirklich toll. Warst du bei *Miz Vi's*?«

»Das ist Granny, Callie. Miz Vi ist Granny.«

»Granny hat mir eine richtige Prinzessinnenfrisur gemacht. Ich bin schön, klug und nett.«

»Das sehe ich. Du bist die erste Prinzessin, die in meinem Auto mitfährt, und es ist mir eine Ehre. Wie heißt dein Freund?«

»Fifi. Er mag auch Pommes.«

»Das will ich doch hoffen.« Er hielt in der Auffahrt. »Puh, geschafft.« Er wischte sich über die Stirn. »Du nimmst die Prinzessin und ihre Kutsche, während ich mich um die Lebensmittel kümmere.«

»Ach, das schaff ich schon …«

»Drei Lebensmitteltüten, ein Kind, ein Kinderwagen und was in diesem Riesenbeutel ist, den du da mit dir herumschleppst? Natürlich schaffst du das. Trotzdem, die Lebensmittel übernehme ich.«

»Trag mich«, rief Callie und warf sich Griff in die Arme.

»Callie, nicht …«

»Zu Befehl!« Griff stieg aus, setzte sie ab, ging in die Hocke und klopfte auf seine Schulter. »Gut. Prinzessin, aufsitzen, bitte!«

»Galopp«, jubelte Callie und ritt auf seinen Schultern, während Shelby gerade nach den Einkäufen greifen wollte.

Doch Griff kam ihr zuvor und strebte dem Haus zu. »Ist abgeschlossen?«

»Ich glaube nicht, aber Mama hat vielleicht …« Sie verstummte, denn er betrat bereits das Haus, während Callie sich an seinen Nacken klammerte und ihm etwas ins Ohr flüsterte. Ganz so, als wäre er ihr bester Freund.

Verblüfft nahm Shelby den Kinderwagen und die Umhängetasche.

Als sie hereinkam, sah sie, dass er die Tüten auf der Küchentheke abgestellt hatte. Noch bevor sie etwas sagen konnte, erschreckte er sie damit, dass er Callie auf den Kopf stellte, während diese entzückt aufkreischte. Anschließend warf er sie in die Luft, fing sie gekonnt wieder auf und setzte sie auf seine Hüfte.

»Ich liebe dich«, sagte Callie und küsste ihn begeistert auf den Mund.

»Ach so, weitere Anforderungen gibt es nicht?« Grinsend zupfte er kurz an ihren Haaren. »Ich scheine jahrelang die falsche Strategie bei Frauen verfolgt zu haben.«

»Bleib da und spiel mit mir.«

»Das würd ich gern, aber ich muss wieder arbeiten.«

Callie packte eine Strähne seiner Haare, fand Gefallen daran und wickelte sie um den Finger. »Komm zurück und spiel mit mir.«

»Klar, irgendwann gern.« Er sah zu Shelby hinüber und lächelte. Weil die ihn anstarrte, fiel ihm auf, dass ihre Augen so blau und geheimnisvoll schimmerten wie die einer Siamkatze. »Du hast da einen echten Schatz.«

»Allerdings. Danke. Hast du auch Kinder?«

»Ich? Nein.« Er stellte Callie ab und gab ihr einen zärtlichen Klaps auf den Po. »Ich muss los, kleiner Rotschopf.«

Sie umklammerte seine Beine. »Tschüs, Mister.«

»Griff. Ich heiße Griff.«

»Gwiff.«

»Grrr-iff«, verbesserte Shelby sie automatisch.

»Grrrr«, machte Callie und kicherte.

»Grrrr-iff muss jetzt los«, sagte er und sah noch einmal zu Shelby hinüber. »Alles okay?«

»Ja. Noch mal vielen Dank.«

»Gern geschehen.« Er ging zur Tür. »Ich liebe diese Küche«, sagte er und verschwand, bevor sie etwas erwidern konnte. Crystal hatte recht. Der Typ hatte was.

»Grrr-iff«, erzählte Callie Fifi. »Er ist hübsch, Mama, und er riecht gut. Er kommt zurück und spielt mit mir!«

»Ich … äh …«

»Ich habe Hunger, Mama.«

»Wie bitte? Ach so, natürlich.« Shelby riss sich zusammen und landete wieder auf dem Boden der Tatsachen.

8

Als ihre Mutter nach Hause kam, hatte Shelby das Huhn bereits in den Ofen geschoben, die Kartoffeln und Karotten geschrubbt und den Esstisch mit dem guten Geschirr gedeckt.

Sie hatte Leinenservietten zu Fächern gefaltet, Kerzen und Blumen in der Mitte arrangiert. Die Windbeutel für die Profiteroles hatte sie schon vorher gebacken.

»Meine Güte, Shelby! Der Tisch ist wunderschön gedeckt, wie für eine vornehme Abendeinladung.«

»Wir *sind* vornehm.«

»Zumindest werden wir heute so essen. Es duftet wirklich köstlich. Du hattest schon immer ein Händchen für so was.«

»Es macht Spaß, ein bisschen Aufwand zu betreiben. Ich hoffe, du hast nichts dagegen, dass ich Granny und Grandpa eingeladen habe?«

»Natürlich nicht. Mama hat es mir erzählt, als ich heute kurz im Salon vorbeigeschaut habe. Nach meiner ausgiebigen Shoppingtour mit Suzannah. Ich habe Callie ein paar hinreißende Frühlingssachen gekauft, und wir haben uns königlich amüsiert.«

Ada Mae stellte drei Einkaufstüten auf die Theke und begann auszupacken. »Ich kann es kaum erwarten, die Kleine darin zu sehen. Ist das nicht süß? Das rosa und weiß gestreifte Röckchen und die Rüschenbluse? Und die rosa Spangenschuhe. Zum Glück habe ich vorher nachgeschaut, welche Schuhgröße sie hat, damit sie passen. Falls doch nicht, tauschen wir sie eben um.«

»Mama, sie wird begeistert sein. Sie wird total auf diese Schuhe abfahren.«

»Und dann habe ich noch dieses süße T-Shirt gekauft, da steht *Prinzessin* drauf. Dazu eine niedliche weiße Strickjacke mit Spitzenbesatz.« Ein Kleidungsstück nach dem anderen wurde zutage gefördert. »Wo steckt sie eigentlich? Vielleicht will sie was anprobieren?«

»Sie macht gerade ein Schläfchen. Tut mir leid, dass es so spät geworden ist, aber ich habe länger gebraucht als gedacht. Nach dem Mittagessen war sie dann so aufgedreht, dass ich sie erst gegen drei ins Bett bekommen habe.«

»Das macht doch nichts. Ich habe jedenfalls im Salon vorbeigeschaut und Maxine Pinkett getroffen, die vor ein paar Jahren nach Arkansas gezogen ist. Sie ist gerade auf Heimatbesuch und kam in den Salon, weil sie hoffte, ich könnte ihr die Haare färben und schneiden. Ich frisiere ja eigentlich nicht mehr, aber da sie eine alte Kundin ist und ich genau weiß, was sie will …«

Shelby konnte sich vage an Mrs. Pinkett erinnern. Sie brummte zustimmend und begann, die Windbeutel mit Sahne zu füllen.

»Sie meinte, sie sei ganz enttäuscht gewesen, dass sie mich erst nicht gesehen hat. Doch dann bin ich reingekommen, und sie hat mich angefleht, ihr die Haare zu machen. Sie ist überhaupt nicht glücklich mit ihrem Stylisten in Little Rock. Also hab ich sie drangenommen. Stell dir vor, der Mann ihrer Tochter bekommt vielleicht einen Job in Ohio, obwohl sie extra nach Little Rock gezogen ist, um näher bei ihrem Kind und den Enkeln zu sein. Sie ist völlig verzweifelt. Ich weiß genau, wie sie sich fühlt, und deshalb …«

Ada Mae schloss die Augen und biss sich auf die Unterlippe. »Entschuldige, ich kann einfach den Mund nicht halten.«

»Das musst du auch gar nicht. In den letzten drei Jahren hast du von deiner Enkelin kaum etwas mitbekommen. Und sie nichts von dir. Das ist einzig und allein meine Schuld, Mama.«

»Na ja, aber das ist vorbei, und wir holen die verlorene Zeit einfach nach. Was machst du denn da? Kleine Windbeutel? Ach, sie ist aufgewacht.« Ada Mae warf einen Blick auf das Babyfon auf der Küchentheke. »Ich bringe ihr die neuen Sachen nach oben. Wir werden uns bestimmt gut amüsieren. Oder brauchst du Hilfe beim Kochen, Schätzchen?«

»Nein danke, Mama. Du musst dich heute einfach nur an den gedeckten Tisch setzen. Viel Spaß mit Callie.«

»Hoffentlich passen ihr die rosa Spangenschuhe. Schönere Schuhe kann ich mir gar nicht vorstellen.«

Shelby nahm sich vor, Callie in den rosa Schuhen zu fotografieren. Auch wenn Callie sich nicht mehr an diesen Moment zurückerinnerte, wenn sie einmal groß war – dass ihre Großmutter sie geliebt hatte, würde sie nie vergessen. Genauso wenig, wie diese es genossen hatte, ihr schöne Kleider zu kaufen.

Und nur darauf kam es an. Auf die Familie, ein schönes gemeinsames Abendessen an einem hübsch gedeckten Esstisch.

Shelby machte die Windbeutel fertig, beträufelte das Huhn im Ofen mit Bratensaft, setzte Kartoffeln und Karotten auf.

Sie musste sich umziehen. Nicht nur zum Abendessen, sondern auch für ihre Verabredung mit Emma Kate. Sie warf einen kurzen Blick auf die Uhr, rannte nach oben und schlich auf Zehenspitzen in ihr Zimmer, um Callie und ihre Mutter nicht bei der Modenschau zu stören.

Die nächste Viertelstunde zerbrach sie sich darüber den Kopf, was sie anziehen sollte. Früher hatte sie drei-, vielleicht sogar viermal so viele Klamotten gehabt und nie lange überlegen müssen.

Aber irgendwann war das nicht mehr so wichtig gewesen.

Außerdem gingen sie ja nur in eine nette Kneipe. Dafür musste sie sich nicht extra fein machen. Der Laden war zwar um drei Klassen besser als das *Shady's*, aber auch um drei Klassen schlechter als das edle Hotelrestaurant.

Shelby entschied sich für eine schwarze Jeans und eine schlichte weiße Bluse. Außerdem würde sie ihre heiß geliebte Lederjacke anziehen, die sie behalten hatte. Das Anthrazit passte gut zu ihren Haaren und war nicht so hart wie Schwarz.

Da es abends recht frisch war, schlüpfte sie in ihre Stiefeletten mit Absatz.

Dann eilte sie wieder nach unten in die Küche, schnappte sich eine Schürze und begann mit dem Brötchenbacken.

Es machte wirklich Spaß, mehr Aufwand als sonst zu betreiben. Nachdem sie eine schöne Servierplatte für das Huhn geholt hatte, überlegte sie, ob sie die Kartoffeln und Karotten um das Huhn arrangieren oder sie in eigenen Schüsseln servieren sollte.

Forrest kam durch die Hintertür.

»Was ist denn hier los?« Er schnupperte.

»Wieso, stimmt was nicht?«

»Das hab ich nicht gesagt. Im Gegenteil, es duftet so gut, dass ich richtig Heißhunger bekomme.«

»Du kannst gern zum Abendessen bleiben. Granny und Grandpa kommen auch, und ich koche.«

»Du kochst?«

»Ja genau, Forrest Jackson Pomeroy. Also, was ist? Hopp oder topp?«

»Machst du dich zum Kochen immer so schick?«

»Ich bin nicht schick. Zumindest nicht übertrieben. Oder bin ich fürs *Bootlegger's* overdressed?«

Er musterte sie mit zusammengekniffenen Augen. »Wieso?«

»Weil ich heute Abend ins *Bootlegger's* gehe und nicht falsch angezogen sein will.«

»Nein, ich meine, warum gehst du heute Abend aus, wenn du vorher ein aufwändiges Essen kochst?«

»Ich gehe dort nur was trinken. Mit Emma Kate.«

Seine Miene hellte sich sichtlich auf. »Ach so.«

»Also, overdressed oder nicht?«

»Alles bestens.« Er öffnete die Ofentür und bewunderte das Huhn. »Das sieht aber verdammt gut aus.«

»So schmeckt es auch. Geh mir aus dem Weg, ich muss die Appetithäppchen vorbereiten.«

»Heute machst du aber wirklich einen auf vornehm.« Er holte sich ein Bier.

»Ich will nur nett sein. Mama schenkt mir Massagen, Granny macht Callie die Haare … Hast du gesehen, wie sie die Zimmer für uns hergerichtet haben? Ich will mich revanchieren.«

Er klopfte ihr auf die Schulter. »Das ist dir prima gelungen. Du hast den Tisch richtig vornehm gedeckt. Schön, dass du Emma Kate triffst.«

»Wir werden sehen. Sie ist immer noch stinksauer auf mich.«

»Vielleicht solltest du lieber ihr ein Brathühnchen machen.«

Es tat gut, mit der Familie um einen Tisch zu sitzen. Ihr fiel auf, dass es das erste Mal war. Das würde sie bald wiederholen. Das nächste Mal würde sie auch Clay, Gilly und den kleinen Jackson einladen.

Als ihr Großvater von allem Nachschlag nahm und Granny sie nach den Rezepten fragte, wusste Shelby, dass sie alles richtig gemacht hatte.

»Ich schreib sie dir auf, Granny.«

»Am besten gleich zweimal.« Ada Mae stand auf, um ihr zu helfen. »Dein Huhn ist deutlich besser als meines.«

»Lasst ein bisschen Platz für den Nachtisch.«

»Der passt immer noch rein, stimmt's, Callie?« Jack tätschelte sich den Bauch, woraufhin sich Callie zurücklehnte und dasselbe tat.

Das Tollste waren die ungläubigen Blicke, als sie die beiden Windbeutel-Pyramiden mit Schokoguss hereinbrachte.

»Das ist ja wie im Restaurant«, staunte ihr Vater. »Schmeckt das so gut, wie es aussieht?«

»Das werdet ihr schon merken. Ich muss los, Mama, würdest du bitte den Nachtisch servieren? Ich möchte mich nicht verspäten.«

»Du gehst nicht, bevor du etwas Lippenstift aufgetragen hast.« Darauf schwor ihre Großmutter. »Einen schönen Pinkton. Es ist schließlich Frühling.«

»Gut. Lasst euch von Forrest beim Abräumen helfen.«

»Das hatte ich ohnehin vor«, konterte ihr Bruder und nahm ihre Hand, als sie sich vorbeugte, um Callie zu küssen. »Das war ein fantastisches Essen, Shelby. Viel Spaß! Aber bitte kein Alkohol am Steuer.«

»Wer hat denn hier ein Bier vor sich stehen? Callie, schön brav sein.«

»Grandma sagt, ich bekomme ein Schaumbad.«

»Das wird bestimmt herrlich. Ich bleib nicht lange weg.«

»Das solltest du aber.« Ada Mae nahm sich eine großzügige Portion Nachtisch. »Amüsier dich.«

»Das werde ich auch, aber …«

»Ruhe!«

»Na gut.«

Es fühlte sich komisch an, allein auszugehen. Außerdem war sie verdammt nervös. Was, wenn ihr Emma Kate nicht verzieh?

Shelby trug den Lippenstift und ein bisschen Rouge auf. Dann fuhr sie in die Stadt und hoffte, dass sie die richtigen Worte finden würde, um ihre beste Freundin zurückzugewinnen.

Die Straßenlaternen leuchteten, und oben in den Bergen funkelten ein paar Lichter. Die Läden schlossen um sechs, aber sie sah, dass in der *Pizzateria* einiges los war, auch draußen waren Leute unterwegs.

Als sie zum Lokal kam, war der winzige Parkplatz besetzt. Sie parkte das Auto auf der Straße und musste sich zum Aussteigen zwingen. Angespannt ging sie zum Lokal hinüber. Beim Öffnen der Tür schlug ihr Kneipenlärm entgegen.

Es kam ihr so vor, dass früher unter der Woche nicht so viel los gewesen war. Aber damals war sie sowieso zu jung für solche Kneipen gewesen und hatte sich deshalb hauptsächlich in Imbissbuden und Eisdielen herumgetrieben.

Heute waren die meisten Tische besetzt. Es roch nach Bier und Barbecue.

»Womit kann ich helfen?« Eine Kellnerin kam freundlich lächelnd auf sie zu. Dunkle Augen suchten nach einem freien Tisch.
»An der Bar ist was frei, wenn du … Shelby? Shelby Anne Pomeroy?«

Shelby wurde in eine Umarmung gezogen und von Pfirsichduft umhüllt.

Die Kellnerin hielt Shelby von sich ab. Sie war eine gut aussehende Frau mit dunklem Teint und dicht bewimperten Augen.
»Du erinnerst dich nicht mehr an mich.«

»Tut mir leid.« In diesem Augenblick fiel bei ihr der Groschen.
»Tansy?«

»Du erinnerst dich also doch noch. Kein Wunder, dass du mich nicht gleich erkannt hast. Ich hab mich ganz schön verändert.«

»Allerdings.« Die Tansy Johnson, die Shelby gekannt hatte, war eine Bohnenstange mit schiefen Zähnen, Akne und Brille gewesen. Diese Frau hatte bewundernswerte Kurven, ein perfektes Lächeln, reine Haut und strahlende Augen.

»Mein Teint ist besser geworden, ich habe zugenommen, mir die Zähne machen lassen und trage Kontaktlinsen.«

»Du siehst fantastisch aus.«

»Das freut mich zu hören. Zumal Emma Kate und du euch nie über mich lustig gemacht habt wie gewisse andere Mädchen. Das mit deinem Mann tut mir sehr leid, Shelby. Aber ich freu mich, dass du wieder da bist.«

»Danke. Du arbeitest also hier. Es ist viel mehr los als früher. Der Laden hat sich überhaupt ziemlich gemacht.«

»Danke. Ich arbeite nämlich nicht nur hier, sondern bin auch Geschäftsführerin. Außerdem bin ich rein zufällig mit dem Besitzer verheiratet.«

»Wow, da hat sich ja einiges getan. Wann hast du denn geheiratet?«

»Letztes Jahr im Juni. Sobald ich Gelegenheit dazu habe, erzähle ich dir ausführlich von Derrick, aber Emma Kate wartet schon auf dich.«

»Sie ist schon da?«

»Ich bring dich zu ihr. Ihr habt einen Ecktisch, ein echter Luxus bei so viel Betrieb wie heute.« Sie hakte sich bei Shelby unter. »Du hast eine kleine Tochter?«

»Ja, sie heißt Callie und ist drei.«

»Ich bekomme auch ein Kind.«

»Das ist toll, Tansy.« Eine weitere Umarmung war die Folge. »Gratuliere!«

»Es sind erst vier Wochen, und ich weiß, dass man die ersten drei Monate abwarten sollte, aber ich schaff das einfach nicht. Deshalb erzähle ich es überall herum, sogar Wildfremden. Schau nur, wen ich gefunden habe.«

Emma Kate sah von ihrem Handy auf. »Du hast es also tatsächlich geschafft.«

»Ja. Tut mir leid, dass ich spät dran bin.«

»Kein Problem, alles bestens. Ich hab Tansy gebeten, uns einen Tisch zu reservieren, und bin etwas früher gekommen.«

»Setz dich.« Tansy zeigte auf den Tisch. »Dann könnt ihr euch in aller Ruhe austauschen. Was darf ich dir bringen, Shelby? Die erste Runde geht aufs Haus.«

»Ich muss fahren … Aber gut, ein Glas Wein sollte drin sein.«

»Wir haben eine große Auswahl offener Weine.« Tansy zählte ein paar auf.

»Der Pinot Noir klingt super.«

»Kommt sofort. Brauchst du noch was, Emma Kate?«

Emma Kate prostete ihr zu. »Alles bestens, Tansy.«

»Wirklich schön, dich wiederzusehen.« Tansy drückte Shelby und ging.

»Ich hab sie erst gar nicht erkannt.«

»Sie ist erwachsen geworden. Und einer der glücklichsten Menschen, die ich kenne. Aber sie hatte schon immer ein sonniges Gemüt.«

»Obwohl sie dauernd gemobbt wurde. Ich weiß noch, wie Melody Bunker und Jolene Newton es auf sie abgesehen hatten.«

»Melody ist genauso frustriert wie früher. Sie ist bei der Wahl zur Miss Tennessee Zweite geworden und muss ständig damit angeben. Außerdem hat sie dir nie verziehen, dass du damals Ballkönigin geworden bist.«

»Meine Güte, das hatte ich ganz vergessen.«

»In Melodys Leben hat sich alles darum gedreht, die Schönste und Beliebteste zu werden. Doch das ist ihr nicht gelungen. Jolene hat sich auch kaum weiterentwickelt.« Emma Kate lehnte sich zurück, sie saß Shelby schräg gegenüber. »Sie ist mit dem Sohn des Hotelbesitzers verlobt und fährt ansonsten mit dem Sportwagen durch die Gegend, den sie von ihrem Vater bekommen hat.«

Eine Kellnerin brachte Shelbys Wein. »Schöne Grüße von Tansy. Lass ihn dir schmecken, und sag Bescheid, wenn du noch was brauchst.«

»Danke. Ehrlich gesagt sind mir Melody und Jolene herzlich egal.« Shelby drehte das Weinglas in ihrer Hand. »Ich will wissen, wie es dir geht. Du bist also Krankenschwester geworden, genau, wie du wolltest. Hat es dir in Baltimore gefallen?«

»Ja, ziemlich. Ich habe Freunde gefunden, hatte einen tollen Job. Und ich habe Matt kennengelernt.«

»Ist das was Ernstes mit euch beiden?«

»So ernst, dass ich mich mit meiner Mutter angelegt und ihr gesagt habe, dass wir zusammenziehen. Sie liegt mir ständig in den Ohren, ich soll heiraten und Kinder kriegen.«

»Möchtest du das denn nicht?«

»Ich hab es diesbezüglich nicht so eilig wie du.«

Shelby schwieg und nahm einen Schluck Wein. »Arbeitest du gern in der Klinik?«

»Wie könnte es mir nicht gefallen, für Doc Pomeroy zu arbeiten? Dein Daddy ist ein toller Mann und ein guter Arzt.« Nach einem weiteren Schluck Bier richtete sich Emma Kate zu ihrer vollen Größe auf. »Wie hast du das gemeint, als du sagtest, du hättest nicht genug Geld gehabt, um nach Hause zu kommen? Nach allem, was man so hört, schwimmst du in Geld.«

»In unserer Ehe war Richard für die Finanzen zuständig. Und da ich nicht gearbeitet habe …«

»Wolltest du nicht arbeiten?«

»Ich musste mich um Callie und den Haushalt kümmern. Außerdem hatte ich keinerlei Qualifikationen für einen anständigen Job. Ich habe mein Studium abgebrochen …«

»Und was ist mit dem Singen?«

Es störte sie, dass sie keinen Satz zu Ende bringen konnte. Früher hatten sie ihre Sätze mühelos gegenseitig beenden können, aber das war etwas anderes.

»Das waren doch nur Flausen. Ich habe schließlich keine Gesangsausbildung und kaum Erfahrung. Außerdem hab ich ein Kind. Er hat mich geheiratet, für Callie und mich gesorgt, uns ein schönes Zuhause geschenkt.«

Emma Kate lehnte sich erneut zurück. »Mehr hast du dir nicht gewünscht? Nur, dass du versorgt wirst?«

»Mit Callie und ohne jede Ausbildung oder Qualifikation …«

»Hat er dir das eingeredet? Dass du zu blöd bist? Wenn du willst, dass ich dir verzeihe, Shelby, musst du mir die Wahrheit sagen. Schau mir in die Augen und sag die Wahrheit.«

»Versprochen. Aber er hat doch recht gehabt. Ich habe von nichts eine Ahnung.«

»Quatsch!« Mit blitzenden Augen knallte Emma Kate ihr Bier auf den Tisch, schob es beiseite und beugte sich vor. »Du hast nicht nur einfach in dieser Band gesungen. Du hast sie auch gemanagt. Das hast du dir alles selbst beigebracht. Kaum hast du angefangen, in der College-Buchhandlung zu jobben, warst du stellvertretende Filialleiterin. Du hast begonnen, eigene Lieder zu schreiben, und die waren gut, Shelby. Du hattest Talent. Als wir sechzehn waren, hast du mein Zimmer neu eingerichtet, und es sah toll aus. Außerdem hast du es geschafft, meine Mutter zu überreden, dass sie mir die Erlaubnis dazu gibt. Erzähl mir also nicht, dass du von nichts eine Ahnung hast. Das sind seine Worte, Shelby.«

Dieser Wortschwall ließ Shelby sprachlos zurück.

»Nichts davon ist auf dem Arbeitsmarkt gefragt, Emma Kate. Die Dinge ändern sich, wenn man Verantwortung für ein Kind hat. Ich war Mutter und Hausfrau. Was ist daran bitte so schlimm?«

»Gar nichts, wenn es dich glücklich macht und dir Anerkennung verschafft. Aber du klingst nicht so, als ob dem so gewesen wäre.«

Shelby schüttelte energisch den Kopf. »Callie ist das Beste, das mir je passiert ist. Sie ist das Licht meines Lebens. Richard hat gearbeitet, damit ich bei ihr bleiben konnte. Viele Mütter wünschen sich genau das, haben aber nicht die finanziellen Mittel dazu. Ich kann froh sein, dass Richard für uns gesorgt hat.«

»Schon wieder dieses Wort.«

Shelby fühlte sich zunehmend unwohl und empfand so etwas wie Scham. »Müssen wir das ausdiskutieren?«

»Ich soll dir verzeihen, dass du einfach abgehauen bist. Von mir aus. Aber dass du dich nicht mehr gemeldet hast und einfach nicht gekommen bist, als ich dich am dringendsten gebraucht habe – außerdem hast du mir nicht die ganze Wahrheit gesagt.«

Emma Kate traf mit ihren Worten genau ins Schwarze. Das merkte Shelby schon daran, wie weh sie ihr taten. Auf einmal verursachte ihr der Kneipenlärm, der erst so fröhlich geklungen hatte, Kopfschmerzen. Ihr Mund war staubtrocken. Hätte sie doch bloß Wasser bestellt!

Mit Müh und Not brachte sie heraus: »Ich hatte das Geld nicht. Selbst wenn es mir gelungen wäre, tausend Dollar abzuzweigen, hätte er sie bestimmt gefunden und mir weggenommen. Um sie zu *investieren*, wie er das nannte. Schließlich würde ich mich nicht mit Geld auskennen. Ich hätte außerdem meine Kreditkarte für

Extras wie Kleidung und Spielzeug für Callie. Wozu also Bargeld? Worüber ich mich überhaupt beschweren würde? Ich hätte eine Putzfrau, einen Babysitter und einen Koch, schließlich könne ich bloß Bauernfraß zubereiten. Ich sollte ihm dankbar sein und könnte nicht dauernd nach Tennessee fahren, nur weil jemand stirbt, heiratet oder Geburtstag hat. Er bräuchte eine Frau an seiner Seite.«

»Er hat dich von deiner Familie und deinen Freunden ferngehalten. Er hat dich total eingeengt, und dafür solltest du ihm dankbar sein?«

Emma Kate hatte recht. Natürlich hatte sie recht. Shelby hatte es nur nicht kommen sehen, weil sich alles so unmerklich verändert hatte. Bis sie auf einmal in diesem Leben gefangen gewesen war.

»Manchmal habe ich gedacht, dass er mich hasst. Aber nicht einmal dafür haben seine Gefühle gereicht. In den ersten Monaten, vielleicht auch noch Jahren war alles ganz toll und aufregend. Er hat mir das Gefühl gegeben, etwas Besonderes zu sein. Ich habe ihm voll und ganz vertraut, war mit Callie schwanger und überglücklich. Doch kaum war sie auf der Welt, wurde alles anders.«

Shelby atmete tief durch.

»Natürlich hab ich damit gerechnet«, sagte sie zögerlich. »Ein Baby ändert schließlich alles. Aber er hat sie kaum beachtet. Wenn ich ihm deswegen Vorwürfe gemacht habe, reagierte er wütend oder beleidigt. Er würde schließlich dafür sorgen, dass sie ein gutes Leben habe. Ich wollte mit dem Baby nicht mehr so viel reisen, und er hat mich auch nicht dazu gedrängt. Er war ständig unterwegs. Manchmal kam er nach Hause, und alles war wieder so wie früher. Manchmal aber auch nicht. Ich wusste nie, was mich erwartet. Deshalb hab ich mich bemüht, ihm alles recht zu machen. Ich wollte, dass meine Tochter in einer heilen Familie aufwächst. Das fand ich am wichtigsten.«

»Aber glücklich warst du nicht.«

»Ich hatte mich für dieses Leben entschieden, Emma Kate.«

»Du hast dich dafür entschieden, misshandelt zu werden.«

Shelby versteifte sich. »Er hat uns nie geschlagen. Weder Callie noch mich.«

»Du bist schlau genug, um zu wissen, dass man auch seelisch misshandelt werden kann.«

Obwohl Emma Kates Ton barsch und kühl war, sprach sie betont leise. Denn selbst in einem so gut besuchten Lokal bekamen die Leute mehr mit als einem lieb war.

»Er hat dafür gesorgt, dass du dich klein, wertlos, dumm und tief in seiner Schuld gefühlt hast. Und er hat dich von den Leuten ferngehalten, die dir das hätten ausreden können. Nach allem, was ich so höre, hat er auch Callie gegen dich ausgespielt.«

»Gut möglich. Aber jetzt ist er tot. Es ist vorbei.«

»Wärst du bei ihm geblieben und hättest so weitergemacht?«

Shelbys Finger fuhren über den Rand ihres Weinglases. »Ich habe an Scheidung gedacht, aber damit wäre ich die Erste in meiner Familie gewesen. Das hat mich belastet. Ich habe es wirklich ernsthaft erwogen, vor allem während seiner letzten Reise. Wir hätten eigentlich zu dritt fahren, einen Familienurlaub machen sollen. Ein paar Tage in der Sonne. Aber als Callie krank wurde und wir nicht fahren konnten, ist er einfach allein los. Einen Tag nach Weihnachten hat er uns in diesem scheußlichen Haus zurückgelassen, in einer Stadt, in der ich keine Menschenseele kannte. Während unser Kind hohes Fieber hatte.«

Shelby sah wieder auf, und etwas von der aufgestauten Wut brach sich Bahn. »Er hat sich nicht mal von Callie verabschiedet. Sie könnte ja ansteckend sein. Er liebt sie gar nicht, hab ich noch gedacht. Wenn er mich nicht liebt – okay. Aber unsere gemeinsame Tochter? Sie hat eindeutig etwas Besseres verdient. Ich habe an Scheidung gedacht, hatte aber kein Geld für einen Anwalt. Er dagegen hätte problemlos dafür sorgen können, dass man mir

Callie wegnimmt, nur um sich an mir zu rächen. Ich habe überlegt, was ich tun kann, wie ich es anstellen soll … Da ist die Polizei gekommen. Es hätte in South Carolina ein Unglück gegeben, das Boot … Richard würde vermisst.«

Shelby griff nach ihrem Wein.

»Er hat einen Notruf abgesetzt, durchgegeben, dass sein Boot leckgeschlagen sei und einen Motorschaden habe. Sie haben ihn gebeten, seine … seine Position oder so zu bestimmen. Man würde ein Rettungsboot schicken. Aber dann ist die Funkverbindung abgebrochen. Als man das Boot fand, war es nur noch ein Wrack. Fast eine Woche haben sie nach ihm gesucht. Ein paar Sachen von ihm sind dabei aufgetaucht. Eine zerfetzte Windjacke, ein Schuh. Nur einer. Und eine Rettungsweste. Sie haben gesagt, das Boot wäre gekentert, er wäre über Bord gespült worden und vermutlich ertrunken. Danach brauchte ich nicht mehr über eine Scheidung nachzudenken.«

»Wenn du deswegen ein schlechtes Gewissen hast, bist du selbst schuld.«

»Ich habe kein schlechtes Gewissen mehr.«

»Das ist noch längst nicht alles, oder?«

»Nein. Aber können wir es bitte für heute dabei belassen?« Shelby sehnte sich nach Nähe und nahm Emma Kates Hand. »Tut mir leid, dass ich dir wehgetan habe. Tut mir leid, dass ich nicht stark genug war, für meine Werte einzutreten. Aber es ist nun mal so, dass … Puh, ich brauche dringend ein Glas Wasser.« Sie sah sich vergeblich nach der Kellnerin um und zwängte sich aus der Nische. »Warte kurz.«

Sie eilte davon und wand sich zwischen den Tischen hindurch, um sich zur Bar vorzuarbeiten. Emma Kate kam ihr hinterher.

»Ist dir nicht gut? Die Toiletten sind am anderen Ende.«

»Nein, ich dachte nur, ich hätte jemanden gesehen.«

»Kein Wunder bei dem Andrang.«

»Nein, jemanden aus Philadelphia. Diesen Privatdetektiv, der nach Richard gesucht hat.«

»Ein Privatdetektiv? Du hast mir wirklich noch eine ganze Menge zu erzählen.«

»Das kann er unmöglich gewesen sein. Warum auch? Bestimmt liegt es daran, dass ich so viel von Richard erzählt habe. Schluss damit! Höchste Zeit, dass ich mich auf etwas anderes konzentriere.«

»Alles in Ordnung?«

»Könnten wir bitte das Thema wechseln? Von mir aus können wir gern wieder über Melody oder Jolene reden. Hauptsache, wir sprechen über was anderes.«

»Bonnie Jo Farnsworth lässt sich scheiden. Sie hat Les Wickett geheiratet, vor zwei Jahren gab es ein riesiges Hochzeitsfest.«

»Davon habe ich schon gehört. Sie hat wieder was mit Boyd Kattery angefangen, die beiden sind in Florida – vermutlich um mit seinen Cousins Meth zu kochen.«

»Du bist ja schon gut auf dem Laufenden. Komm, setzen wir uns wieder. Ich hätte gern noch ein Bier, ich muss schließlich nicht fahren.«

Dankbar ging Shelby mit ihr zurück zum Tisch. »Du wohnst in der Nähe?«

»In einer der Wohnungen über dem *Mountain Treasures*. Deshalb hab ich den Wagen stehen lassen und bin zu Fuß hergekommen. Warte, ich suche schnell nach der Kellnerin und … Ach, verdammt!«

»Was ist denn?«

»Matt und Griff sind gerade reingekommen. Ich habe mit Matt vereinbart, dass ich eine SMS schicke, wenn ich eine Ausrede brauche, um mich zu verdrücken. Da ich mich nicht gemeldet habe, sind sie gekommen, und jetzt kann ich dich gar nicht mehr weiter ausquetschen.«

»Genügt es dir, dass ich dir mehr erzählt habe als Granny?«

»Fürs Erste ja.« Emma Kate lächelte und winkte.

»Dein Matt sieht verdammt süß aus.«

»Das ist er auch. Er hat wirklich sehr geschickte Hände.«

Während Shelby ein Lachen unterdrückte, bahnte sich Matt einen Weg durch die Menge, schob seine geschickten Hände unter Emma Kates Ellbogen, zog sie hoch und küsste sie. »Da bist du ja.« Er drehte sich zu Shelby um. »Und du musst Shelby sein.«

»Schön, dich kennenzulernen.«

»Danke, gleichfalls. Ihr wolltet doch nicht gerade gehen?«

»Wir sind nur zurück an unseren Tisch. Ich bin reif für eine zweite Runde«, gestand Emma Kate.

»Die geht auf Griff.«

»Zwei Dunkle also. Ich nehme ein Bombardier. Und du, Shelby?«

»Ich wollte gerade ein Glas Wasser bestellen.«

»Keine Ahnung, ob ich mir das noch leisten kann, aber weil du es bist ...«

»Ich muss fahren«, erklärte Shelby, während sich die beiden in die Nische zwängten.

»Wir nicht«, jubelte Matt und legte einen Arm um Emma Kates Schultern. »Außerdem hatten wir heute einen echt guten Tag. Noch ein paar Überstunden bei deiner Mutter, Emma Kate, und die Arbeitsfläche ist auch fertig.«

»Und, wie findet sie's?«

»Sie ist entzückt, so, wie ich es dir vorhergesagt habe.«

»Du hast weniger Erfahrung mit Mama und deshalb deutlich mehr Vertrauen in sie.«

»Ich konnte neulich einen Blick auf die Küche werfen. Als die Oberschränke eingebaut wurden«, schaltete sich Shelby ein. »Sie sah schon damals umwerfend aus. Ihr leistet wirklich gute Arbeit.«

»Ich mag deine Freundin. Sie hat einen ausgezeichneten Geschmack und einen guten Blick für Details. Wie fühlt es sich an, wieder zu Hause zu sein?«

»Gut. Und richtig. Aber für euch muss es auch eine ganz schöne Umstellung sein, nach Baltimore …«

»Ich konnte mir diese Frau einfach nicht durch die Lappen gehen lassen.«

»Das beweist, dass du ebenfalls einen ausgezeichneten Geschmack hast.«

»Darauf trinken wir, wenn Griff mit dem Bier wieder da ist. Er hat mir erzählt, dass du eine unglaublich süße Tochter hast.«

»Wann hat Griff denn Callie getroffen?«, fragte Emma Kate.

»Ach, er hat mich heute Mittag heimgefahren, als ich mit drei schweren Lebensmitteltüten und Callie ohne Auto dastand. Ich habe im Supermarkt deutlich mehr eingekauft, als ich ursprünglich wollte. Callie ist ganz verknallt in ihn.«

»Na, das beruht wohl auf Gegenseitigkeit. Und?« Matt wickelte eine Locke von Emma Kate um seinen Finger. »Jetzt, wo wir uns alle so prächtig verstehen, möchte ich, dass du mir was Peinliches von Emma Kate erzählst. Etwas, von dem ihre Mutter nichts weiß. Denn Bitsy dürfte ich die peinlichsten Momente längst entlockt haben.«

»Kommt gar nicht infrage. Ich kann dir unmöglich verraten, dass sie ihrem Dad einst zwei Dosen Budweiser geklaut hat. Mit denen haben wir uns dann davongeschlichen und sie ausgetrunken, bis Emma Kate in die Hortensien ihrer Mutter gekotzt hat.«

»Nach einer Dose Bier?«

»Wir waren erst vierzehn.« Emma Kate sah Shelby mit zusammengekniffenen Augen an, aber sie funkelten amüsiert. »Shelby war deutlich schlechter dran.«

»Allerdings. Ich hatte mir das Zeug so schnell wie möglich hinter die Binde gekippt, weil es so bitter war. Nur um es gleich darauf wieder von mir zu geben. Danach bin ich nie mehr so richtig auf den Geschmack gekommen.«

»Sie mag kein Bier?« Griff stellte die Getränke ab und setzte sich neben sie. »Das könnte meine Pläne zunichtemachen, mich an dich ranzuschmeißen. Natürlich nur, damit du mir hilfst, mit Viola durchzubrennen.«

»Er meint es bierernst.« Matt hob sein Glas. »Nun Prost, Freunde, auch wenn Leute mit am Tisch sitzen, die nichts von Bier verstehen.«

* * *

Privet wartete in seinem Wagen und machte sich Notizen. Er hatte direkt gegenüber von Shelbys Kombi geparkt. Die junge Witwe schien sich zu amüsieren und trank Wein mit einer alten Freundin. Doch ganz so unaufmerksam, wie er geglaubt hatte, war sie nicht. Fast hätte sie ihn entdeckt.

Jetzt schienen sie und ihre Freundin ein Date zu haben.

Doch verdächtig benahm sie sich nach wie vor nicht. Dass sie mit Geld nur so um sich warf, konnte man wahrhaftig nicht behaupten.

Vielleicht hatte sie nichts mit der ganzen Sache zu tun. Vielleicht war sie wirklich ahnungslos.

Oder sie war schlau genug, am Arsch der Welt abzuwarten, bis die Luft rein war. Angesichts der Summe, die auf dem Spiel stand, konnte er gut und gern ein paar Tage dranhängen.

Für dreißig Millionen lohnte sich das durchaus.

9

Shelby amüsierte sich wie eine ganz normale junge Frau, genoss den Ausgehabend mit ihren Freunden. Sie hatte das Gefühl, Emma Kate verzieh ihr langsam, und hoffte, alles würde wieder so wie früher.

Ihre Freundin wurde von dem Mann an ihrer Seite, der schwer in Ordnung zu sein schien, regelrecht angehimmelt – anders konnte man das nicht nennen. Shelbys Herz machte bei dem Anblick einen richtigen Freudensprung.

Die beiden waren ein schönes Paar. Sie gingen ebenso vertraut wie liebevoll miteinander um, ohne dass das Knistern zwischen ihnen verschwunden wäre. Shelby hatte ihre Freundin schon öfter verliebt erlebt, aber das war eine ganz andere Art von Liebe gewesen, dramatisch und angstbehaftet. Die Liebe eines Teenagers, die sich oft genug als Strohfeuer entpuppte.

Was ihr alles gefehlt hatte, merkte sie nicht nur an der tollen Beziehung zwischen Emma Kate und Matt, sondern auch an der Freundschaft, die die beiden mit Griff verband. Sie konnte von Glück sagen, dass dieser Kreis sie so herzlich aufgenommen hatte.

Trotzdem fiel es Shelby schwer, gelassen zu bleiben. Sie saß so eng neben Griff. Es war lange her, dass sie einem Mann nahegekommen war. Kein Wunder, dass sie Schmetterlinge im Bauch hatte. Dabei hatten er und die anderen alles getan, um ihr jede Verlegenheit zu nehmen. Wie gut es tat, nicht an die eigenen Probleme denken zu müssen!

Sie nippte nur an ihrem Wasser, damit es länger reichte.

»Ich kann mir nicht vorstellen, dass sich Rendezvous Ridge in meiner Abwesenheit groß verändert hat. Als Fremder ist es bestimmt nicht leicht, sich hier selbstständig zu machen.«

Matt grinste. »Du meinst als Yankee.«

»Das auch, ja. Andererseits ist euer Akzent wirklich hinreißend.«

Er lachte.

»Es schadet nicht, dass wir wirklich gut sind. Und dann gibt es da ja noch Emma Kate.« Er zupfte liebevoll an deren Stufenschnitt. »Manche Leute waren so neugierig auf den Yankee, den sich Emma Kate gekrallt hat, dass sie uns mit irgendwelchem Kleinkram beauftragt haben.«

»Mit Aushilfsjobs«, bemerkte Griff. »Ich habe befürchtet, dass wir nie mehr was anderes machen werden. Doch dann hat uns Emma Kates Vater unter die Arme gegriffen, nachdem ein Baum aufs Hallister-Haus gestürzt war. Sie haben ihn wegen des Dachs gerufen, für die restlichen Arbeiten hat er uns empfohlen. Deren Pech war praktisch unser Glück.«

»Die Familie von Lark Hallister junior?«, fragte Shelby. »Der mit meiner Cousine verbandelt ist?«

»Genau die«, bestätigte Emma Kate. »Deine Granny hat den beiden auch geholfen.«

»Tatsächlich?«

»Sie hatte ursprünglich Dewey Trake und sein Team aus Maryville mit dem Entspannungsraum, der Wellnessoase und dem kleinen Innenhof beauftragt«, fuhr Emma Kate fort.

»Was ist denn mit Mr. Curtis? Der hat sonst immer für sie gearbeitet.«

»Der ist vor zwei Jahren in Rente gegangen. Nicht einmal deine Granny konnte ihn überreden, den Job zu machen. Also hat sie Trake beauftragt, aber der war nach zwei Wochen bereits wieder weg.«

»Schlampige Arbeit.« Griff leerte sein Bier.

»Außerdem viel zu teuer«, fügte Matt hinzu.

»Deine Granny hat das ganz genauso gesehen und ihn gefeuert.«

»Ich war damals zufällig vor Ort«, fuhr Griff fort. »Meine Güte, die hat es ihm ganz schön gegeben. Nach gerade mal vier Tagen war er schon total im Rückstand und hat was von fehlenden Teilen gefaselt. Nichts davon hat gestimmt. Da hat sie ihm einfach einen Fußtritt verpasst und ihn hochkant rausgeschmissen.«

»Das klingt ganz nach meiner Granny.«

»Genau in diesem Moment hab ich mich in sie verliebt.« Griff seufzte übertrieben laut und setzte ein verträumtes Lächeln auf. »Ich habe eine Schwäche für Frauen, die anderen einen Fußtritt verpassen können. Wie dem auch sei, diese Gelegenheit konnte ich mir natürlich nicht entgehen lassen …«

»Und somit habt ihr von Dewey Trakes Pech profitiert.«

»Ganz genau. Ich hab Miz Vi einfach gefragt, ob ich mir die Sache ansehen soll.«

»Griff ist der Mann für die Kundenakquise«, erklärte Matt.

»Matt kümmert sich dafür um die Finanzen. Die perfekte Arbeitsteilung. Ich hab mir die Sache also angeschaut und um die Pläne gebeten. Ich hätte ihr eigentlich erst am nächsten Tag einen Kostenvoranschlag geben sollen, aber weil sie es war, hab ich sofort eine Summe genannt.«

»Wobei du dich leider um elfhundert Dollar verschätzt hast«, rief ihm Matt in Erinnerung.

»Ich habe ihr einen groben Richtwert genannt. Da hat sie mich prüfend angesehen … Ich nehme an, du kennst diesen Blick?«

»Allerdings«, musste Shelby zugeben.

»Ich bin also ein wenig zusammengeschrumpft und konnte mich gerade noch zurückhalten, sie zu bitten, mit mir durchzubrennen. Denn das war eindeutig nicht der richtige Moment dafür. Sie sagte so was wie: *Junge, ich will, dass die Sache noch vor Weihnachten erledigt ist, und zwar picobello. Bring mir gleich morgen früh dein schriftliches Angebot. Wenn es mir zusagt, kannst du sofort anfangen.*«

»Ich nehme an, es hat ihr zugesagt.«

»Klar, und der Rest ist Geschichte«, bestätigte Griff. »Wenn eine Viola Donahue grünes Licht gibt, läuft die Sache.«

»Es hat bestimmt nicht geschadet, dass Griff sich das alte Haus mit dem vermüllten Grundstück gekauft hat«, schaltete sich Matt ein. »Es bettelte förmlich darum: *Bitte kauf mich, Griff, bitte! Ich hab ein Riesenpotenzial.*«

»Das hat es allerdings«, sagte Shelby und erntete ein Strahlen von Griff, das ihr erneut Schmetterlinge im Bauch bescherte.

»Man muss nur wissen, worauf man achten muss. Aber die meisten halten mich deswegen wohl für ziemlich verrückt.«

»Das hat euch bestimmt weitergeholfen. Wir mögen verrückte Typen.«

»Wieso? Kennst du Lott etwa schon aus Baltimore?«, witzelte Emma Kate.

»Er ist vielleicht etwas durchgeknallt«, ging Shelby auf die Anspielung ein. »Aber überaus geschickt.«

In diesem Moment sah sie, dass Forrest hereinkam. Er schaute nach ihr. Manche Dinge ändern sich eben nie.

»Polizei im Anmarsch«, bemerkte Griff, als Forrest auf ihren Tisch zusteuerte. »He, Pomeroy, ist das eine Razzia?«

»Ich bin gerade nicht im Dienst, sondern nur wegen dem Bier und den Mädels hier.«

»Die gehört mir.« Matt drückte Emma Kate an sich. »Aber du darfst dich gern dazusetzen und ein Bier trinken.«

»Fangen wir mit dem Bier an.« Forrest zeigte mit dem Kinn auf Shelbys Glas. »Ich hoffe, das ist Mineralwasser?«

»Ja, Papa. Kommst du direkt von zu Hause? Ist mit Callie alles in Ordnung?«

»Ja, Mama. Sie lag stundenlang in der Wanne, hat ihren Opa zu zwei Gutenachtgeschichten überredet und ist gerade mit Fifi eingeschlafen, als ich ging. Möchtest du noch eine Runde Wasser?«

»Ich sollte lieber aufbrechen.«

»Entspann dich. Noch eine Runde?«, fragte er die anderen.

»Diesmal hätte ich gern eine Cola light, Forrest«, sagte Emma Kate. »Ich hatte für heute genug Alkohol.«

Während ihr Bruder die Getränke bestellte, sah sich Shelby gründlich um. »Ich weiß, wir waren früher nur selten da. Ich kann mich allerdings nicht daran erinnern, dass damals so viel los war.«

»Das ist noch gar nichts im Vergleich zu Samstagabend.« Da er noch eines bestellt hatte, leerte Matt sein erstes Bier. »Dann gibt es nämlich Livemusik. Griff und ich sind gerade dabei, Tansy zu bequatschen, eine größere Bühne, eine Tanzfläche und eine zweite Bar anzubauen. In der Hoffnung, dass sie es dann schafft, Derrick zu überreden.«

»Das könnte man auch für Privatpartys vermieten.« Griff ließ ebenfalls den Blick schweifen. »Natürlich alles so, dass es zur vorhandenen Architektur passt. Akustik und Auslastung müssen natürlich ebenfalls stimmen. Das könnte ziemlich cool werden.«

»Die Getränke kommen gleich.« Forrest setzte sich auf die Bank. »Wie läuft es mit der neuen Küche für Miz Bitsy?«

»In ein paar Tagen sind wir fertig«, sagte Matt.

»Meine Mutter hat nämlich vor, ein großes Bad einzubauen, das direkt vom Schlafzimmer abgeht. Mit Dampfdusche.« Er sah Griff mit zusammengekniffenen Augen an. »Ich sehe, du weißt bereits Bescheid.«

»Gut möglich, dass sie so was erwähnt hat.«

»Es soll in Shelbys ehemaligem Zimmer installiert werden. Da die jetzt in Clays wohnt und Callie in meinem, gibt es danach keine freien Zimmer mehr.«

»Wieso? Hast du etwa vor, zu deinen Eltern zurückzuziehen?«

»Nein, aber man kann ja nie wissen.« Er sah Shelby an. »Stimmt's? Wenn Mum sich durchsetzt, was mit Sicherheit passieren wird, und wenn sich meine Situation verändern sollte, werd ich also wohl oder übel bei dir einziehen müssen, Griff.«

»Platz habe ich genug. Sehen wir uns am Sonntag?«

»Gibst du mir wieder ein Bier aus?«

»Ja.«

»Gut, dann sehen wir uns.«

»Griff will noch ein, zwei Zwischenwände im alten Tripple-horne-Haus rausreißen«, erklärte Emma Kate.

»Meint ihr, es heißt irgendwann Lott-Haus? Wenn ich zwanzig Jahre oder so darin gewohnt habe?«

»Nie im Leben«, erklärte Forrest ungerührt. »Hi, Lorna, wie geht's?«

Die Kellnerin brachte die Getränke. »Gut. Noch besser würde es mir allerdings gehen, wenn ich mit diesen gut aussehenden Männern etwas trinken könnte.«

Sie sammelte die leeren Gläser ein. »Vor dem hier musst du dich ganz besonders in Acht nehmen«, sagte sie zu Shelby und tätschelte Griffs Schulter. »Ein Mann mit so viel Charme kann einen zu den verrücktesten Sachen überreden.«

»Ich fühle mich nicht angesprochen. Er hat es nämlich auf meine Großmutter abgesehen.«

Lorna stemmte das Tablett gegen ihre Hüfte. »Bist du Vis Enkelin? Klar, du siehst ihr unheimlich ähnlich. Bestimmt ist sie überglücklich, dass du mit deiner Tochter wieder zu Hause bist. Ich war nämlich heute im Salon, und da hat sie mir ein Handyfoto von deiner Kleinen gezeigt. Was für ein hübsches Kind!«

»Danke.«

»Gebt einfach Bescheid, wenn ihr noch was braucht. Ich hab dich schon gesehen, Prentiss«, rief sie, als man ihr winkte. »Trotz-dem, nimm dich in Acht«, sagte sie zum Abschied zu Shelby.

»Ich kann mich gar nicht mehr an sie erinnern. Müsste ich das?«

»Weißt du noch, wer Miss Clyde ist?«

»Die hatte ich in der zwölften Klasse in Englisch.«

»Wie wir alle. Lorna ist ihre Schwester. Sie ist vor etwa drei

Jahren von Nashville hergezogen. Ihr Mann hatte einen tödlichen Herzinfarkt, mit gerade mal fünfzig.«

»Wie traurig.«

»Sie hatten keine Kinder, also ist sie zu ihrer Schwester gekommen.« Forrest nippte an seinem Bier. »Hast du Tansy schon gesehen?«

»Ja, es hat allerdings etwas gedauert, bis ich sie wiedererkannt habe. Matt hat erzählt, dass sie vielleicht anbauen wollen. Eine Tanzfläche, eine Bühne und eine zweite Bar.«

»Jetzt werden sie den ganzen Abend nur noch über Umbauten und Baumaterialien quatschen«, sagte Emma Kate.

Doch Shelby genoss die Gespräche und die zusätzliche Zeit mit ihrem Bruder.

»Das war wirklich schön, aber ich muss los.«

»Ich bring dich zum Wagen«, hob Griff an und stand auf, um sie rauszulassen.

»Sei nicht albern. Mein Bruder hat dafür gesorgt, dass die Straßen sicher sind. Du kannst dich auf meinen Platz setzen«, sagte sie zu Forrest. »Dann könnt ihr euch alle ein bisschen breiter machen.«

»Gern. Schickst du mir eine SMS, wenn du zu Hause angekommen bist?«

Sie wollte laut loslachen, als sie sah, dass er es ernst meinte. »Wie wär's, wenn ich dir eine schreibe, wenn mir auf dem weiten Heimweg etwas zustoßen sollte? Also, gute Nacht, ihr Lieben. Danke für den Drink, Griff.«

»Das war doch bloß Wasser.«

»Beim nächsten Mal werd ich dich so richtig schröpfen.« Beschwingt verließ Shelby das Lokal. So beschwingt, dass sie das Fenster trotz der kühlen Außenluft herunterkurbelte, das Radio anmachte und lauthals mitsang. Ohne den Wagen zu bemerken, der sich hinter sie klemmte und ihr bis nach Hause folgte.

* * *

In der Kneipe wechselte Forrest den Platz. »Du wolltest sie zum Wagen begleiten?«

Griff starrte in sein Bier. »Deine Schwester ist ganz schön scharf.«

»Hör bloß auf, sonst kriegst du eins in die Fresse.«

»Bitte, gern. Aber das macht sie nicht weniger attraktiv.«

Forrest beschloss, ihn zu ignorieren und sich stattdessen auf Emma Kate zu konzentrieren. »Ihr scheint euch wieder zu vertragen.«

»Wir sind auf einem guten Weg.«

»Und, wie viel hast du aus ihr herausbekommen?«

»Genug, um zu wissen, dass ihr verstorbener Ehemann ein echtes Arschloch war. Das hast du ja schon immer gesagt, Forrest.«

»Ja.« Forrests Blick wurde kühl, und er kniff die Lippen zusammen. »Aber ich war einfach machtlos dagegen.«

»Was für ein Arschloch war er denn?«, erkundigte sich Griff.

»Einer von der Sorte, die Frauen das Gefühl geben, klein und dumm zu sein. Geizig war er außerdem.« Lang unterdrückte Wut machte sich Luft. »Einer, der mit Sicherheit Affären hatte, während sie mit dem Kind zu Hause saß. Das ihn nicht übermäßig interessiert zu haben scheint. Doch das ist nicht alles, da bin ich mir sicher. Sie hat mir noch längst nicht alles erzählt.« Emma Kate atmete tief durch. »Wäre er nicht verunglückt, hätte ich dir gern den Mantel gehalten, damit du ihn gründlich vermöbeln kannst, Forrest. Zur Not hätte ich es selbst getan.«

»Shelby hätte ihn vermöbeln sollen.«

»Dir hat wohl noch nie jemand das Gefühl gegeben, klein und dumm zu sein?« Griff schüttelte den Kopf und dachte an die traurigen Augen zurück, an das strahlende, mit ihm flirtende kleine Mädchen. In ihm begann es zu brodeln, und wehe, sein Unmut brach sich Bahn! Dann knallte es richtig.

»Meine Schwester hatte mal einen Freund, der sie total manipuliert hat. Sie waren bloß ein paar Monate zusammen und hatten keine Kinder. Trotzdem war sie anschließend völlig fertig. Solche Leute geben dir zunächst das Gefühl, der tollste Mensch auf Erden zu sein. Du bist perfekt, und sie sind überglücklich, dass du in ihr Leben getreten bist. Doch dann fangen sie an, dich kleinzumachen, ganz langsam und unmerklich. Der Typ hat meiner Schwester eingeredet, dass sie abnehmen müsste. Dabei ist sie alles andere als fett.«

»Allerdings«, pflichtete ihm Forrest bei. »Ich habe sie kennengelernt. Deine Schwester sieht super aus.«

»Gut beobachtet. Nun, dieses Arschloch hat einfach nicht mehr aufgehört, Jolie niederzumachen. Warum sie sich keine andere Frisur zulegen würde? Wenn sie sich keinen besseren Friseur leisten könnte, weil es ihr Gehalt nicht hergebe, wäre er gern bereit, das zu übernehmen.«

»Zuckerbrot und Peitsche«, rief Matt. »Ich erinnere mich noch gut an den Typen. Nachdem Jolie endlich mit ihm Schluss gemacht hat, provozierte Griff ihn so lange, bis er eine Schlägerei vom Zaun gebrochen hat.«

»Ich musste mich einfach abreagieren. Auf diese Weise konnte ich wenigstens behaupten, er hätte angefangen.«

»Es ist und bleibt Körperverletzung.«

»Halt die Klappe, Sheriff. Das war es mir wert.«

»Shelby war immer so … wie sagt man noch gleich?«, murmelte Forrest.

»Dynamisch«, half ihm Emma Kate auf die Sprünge. »Sie hat sich in alles richtig reingehängt, ist aber dabei nie über Leichen gegangen. Dabei hat sie keine Konkurrenz gescheut. Wenn jemand versucht hat, sie oder irgendwen reinzulegen …« Sie sah zu Griff hinüber. »Dann hat sie ihm einen gehörigen Fußtritt verpasst.«

»Sie ist noch immer dynamisch. Ihr beide seht das vielleicht nicht, weil ihr sie schon ein Leben lang kennt. Ich schon.«

Emma Kate legte den Kopf schräg. »Tatsächlich, Griffin Lott?

Shelby meinte, die Kleine wär ganz verknallt in dich. Bist du vielleicht in Callies Mutter verknallt?«

»Sie ist genau dein Typ«, warf Matt ein.

»Mein Typ?«

»Ganz einfach, weil du keinen Typ hast. Du stehst auf alles, was einen Rock anhat.«

»He, ihr Bruder sitzt am Tisch«, rief Griff und konzentrierte sich wieder auf sein Bier.

* * *

Shelby hatte die Spielverabredung im Park fast ebenso genossen wie Callie. Das Beste daran war allerdings der Deal gewesen, den sie mit Chelseas Mutter ausgehandelt hatte: Tracey würde am nächsten Tag ein paar Stunden auf die Mädchen aufpassen, damit Shelby ein paar Dinge erledigen konnte. Zwei Tage später würde sie sich dafür revanchieren.

Vielleicht schaffe ich es ja, wenigstens einen Teilzeitjob zu finden, dachte Shelby bei einem erneuten Blick in den Kleiderschrank.

Sie entschied sich für ein schlicht geschnittenes hellgelbes Kleid und einen kurzen weißen Blazer, dazu ein Paar beige Pumps.

Das Haar band sie sich zu einem Pferdeschwanz und legte kleine Perlenohrringe an. Modeschmuck, den sie schon seit College-Zeiten besaß, trotzdem sehr hübsch und genau richtig für den Anlass.

Da ihre Mutter arbeitete, hatten Callie und sie das Haus für sich allein. Sie musste also nicht erklären, weswegen sie sich hübsch machte. Wenn sie Glück hatte und Arbeit fand, würde sie ihre Familie einfach vor vollendete Tatsachen stellen.

Und wenn sie es schaffte, Arbeit zu finden und das Haus zu verkaufen? Dann würde sie Purzelbäume schlagen vor Glück!

»Mama ist schön.«

»Callie ist noch schöner.« Shelby sah zu Callie hinüber, die gerade zwei Barbies auszog.

»Warum sind deine Barbies nackig, Schätzchen?«

»Sie müssen sich für den Besuch bei Chelsea umziehen. Chelsea hat ein Kätzchen, das heißt Schneeflocke. Kann ich auch ein Kätzchen haben?«

Shelby warf einen Blick auf den alten Hund, der vor dem Bett lag und schnarchte. »Überleg doch mal, was Clancy dazu sagen würde.«

»Er könnte mit dem Kätzchen spielen. Mein Kätzchen heißt Fiona wie die Prinzessin aus *Shrek*.«

»Wir werden sehen.«

Richard hatte sich Haustiere streng verboten. Nun, sobald sie eine Bleibe für sich und Callie gefunden hätte, würde sie einen Hund und eine Katze anschaffen.

»Und ein Pony.«

»Jetzt übertreibst du es aber, Callie Rose.« Shelby nahm sie auf den Arm und wirbelte sie herum. »Na, ist deine Mama heute nicht ganz besonders schön? Ich möchte mich von meiner besten Seite zeigen.«

»Mama ist wunderschön.«

Shelby schmiegte ihre Wange an die ihrer Tochter. »Callie, du bist mein Sonnenschein.«

»Gehen wir jetzt zu Chelsea?«

»Gleich.«

Nachdem sie Callie abgesetzt und ein wenig mit Tracey geplaudert hatte, ging Shelby sofort in die Stadt.

Sie würde das schaffen! Sie war nicht dumm und konnte dazulernen. Sie verstand sogar ein bisschen was von Kunst und kannte einige Künstler und Kunsthandwerker aus der Gegend – zumindest war das früher einmal so gewesen. Ein Teilzeitjob bei *The Artful Ridge* wäre perfekt.

Nachdem sie geparkt hatte, blieb sie kurz im Wagen sitzen, um sich zu sammeln.

Man durfte ihr auf keinen Fall anmerken, dass sie auf den Job angewiesen war. Im schlimmsten Fall kaufte sie einfach was. Sie schaffte das.

Sie setzte ein Lächeln auf, ignorierte ihren nervösen Magen und betrat *The Artful Ridge*.

Ach, war das schön! Hier würde sie liebend gern ihre Zeit verbringen. Es roch nach Duftkerzen, und angenehm helles Tageslicht erfüllte den Raum. Sie entdeckte auf Anhieb ein halbes Dutzend Dinge, die sie gern besessen hätte. Gusseiserne Kerzenständer, hellblaue Weingläser, ein Bild von einem Gebirgsbach bei Frühnebel, ein hohes geschwungenes Gefäß, cremeweiß und glänzend wie Glas.

Keramik von Tracey. Sie liebte ihre tulpenförmigen, stapelbaren Schälchen.

Glasregale funkelten, und der alte knarzende Holzboden schimmerte golden.

Das Mädchen, das hinter der Ladentheke hervorkam, war höchstens zwanzig. Ein halbes Dutzend bunter Ohrstecker zierte ihr Ohrläppchen.

Die Geschäftsführerin konnte das nicht sein, aber wer weiß, vielleicht war sie ein guter Türöffner?

»Guten Morgen, wie kann ich Ihnen helfen?«

»Ach, ist das schön hier.«

»Danke! Wir vertreten hiesige Künstler und Kunsthandwerker. Es gibt so viele talentierte Leute in der Gegend.«

»Ich weiß. Ach, das ist eines der Bilder von meiner Cousine. Da hängt sogar eine ganze Serie.« Shelby ging zu einer Wand, an der vier Aquarelle präsentiert wurden.

»Sie sind die Cousine von Jesslyn Pomeroy?«

»Ja, väterlicherseits. Ich bin Shelby Pomeroy, aber inzwischen heiße ich Foxworth.« In dieser Stadt war es wichtig, aus welcher Familie man stammte. »Sie ist die mittlere Tochter meines Onkels Bartlet. Wir sind so stolz auf sie.«

»Wir haben erst letzten Samstag eines ihrer Bilder an einen Mann aus Washington D. C. verkauft.«

»Cool! Ein Bild von meiner Cousine Jesslyn hängt jetzt in Washington.«

»Sind Sie zu Besuch?«

»Ich bin hier aufgewachsen, war zwischenzeitlich ein paar Jahre weg, bin aber jetzt zurückgekehrt. Offen gestanden erst seit wenigen Tagen. Ich bin dabei, mich wieder einzuleben, und suche eine Teilzeitstelle. Es wäre einfach zu schön, in einem Laden wie diesem zu arbeiten, in dem sogar Werke meiner Cousine an der Wand hängen. Und überall Sachen von Tracey Lee ausgestellt sind«, fügte sie hinzu, schließlich konnte es nicht schaden zu zeigen, wen sie kannte. »Unsere Töchter haben sich bereits angefreundet.«

»Traceys Kaffeebecher verkaufen sich wie verrückt. Meine Schwester Tate ist mit Woody verheiratet, dem Cousin von Traceys Mann Robbie. Sie wohnen in Knoxville.«

»Ihre Schwester ist also Tate Brown?«

»Ja genau, aber inzwischen heißt sie Bradshaw. Kennen Sie Tate?«

»Ja. Sie war mit meinem Bruder Clay zusammen, als die beiden noch zur Highschool gingen. Sie ist also verheiratet und wohnt in Knoxville?«

Das Gespräch ließ sich sehr gut an, fand Shelby, während sie über ihre Familien plauderten.

»Wir wollen eigentlich zu Saisonbeginn eine Aushilfe einstellen. Möchten Sie vielleicht gleich mit der Geschäftsführerin sprechen?«

»Gern, danke.«

»Einen Moment, bitte. Sie können sich so lange umschauen.«

»Prima.« Kaum war die junge Frau verschwunden, schaute Shelby nach, wie viel das große Gefäß kostete. Und zuckte kurz zusammen. Bestimmt ein fairer Preis, aber im Moment etwas zu teuer für sie.

Sie nahm sich vor, darauf zu sparen.

Als die junge Frau zurückkam, war sie längst nicht mehr so freundlich.

»Sie können nach oben ins Büro kommen. Ich zeige Ihnen den Weg«, sagte sie kühl.

»Danke. Es tut bestimmt gut, den ganzen Tag von so vielen schönen Dingen umgeben zu sein«, plauderte Shelby weiter, während sie den hinteren Teil des Ladens betraten. Hier standen rustikale Holzregale mit Keramik und Textilien.

»Da vorn geht es die Treppe hoch. Es ist gleich die erste Tür, sie steht offen.«

»Danke noch mal.«

Shelby nahm die Treppe und betrat einen Raum mit drei Fenstern, die auf den Ort und die Hügel hinausgingen.

Auch dieses Zimmer war voller Kunst und schöner Dinge. Sie sah einen Sessel mit gedrechselten Beinen und tiefblauem Polster sowie einen wunderschönen alten Schreibtisch, dessen Holz golden schimmerte. Darauf standen eine Vase mit roten Rosen und Schleierkraut, ein Computer und ein Telefon.

Als sie die Frau dahinter entdeckte, begriff sie sofort, warum die Angestellte auf einmal so zurückhaltend geworden war.

»Ah, hallo, Melody. Ich wusste gar nicht, dass du hier arbeitest.«

»Ich leite die Galerie. Meine Großmutter hat sie vor knapp einem Jahr gekauft und mich gebeten, sie auf Vordermann zu bringen.«

»Nun, nach allem, was ich gesehen habe, ist dir das hervorragend gelungen.«

»Danke. Man tut, was man kann, um seine Familie zu unterstützen, nicht wahr? Lass dich anschauen.« Melody stand auf, das enge rosa Kleid betonte ihre Kurven. Blondes Haar fiel ihr in sanften Wellen auf die Schultern und umrahmte ein herzförmiges Gesicht. Ihr strahlender Teint war einem raffinierten Make-up sowie Bronzepuder oder einem Selbstbräuner geschuldet.

Shelby wusste, dass Melody keine Sonne an ihre Haut ließ, denn davon konnte man Falten und Flecken bekommen.

Kühle blaue Augen musterten Shelby, während Melody näher kam, um sie gründlich zu inspizieren.

»Du hast dich wirklich kein bisschen verändert. Meine Güte, was ist denn mit deinen Haaren passiert? Das muss der Nebel sein.«

»Es hilft, wenn man Zugang zu guten Salonprodukten hat«, konterte Shelby. Du könntest dir auch mal wieder den Haaransatz nachfärben lassen, dachte sie. Niemand schaffte es, sie so schnell auf die Palme zu bringen wie Melody Bunker.

»Bestimmt. Wie ich hörte, hast du dich wieder bei uns niedergelassen. Das mit deinem Mann ist wirklich tragisch, Shelby, einfach tragisch. Mein aufrichtiges Beileid.«

»Danke, Melody.«

»Du bist wieder genau dort, wo du angefangen hast, stimmt's? Und wohnst wieder bei deinen Eltern, stimmt's? Ach, bitte setz dich doch.« Melody lehnte am Schreibtisch, um in der Machtposition bleiben und auf sie herabschauen zu können. »Und, wie geht's dir so, Shelby?«

»Gut. Ich freue mich, zurück zu sein. Und wie geht es deiner Mama, Melody?«

»Prima. Wir fahren bald nach Memphis, nehmen uns ein paar freie Tage und gehen shoppen. Natürlich steigen wir im *Peabody's* ab.«

»Natürlich.«

»Du weißt ja, wie schwierig es ist, etwas Anständiges zum Anziehen zu finden, deshalb versuchen wir, in jeder Saison einmal nach Memphis zu fahren. Ich muss sagen, ich hätte nie erwartet, dass du zurückkommst. Aber jetzt, wo du Witwe bist, ist es bestimmt tröstlich, die Familie um sich zu haben.«

»Ja, so ist es.«

»Trotzdem habe ich gestaunt, als Kelly mir erzählt hat, du würdest unten stehen und Arbeit suchen. Wo es doch immer hieß, du hättest einen reichen Mann geheiratet. Du hast eine Tochter, nicht wahr?«

Jetzt blitzten Melodys blaue Augen, aber alles andere als freundschaftlich.

»Manche Leute sagen, das hätte die Heirat deutlich beschleunigt.«

»Das wundert mich nicht. Manche Leute müssen sich einfach das Maul zerreißen. Weil sie sonst nichts zu sagen haben. Ich will einfach ein bisschen arbeiten«, sagte Shelby.

»Ich würd dir ja gern helfen, Shelby, aber um bei mir zu arbeiten, braucht man gewisse Kenntnisse. Ich nehme an, du hast noch nie eine Kasse bedient.«

Melody wusste genau, dass sie das sehr wohl getan hatte, nämlich im Salon.

»Ich bediene Kassen, seit ich vierzehn bin. Schließlich habe ich an den Wochenenden und in den Sommerferien im Salon meiner Großmutter gearbeitet. Außerdem war ich stellvertretende Filialleiterin der College-Buchhandlung. Wie du weißt, hab ich in Memphis studiert. Das ist zwar schon ein paar Jahre her, aber wenn du Referenzen brauchst, kann ich dir gern welche besorgen. Ich weiß, wie man eine Kasse und einen Computer bedient. Und ich beherrsche die gängigen Softwareprogramme.«

»Ein Familiensalon und eine College-Buchhandlung bereiten einen nicht gerade auf eine Position in einer der führenden Galerien für Kunst und Kunsthandwerk vor. Kannst du überhaupt verkaufen? College-Bücher verkaufen sich ja so gut wie von selbst. Wir haben ein exklusives Kunstangebot, vieles wird ausschließlich von uns vertrieben. Inzwischen sind wir eine echte Institution in dieser Region und haben einen Ruf zu verlieren.«

»Euer guter Ruf kommt mit Sicherheit nicht von ungefähr, das sieht man an eurem Angebot. Auch wenn ich persönlich die Rattanstühle aus dem vorderen Ladenbereich zu dem Wurzelholztisch nach hinten gestellt und auf dem Tisch für einen hübschen Blickfang gesorgt hätte. Keramikteller, ein paar Weingläser, dazu ein paar Heimtextilien …«

»Tatsächlich?«

Shelby reagierte mit einem gelassenen Lächeln auf den eisigen Tonfall. »Ja, aber das ist natürlich nur ein Vorschlag. Ich darf das sagen, weil du ohnehin nicht vorhast, mir einen Job zu geben.«

»Es würde mir im Traum nicht einfallen.«

Shelby erhob sich kopfnickend. »Nun, das ist ein herber Verlust für dich, Melody, denn ich hätte die Galerie deiner Großmutter wirklich auf Vordermann gebracht. Danke für das Gespräch.«

»Warum gehst du nicht zu *Miz Vi's*? Deine Großmutter findet bestimmt einen Job für dich, der deinen Fähigkeiten entspricht. Leute, die den Boden fegen und die Waschbecken putzen, kann man schließlich immer gebrauchen.«

»Du denkst, das wäre unter meiner Würde?« Shelby legte den Kopf schräg. »Das wundert mich nicht, Melody, das wundert mich kein bisschen. Du hast dich seit der Highschool überhaupt nicht verändert und bist immer noch sauer auf mich, weil ich damals Ballkönigin geworden bin und nicht du. Wie armselig! Ich finde es wirklich traurig, dass du in der Zwischenzeit nichts gefunden hast, das dich erfüllt oder glücklich macht.« Shelby verließ hoch erhobenen Hauptes den Raum und schickte sich an, die Treppe hinunterzugehen.

»Bei den Wahlen zur Miss Tennessee bin ich Zweite geworden.«

Shelby drehte sich lächelnd zu Melody um, die mit geballten Fäusten am Kopf der Treppe stand. »Du tust mir einfach nur leid.« Mit diesen Worten verließ sie die Galerie.

Nun musste sie sich abreagieren. Sie wusste nicht, ob es Wut oder Erniedrigung war, die sie empfand, aber sie musste sich dringend abreagieren. Am besten, sie machte einen Spaziergang.

Zunächst wollte sie den Salon ansteuern und sich dort alles von der Seele reden. Doch stattdessen schlug sie eine andere Richtung ein und ging zu Tansys Kneipe.

Vielleicht suchten sie im *Bootlegger's* eine Bedienung?

Noch immer ganz aufgewühlt, trommelte sie gegen die Tür. Das Lokal machte erst in einer halben Stunde auf, aber zum Glück war schon jemand da.

Nachdem sie noch einmal geklopft hatte, ging die Tür auf, und ein cooler, durchtrainierter Typ im Muskelshirt musterte sie aus onyxschwarzen Augen.

»Wir machen erst um halb zwölf auf.«

»Ich weiß, ich kann schließlich lesen. Ich suche Tansy.«

»Warum?«

»Das geht nur sie und mich etwas an, also …« Sie verstummte und riss sich zusammen. »Entschuldige, tut mir leid. Ich bin ziemlich durch den Wind und hab mich eindeutig im Ton vergriffen. Ich bin Shelby, eine Freundin von Tansy. Wenn sie da ist, würd ich gern mit ihr reden.«

»Hallo, Shelby, ich bin Derrick.«

»Ach, Tansys Mann. Schön, dich kennenzulernen, Derrick, entschuldige noch mal, dass ich so unhöflich war.«

»Schon vergessen. Man sieht, dass du mitgenommen bist. Komm rein.«

Ein paar Bedienungen deckten gerade die Tische ein. Aus der Küche waren Geräusche und Stimmen zu hören.

»Warum wartest du nicht an der Bar? Ich hole Tansy.«

»Danke, ich will euch nicht lange aufhalten.«

Sie setzte sich und versuchte, sich auf die Yogaatmung zu konzentrieren, die sie bei einem Kurs in Atlanta gelernt hatte. Vergeblich.

Tansy kam strahlend herein. »Wie schön, dass du vorbeischaust. Wir konnten uns gestern Abend gar nicht richtig unterhalten.«

»Ich war gerade ziemlich unverschämt zu deinem Derrick.«

»Ach Quatsch, außerdem hat sie sich schon zweimal entschuldigt. Möchtest du einen Drink?«, schaltete der sich ein.

»Ich …«

»Wie wär's mit einer Cola?«, schlug Tansy vor.

»O ja, danke. Ich wiederhole mich, aber es tut mir wirklich schrecklich leid. Ich hatte gerade eine unangenehme Begegnung mit Melody Bunker.«

Tansy nahm auf einem der Hocker Platz. »Hättest du lieber was Stärkeres als eine Cola?«

»Das klingt verführerisch, aber nein danke. Ich war in der Galerie, um mich nach einem Teilzeitjob zu erkundigen. Wenn es dort nur nicht so schön wäre! Der Laden hat so eine tolle Atmosphäre. Aber als ich nach oben ging, erwartete mich ein Gespräch mit Melody. Sie war genauso ekelhaft wie früher. Man sollte meinen, sie hätte die Highschool-Allüren langsam abgelegt.«

»Solche Leute ändern sich nie. Mir muss es leidtun, schließlich hab ich dich dorthin geschickt. Ich hab dabei gar nicht an Melody gedacht – ich versuche nämlich, sie nach Kräften zu ignorieren.«

Tansy schenkte Derrick ein Lächeln, der gerade ein Ginger Ale vor sie hinstellte. »Danke, Liebling. Melody ist bloß zwei bis drei Stunden vor Ort und auch das nur wenige Tage die Woche. Ansonsten ist sie auf irgendwelchen Clubtreffen, bei der Maniküre oder beim Mittagessen in vornehmen Restaurants. In Wahrheit schmeißt Roseanne den Laden, die stellvertretende Geschäftsführerin.«

»Trotzdem. Melody würde ihn eher in Schutt und Asche legen, als mich einzustellen. Danke«, sagte Shelby zu Derrick, der ihr eine Cola reichte. »Ich weiß jetzt schon, dass du mir sympathisch bist. Bei deinem Frauengeschmack! Außerdem liebe ich dein Lokal. Ich habe mich gestern Abend bestens amüsiert. Ach, und herzlichen Glückwunsch zum Baby.«

»Stopp, das reicht fürs Erste. Du bist mir längst sympathisch.« Er schenkte sich Mineralwasser ein. »Tansy hat mir viel von dir erzählt. Auch, dass du dich für sie eingesetzt hast, als sie von dieser Schlampe gemobbt wurde.«

»Derrick, hör auf damit.«

»Wo er recht hat, hat er recht«, sagte Shelby und nahm einen Schluck. »Zumindest hab ich ihr gehörig rausgegeben. Das letzte Mal ist schon ziemlich lange her. Es hat sich verdammt gut angefühlt. Vielleicht ein bisschen zu gut.«

»Das konntest du schon immer.«

»Ach ja?« Shelby beruhigte sich langsam. »Nun, ich hab mich auf meine alten Qualitäten zurückbesonnen. Sie hat gekocht vor Wut, als ich gegangen bin. Das ist immerhin etwas. Ich werde in nächster Zeit jedenfalls nicht bei ihr arbeiten. Deshalb hab ich mich gefragt, ob ihr vielleicht Unterstützung gebrauchen könnt. Eine weitere Bedienung vielleicht?«

»Du willst kellnern?«

»Ich will einen Job. Nein, ich brauche einen Job«, verbesserte sich Shelby. »Das ist die traurige Wahrheit. Ich brauch einen Job und versuche gerade, einen zu finden, während Tracey Lee auf Callie aufpasst. Wenn ihr kein Personal sucht, ist das auch okay. Ich habe eine ganze Liste mit Adressen, die ich abarbeiten will.«

»Hast du schon mal gekellnert?«, erkundigte sich Derrick.

»Ich habe jede Menge Tische abgeräumt und ebenso viele Speisen serviert. Ich bin harte Arbeit gewöhnt. Noch suche ich nur nach einem Teilzeitjob, aber …«

»Kellnern ist nichts für dich, Shelby«, beschied Tansy.

»Na gut. Danke fürs Zuhören. Und danke für die Cola.«

»Ich bin noch nicht fertig. Derrick und ich haben vor, freitags Livemusik auf die Bühne zu bringen. Stimmt doch, oder?«, hakte sie nach, als Derrick die Stirn runzelte.

»Ja, wir haben vage drüber gesprochen.«

»An zwei Samstagen im Monat spielt eine Band, und das läuft super. Wenn wir freitags auch jemanden hätten, würde unsere

Kasse noch mehr klingeln. Ich stell dich auf der Stelle ein, Shelby, und zwar dafür, dass du freitags singst. Von acht bis Mitternacht.«

»Tansy, vielen Dank für das Angebot, aber ich habe seit Jahren nicht mehr auf der Bühne gestanden.«

»Hast du deine Stimme noch?«

»Es nicht so, dass …«

»Viel können wir dir nicht zahlen, zumindest nicht gleich. Wir müssen erst schauen, wie es läuft. Ich würde sagen, vier Sets à vierzig Minuten, und in der Zwischenzeit sorgst du anderweitig für Stimmung und gehst von Tisch zu Tisch. Ich fände es schön, wenn es jede Woche ein anderes Motto gäbe.«

»Die Frau hat Ideen«, stöhnte Derrick nicht ohne Stolz.

»Allerdings.« Tansy trommelte ungeduldig auf die Bar. »Dazu gehört auch, dass wir mit den 1940-ern anfangen. Lieder aus den Vierzigern, dazu die passenden Drinks. Was hat man damals getrunken? Martinis oder Biercocktails? Das find ich noch raus.« Sie winkte ab.

»In der Woche darauf sind die 1950-er dran und so weiter. Nostalgie ist angesagt, damit kriegen wir jede Menge Leute. Ich kümmere mich um die Organisation. Für den Anfang arbeiten wir mit einer Karaokeanlage. Sollte der Anbau wirklich kommen, können wir ein Klavier anschaffen oder eine Band mieten. Vorerst reicht eine Karaokeanlage, Derrick, denn von nun an werden wir montags Karaoke anbieten.«

»Die Frau hat Ideen«, wiederholte Derrick.

»Die Leute scheinen sich gern singen zu hören, auch wenn sie keinen anständigen Ton rausbringen. Sie werden uns montags nur so die Bude einrennen. Und freitags sowieso. Wir nennen es *Friday Nights*, basta. Ich weiß, das ist nur ein Abend pro Woche, Shelby. Aber das lässt dir genug Zeit, um tagsüber ein paar Stunden woanders zu arbeiten.«

»Bist du denn auch einverstanden?«, sagte Shelby an Derrick gewandt.

»Sie ist die Managerin. Mir gehört der Laden nur.«

»Bitte noch nicht diesen Freitag«, fuhr Tansy ungerührt fort. »Das ist zu früh, ich muss erst ein paar Dinge regeln. Aber ab nächster Woche. Du wirst bestimmt ein paar Mal vorbeischauen wollen, zum Proben und so. Wir brauchen diesen Anbau, Derrick, zumindest wenn das läuft. Am besten, du redest mit Matt und Griff, damit wir die Sache so schnell wie möglich anpacken können.«

»Zu Befehl, Madam!«

»Also, Shelby, was meinst du?«

Shelby atmete tief durch.

»Na gut. Ich bin dabei. Sollte es nicht funktionieren, ist keiner von uns böse. Trotzdem, ich bin dabei, und ich freu mich schon darauf. Ich bin für eure *Friday Nights* zuständig.«

10

Shelby schwebte förmlich zum Salon.

»Wow, siehst du toll aus«, sagte Viola, kaum dass sie ihn betreten hatte. »Sissy, du erinnerst dich an meine Enkelin Shelby?«

Eine lebhafte Unterhaltung mit der Frau in Violas Stuhl entstand, während die Salonbesitzerin einen ganzen Wald aus Lockenwicklern entfernte und mit dem Toupieren begann.

Bei der ersten Möglichkeit, sich einzuschalten, ließ Shelby die Bombe platzen.

»Toll! Tansy und Derrick machen wirklich etwas ganz Besonderes aus dem Lokal. Und du trittst dort auf. Als Hauptattraktion.«

Shelby lachte und räumte automatisch den Korb mit den benutzten Lockenwicklern auf. »Es ist bloß freitags, aber …«

Sissy unterbrach sie mit einer Geschichte über ihre Tochter, die in einem Highschool-Musical auftrat, während Viola ihr Haarvolumen verdoppelte.

»Ich sollte lieber gehen. Mama führt vermutlich gerade eine Behandlung durch?«

»Eine Hautreinigung für den Rücken. Callie ist schon eine ganze Weile bei Tracy, nicht wahr?«, fragte Viola. »Ich hab gleich Pause.«

»Ich muss noch ein paar Dinge erledigen. Ich wollte bei *Mountain Treasures* nach einem Teilzeitjob fragen. Oder bei *What Not*. Die sollen laut Tansy gute Geschäfte mit Touristen und Einheimischen machen.«

»Ich hab mir dort ein paar hübsche Sammeltassen gekauft«, verkündete Sissy.

»Ja. *The Artful Ridge* sucht zwar Personal, aber ich werde dort ganz bestimmt nicht eingestellt. Nicht, solange Melody Bunker in der Galerie das Sagen hat.«

»Melody war schon früher eifersüchtig auf dich.« Da sie ihre Kundin kannte, sprühte Viola jede Menge Haarfestiger auf die Turmfrisur. »Du kannst von Glück sagen, dass sie dich nicht eingestellt hat, Schätzchen, denn sonst würde sie dir das Leben zur Hölle machen. So, Sissy. Ist das genug Volumen?«

»Na ja, Vi, du weißt ja, wie stolz ich auf meine dichten Haare bin, und das soll man auch sehen. Es sieht fantastisch aus. Niemand kriegt das so gut hin wie du. Ich bin mit Freundinnen verabredet«, erklärte sie Shelby. »Wir gehen heute chic essen, im Hotel.«

»Das wird bestimmt toll.«

Es dauerte ein paar Minuten, bis Sissy endlich verschwand und Viola ließ sich seufzend in den Stuhl sinken. »Nächstes Mal nehme ich den Laubbläser, um ihr die Haare zu trocknen. Wie viel Tage die Woche willst du eigentlich arbeiten?«

»Drei oder vier. Vielleicht fünf. Halbtags, wenn ich mich mit Tracey einigen kann und Mama auch mal auf Callie aufpasst. Ansonsten muss ich ihr einen Betreuungsplatz suchen.«

»Das wird deinen ganzen Verdienst auffressen.«

»Ich hab eigentlich gehofft, dass ich bis zum Herbst warten und ihr Zeit geben kann, sich ein bisschen einzuleben. Aber ich fürchte, so viel Zeit habe ich nicht. Andererseits dürfte es ihr guttun, Gleichaltrige um sich zu haben.«

»Ja, das stimmt. Folgendes kann ich dir vorschlagen: Ich weiß nicht, warum du zu *Mountain Treasures* und all den anderen Läden rennst, wo ich dich genauso gut brauchen kann. Du könntest die Rezeption übernehmen, Termine machen, dich ums Warenlager und die Kunden kümmern. Und ein bisschen für Ordnung sorgen, denn das liegt dir im Blut. Wenn du etwas findest, das dir besser gefällt – prima. Fürs Erste würde ich dir drei Tage die Woche anbieten. Vier, wenn viel los ist. Hin und wieder darfst du

Callie ruhig mitbringen. Du hast selbst viel Zeit im Salon verbracht, als du so alt warst wie sie.«

»Das stimmt.«

»Und, hat es dir geschadet?«

»Nein, ich hab es geliebt. Ich habe nur schöne Erinnerungen an die Zeit, als ich hier gespielt, die Kundinnen belauscht habe und Haare und Nägel gemacht bekam wie eine Erwachsene. Ich will dich aber auf keinen Fall ausnutzen, Granny. Nicht, dass du einen Job für mich erfindest.«

»Das mach ich nicht, ich kann dich wirklich brauchen. Du tust mir zwar nicht direkt einen Gefallen, schließlich muss ich dich auch bezahlen. Aber wir hätten mit Sicherheit beide was davon. Außer, du willst nicht bei mir arbeiten.«

»Ich wünschte, du würdest hier anfangen«, rief Crystal ihnen zu. »Dann müssten wir nicht ständig zum Telefon rennen oder in den Kalender schauen, wenn jemand ohne Termin vorbeischaut und Dottie nicht da ist.«

»Ich brauche jemanden für drei Tage die Woche, von zehn bis drei, samstags von neun bis vier, wenn viel los ist.« Viola verstummte, denn sie sah, wie Shelby zögerte. »Wenn du den Job nicht willst, muss ich jemand anders einstellen. Stimmt's, Crystal?«

»Allerdings. Wir haben erst neulich davon gesprochen, dass wir eine Aushilfe brauchen.« Crystal drückte den Kamm an ihr Herz. »Wirklich, Ehrenwort!«

»Wir müssen dich allerdings ein bisschen einarbeiten. Es ist schließlich schon eine Weile her, dass du das letzte Mal hier gejobbt hast. Aber du bist ja nicht auf den Kopf gefallen.«

Shelby sah zu Crystal hinüber. »Du bist sicher, dass sie das nicht bloß macht, um mir einen Gefallen zu tun?«

»Ganz sicher! Dottie muss ständig zwischen der Rezeption, den Behandlungszimmern sowie Umkleide- und Ruheraum hin und her rennen. Seit Sasha die Ausbildung abgeschlossen hat und Gesichts- und Körperbehandlungen macht, kann sie ihr nicht mehr helfen. Wir kommen gerade so klar, trotzdem wäre es gut, wenn uns jemand entlasten könnte.«

»Ja, wenn das so ist …« Shelby lachte verblüfft auf. »Dann würde ich liebend gern bei euch arbeiten.«

»Betrachte dich als eingestellt. Anstatt dir die Hacken nach einem Job abzulaufen, kannst du dich gleich nützlich machen. Geh nach hinten, und schau, ob die Handtücher trocken sind. Du kannst sie zusammenfalten und bereitlegen.«

Shelby beugte sich vor und schmiegte ihre Wange an die Violas. »Danke, Granny.«

»Du wirst ziemlich beschäftigt sein.«

»Genauso soll es sein«, sagte Shelby und machte sich an die Arbeit.

***

Als Shelby mit Callie nach Hause kam, hatte sie bereits alles genau geplant. Sie würde sich einmal die Woche mit Tracey beim Babysitten abwechseln und sie für zwei Tage bezahlen, wenn der Samstag dazukam. Am vierten Tag würde Ada Mae einspringen.

Sollte irgendwas dazwischenkommen, würde sie Callie einfach mitnehmen.

Freitagabends würden sich ihre Mutter und Großmutter abwechseln, sie hatten ihr das schließlich selbst angeboten. Shelby hielt in der Auffahrt.

Auf diese Weise würde sie ihren Lebensunterhalt selbst bestreiten können und ihre Kleine in guten Händen wissen. Was wollte sie mehr?

Da Callies Augen auf der Heimfahrt glasig geworden waren, würde sie bestimmt gleich ein Schläfchen machen, sodass sie Zeit hätte, Songs aus den 1940-ern rauszusuchen und ein Programm zusammenzustellen. Mit der schlafenden Callie auf dem Arm ging sie die Treppe hoch.

Sie wiegte ihre Tochter summend hin und her, damit sie nicht unruhig wurde – und schrie auf, als Griff in den Flur trat.

Callie wand sich in ihren Armen und plärrte wie wild drauf-los.

»Entschuldige.« Griff setzte seinen Kopfhörer ab. »Ich hab dich gar nicht gehört. Tut mir leid, aber deine Mutter hat gesagt … Hallo, Callie, tut mir leid, dass ich dich erschreckt habe.«

Callie klammerte sich an Shelby und starrte ihn schluchzend an, nur um sich gleich darauf in seine Arme zu werfen. Er musste einen Satz nach vorn machen, um sie aufzufangen, danach weinte sich Callie an seiner Schulter aus.

»Ist ja gut, alles ist gut.« Er tätschelte ihr den Rücken und lächelte Shelby an. »Deine Mutter will das neue Bad sofort haben. Ich habe ihr versprochen, sobald wie möglich vorbeizuschauen und alles auszumessen. Wow, du siehst echt toll aus.«

»Ich setz mich kurz hin.« Sie ließ sich auf die oberste Treppen-stufe sinken. »Ich hab dein Auto gar nicht gesehen.«

»Ich bin von Miz Bitsy rübergelaufen. Wir sind dort so gut wie fertig, könnten also gleich nächste Woche bei euch anfangen.«

»Schon nächste Woche?«

»Ja.« Er tätschelte und knuffte Callie, bis sie nur noch schniefte. »Wir haben ein paar kleinere Jobs, können das aber einschieben. Ich hatte Kopfhörer auf, deshalb hab ich nichts gehört.«

»Ist schon in Ordnung. Ich bin gerade bloß um zehn Jahre ge-altert. Ich bring sie schnell ins Bett.«

»Alles klar. Da entlang, oder?«

Griff betrat Callies Zimmer. Im Handumdrehen hatte er das Kind ins Bett gelegt und mit der leichten Decke zugedeckt. Gleichzeitig beantwortete er den Frage-Singsang, der mit diesem Ritual einherging.

»Küsschen!«, forderte Callie.

»Kommt sofort.« Er küsste sie auf die Wange, richtete sich auf und sah Shelby an. »War's das schon?«

»Ja«, flüsterte sie und schlüpfte aus dem Zimmer. »Aber nur, weil sie sich bei Chelsea ausgetobt hat.«

»Sie duftet nach Kirschen.«

»Limonade, nehm ich an.«

Und ihre Mutter duftete wie eine Bergwiese, frisch, lieblich und wild. Pheromone vermutlich. »Du siehst wirklich toll aus.«

»Ach, ich war auf Jobsuche und wollte präsentabel wirken.«

»Du bist mehr als nur präsentabel, du bist …« Er konnte es sich gerade noch verkneifen, *scharf* zu sagen. »Fantastisch. Und, wie ist es mit der Jobsuche gelaufen?«

»Ebenfalls fantastisch. Ich hab's mit einem Homerun geschafft, muss also nicht mehr in die Verlängerung.«

Meine Güte, sie verstand was von Baseball. Am liebsten hätte er sie vom Fleck weg geheiratet.

»Ich hab Lust auf eine Cola«, sagte sie. »Willst du auch eine?«

»Warum nicht?« Auf diese Weise konnte er ein bisschen Zeit mit ihr verbringen. »Und, was ist das für ein Job?«

»Ach, das ist aber eine ziemlich direkte Frage für uns Hinterwäldler«, sagte sie und begann, die Treppe hinunterzugehen. »Spannender ist, *wie* ich ihn bekommen habe.«

»Entschuldige, da ist der Yankee mit mir durchgegangen.«

»Na ja, ganz verloren gehen sollte er dir auch nicht, er hat nämlich durchaus seinen Reiz. Was für Musik hast du gerade gehört?« Sie zeigte auf ihre Ohren.

»Eine bunte Mischung. Es dürften die Black Keys gewesen sein, die dich um zehn Jahre haben altern lassen. Mit *Fever*.«

»Immerhin, dafür altert man gern um zehn Jahre. Um deine Frage zu beantworten … Zunächst einmal hat mein Ego ganz schön gelitten. Als ich mich bei meiner schlimmsten Highschool-Rivalin in *The Artful Ridge* beworben hab, wurde ich gleich wieder vor die Tür gesetzt. Sie leitet die Galerie nämlich inzwischen beziehungsweise bildet sich ein, sie würde sie leiten.«

»Melody Bunker. Die kenne ich. Sie hat mich angemacht.«

»Das ist nicht dein Ernst.«

Shelby erstarrte und sah mit offenem Mund zu ihm auf. Das

gab ihm ausreichend Gelegenheit, sie aus der Nähe zu betrachten. Ihre Augen waren fast violett.

»Tatsächlich?«

»Sie hatte ein paar Drinks intus, und ich war neu in der Stadt.«

»Und, bist du darauf eingegangen?«

»Ich hab drüber nachgedacht«, gestand er, während er sie in die Küche begleitete. »Sie schaut gut aus, hat aber so was Verschlagenes an sich.«

»Das fällt aber nicht jedem auf, schon gar nicht Männern.«

»Ich habe einen ziemlich guten Blick dafür. Sie war mit einer Freundin aus, und die beiden haben … Na ja, nicht gerade freundlich über andere geredet.«

»Sprich es ruhig aus, sie ist ein echtes Lästermaul. Und hinterhältig obendrein. Heute hat sie sich wirklich bemüht, mir das Gefühl zu geben, klein und dumm zu sein, aber es ist ihr nicht gelungen. Sie war sogar ganz besonders mies, aber der Schuss ist nach hinten losgegangen.«

Shelby schüttelte nur den Kopf und holte Colagläser aus dem Schrank. »Na ja, egal, letztlich war es gut so.«

»Was hat sie denn zu dir gesagt? Oder ist diese Frage auch zu direkt?«

»Als Erstes hat sie eine gehässige Bemerkung über meine Frisur gemacht.«

»Du hast fantastische Haare. Wie eine Meerjungfrau.«

Sie lachte. »Das hab ich noch nie gehört! Den Spruch muss ich bei Callie ausprobieren. Auf jeden Fall hat Melody spitze Bemerkungen zu meiner jetzigen Situation losgelassen. Die hab ich überhört, schließlich wollte ich den verdammten Job. Doch sie hat einfach nicht aufgehört und mir reingedrückt, wie unqualifiziert, stillos und dumm ich bin. Spätestens da war klar, dass sie mich nie im Leben einstellen wird. Also hab ich angefangen, auch ein bisschen auszuteilen. Wenn auch raffinierter und deutlich stilvoller.«

»Das kann ich mir vorstellen.«

Grinsend gab Shelby Cola und Eiswürfel in die Gläser. »Als ich ging, war sie auf hundertachtzig. Sie hat mir hinterhergebrüllt, dass sie bei der Wahl zur Miss Tennessee Zweite geworden ist. Ihre fünfzehn Minuten Ruhm! Darauf hab ich gesagt, dass sie mir echt leidtut. Und tschüs!«

»Autsch.«

Sie reichte ihm ein Glas. »Damit habe ich sie richtig verletzt. Trotzdem war ich so aufgewühlt, dass ich gleich danach zum *Bootlegger's* bin. Ich wollte Tansy fragen, ob sie eine Kellnerin gebrauchen können. Und hab Derrick kennengelernt. Sieht er nicht aus wie ein Actionheld?«

»Das ist mir bisher nicht aufgefallen.«

»Weil du ein Mann bist. Aus weiblicher Sicht …« Sie lachte erneut. »Tansy hat's gut. Derrick ebenfalls, bei so einer reizenden, intelligenten und sensiblen Frau. Aber weil ich mich vor lauter Wut anfangs danebenbenommen habe, wollten sie mir keinen Kellnerjob geben. Stattdessen haben sie mir angeboten, freitags bei ihnen zu singen. Ich soll das Abendprogramm bestreiten. Die *Friday Nights*, wie Tansy sie nennt.«

»Im Ernst? Das ist ja großartig. Echt cool, Rotschopf. Alle sagen, dass du toll singen kannst. Sing mir was vor.«

»Nein.«

»Komm schon, nur ein paar Takte, egal was.«

»Komm übernächsten Freitag ins *Bootlegger's*, dann hast du ausreichend Gelegenheit dazu.«

Nachdem sie ihm zugeprostet hatte, nahm sie einen großen, erfrischenden Schluck. »Aber das ist noch nicht alles. Danach bin ich zu Granny, um ihr davon zu erzählen. Die hat mich dann mehr oder weniger gezwungen, bei ihr auszuhelfen. Sie hat mir eingeredet, dass sie wirklich jemanden braucht. Ich kann nur hoffen, dass sie es ernst meint.«

»Ich kenne sie natürlich längst nicht so gut wie du, aber in der Regel meint Miz Vi, was sie sagt.«

»Das stimmt, außerdem hat Crystal Stein und Bein geschworen, dass sie ohnehin eine Aushilfe einstellen wollten. Ich habe also nicht nur einen, sondern gleich zwei Jobs gefunden. Wieder in Lohn und Brot. Ach, tut das gut.«

»Sollten wir das nicht feiern?« Er sah, wie sich so etwas wie Vorsicht in ihre strahlenden Augen stahl. »Wie wär's, wenn wir mit Matt und Emma Kate essen gehen?«

»Das klingt toll, aber ich muss dringend mein Musikprogramm zusammenstellen. Tansy will jede Woche was anderes, ich muss also ganz schön recherchieren. Und Callie braucht mich auch. Wobei ich es schlimmer finde als sie, von ihr getrennt zu sein.«

»Mag sie Pizza?«

»Callie? Klar, fast genauso sehr wie Eiscreme, und die ist echt das Höchste für sie.«

»Dann werde ich euch demnächst nach der Arbeit auf eine Pizza einladen.«

»Das ist wahnsinnig nett von dir, Griffin. Sie ist total in dich verknallt.«

»Das beruht auf Gegenseitigkeit.«

Shelby schenkte ihm lächelnd nach. »Wie lange wohnst du in Rendezvous Ridge, Griffin?«

»Etwa ein Jahr.«

»Und du hast keine Freundin? Bei deinem Aussehen müsstest du eigentlich an jedem Finger zehn haben.«

»Na ja, für ungefähr zehn Minuten gab es Melody. Und dann ist da noch Miz Vi. Nur leider erwidert sie meine Zuneigung nicht.«

»Grandpa würde sie nie kampflos aufgeben.«

»Für sie würde ich zu unsauberen Methoden greifen.«

»Dasselbe gilt für ihn, und er ist ganz schön gerissen. Ich staune wirklich, dass es Emma Kate oder Miz Bitsy noch nicht gelungen ist, dich zu verkuppeln.«

»Sie haben's versucht, allerdings vergeblich.« Er zuckte mit den

Schultern und nahm einen Schluck. »Bisher hat mich keine so richtig interessiert. Aber das ändert sich gerade.«

»Du brauchst vermutlich nur … äh …« Auch wenn es eine Weile her war, so einen Blick und so einen Tonfall vergisst man nicht als Frau. Nervös, aber auch geschmeichelt, führte sie rasch das Glas zum Mund. »Äh«, wiederholte sie. »Nun, Griff, du solltest wissen, dass ich im Moment ein ziemlich komplizierter Fall bin. Und ziemlich kaputt.«

»Komplizierte Fälle sind meine Spezialität, und Kaputtes zu reparieren ist mein Job, Rotschopf.«

Sie lachte verlegen. »Ich fürchte, bei mir ist eine Totalsanierung fällig, ein Scheißjob mit anderen Worten. Außerdem gibt es mich nur im Doppelpack.«

»Kein Problem. Ich weiß, dass das alles ein bisschen schnell geht, aber ich bin eben ein sehr direkter Typ. Ich war schon hin und weg, als ich dich in Miz Bitsys Küche gesehen habe. Ich wollte es eigentlich langsam und etwas raffinierter angehen, aber warum eigentlich?«

Das war in der Tat mehr als direkt. »Du kennst mich doch gar nicht.«

»Was nicht ist, kann ja noch werden.«

Diesmal klang ihr Lachen einfach nur verblüfft. »Einfach so.«

»Außer du empfindest eine heftige Abneigung gegen mich, aber das glaub ich nicht. Ich bin nämlich ein netter Kerl. Wenn du so weit bist, gehen wir aus. Bis dahin werden wir uns ohnehin sehen, da ich mit Matt verbandelt bin und er mit Emma Kate. Hinzu kommt, dass ich deine Kleine echt mag.«

»Das sehe ich. Wenn ich befürchten würde, dass du sie nur benutzt, um dich an mich heranzumachen, würde ich ganz anders reagieren. Aber so, wie die Dinge liegen, weiß ich einfach nicht, was ich sagen soll.«

»Na ja, denk drüber nach. Ich muss los, und du hast auch genug zu tun. Richte deiner Mutter aus, dass ich alles ausgemessen habe. Sobald sie Fliesen und Armaturen ausgesucht hat, bestellen wir.«

»Gut.«

»Danke für die Cola.«

»Gern geschehen« Sie brachte ihn zur Tür und hatte Schmetterlinge im Bauch. Trotzdem, es war ein Fehler, ein Riesenfehler, diesem Gefühl in ihrer jetzigen Verfassung nachzugeben.

»Das mit der Pizza hab ich ernst gemeint«, sagte er zum Abschied.

»Callie wird begeistert sein.«

»Sag mir einfach, wann.« Stirnrunzelnd sah er nach draußen, schaute einem Wagen hinterher, der gerade vorbeifuhr. »Kennst du jemanden mit einem grauen Honda?«

»Nein, wieso?«

»Den seh ich in den letzten Tagen ständig.«

»Na ja, hier wohnen jede Menge Leute.«

»Mit einem Florida-Kennzeichen.«

»Ein Tourist nehme ich an. Im Augenblick kann man gut wandern, weil es noch nicht so heiß ist. Überall kommen die Wildblumen raus.«

»Vermutlich hast du recht. Egal, Glückwunsch noch mal zu deinen Jobs.«

»Danke.«

Sie sah ihm nach. Sein Gang war echt sexy. Außerdem hatte er längst vergessene Gefühle in ihr geweckt.

Es war trotzdem besser, sich voll auf Callie, auf ihre neuen Jobs und darauf zu konzentrieren, ihren Riesenberg Schulden abzutragen.

Apropos Schulden … Sie würde nach oben gehen, sich umziehen, einen neuen Zahlungsplan ausarbeiten und nachschauen, ob der Hausverkauf Fortschritte machte und ob neues Geld aus dem Secondhandladen reingekommen war. Anschließend konnte sie sich Gedanken über das Musikprogramm machen.

Klar war das Arbeit, aber auch Vergnügen. Insofern war es besser, die unangenehmen Sachen zuerst hinter sich zu bringen.

In der Tür zu ihrem Zimmer erstarrte sie.

Ein grauer Honda mit einem Florida-Kennzeichen. Sie riss die Kommodenschublade auf, in der sie alle Visitenkarten aus Philadelphia aufbewahrte.

Da war sie auch schon. Ted Privet, Privatdetektiv, Miami, Florida.

Sie hatte ihn also doch gesehen, an dem Abend im *Bootlegger's*. Er war ihr den ganzen Weg nach Hause gefolgt. Warum machte er das? Was sollte das?

Er beschattete sie. Sie zwang sich, zum Fenster zu gehen und hinauszuschauen.

An den Schulden konnte sie nichts ändern. Aber sie würde sich ihr neues Leben nicht von Richards Problemen kaputtmachen lassen.

Statt sich an die Arbeit zu machen, griff sie zum Telefon.

»Forrest? Entschuldige, dass ich dich störe, aber ich glaube, ich hab ein Problem und könnte ein bisschen Hilfe gebrauchen.«

* * *

Forrest hörte Shelby zu, unterbrach sie nicht und stellte keine Fragen. Das machte sie erst recht nervös. Sie redete und redete, während ihr Bruder einfach nur dasaß und sie mit regloser Miene anstarrte.

»Und, ist das alles?«, fragte er, als sie ihm eine kurze Zusammenfassung gegeben hatte.

»Ich glaube schon. Ja, das ist alles. Ich finde, das ist mehr als genug.«

»Hast du die Ausweise dabei? Die du im Banksafe gefunden hast?«

»Ja.«

»Die brauche ich.«

»Ich hol sie dir.«

»Bleib sitzen. Ich bin noch nicht fertig.«

Folgsam setzte sie sich wieder auf die Küchentheke und faltete die Hände.

»Hast du die Waffe?«

»Ich … Ja. Ich hab die Patronen rausgenommen und bewahre sie in einer Schachtel im obersten Schrankfach auf, wo Callie nicht drankommt.«

»Was ist mit dem Bargeld aus dem Safe?«

»Dreitausend Dollar in bar hab ich behalten, die liegen ebenfalls in meinem Schrank. Das meiste habe ich ausgegeben. Wie du weißt, habe ich versucht, meine Schulden abzutragen. Den Rest habe ich zur Bank gebracht. Ich habe in Ridge ein Konto eröffnet.«

»Ich will alles haben. Die Ausweise, die Waffe, das Bargeld, die Umschläge. Alles, was in diesem Banksafe war.«

»Gut, Forrest.«

»Und dann will ich wissen, warum du mir das alles erst jetzt erzählst. Verdammt noch mal, Shelby.«

»Ich bin in ein tiefes Loch gefallen, das immer tiefer zu werden drohte. Erst Richards Tod, dann erzählen mir die Anwälte, dass es jede Menge Probleme gibt. Anschließend habe ich mir die Rechnungen angesehen, was ich vorher nie gemacht hatte. Das war sein Zuständigkeitsbereich. Hör bitte auf, mich so anzusehen. Du warst schließlich nicht dabei und musstest nicht mit ihm zusammenleben. Als Nächstes habe ich das mit dem Haus erfahren, das ganze Ausmaß der Katastrophe. Ich musste etwas unternehmen. Dann hab ich den Schlüssel gefunden und musste einfach Bescheid wissen. Als ich den Safe und seinen Inhalt durchgesehen habe … Ich weiß wirklich nicht, mit wem ich da verheiratet gewesen bin und all die Jahre zusammengelebt habe. Was für ein Mensch der Vater meines Kindes eigentlich war.« Sie atmete tief durch. »Aber ich darf nicht zulassen, dass das alles andere überschattet. Ich muss irgendwie damit umgehen, bis die Sache ausgestanden ist.

So, dass Callie davon unberührt bleibt. Ich weiß nicht, warum mir dieser Detektiv gefolgt ist. Ich habe nichts. Ich weiß nichts.«

»Ich kümmere mich drum.«

»Danke.«

»Ich habe oft genug darüber nachgedacht, dich gründlich durchzuschütteln, dich wachzurütteln, Shelby. Du bist meine Schwester, verdammt. Wir sind eine Familie.«

Sie rang die Hände und bemühte sich um Ruhe. »Wenn du glaubst, dass ich das vergessen habe, täuschst du dich. Und wenn du glaubst, dass ich das nicht zu schätzen weiß, bist du dümmer, als ich dachte.«

»Was soll ich dann glauben?«, fragte er.

»Dass ich fest davon überzeugt war, das Richtige zu tun. Ich konnte nicht nach Hause kommen, bevor ich mich aus diesem Loch herausgearbeitet hatte, Forrest. Du magst das für falschen Stolz halten, für pure Dummheit, aber ich konnte nicht nach Hause kommen und die Familie damit belasten.«

»Du hättest ein bisschen Hilfe annehmen können. Zumindest so viel, dass du aus diesem Loch wieder rauskommst.«

»Meine Güte, Forrest, tu ich das nicht gerade? Das erste Stück musste ich allerdings alleine schaffen.«

Er stand auf, ging nervös auf und ab und starrte eine Weile schweigend aus dem Fenster. »Na gut. Ein Stück weit kann ich dich verstehen. Aber deswegen muss ich dein Verhalten noch lange nicht gutheißen. Los, hol mir alles, was du hast.«

»Was willst du damit anfangen? Es ist mein Problem, Forrest.«

»Ich werde mit diesem Detektiv aus Florida reden und ihm klarmachen, dass ich es gar nicht mag, wenn er meine Schwester unter Druck setzt. Dann werde ich alles daransetzen herauszufinden, wen du da eigentlich geheiratet hast.«

»Ich glaube, dass er das Geld im Safe gestohlen hat. Oder irgendwie ergaunert. Meine Güte, Forrest, wenn ich das alles zurückzahlen muss …«

»Das musst du nicht. Du hast nur genommen, was dir von Gesetzes wegen zustand. Egal, was er getan hat, es dürfte ziemlich klar sein, dass nichts mehr da ist, wovon sich etwas zurückzahlen ließe. Noch etwas: Du wirst das alles auch dem Rest der Familie erzählen. Du wirst reinen Tisch machen.«

»Gilly bekommt ein Baby.«

»Keine Ausreden, Shelby. Du wirst dich heute Abend, nachdem Callie im Bett ist, zu uns setzen und beichten. Ich werde dafür sorgen, dass alle da sind. Willst du etwa, dass sie über andere von dem Privatdetektiv erfahren, der sich nach ihrer Tochter, ihrer Schwester erkundigt?«

Erschöpft presste sie die Finger gegen die Lider. »Nein, du hast recht. Ich werd's ihnen sagen. Aber du musst zu mir halten, Forrest, wenn Mama und Daddy davon anfangen, dass sie mir mit den Schulden helfen wollen. Das kommt nicht infrage.«

»Das ist auch richtig so.« Er legte ihr die Hände auf die Schultern. »Ich halte immer zu dir, du Dummkopf.«

Sie legte den Kopf an seine Brust. »Ich kann die Dinge nicht ungeschehen machen, ohne auch Callie ungeschehen zu machen. Ich wünschte, ich hätte mich ihm gegenüber mehr durchgesetzt. Immer wenn ich dachte, ich hätte festen Boden unter den Füßen, war er wieder weg.«

»So, wie ich das sehe, war er sehr gut darin, anderen den Boden unter den Füßen wegzuziehen. Los, hol die Sachen aus dem Safe, ich will so schnell wie möglich loslegen.«

***

Es dauerte nicht lange, bis Forrest den Privatdetektiv ausfindig gemacht hatte. Der bemühte sich nicht gerade, unsichtbar zu bleiben. Er hatte unter seinem richtigen Namen ein Hotelzimmer gemietet, allerdings angegeben, Reisejournalist zu sein.

Forrest überlegte, ihn im Hotel zur Rede zu stellen, wollte es

Privet aber mit gleicher Münze heimzahlen. Kaum hatte er frei, fuhr er mit seinem Wagen durch die Gegend, bis er Privets Honda vor *The Artful Ridge* entdeckte.

Forrest parkte, stieg aus und schlenderte um die Galerie herum. Mit Sicherheit redete der Mann, dem er seit etwa einer Stunde auf der Spur war, gerade mit Melody.

Von ihr würde er garantiert jede Menge über Shelby erfahren. Mit gezückter Dienstmarke ging er zurück zu seinem Wagen und sah, wie Privet die Galerie verließ und direkt zum *Bootlegger's* ging. Dort würde man ihm vermutlich nicht so bereitwillig Auskunft erteilen, aber wenn der Mann etwas von seinem Beruf verstand, was durchaus der Fall zu sein schien, würde er ein paar Dinge in Erfahrung bringen.

Nach einer knappen Viertelstunde verließ Privet das Lokal und ging zum Salon.

Er nahm also genau dieselbe Strecke wie Shelby am Vormittag, was bedeutete, dass er sie den ganzen Tag beschattet hatte.

Alles in Forrest zog sich schmerzhaft zusammen.

Diesmal brauchte der Detektiv länger. Als Forrest am Salon vorbeiging, sah er, dass Privet in einem der Stühle saß und sich die Haare schneiden ließ. Auf diese Weise trug er wenigstens etwas zur Aufstockung der Familienkasse bei.

Forrest lehnte sich in seinem Wagen zurück und wartete geduldig, bis Privet herauskam und zu seinem Auto ging.

Er folgte ihm, was bei dem wenigen Verkehr nicht weiter schwierig war. Privet nahm die Abzweigung zum Haus seiner Eltern. Als der Honda einfach daran vorbeifuhr, ging Forrest davon aus, dass er bald wenden würde.

Er holte sein Blaulicht heraus, befestigte es auf dem Dach und wartete.

Als Privet ihn ein zweites Mal passierte und die Fahrt wenige Meter vor dem Haus verlangsamte, fuhr Forrest los und schaltete das Blaulicht ein, damit Privet es im Rückspiegel sah.

Forrest hielt direkt hinter dem Honda, stieg aus und ging zum Fenster der Beifahrerseite, das bereits heruntergekurbelt war.

Privet hatte eine Straßenkarte hervorgeholt und machte ein ratloses Gesicht.

»Ich hoffe, es gibt kein Problem, Officer, und Sie können mir helfen. Ich glaube, ich bin irgendwo falsch abgebogen. Ich suche nach …«

»Hören Sie auf, unsere Zeit zu verschwenden. Ich glaube, Sie wissen ganz genau, wer ich bin. Ich weiß jedenfalls, wer Sie sind, Mr. Privet. Bitte legen Sie beide Hände aufs Lenkrad, sodass ich sie sehen kann. Sofort.« Forrest berührte seine Waffe. »Ich weiß, dass Sie einen Waffenschein haben. Wenn ich nicht auf der Stelle Ihre Hände am Lenkrad sehe, haben wir ein Problem.«

»Ich will keine Probleme.« Privet hob die Hände und legte sie vorsichtig aufs Lenkrad. »Ich mache nur meinen Job.«

»Und ich meinen. Sie waren bei meiner Schwester oben im Norden und haben sich unter Vorspiegelung falscher Tatsachen Zutritt zu ihrem Haus verschafft.«

»Sie hat mich hereingebeten.«

»Sie haben eine Frau mit einem Kleinkind in ihrem Zuhause bedrängt, sie anschließend über mehrere Bundesstaaten hinweg verfolgt und ihr nachspioniert.«

»Ich bin Privatdetektiv, Deputy. Meine Lizenz ist in meinem …«

»Wie gesagt, ich weiß, wer Sie sind.«

»Deputy Pomeroy, ich habe einen Kunden, der …«

»Wenn Richard Foxworth Ihren Kunden betrogen hat, hat das nichts mit meiner Schwester zu tun. Foxworth ist tot, Ihr Kunde kommt leider zu spät. Wenn Sie auch nur zehn Minuten mit Shelby verbracht haben und glauben, sie hätte etwas mit der Sache zu tun, sind Sie dümmer, als ich dachte.«

»Matherson. Er hat sich als David Matherson ausgegeben.«

»Egal, unter welchem Namen er aufgetreten ist oder mit welchem Namen er geboren wurde – er ist tot. Ich für meinen Teil kann nur hoffen, dass ihn die Haie gefressen haben. Wenn es also stimmt, dass Sie keine Probleme wollen, werden Sie aufhören, meine Schwester zu verfolgen und Erkundigungen über sie einzuholen. Ich brauche nur zu *The Artful Ridge*, zum *Bootlegger's* oder zum Salon meiner Großmutter zu gehen. Dort wird man mir sagen, dass Sie das Thema jedes Mal zufällig auf Shelby gelenkt haben. Das muss umgehend aufhören. Wenn ich Sie noch einmal dabei erwische, nehme ich Sie fest. Bei uns gilt das, was Sie machen, als Stalking und verstößt gegen das Gesetz.«

»Bei meinem Job bedeutet es nur, dass ich meine Arbeit mache.«

Forrest lehnte sich vertraulich vor. »Darf ich Sie etwas fragen, Mr. Privet? Angenommen, ich nehme Sie mit. Glauben Sie allen Ernstes, dass sich der Richter nicht fragen wird, warum Sie an dieser Stelle parken? Mit diesem Fernglas auf dem Beifahrersitz?«

»Ich bin Hobbyornithologe.«

»Nennen Sie mir fünf Vögel, die in den Smokys heimisch sind.«

Forrest wartete einen Moment, während Privet angestrengt die Stirn runzelte. »Nun, mit dieser Ausrede haben Sie wirklich den Vogel abgeschossen. Ich werde meinen Chef informieren, und der wird Richter Harris informieren, übrigens ein Cousin dritten Grades, dass Sie mein Elternhaus und meine Schwester beobachten. Dass Sie Shelby und ihre kleine Tochter überallhin verfolgen, alle mit Fragen über meine verwitwete Schwester und das vaterlose Kind belästigen. Glauben Sie wirklich, dass der Richter dann sagt: *Kein Problem. Leben und leben lassen?* Oder werden Sie nicht eher die Nacht im Gefängnis statt in Ihrem Hotelzimmer verbringen?«

»Mein Kunde ist nicht der Einzige, der von Matherson betrogen wurde. Er hat in Miami Schmuck im Wert von dreißig Millionen gestohlen.«

»Das glaub ich Ihnen gern und auch, dass er ein verdammtes Arschloch war, weil ich zufällig weiß, was er meiner Schwester angetan hat. Ich werde nicht zulassen, dass Sie ihr weiterhin auflauern.«

»Deputy, wissen Sie eigentlich, wie hoch der Finderlohn bei achtundzwanzig Millionen ist?«

»Nun, ich fürchte, Sie werden leer ausgehen«, sagte Forrest. »Zumindest falls Sie versuchen sollten, ihn auf dem Weg über meine Schwester einzustreichen. Halten Sie sich von ihr fern, Mr. Privet, denn sonst werden Sie ernsthafte Probleme bekommen. Wenn ich Sie noch mal erwische, werde ich höchstpersönlich genau dafür sorgen. Richten Sie Ihrem Kunden aus, dass wir seinen Verlust aufrichtig bedauern. An Ihrer Stelle würde ich sofort nach Florida fahren. Am besten noch heute Abend. Aber das ist natürlich Ihre Entscheidung.«

Forrest richtete sich wieder auf.

»Haben wir uns verstanden?«

»Ja, das haben wir. Ich habe nur noch eine Frage.«

»Und die wäre?«

»Wie konnte Ihre Schwester fünf Jahre mit Matherson zusammenleben, ohne zu merken, wer er eigentlich war?«

»Darf ich Sie etwas zurückfragen? Ist Ihr Kunde einigermaßen intelligent?«

»Ich würde sagen Ja.«

»Wieso hat er sich dann betrügen lassen? So, und jetzt sehen Sie zu, dass Sie weiterkommen. Dieser Weg ist Ihnen von nun an versperrt. Im eigentlichen wie im übertragenen Sinn.«

Forrest ging zurück zu seinem Wagen und wartete, bis Privet weggefahren war. Dann fuhr er die kurze Strecke zum Haus seiner Eltern, damit er dabei war, wenn Shelby vor der Familie reinen Tisch machte.

Teil II
Alles auf Anfang

Wir sind zu sehr eins. Und wenn wir heimgehen nach geselliger Runde, bedeutet das, uns zu besinnen.

Robert Frost

11

Geständnisse sind anstrengend, sowohl körperlich als auch seelisch. Als Shelby sich am nächsten Morgen aus dem Bett quälte, merkte sie, dass sie völlig erschöpft war.

Es ist kein schönes Gefühl, die Menschen zu enttäuschen, die einen großgezogen haben. Ob Callie wohl auch eines Tages Dummheiten machen und nach einer Beichte bleischwer aufwachen würde?

Unwahrscheinlich war das nicht, deshalb nahm sich Shelby vor, diesen Moment nie zu vergessen. Damit sie ihrer Tochter die nötige Verschnaufpause gönnte, wenn der Augenblick kam.

Callie, die zum Glück noch zu klein für solche Dinge war, saß bereits hellwach im Bett und unterhielt sich fröhlich mit Fifi.

Shelby schlüpfte zu ihr unter die Decke, um ein bisschen zu kuscheln, was ihre Laune deutlich hob. Dann zog sie sich und ihre Tochter an und ging mit ihr nach unten zum Frühstück.

Sie setzte Kaffee auf und beschloss, ihren guten Willen zu beweisen, indem sie French Toast machte. Dazu pochierte Eier, die ihr Vater gern aß.

Als ihre Mutter hinunterkam, hatte sie Callie schon in den Kinderstuhl verfrachtet und ihr Bananenscheiben und Erdbeeren vorgesetzt. Der Rest des Frühstücks war ebenfalls so gut wie fertig.

»Guten Morgen, Mama.«

»Guten Morgen. Ihr seid aber früh auf heute. Morgen, mein Sonnenschein«, fuhr Ada Mae an Callie gewandt fort und gab ihr einen Kuss.

»Es gibt Eiermilchbrot, Grandma.«

»Tatsächlich? Na, da werden wir ja heute gründlich verwöhnt.«

»Ich bin gleich so weit«, verkündete Shelby. »Ich pochiere nur noch ein paar Eier für Daddy. Möchtest du auch welche?«

»Nicht heute Morgen, danke.«

Als sich Ada Mae Kaffee einschenkte, umarmte Shelby ihre Mutter von hinten. »Du bist immer noch böse«, murmelte sie.

»Natürlich bin ich das. So was lässt sich nicht einfach abschalten.«

»Du bist richtig böse.«

Ada Mae seufzte. »Ich beruhige mich schon wieder.«

»Es tut mir so leid, Mama.«

»Ich weiß.« Ada Mae tätschelte Shelbys Hand. »Ich versuche ja, mich in dich hineinzuversetzen, statt mich daran festzubeißen, dass du uns nicht früher ins Vertrauen gezogen und Hilfe von uns angenommen hast.«

»Ich … Ich habe mir die Situation schließlich selbst eingebrockt und bin dazu erzogen worden, meine Probleme allein zu lösen.«

»Nun, in dieser Hinsicht scheint unsere Erziehung wirklich Früchte getragen zu haben. Etwas anderes konnten wir dir anscheinend weniger gut vermitteln. Dass nämlich geteiltes Leid halbes Leid ist.«

»Ich habe mich geschämt.«

Ada Mae drehte sich um und nahm Shelbys Gesicht in die Hände. »Du darfst dich niemals, hörst du, niemals vor mir schämen.« Sie sah zu Callie hinüber, die mit ihrem Obst beschäftigt war. »Ich würde gern noch ein paar Takte mehr dazu sagen und werde das auch tun, wenn keine kleinen Menschen mit großen Ohren danebensitzen.«

»Kleine Menschen haben keine großen Ohren, Grandma. Das ist blöd.«

»Ja, nicht wahr? Wie wär's, wenn ich dir etwas von dem Eiermilchbrot gebe, das deine Mama gerade gemacht hat?«

Clayton kam herunter. Er trug wie fast immer ein weißes Hemd, das er in seine Freizeithose gesteckt hatte. Kaum war er bei Shelby, gab er ihr eine zärtliche Kopfnuss und küsste anschließend ihren Scheitel.

»Das ist ja ein fantastisches Frühstück für einen ganz normalen Wochentag.« Er nahm sich einen Becher. »Du willst dich wohl bei uns einschleimen?«

»Ja.«

»Nun, das ist dir gut gelungen.«

* * *

Heute war Shelby mit Babysitten dran und passte auch auf Traceys Tochter auf. Sie nahm beide Mädchen mit auf den Spielplatz. Emma Kate schaute in ihrer Mittagspause kurz vorbei, picknickte mit ihnen und lernte endlich Callie kennen.

»Als ich klein war, waren Emma Kate und ich beste Freundinnen. So wie du und Chelsea.«

»Habt ihr auch Partys gefeiert?«, erkundigte sich Callie bei Emma Kate.

»Klar, und gepicknickt so wie wir jetzt.«

»Du kannst gern mal zu einer Party von mir kommen.«

»Das freut mich sehr.«

»Grandma hat Mamas altes Teeservice aufgehoben. Das können wir benutzen.«

»Ach, das mit den Veilchen und rosa Röschen?«

»Mhm.« Callie sah sie mit weit aufgerissenen Augen an. »Aber wir müssen aufpassen, dass es nicht kaputtgeht. Es ist nämlich sehr filigan.«

»Filigran«, verbesserte Shelby sie.

»Na gut. Jetzt gehen wir schaukeln. Komm, lass uns schaukeln gehen, Chelsea.«

»Sie ist wunderschön, Shelby. Wunderschön und unglaublich klug.«

»Ja, das stimmt. Sie ist mein Ein und Alles, Emma Kate. Sag mal, hast du heute nach der Arbeit Zeit? Ich möchte dir etwas erzählen. Aber es muss unter uns bleiben.«

»Klar.« Da Emma Kate so etwas erwartet oder gehofft hatte, schlug sie wie aus der Pistole geschossen vor: »Wir könnten zur Aussichtsplattform wandern, so wie früher. Ich habe heute ab vier frei, wir könnten uns also am Anfang des Wanderwegs treffen. So gegen Viertel nach vielleicht?«

»Das wäre super.«

Emma Kate sah zu, wie Callie und Chelsea um die Schaukeln herumtobten. »Wenn ich jemanden hätte, der so abhängig von mir ist, würde ich viele Opfer bringen.«

»Auch solche, die du dir normalerweise nie vorstellen könntest.«

»Mama, Mama, los, schubs uns an! Ich will fliegen!«

»Das hat sie von dir«, bemerkte Emma Kate. »Du konntest auch nie hoch genug schaukeln.«

Lachend stand Shelby auf. »Mittlerweile bleibe ich lieber mit beiden Füßen fest am Boden.«

Schade eigentlich, dachte Emma Kate, als ihre Freundin aufstand, um die Mädchen anzuschubsen.

* * *

Shelby schaffte es, sich an die Planung ihres Musikprogramms zu machen … und warf jubelnd die Arme in die Luft, als ihr der Secondhandladen vom Verkauf zweier Cocktailkleider, eines Abendkleids und einer Handtasche berichtete. Sie überarbeitete ihre Tabelle und sah, dass sie nur noch ein Kleidungsstück verkaufen musste, um eine weitere Kreditkartenschuld abtragen zu können.

Sie plante den nächsten Tag, an dem sie erstmals im Salon arbeiten würde, und packte ihre Wanderstiefel aus, die sie lange hinten im Schrank versteckt hatte. Damit Richard sie nicht zwang, sie wegzuwerfen.

Shelby setzte Callie bei Clay ab, wo sie wie verabredet mit Jackson spielen würde, und sah zu, wie ihre Tochter überglücklich den Garten ihres Cousins erkundete. Dann brach sie zum Wanderweg auf.

Sie parkte und stieg aus. Diese Stille, die nur von Vogelgezwitscher und dem Rascheln der Bäume durchbrochen wurde. Der Kiefernduft und die milde Luft! Noch etwas, das sie vermisst hatte. Sie schulterte ihren leichten Rucksack, den sie ebenfalls vor Richard versteckt hatte.

Shelby hatte von klein auf gelernt, stets Wasser und eine Notration dabeizuhaben, auch auf so einer kurzen einfachen Wanderung. Der Handyempfang war in den Bergen nicht sehr zuverlässig. Zumindest war das bei ihrer letzten Tour noch so gewesen. Trotzdem ging sie nie ohne Handy aus dem Haus. Wegen Callie wollte sie immer erreichbar sein.

Schon bald würde sie mit ihrer Tochter herkommen, mit ihr diesen Weg entlangwandern, ihr Wildblumen, Bäume und vielleicht sogar ein Reh oder ein Eichhörnchen zeigen.

Und ihr erklären, woran man Bärenkot erkennt. Callie hatte genau das richtige Alter für solche Themen. Beim Gedanken daran musste sie lächeln.

Shelby sah zu den Wolken empor, die über die Gipfel hinwegtrieben. Irgendwann einmal würde sie mit Callie auch draußen übernachten. Ihr zeigen, wie man ein Zelt aufbaut und wie schön es ist, in einer sternenklaren Nacht am Lagerfeuer zu sitzen und sich Geschichten zu erzählen.

Das war ihre Heimat. Die Zeit des ewigen Herumreisens, die Zeit in Atlanta und Philadelphia hatten zu einer anderen Welt gehört, die nie die ihre geworden war. Sollte sich Callie eines Tages zwischen diesen Welten entscheiden oder ein ganz anderes Leben wählen, konnte sie jederzeit zu diesen Wurzeln zurückkehren. Zu ihrer Familie in Rendezvous Ridge, in ihre Heimat.

Als Shelby den Wagen hörte, drehte sie sich kurz um, schaute dann aber gleich wieder zu den Bergen hinüber. Obwohl sie wusste, dass ihr eine weitere schmerzliche Beichte bevorstand, lächelte sie, als Emma Kate neben ihr parkte.

»Fast hätte ich vergessen, wie schön das mit dem Ort auf der einen und dem Wanderweg auf der anderen Seite ist. Man muss sich nur entscheiden, worauf man Lust hat, und schon ist man da.«

»Als Matt das erste Mal hier war, sind wir zur Sweetwater-Höhle raufgewandert. Ich wollte wissen, ob er das Zeug dazu hat.«

»Die Tour geht echt in die Beine. Und, wie hat er sich angestellt?«

»Na ja, wie du siehst, sind wir noch ein Paar. Du hast ja noch deine alten Wanderschuhe.«

»Klar, schließlich sind sie richtig eingelaufen.«

»Darauf hast du immer geschworen. Ich hab meine letztes Jahr ausgetauscht. Schließlich versuche ich, ein- bis zweimal die Woche in die Berge zu kommen. Matt geht lieber ins Fitnessstudio drüben in Gatlinburg. Er steht mehr auf Gewichts- und Gerätetraining. Er überlegt sich, eines in Rendezvous Ridge zu eröffnen, damit er nicht mehr so weit fahren muss. Ich geh lieber wandern. Vielleicht melde ich mich auch zu einem der Yogakurse an, die deine Granny samstags in der Wellnessoase anbietet.«

»Davon hat sie mir gar nichts erzählt.«

»Sie hat ein unglaubliches Angebot. Aber wenn wir zur Aussichtsplattform wollen, sollten wir langsam aufbrechen.«

»Unser Lieblingsort für Gespräche über Jungs, Eltern und alles, was nervt.«

»Und genau solche Gespräche werden wir jetzt führen.« Emma Kate setzte sich in Bewegung.

»Wenn man so will, hab ich mit meiner Familie reinen Tisch gemacht. Und weil du immer zur Familie gehört hast, werde ich jetzt auch mit dir reinen Tisch machen.«

»Bist du etwa auf der Flucht vor dem Gesetz?«

Lachend und weil es sich richtig anfühlte, nahm Shelby Emma Kates Hand und schwenkte sie. »Nicht vor dem Gesetz, aber vor so gut wie allem anderen. Doch meine Flucht ist zu Ende.«

»Das hör ich gern.«

»Ich habe dir ja schon ein bisschen was erzählt. Heute sollst du den Rest erfahren. Alles hat mit Richards Tod angefangen.«

Sie füllte Wissenslücken und gab Erklärungen, denn Emma Kate stellte viele Fragen. Der Weg wurde steiler, und sie spürte ihre Beine, aber auf eine angenehme Art. Sie sah das prächtige Gefieder eines Hüttensängers. Er flatterte zwischen Hartriegelbüschen herum, deren Knospen nur darauf warteten, weiß aufzublühen.

Je höher sie kamen, desto kühler wurde die Luft. Shelby spürte einen leichten Schweißfilm auf ihrer Haut. Hier draußen in den Bergen fiel ihr das Reden deutlich leichter.

»Zunächst einmal kann ich mich nicht an den Gedanken gewöhnen, dass jemand so viele Schulden hat. Dabei sind es überhaupt nicht deine Schulden, Shelby.«

»Ich habe die Hypothek auf das Haus mit unterschrieben. Das glaube ich zumindest.«

»Das heißt, du *weißt* es nicht?«

»Ich kann mich nicht erinnern, einen Darlehensvertrag unterschrieben zu haben. Er hat mir ab und zu Unterlagen hingeschoben und gesagt: *Unterschreib, das ist nichts Wichtiges, sondern reine Formalität.* Vermutlich hat er meine Unterschrift ohnehin öfter gefälscht. Vielleicht wäre ich sogar um die Sache rumgekommen, wenn ich es auf einen Prozess hätte ankommen lassen oder Privatinsolvenz angemeldet hätte. Aber das wollte ich nicht. Wenn ich das Haus verkauft habe, bin ich einen großen Teil der Schulden los. Bis es so weit ist, schlage ich mich eben durch.«

»Indem du Klamotten verkaufst?«

»Damit hab ich bisher immerhin fast fünfzehntausend Dollar

eingenommen. Da ist der Pelzmantel, den ich mitgenommen habe und an dem immer noch das Preisschild hängt, noch nicht mit eingerechnet. Gut möglich, dass ich insgesamt das Doppelte erziele. Er hatte jede Menge Anzüge, und auch ich hab Sachen besessen, die ich nie getragen habe. Das war eine ganz andere Welt, Emma Kate.«

»Dein Verlobungsring war nicht echt.«

»Vermutlich hat er nicht eingesehen, warum er mir einen echten Diamanten anstecken soll. Er hat mich nie geliebt, heute weiß ich das. Er hat mich nur benutzt. Ich weiß zwar nicht genau, wofür, aber irgendwie muss ich ihm nützlich gewesen sein.«

»Dass du diesen Banksafe gefunden hast – unvorstellbar!«

Im Rückblick war es wirklich so, als hätte sie die Nadel im Heuhaufen gefunden.

»Ja, aber ich hatte eine Mission.«

»Ich weiß genau, wie es ist, wenn du eine Mission hast.« Die Sonne stand inzwischen recht tief, und Emma Kate schob ihre Baseballkappe schützend ins Gesicht. »Das viele Geld. Und diese Ausweise.«

»Rechtmäßig hat er es bestimmt nicht erworben. Ich hatte durchaus Gewissensbisse, als ich es genommen habe. Aber ich habe es weder gestohlen noch ergaunert, außerdem muss ich irgendwie für Callie sorgen. Sollte ich es irgendwann zurückzahlen müssen, werde ich das auch schaffen. Fürs Erste hab ich einen Teil des Geldes zur Bank gebracht. Sobald ich aus dem Gröbsten raus bin, werde ich uns ein kleines Haus davon kaufen.«

»Und was ist mit diesem Privatdetektiv?«

»Der verschwendet mit mir bloß seine Zeit. Das wird er schon noch merken. Vor allem, wenn Forrest etwas nachhilft.«

»Forrest kann sehr überzeugend sein.«

»Er ist immer noch sauer auf mich, zumindest ein bisschen. Und du?«

»Inzwischen bin ich eher fasziniert.«

Schweigend liefen sie den vertrauten Weg entlang.

»Waren die Möbel wirklich so hässlich?«

Shelby amüsierte sich, dass ihre Freundin ausgerechnet das fragte, und lachte. »Schlimmer als hässlich. Ich wünschte, ich hätte sie fotografiert. Es gab nichts, was nicht hart, glatt, dunkel und eckig war. Ich habe mich in diesem Haus immer wie eine Fremde gefühlt und konnte es kaum erwarten auszuziehen. Er hat nicht einmal die erste Rate gezahlt, Emma Kate. Als er starb, hatte die Bank längst Mahnschreiben geschickt, die ich aber nie zu Gesicht bekam.«

Shelby schwieg und schraubte den Verschluss ihrer Wasserflasche auf.

»Er muss in Schwierigkeiten geraten sein, vermutlich in Atlanta. Deshalb hat er dieses große Haus im Norden aufgetan, ohne mich vorher zu informieren. Er hat den kompletten Umzug organisiert und mich vor vollendete Tatsachen gestellt. Angeblich aus geschäftlichen Gründen. Ich habe mitgemacht. Auch in dieser Hinsicht war ich ihm nützlich. Weil ich alles mitgemacht habe. Heute kann ich das kaum verstehen. Ich meine, ich kannte ihn gar nicht. Ich weiß nicht mal seinen richtigen Namen. Ich weiß nicht, was er gemacht und wie er sein Geld verdient hat. Ich weiß nur, dass nichts davon echt war. Weder meine Ehe noch das Leben, das wir geführt haben.«

Sie blieben bei der Aussichtsplattform stehen, und Shelbys Herz machte einen Freudensprung.

»Das da, das ist echt!«

Sie konnte meilenweit sehen. Das satte, stille Grün der wogenden Hügel. Die Talsenken zwischen den Bergen. Alles so filigran gezeichnet wie ihr Teeservice. Und dann die bewaldeten Gipfel, von geheimnisvollem Nebel umflort.

Je später es wurde, desto weicher wurde das Licht. Sie dachte daran, wie es hier bei Sonnenuntergang aussah, wenn alles in Gold und Feuerrot getaucht war und die Berge langsam verblassten.

»Ich weiß, dass ich das alles lange für selbstverständlich gehalten habe. Das wird mir nie wieder passieren.«

Sie setzten sich genau wie früher auf den Felsvorsprung. Emma Kate nahm eine Tüte mit Sonnenblumenkernen aus ihrem Rucksack.

»Früher waren es Gummibärchen«, bemerkte Shelby.

»Da war ich zwölf. Obwohl ich durchaus Lust auf Gummibärchen hätte.«

Grinsend öffnete Shelby eine Tüte. »Ich kaufe Callie manchmal welche. Jedes Mal, wenn ich so eine Tüte aufgerissen habe, musste ich an dich denken.«

»Die Dinger machen echt süchtig.« Emma Kate bediente sich. »Deine Familie würde dir bestimmt helfen, die Schulden abzuzahlen. Aber ich würde das auch nicht wollen«, schickte sie rasch hinterher, bevor Shelby etwas sagen konnte.

»Danke. Ich bin froh, dass du das genauso siehst. Ich werde mir etwas aufbauen. Ich weiß, dass ich das schaffe. Vielleicht musste ich erst fortgehen, um zurückkommen zu können. Um zu begreifen, was wirklich zählt.«

»Noch dazu wirst du dir den Lebensunterhalt tatsächlich mit Singen verdienen.«

»Das ist wirklich das Tüpfelchen auf dem i. Tansys Derrick ist aber auch nett.«

»Er ist ein echter Hingucker. Mit dem Gesicht.«

»Das auch, aber …«

»Was für ein Körper«, sagten beide im Chor und lachten, bis sie nicht mehr konnten.

»Jetzt sitzen wir doch tatsächlich wieder hier oben und reden über Männer.« Shelby seufzte und schaute über die grünen Wipfel hinweg.

»Ein ewiges Rätsel, das nie gelöst werden wird.«

»Deshalb ist es ja ein so guter Gesprächsstoff. Wir haben es also geschafft, genau das zu werden, was wir uns früher gewünscht haben, Schwester Emma Kate Addison. Gefällt dir dein Beruf?«

»Ja, und wie. Meine Güte, noch nie habe ich so geschuftet wie damals für die Prüfung zur Krankenschwester. Ich hätte eigentlich gedacht, dass ich in einem großen Krankenhaus lande. Und erst mal bin ich auch da gelandet, was mir gut gefallen hat. Sehr gut sogar.«

Sie sah Shelby an. »Aber ich konnte ja nicht ahnen, dass mir die Arbeit in der Tagesklinik viel besser gefallen würde. Vielleicht musste ich ebenfalls vorübergehend fortgehen, um das zu begreifen.«

»Und, ist Matt dein Tüpfelchen auf dem i?«

»Allerdings, er ist ein echtes Geschenk.« Grinsend warf sich Emma Kate ein Gummibärchen in den Mund.

»Wirst du ihn heiraten?«

»Ich habe zumindest nicht vor, jemand anders zu heiraten. Ich hab damit keine Eile, auch wenn Mama es gern anders hätte. Im Moment bin ich voll und ganz zufrieden. Wie ich hörte, lässt sich deine Mutter ein Wellnessbad einbauen?«

»Sie wälzt schon Kataloge und Zeitschriften. Daddy findet es übertrieben, aber insgeheim freut er sich auch.« Shelby nahm einen Schluck Wasser und schraubte den Deckel auf die Flasche. »Griff war gestern da und hat alles ausgemessen.«

»Sie freuen sich schon aufs Rausklopfen. Diesbezüglich sind sie wie kleine Kinder.«

»Mhm.« Shelby überlegte, ob sie das Thema überhaupt ansprechen sollte, und sah den gewundenen Fluss in der Sonne glitzern. Doch da es Tradition war, über Männer zu reden …

»Na ja, und als er bei Mama war, hat mir Griff ziemlich deutlich zu verstehen gegeben, dass er Interesse an mir hat.«

Mit einem Schnauben stopfte sich Emma Kate noch ein Gummibärchen in den Mund. »Das hab ich mir schon gedacht.«

»Weil er jede Frau anmacht?«

»Nein, da ist er nicht schlimmer als andere Männer. Aber er war wirklich wie vom Blitz getroffen, als du in der Küche meiner Mutter aufgetaucht bist.«

»Wirklich? Das hab ich gar nicht gemerkt. Hätte ich es merken müssen?«

»Du warst viel zu sehr damit beschäftigt, ein schlechtes Gewissen zu haben. Und, wie hast du reagiert?«

»Ich hab bloß rumgestottert. Ich kann es mir im Moment nicht erlauben, an so etwas auch nur zu denken.«

»Machst du doch schon.«

»Sollte ich aber nicht. Richard ist gerade erst gestorben. Und das ist noch nicht mal offiziell bestätigt.«

»Richard, oder wie auch immer er geheißen hat, gibt es nicht mehr.« Da sie allein beim Gedanken an ihn wütend wurde, tat Emma Kate so, als würde sie etwas zusammenknüllen und in den Abgrund werfen. »Du bist wieder da. Deine Ehe war unglücklich, im Grunde eine einzige Farce. Das hast du mir selbst gesagt. Für so etwas gibt es keine Trauerregeln, Shelby.«

»Ich trauere nicht um ihn. Trotzdem, es fühlt sich nicht richtig an.«

»Bist du es nicht langsam leid, nur das zu machen, was du für vernünftig hältst? Das hast du die letzten vier Jahre getan, und es hat dir nichts als Probleme gebracht.«

»Ich kenne ihn gar nicht. Griff, meine ich.«

»Ich weiß, was du meinst, und deshalb gibt es so etwas Großartiges wie Verabredungen. Man trifft sich, unterhält sich, guckt, ob es Gemeinsamkeiten gibt und ob man sich zueinander hingezogen fühlt. Was ist mit Sex?«

»Richard hat schon vor Monaten … Ach so, du meinst Griff. Meine Güte, Emma Kate.« Lachend griff Shelby nach den Gummibärchen. »Wir sind noch nicht mal miteinander ausgegangen, und ich soll gleich mit ihm ins Bett steigen?«

»Warum nicht? Ihr seid schließlich beide ungebunden, gesund und volljährig.«

»Hast du etwa vergessen, was passiert ist, als ich das letzte Mal mit einem Unbekannten in die Kiste gehüpft bin?«

»Eines kann ich dir versprechen, Griff hat keinerlei Ähnlichkeit mit dem Kerl, dessen Namen wir nicht kennen.«

»Ich glaube, ich weiß gar nicht mehr, wie das geht.«

»Das lernst du schnell wieder. Wir können ja für den Anfang was zu viert unternehmen.«

»Vielleicht. Griff wollte Callie und mich auf eine Pizza einladen. Ich hab den Fehler gemacht, es meiner Tochter zu sagen. Seitdem lässt sie nicht mehr locker.«

»Na siehst du.« Damit war das Problem für Emma Kate gelöst. Sie tätschelte Shelbys Bein und sagte. »Lasst euch erst mal von ihm auf eine Pizza einladen. Danach gehen wir zu viert aus. Anschließend kannst du dich mit ihm allein verabreden.«

»Mein Leben ist ein einziges Chaos, Emma Kate. Ich sollte mich mit niemandem verabreden.«

»Schätzchen, als Single mit einem gut aussehenden Mann auszugehen bedeutet zu leben. Geht miteinander Pizza essen«, riet Emma Kate ihr. »Dann sehen wir weiter.«

»Auch wenn es dir inzwischen zu den Ohren rauskommt: Ich hab dich so vermisst! Einfach dazusitzen, mit dir über Gott und die Welt zu reden und Gummibärchen zu essen.«

»Ist das Leben nicht schön?«

»Ja, das ist es.« Im Überschwang der Gefühle nahm sie Emma Kates Hand. »Lass uns etwas schwören. Wenn wir achtzig sind und diese Wanderung nicht mehr schaffen, bezahlen wir ein paar junge Männer und lassen uns von ihnen hier hochschleifen. Damit wir auf diesem Felsen sitzen, über Gott und die Welt reden und Gummibärchen essen können.«

»Da ist sie wieder, die Shelby Pomeroy von früher.« Emma Kate legte die Hand aufs Herz. »Ich schwöre es! Aber es müssen scharfe junge Männer sein.«

»Na, das versteht sich natürlich von selbst.«

* * *

Allmählich pendelte sich Shelbys Alltag ein. Sie arbeitete an ihrem Musikprogramm, übte die Stücke und nahm wieder am Dorfleben teil, indem sie im Salon arbeitete.

Mit freudigem Staunen merkte sie, wie schnell ihr alles wieder vertraut wurde. Die Stimmen, der langsame Rhythmus, der Dorfklatsch, die vertrauten Orte und die Berge, die der Frühling zu neuem Leben erweckte.

Wie versprochen, begannen die beiden *Fix-it Jungs* bald mit dem Abriss des alten Bads. Bevor Shelby also zur Arbeit oder zum Einkaufen ging, war das Haus bereits von Männerstimmen, lautem Hämmern und Bohren erfüllt.

Sie gewöhnte sich daran, die Jungs täglich zu sehen, und dachte oft an Griff. Es fiel ihr schwer, diesen Mann aus ihren Gedanken zu verbannen, der einen Werkzeuggürtel um die Hüfte trug und dieses Flackern in den Augen hatte.

»Das hat sich gut angehört heute Morgen.«

Shelby wollte gerade nach der Callie-Tasche greifen, als Griff aus ihrem alten Zimmer kam.

»Wie bitte?«

»Du hast dich gut angehört. Als du unter der Dusche gesungen hast.«

»Ach so. Das ist ein guter Übungsraum.«

»Du hast echt eine tolle Stimme. Was war das für ein Song?«

»Ich …« Sie musste nachdenken. »*Stormy Weather*. Passend zu den 1940-ern.«

»Der Song ist zeitlos. Und sexy. Na, kleiner Rotschopf?«

Griff ging in die Hocke, weil Callie die Treppe hochkam. »Mama ist auf dem Weg zum Salon. Ich geh zu Chelsea, denn Grandma muss heute auch arbeiten.«

»Na, da werdet ihr bestimmt viel Spaß haben.«

»Gehen wir bald Pizza essen?«

»Callie!«

»Abgemacht ist abgemacht«, schaltete sich Griff ein. »Ich hätte heute große Lust auf Pizza. Musst du heute Abend arbeiten?«, fragte er Shelby.

»Na ja, ich …«

»Mama, ich will Pizza essen gehen, zusammen mit Grrrr-iff.« Um den Deal zu besiegeln, warf sich Callie in seine Arme und drehte sich strahlend zu ihrer Mutter um.

»Nun, wer kann da schon Nein sagen? Ja, das wäre prima, danke.«

»So gegen sechs, passt das?«

»Klar.«

»Ich hol dich ab.«

»Ach … der Kindersitz. Am besten treffen wir uns gleich dort.«

»Na gut, um sechs dort. Und, sind wir verabredet?«, fragte er Callie.

»Jawohl.« Sie küsste ihn. »Los, Mama, fahren wir zu Chelsea.«

»Ich komme gleich. Danke noch mal«, sagte Shelby, als Callie die Treppe hinuntereilte. »Du hast ihr eine Riesenfreude gemacht.«

»Die ist ganz auf meiner Seite. Bis später.«

Als Griff an seinen Arbeitsplatz zurückkehrte, hob Matt fragend die Brauen. »Und, machst du Fortschritte bei unserem Gesangstalent?«

»Eins nach dem anderen.«

»Sie schaut echt toll aus. Aber ihr Leben ist ziemlich kaputt, Kumpel.«

»Ja. Nur gut, dass ich genug Werkzeug habe.« Er griff zur Nagelpistole. »Und dass ich damit umgehen kann.«

Griff dachte den ganzen Tag an sie. Keine andere Frau beherrschte seine Gedanken so sehr. Dieser Kontrast zwischen den traurigen, scheuen Augen und dem strahlenden Lächeln, wenn sie sich einmal vergaß. Die selbstverständliche Art, wie sie mit dem Kind umging. Und dann diese engen Jeans …

All das gefiel ihm ausgezeichnet.

So gesehen, war es fast schade, dass ihnen die Arbeit so gut von der Hand ging. Gäbe es Probleme, könnte er mehr Zeit in ihrem Elternhaus verbringen.

Aber Ada Mae war nicht Bitsy. Hatte sie sich erst einmal für bestimmte Fliesen oder Armaturen entschieden, blieb sie auch dabei.

Er hatte noch genug Zeit, nach Hause zu fahren, sich zu waschen und umzuziehen. Ein Mann, der nach Schweiß und Sägemehl roch, konnte schließlich keine Damen zum Essen ausführen. Spät würde es bestimmt nicht werden, wenn eine Dreijährige dabei war. Das war vermutlich gut so. Dann konnte er zu Hause noch eine Nachtschicht einlegen.

Am besten, er konzentrierte sich aufs Schlafzimmer. Ein Mann kann eine schöne Frau schließlich nicht mit zu sich nach Hause nehmen, wenn sein Bett nur aus einer Luftmatratze auf dem Boden besteht.

Griff hatte jedenfalls fest vor, Shelby eines Tages mit zu sich nach Hause zu nehmen. Sobald sie und sein Zimmer dafür bereit waren.

Er fuhr in die Stadt und fand einen Parkplatz unweit der Pizzeria. Sein Timing war perfekt, denn zwei Wagen weiter sah er Shelby aus ihrem Kombi steigen.

Er kam zu ihr, als sie gerade Callie aus dem Sitz hob.

»Kann ich dir helfen?«

»Oh, ich schaff das schon, danke.«

»He!« Er hörte die Tränen in ihrer Stimme, noch bevor er sie in ihren Augen sah. »Was ist denn? Was ist passiert?«

»Ach, es ist nur …«

»Mama ist glücklich. Das sind Freudentränen«, verkündete Callie.

»Bist du glücklich?«

»Ja, sehr.«

»Dass ich Frauen auf eine Pizza einlade, bringt sie normalerweise nicht zum Weinen.«

»Daran liegt es auch nicht. Ich hab gerade telefoniert. Wir waren ein bisschen früher dran, weil Callie so gedrängelt hat. Die Maklerin hat angerufen. Das Haus im Norden ist endlich verkauft.« Eine Träne kullerte ihr über die Wange, bevor sie sie fortwischen konnte.

»Freudentränen«, verkündete Callie erneut. »Du musst Mama umarmen, Griff.«

»Gern.«

Noch bevor sie ihm ausweichen konnte, hatte er Shelby und Callie in eine große Umarmung gezogen. Er spürte, wie Erstere kurz erstarrte und dann locker ließ.

»Ach, bin ich erleichtert. Mir ist eine Riesenlast von den Schultern gefallen.«

»Gut.« Er küsste sie auf den Scheitel. »Das muss gefeiert werden, was, Callie? Mit einer Riesenpizza.«

»Wir mochten das Haus nicht. Wir sind froh, dass es anderen Leuten gehört.«

»Allerdings.« Shelby atmete tief durch, lehnte sich für eine Sekunde an ihn und richtete sich dann auf. »Für uns war das Haus nichts. Jetzt hat es jemand gekauft, dem es gefällt. Immer nur her mit der Riesenpizza. Danke, Griffin.«

»Sollen wir einen Augenblick warten?«

»Nein, nein, alles bestens.«

»Dann gib mir die Kleine.« Er nahm Callie auf den Arm. »Höchste Zeit, dass die Party beginnt!«

12

Das Kind war wirklich hinreißend, es amüsierte und faszinierte Griff. Außerdem fühlte er sich geschmeichelt, weil es darauf bestand, neben ihm zu sitzen.

Er ertappte sich zwar bei dem Wunsch, die Mutter möge genauso mit ihm flirten wie die Tochter, aber man konnte nicht alles haben.

Es war eine schöne Verschnaufpause zwischen seinem Job und den Renovierungsarbeiten zu Hause.

Als der Geschäftsführer kam und Shelby fest umarmte, horchte er in sich hinein.

Nicht, dass er eifersüchtig war. Trotzdem dachte er: Vorsicht, Bürschchen, während er abwartend zusah.

»Ich hab dich so vermisst.« Johnny Foster, ein Mann mit einem verschmitzten Lächeln und einer unbekümmerten Art, ließ seine Hände auf Shelbys Schultern liegen, um sie gründlich anzusehen. »Endlich bist du wieder da. Ich wusste gar nicht, dass du Griff kennst.« Johnny legte den Arm um Shelbys Schultern und sagte zu Griff: »Shelby und ich kennen uns schon ewig.«

»Darf ich vorstellen? Das ist mein Cousin Johnny. Er und mein Bruder Clay haben jede Menge Unsinn miteinander angestellt.«

»Du bist seine Cousine?«

»Ja, dritten oder vierten Grades. Kann das sein?« John überlegte.

»So was in der Art.«

»Meine Lieblingscousine«, sagte Johnny und drückte ihr einen zärtlichen Kuss auf die Wange. »Du musst Callie sein. Meine

Güte, bist du niedlich. Schön, dich wieder hierzuhaben, Cousine.«

»Ich bin mit Griff verabredet. Wir wollen Pizza essen.«

»Na, dann seid ihr ja genau richtig. Ich hoffe, wir sehen uns bald ausführlicher?«

»Gern. Clay hat mir erzählt, dass du inzwischen Geschäftsführer bist.«

»Ja, wer hätte das gedacht! Habt ihr schon bestellt?«

»Vor einer Minute.«

»Schau mal da, Callie.« Johnny zeigte zur Theke, wo ein Mann mit einer weißen Schürze Sauce auf dem Teig verteilte. »Ich werde deine Pizza höchstpersönlich zubereiten und dir ein ganz besonderes Essen machen. Ich kann nämlich zaubern! Außerdem hast du den Ofen wunderbar hingekriegt, Griff. Es gibt überhaupt keine Probleme mehr.«

»Das freut mich.«

»Die Pizza kommt gleich.«

Shelby setzte sich wieder. »Matt und du, ihr scheint überall was zu reparieren.«

»Genauso soll es sein. Wer den Ofen reparieren kann, wenn es draußen bitterkalt ist, oder die Toilette, wenn Wochenende ist und Gäste kommen, macht sich viele Freunde.«

Sie lachte. »Und die kann jeder gebrauchen! Auf diese Weise dürften einige Aufträge zusammenkommen. Wie schaffst du es neben der vielen Arbeit, dein Haus zu renovieren?«

»Das Haus ist mein Herzensprojekt. Das gibt mir Kraft für meinen normalen Job.«

»Mama, schau mal.« Callie zappelte auf ihrem Stuhl herum. »Der Cousin-Mann zaubert.«

»Er hat sogar ein paar Tricks gelernt«, bemerkte Shelby, als Johnny den Teig in die Luft warf, ihn herumwirbelte und wieder auffing.

»Das wird eine Zauberpizza.«

Mit großen Augen drehte sich Callie zu Griff um. »Zauberpizza?«

»Na logisch, siehst du nicht den Zauberstaub?«

Mit Augen so groß wie Untertassen staunte sie Johnny mit offenem Mund an. »Er glitzert.«

Kinder hatten wirklich eine blühende Fantasie.

»Na klar«, sagte Griff. »Und wenn du erst von der Zauberpizza isst, wirst du dich in eine Märchenprinzessin verwandeln.«

»Wirklich?«

»Zumindest hab ich das so gehört. Aber erst musst du sie natürlich aufessen, brav ins Bett gehen, wenn deine Mutter es sagt, und es dir dann ganz fest wünschen.«

»Mach ich. Aber du kannst keine Märchenprinzessin werden, du bist ein Junge. Das wär komisch.«

»Deshalb verwandle ich mich auch in einen Prinzen, der das Pokémon erlegt.«

»Prinzen erlegen Drachen.«

»Das versteh ich nicht.« Er seufzte laut, schüttelte traurig den Kopf und sah, wie Shelby strahlte. »Ich mag nämlich Drachen. Vielleicht schaffst du es ja, dir noch was zu wünschen? Einen eigenen Drachen, auf dessen Rücken du über dein Reich fliegen kannst.«

»Ich mag Drachen auch. Ich werde auf meinem reiten. Er heißt Lulu.«

»Einen besseren Namen für einen Drachen hättest du dir gar nicht ausdenken können.«

»Du kannst wirklich gut mit Kindern«, murmelte Shelby, und Griff lachte.

»Ach, ich kann auch gut mit Erwachsenen.«

»Das kann ich mir vorstellen.«

Das war der schönste Moment des Tages. In dieser lauten Pizzeria zu sitzen, das kleine Mädchen zu bespaßen und seine Mutter zum Lachen zu bringen. Warum sollte so etwas nicht Teil seines Alltags werden? Jeder kann ab und an ein bisschen Zauberpizza gebrauchen!

»Das war großartig«, sagte Shelby, als er sie zurück zum Wagen begleitete. »Du hast dafür gesorgt, dass Callies erste Verabredung unvergesslich war.«

»Wir sollten das bald wiederholen. Wirst du noch mal mit mir ausgehen, Callie?«

»Gern. Ich mag Eiscreme.«

»Was für ein Zufall, ich nämlich auch. Wir sind wie füreinander geschaffen.«

Sie schenkte ihm ein Lächeln, das einer Femme fatale alle Ehre gemacht hätte, und klimperte mit den Wimpern. »Du darfst mich auf ein Eis einladen.«

»Na, da hast du dir ja was eingebrockt.« Amüsiert hob Shelby Callie in ihren Sitz.

»Wie wär's mit Samstag?«

Shelby schnallte Callie an und drehte sich zu ihm um. »Was?«

»Na, Eis essen gehen.«

»Juhu!«, Callie konnte sich kaum auf ihrem Sitz halten vor Freude.

»Da muss ich arbeiten«, wandte Shelby ein.

»Ich auch. Nach der Arbeit.«

»Na ja, okay. Bist du sicher?«

»Sonst hätte ich es wohl kaum vorgeschlagen. Vergiss nicht, dir heute Abend etwas zu wünschen, Callie.«

»Ich werde eine Märchenprinzessin sein und meinen Drachen reiten.«

»Callie, wie sagt man da?«

»Danke für die Einladung, Griff.« Sie breitete die Arme aus. »Küsschen.«

»Bitte sehr.«

Er beugte sich vor und küsste sie. Lachend fuhr sie ihm über die Wange.

»Ich mag deine Stoppeln. Sie kitzeln. Jetzt Mama küssen.«

»Gern.«

Er ging davon aus, dass sie ihm die Wange hinhalten würde. Aber warum sich damit zufriedengeben? Ein Mann konnte durchaus etwas wagen, ohne aufdringlich zu sein. Vor allem wenn er sich im Vorfeld ausführlich Gedanken gemacht hatte.

Er legte die Hände auf ihre Hüften und strich sanft über ihren Rücken, während er ihr tief in die Augen schaute. Er sah, wie sich ihre überrascht weiteten. Als kein Protest kam, machte er weiter.

Griff beugte sich vor und küsste sie mitten auf den Mund, so als hätten sie alle Zeit der Welt und stünden nicht mitten auf einem belebten Bürgersteig.

Es fiel ihm nicht schwer, diesen Umstand zu vergessen, als sie sich an ihn schmiegte und ihre warmen, weichen Lippen nachgaben.

Shelby dagegen vergaß alles um sich herum, die Vergangenheit, die Gegenwart und die Zukunft. Sie lebte nur im Hier und Jetzt und überließ sich ganz ihren Gefühlen. Die Knie wurden ihr weich, gleichzeitig fühlte sie sich quicklebendig. Ihr wurde schwindelig, als hätte sie zu viel Wein getrunken.

Griff saugte ihren Duft in sich auf. Er roch Seife und die Hyazinthen im Whiskeyfass auf der anderen Seite des Bürgersteigs. Shelby schien fast zu schnurren.

Dann ließ er sie genauso sanft los, wie er sie umarmt hatte.

»Ich … ich muss wirklich los«, stotterte sie.

»Bis bald.«

»Ich … Verabschiede dich von Griff, Callie.«

»Tschüs, Griff, tschüs!«

Shelby schloss die Autotür, und er winkte ihr zu. Als er sah, dass sie auf dem Weg zur Fahrerseite leicht schwankte, konnte er ein Grinsen nicht unterdrücken.

Sie schaffte es erst nach mehreren Versuchen, den Wagen anzulassen. Er winkte erneut.

Ja, das war eindeutig der schönste Moment des Tages gewesen. Er konnte es kaum erwarten, ihn zu wiederholen.

* * *

Shelby fuhr besonders vorsichtig nach Hause, denn sie fühlte sich tatsächlich wie beschwipst. Noch immer hätte sie am liebsten laut geschnurrt, während sie den Schmetterlingen in ihrem Bauch nachspürte.

Callie war bereits eingenickt. Nach all der Aufregung war sie einfach müde. Als Shelby parkte, wurde sie wieder wach und war fast ein bisschen hyperaktiv.

Sie würde warten, bis ihre Tochter sich wieder beruhigt hatte. Lange würde das ohnehin nicht dauern. Außerdem musste sie einen kühlen Kopf bewahren, sie hatte keine Zeit für Schmetterlinge im Bauch.

Zu Hause brauchte Shelby nur zuzuhören, wie Callie den Großeltern die Verabredung in den schillerndsten Farben schilderte.

»Und am Samstag gehen wir ein Eis essen.«

»Tatsächlich? Na, das scheint ja was Ernstes zu sein.« Ada Mae warf Shelby einen fragenden Blick zu. »Vielleicht sollte dein Opa diesen jungen Mann genauer unter die Lupe nehmen und nach seinen Absichten fragen.«

»Und nach seinen Aussichten«, fügte Clayton hinzu.

»Ich bin ihr Anstandswauwau«, sagte Shelby fröhlich. »Ach, außerdem habe ich Johnny Foster getroffen. Lange konnten wir uns nicht unterhalten, denn er hatte viel zu tun. Er ist auch derjenige, der den Teig in die Luft geworfen und die Zauberpizza gemacht hat, Callie, stimmt's?«

»Mhm. Griff hat gesagt, dass ich auf einem Drachen reiten kann, während er das Ungeheuer erlegt. Er macht es mausetot, und dann heiraten wir.«

»Das muss wirklich eine Zauberpizza gewesen sein«, bemerkte Clayton.

»Du darfst König werden, Granddaddy, und du, Grandma, wirst Königin.« Callie rannte wild im Kreis herum. »Und Clancy darf auch dabei sein.« Sie schlang die Arme um den alten Hund. »Außerdem werde ich ein wunderschönes Kleid anziehen, und er darf die Braut küssen. Es kitzelt, wenn Griff einen küsst, nicht wahr, Mama?«

»Ich …«

»Tatsächlich?« Ada Mae lächelte wissend.

»Wann ist Samstag, Mama?«

»Früher, als du denkst.« Shelby packte Callie und drehte sie herum. »So, ab nach oben. Du musst noch baden, bevor du träumen und gut aussehende Prinzen heiraten darfst.«

»Na gut.«

»Geh rauf und leg die Kleider in deinen Korb. In zwei Sekunden komme ich nach.«

Callie rannte zur Treppe.

»Sie hat sich prächtig amüsiert«, sagte Shelby zu ihrer Mutter.

»Und du?«

»Es war nett. Er ist so süß zu ihr. Aber was ich euch eigentlich sagen wollte, ich habe einen Anruf bekommen. Das Haus ist verkauft.«

»Das Haus?« Ada Mae sah sie einen Moment lang verständnislos an und ließ sich dann mit Tränen in den Augen auf einen Stuhl sinken. »Ach, Shelby, das Haus im Norden. Ich freu mich so, ich freu mich so für dich.«

»Freudentränen.« Shelby zog ein Taschentuch hervor. »Genauso ist es mir auch gegangen. Mir ist eine Riesenlast von den Schultern gefallen.« Sie drehte sich zu ihrem Vater um, der sie in die Arme zog und hin und her wiegte. »Wie schwer sie war, merke ich erst, seit es vorbei ist.«

»Mit den restlichen Schulden helfen wir dir gern. Deine Mama und ich haben darüber gesprochen und …«

»Nein, Daddy, nein. Vielen Dank, und ich liebe euch sehr.« Sie nahm sein Gesicht in beide Hände. »Ich schaff das allein. Es wird eine Weile dauern, aber ich schaffe es, und das fühlt sich gut an. Auf diese Weise kann ich die vielen Gelegenheiten, bei denen ich nur zugesehen, keine Fragen gestellt und alles anderen überlassen habe, wenigstens ein bisschen wieder wettmachen.«

Sie schmiegte sich an ihn und lächelte ihre Mutter an.

»Das Schlimmste liegt hinter mir. Mit dem Rest komm ich klar. Danke, dass ich euch jederzeit um Hilfe bitten kann, falls mir die Last doch zu schwer werden sollte.«

»Vergiss das nicht.«

»Nein, versprochen. So, aber jetzt muss ich meine Kleine in die Wanne bringen. Ich hatte wirklich einen tollen Tag.« Sie griff nach ihrer Tasche. »Einen ganz besonderen Tag.«

Nachdem sie Callie zu Bett gebracht hatte, setzte sie sich vor ihre Tabelle. Am besten wartete sie den Notartermin ab. Trotzdem hatte sie allen Grund, optimistisch zu sein. Nachdem sie ihre Schulden mit dem Verkaufserlös verrechnet hatte, schloss sie erleichtert die Augen und atmete tief durch.

Es waren noch schrecklich viele Schulden übrig, aber wenigstens waren sie überschaubar. Das Schlimmste lag hinter ihr.

Was lag vor ihr?

Sie legte sich aufs Bett und rief Emma Kate an.

»Na, wie war das Pizzaessen?«

»Zauberhaft. Zumindest hat Griff das Callie eingeredet, sodass sie ohne zu maulen ins Bett ist und darauf wartet, sich in eine Märchenprinzessin zu verwandeln und auf einem Drachen zu reiten. Bevor sie Griff mit allen Schikanen heiratet.«

»Er kann echt gut mit Kindern. Vermutlich, weil er das Kind in sich bewahrt hat.«

»Er hat mich geküsst.«

»Und, war das auch zauberhaft?« Emma Kate ließ nicht locker.

»Ich bin ganz durcheinander. Bitte sag Matt nichts davon. Der erzählt es Griff, und dann komme ich mir vor wie eine Idiotin. Keine Ahnung, ob es daran liegt, dass ich so lange nicht mehr richtig geküsst worden bin, oder daran, dass er einfach verdammt gut küssen kann.«

»Ich habe gehört, dass er verdammt gut küssen kann.«

Shelby rollte sich grinsend zusammen. »Warst du auch so verwirrt, als Matt dich zum ersten Mal geküsst hat?«

»Ich war hin und weg und mein Verstand gleich mit.«

»Ich fühle mich großartig und hatte ganz vergessen, wie das ist. Ich musste dich einfach sofort anrufen. Das Haus ist verkauft, und ich bin mitten auf der Straße bis zur Besinnungslosigkeit geküsst worden.«

»Das Haus ... Shelby, das ist fantastisch! Beides natürlich, aber vor allem, dass du das Haus losgeworden bist. Ich freu mich so für dich.«

»Es kommt wieder Land in Sicht, Emma Kate. Ein paar Hürden sind noch zu nehmen, aber so langsam kann ich wieder in die Zukunft schauen.«

Dazu gehörte auch, zusammengerollt auf dem Bett zu liegen und mit der besten Freundin zu telefonieren.

* * *

Aus dem fantastischen Tag wurde eine fantastische Woche. Shelby genoss es, produktiv zu sein, für sich selbst aufzukommen.

Sie wischte Böden, füllte Seife nach, machte Termine, bediente die Kasse und hörte sich den Klatsch an. Sie zeigte Mitgefühl, als Crystal sich über ihren Freund beschwerte, tröstete Vonnie, nachdem die Großmutter der Masseurin friedlich im Schlaf gestorben war.

Im kleinen Garten der Wellnessoase stellte sie Stühle und Tische auf und bepflanzte ein paar Töpfe mit Blumen.

Nachdem sie den Kindergarten besichtigt hatte, in den Chelsea ab Herbst gehen sollte, meldete sie ihre Tochter gleich dort an. Sie war stolz und aufgeregt über den ersten von vielen weiteren Abnabelungsprozessen.

Sie ging mit Griff Eis essen und stellte fest, dass der zweite Kuss genauso intensiv war wie der erste. Aber als er sie zum Abendessen ausführen wollte, drückte sie sich.

»Ich hab im Moment einfach zu viel um die Ohren. Im Salon bin ich inzwischen eingearbeitet, das ist kein Problem. Aber bevor ich nicht am Freitagabend gesungen und gesehen habe, wie es läuft, muss ich meine freie Zeit zum Proben nutzen.«

»Also dann ab Samstag.« Er verlegte die Leitungen für die Fußbodenheizung im neuen Bad. »Dein Auftritt wird bestimmt toll.«

»Ich hoffe es. Vielleicht magst du ja am Freitag auf ein paar Songs vorbeikommen?«

Er hockte sich auf die Fersen. »Na, hör mal, das lass ich mir natürlich nicht entgehen. Mir gefällt schon, wenn du unter der Dusche probst.«

»Ich geh gleich vor Ort proben, bevor das Lokal aufmacht. Ich hoffe, Tansy behält recht, und die Leute mögen alte Songs, während sie Spareribs essen und Nachos knabbern. Na ja, wir werden sehen.«

»Bist du nervös?«

»Wegen dem Singen? Nein, das fühlt sich einfach nur gut an. Aber ich hab Angst, dass nicht genug Leute kommen und ich meine Gage nicht einspiele. Egal, ich muss los. Hier drin sieht es übrigens toll aus.«

»Es wird langsam.« Er lächelte. »Genau das sollte auch unser Motto sein. Immer schön einen Schritt nach dem anderen.«

»Klar«, pflichtete sie ihm bei, denn natürlich meinte er damit nicht nur das neue Bad.

* * *

Shelby schaffte es, am Freitagvormittag eine weitere Probe einzuschieben. Sie zwang sich, nicht daran zu denken, was sie alles aus den Songs machen könnte, wenn sie eine Begleitband hätte.

Doch es würde ihr auch so gelingen, Klassikern wie *As Time goes by* eine persönliche Note zu verleihen.

»Spiel es, Sam, spiel«, meinte Derrick, der hinter der Bar stand.

»Von allen Spelunken dieser Welt muss sie ausgerechnet in meiner landen«, witzelte Shelby.

»Liebst du alte Spielfilme?«

»Mein Daddy ist ein großer Fan, wir mussten sie uns also zwangsläufig auch ansehen. Wer ist nicht verrückt nach *Casablanca*? Und, wie hat sich das gerade angehört, Derrick?«

»Als ob Tansy recht behalten könnte. Von nun an werden wir freitags gar nicht mehr wissen, wohin mit all den Leuten.« Er stapelte frisch gespülte Gläser und zwinkerte ihr zu. »Was meinst du?«

»Ich hoffe es zumindest.« Sie verließ die kleine Bühne. »Falls nicht genügend Leute kommen und es nicht funktioniert, ist das auch kein Problem.«

»Willst du dein Scheitern etwa herbeireden, Shelby?«

Sie legte den Kopf schräg und ging zur Bar. »Vergiss, was ich gerade gesagt habe. Wir werden heute Abend so richtig abgehen. Die Leute werden begeistert sein, und du wirst leider meine Gage erhöhen müssen.«

»Übertreib nicht gleich. Magst du eine Cola?«

»Leider keine Zeit, ich muss rüber in den Salon.«

Um zu kontrollieren, wie spät es war, warf Shelby einen Blick auf ihr Handy.

»Zumindest heute dürfte es voll werden, die Leute sind neugierig. Auf den Auftritt des Mädchens, das so lange weg war. Außerdem hat Tansy jede Menge Werbung gemacht und überall Flyer verteilt. Mein Gesicht prangt groß auf eurer Facebook-Seite. Allein aus meiner Verwandtschaft kommen jede Menge Leute.«

»Wir werden heute Abend so richtig abgehen.«

»Jawohl«, pflichtete Shelby ihm bei. »Bis heute Abend also.«

In Gedanken noch ganz bei den Liedern, die sie singen würde, verließ sie das Lokal. Die Frau, die neben ihr herging, bemerkte sie erst, als sie von ihr angesprochen wurde.

»Shelby Foxworth?«

»Entschuldigung.« Sie hatte sich wieder so sehr an ihren Geburtsnamen Pomeroy gewöhnt, dass sie fast Nein gesagt hätte. »Ja, wieso?« Sie blieb stehen, lächelte und kramte in ihrem Gedächtnis. Doch die atemberaubende Brünette mit den kalten braunen Augen und den perfekt nachgezogenen roten Lippen war ihr völlig fremd. »Ich bin Shelby, aber leider weiß ich nicht, wer du bist.«

»Natalie Sinclair. Jake Brimleys Frau, den du als Richard Foxworth kennengelernt hast.«

Das Lächeln gefror Shelby im Gesicht. Die Frau hätte genauso gut Chinesisch reden können. »Wie bitte? Was hast du gerade gesagt?«

Der Blick der Frau bekam etwas Raubkatzenhaftes. »Wir müssen dringend reden. Irgendwo, wo wir ungestört sind. In der Nähe gibt es einen kleinen Spielplatz. Wie wär's damit?«

»Ich verstehe das nicht. Ich kenne keinen Jake Brimley.«

»Nur weil man den Namen wechselt, wird man kein anderer Mensch.« Natalie griff in ihre hellblaue Handtasche und holte ein Foto hervor. »Kommt dir der irgendwie bekannt vor?«

Auf dem Foto hatte die Brünette die Wange an Richard geschmiegt. Seine Haare waren länger und ein bisschen heller, als sie sie kannte. Auch die Nase wirkte anders.

Trotzdem war das eindeutig Richard, der ihr da entgegenlächelte.

»Du ... Du sagst, du warst mit Richard verheiratet?«

»Nein. Hab ich mich nicht klar ausgedrückt? Ich sag es gern noch mal, wenn du schwer von Begriff bist. Ich war und bin mit Jake Brimley verheiratet. Richard Foxworth hat es nie gegeben.«

»Aber ich …«

»Ich habe ziemlich lange gebraucht, um dich aufzustöbern, Shelby. Also komm, lass uns reden.«

Auf einen Brimley war keiner der Ausweise ausgestellt gewesen, die Shelby im Banksafe entdeckt hatte. Meine Güte, hatte er etwa weitere Identitäten? Noch ein Name. Noch eine Ehefrau.

»Ich muss kurz telefonieren. Ich komme zu spät zur Arbeit.«

»Lass dich nicht abhalten. Das ist ein netter, kleiner Ort, nicht wahr? Vorausgesetzt man steht auf Schützenvereine und Feuerwehrfeste.«

Sie klang wirklich genauso wie Richard.

»Es gibt auch Kunst«, zischte Shelby. »Musik, Traditionen, Geschichte.«

»Jetzt hab dich doch nicht gleich so.«

»Leute, die uns für Hinterwäldler halten, sind in der Regel selber welche.«

»Autsch.« Natalie zuckte amüsiert zusammen. »Da scheine ich einen wunden Punkt getroffen zu haben.«

Statt ihr am Telefon zu erklären, was los war, schickte Shelby ihrer Großmutter eine SMS, in der sie sich für ihre Verspätung entschuldigte.

»Manche Leute mögen es etwas ruhiger. Ich bin ein echter Großstadtmensch.« Natalie zeigte auf die Kreuzung und stöckelte in ihren blassgoldenen Sandaletten drauflos. »Dasselbe gilt für Jake. Du hast ihn jedenfalls nicht hier kennengelernt.«

»Nein, in Memphis.« Alles schien vor Shelbys Augen zu verschwimmen. »Ich habe dort während der Semesterferien in einer Band gesungen.«

»Und warst sofort hin und weg von ihm. So war er. Aufregend, charmant, sexy. Wetten, er hat dich nach Paris eingeladen, in das kleine Café am linken Seine-Ufer? Wetten, du hast im *George V.* gewohnt, und er hat dir weiße Rosen geschenkt?«

Übelkeit stieg in ihr auf, was man ihr anscheinend ansah.

222

»Männer wie Jake gehen sehr schematisch vor.« Natalie tätschelte Shelbys Arm.

»Ich verstehe das nicht. Wie kannst du mit ihm verheiratet sein? Ich meine, wie konntest du mit ihm verheiratet sein? Wir waren über vier Jahre zusammen und haben ein gemeinsames Kind.«

»Ja, das war eine ziemliche Überraschung. Aber ich kann verstehen, dass dieses Familienidyll praktisch für ihn war. Ich war so dumm, ihn zu heiraten, auf die Schnelle in Las Vegas. Kommt dir das irgendwie bekannt vor? Und ich war so schlau, mich nicht scheiden zu lassen, als er mich im Stich gelassen hat.«

Eine unglaubliche Last legte sich auf Shelbys Schultern.

»Das heißt, ich war nie mit ihm verheiratet. Das willst du doch damit sagen.«

»Genau. Da er immer noch offiziell mit mir verheiratet ist, warst du nie mit ihm verheiratet.«

»Und das hat er gewusst.«

»Natürlich hat er das gewusst.« Natalie lachte. »Was für ein böser Junge. Genau deshalb war er ja so faszinierend.«

Der Spielplatz lag ziemlich verlassen da. Keine Kinder schaukelten oder wippten. Niemand tobte über die Wiese oder hangelte sich am Klettergerüst empor.

Natalie setzte sich auf eine Bank, schlug die Beine übereinander und klopfte neben sich.

»Ich wusste nicht, ob dir deine Rolle bewusst war. Anscheinend hat er dich reingelegt. Das passt zu ihm.« Kurz huschte so etwas wie Mitleid über Natalies Gesicht. »Oder besser gesagt, passte.«

»Ich weiß gar nicht, was ich denken soll.« Shelby ließ sich auf die Bank sinken. »Warum sollte er so etwas tun? Wie *konnte* er nur so was tun? Meine Güte, hast du mir noch mehr zu sagen? Hat er das auch mit anderen Frauen gemacht?«

»Keine Ahnung.« Natalie zuckte mit den Schultern. »Da er

mich ziemlich schnell gegen dich eingetauscht hat, kann ich mir nicht vorstellen, dass es noch ein Zwischenspiel gab, bevor ihr zusammengekommen seid. Genau für diesen Zeitraum interessiere ich mich übrigens.«

»Ich verstehe gar nichts.« Shelby bekam kaum noch Luft und strich sich die Haare aus dem Gesicht. »Überhaupt nichts. Ich war also nie verheiratet«, sagte sie langsam. »Unsere Ehe war nicht echt, genau wie der Ring.«

»Aber du hast eine Zeit lang ganz schön luxuriös gelebt, nicht wahr?« Natalie musterte sie verächtlich. »Paris, Prag, London, Aruba, Saint Barths, Rom.«

»Woher weißt du das alles? Woher weißt du, wo ich mit ihm gewesen bin?«

»Ich habe es mir zum Ziel gesetzt, das herauszufinden. Du hattest eine Luxuswohnung in Atlanta, die Mitgliedschaft in verschiedenen Country Clubs und Designerklamotten im Schrank. Hinzu kommt das Herrenhaus in Villanova. Du kannst dich eigentlich nicht beschweren. Aus meiner Sicht hast du einen ziemlich guten Deal gemacht.«

»Einen guten Deal? Einen guten *Deal*?« Eine Riesenwut wallte in Shelby auf, und sie holte tief Luft. »Er hat mich von Anfang an belogen. Er hat mich ohne mein Wissen zu seiner Hure gemacht. Ich habe gedacht, ich liebe ihn. So sehr, dass ich bereit war, meine Familie zu verlassen und alles, was mir sonst noch wichtig ist.«

»Selbst schuld, aber dafür bist du reichlich entschädigt worden. Er hat dich aus deinem Kaff rausgeholt, oder etwa nicht? Ach, entschuldige bitte, aus diesem kulturell wertvollen Ort, wollte ich natürlich sagen. Jahrelang ist dir alles in den Schoß gefallen, Shelby. Also hör bitte auf zu jammern. Das passt nicht zu dir.«

»Was willst du eigentlich? Du kommst hierher, erzählst mir das alles … Vielleicht bist du ja die Lügnerin?«

»Das kannst du gern überprüfen. Du weißt genau, dass ich nicht lüge. Jake hat es immer geschafft, Frauen in sich verliebt zu machen, dafür zu sorgen, dass sie genau das tun, was er von ihnen will.«

»Hast du ihn geliebt?«

»Ich hab ihn sehr gemocht, und wir hatten eine verdammt gute Zeit. Das hat mir gereicht. Hätte mir gereicht, wenn er mich nicht hätte fallen lassen wie eine heiße Kartoffel. Ich habe in ihn investiert, wenn man so will. Und einen hohen Preis dafür bezahlt. Dafür möchte ich entschädigt werden.«

»Entschädigt?«

»Achtundzwanzig Millionen.«

»Achtundzwanzig Millionen was? Dollar vielleicht? Bist du vollkommen übergeschnappt? Er hatte nicht ansatzweise so viel Geld.«

»Oh doch, das hatte er. Ich weiß das zufällig, weil ich ihm geholfen habe, an sie ranzukommen: knapp dreißig Millionen in funkelnden Diamanten, Smaragden, Rubinen, Saphiren und in seltenen Briefmarken. Wo ist die Beute, Shelby? Ich bin bereit, mich mit der Hälfte zufriedenzugeben.«

»Sehe ich etwa so aus, als hätte ich Diamanten, Smaragde und so weiter? Er hat mir nichts als einen Riesenberg Schulden hinterlassen. Das ist der Preis, den *ich* dafür bezahle, ihm vertraut zu haben. Was ist dein Preis?«

»Vier Jahre, zwei Monate und dreiundzwanzig Tage in einer Zelle in Dade County, Florida.«

»Du warst im Gefängnis? Weswegen?«

»Wegen Betrugs, schließlich hab ich Jake und Mickey nach Kräften unterstützt. Mickey O'Hara war der Dritte im Bunde. Mickey muss noch zwanzig Jahre absitzen, soweit ich weiß.«

Mit einem abschätzigen Lächeln zeigte sie auf Shelby. »Und dass Mickey O'Hara hier auftaucht, meine Liebe, willst du ganz bestimmt nicht, so viel kann ich dir versprechen.«

»Du hast also den Privatdetektiv angeheuert, um mich zu finden.«

»Nicht, dass ich wüsste. Ich hab auf eigene Faust Nachforschungen angestellt, denn das ist meine Spezialität. Ich will die Hälfte, Shelby, und dann bin ich wieder weg. Ich habe mir jeden einzelnen Cent davon hart verdient.«

»Ich habe keine Hälfte, die ich dir geben könnte.« Shelby sprang auf. »Willst du etwa damit sagen, dass Richard Millionen von Dollar gestohlen hat? Dass der Detektiv aus Florida die Wahrheit gesagt hat?«

»Das ist unser Job, Schätzchen. Oder besser gesagt, seiner. Schwachstellen zu finden. Vor allem bei reichen, einsamen Witwen ist Jake das gut gelungen. Nach nur wenigen Tagen hatte er sie um den Finger gewickelt. Anschließend war es nicht weiter schwer, sie dazu zu bringen, in Baugrund zu investieren. Das war sein Spezialgebiet. Bei unserem größten Deal, der leider schiefgegangen ist, haben wir Schmuck und Briefmarken erbeutet. Die Frau hatte echt seltene Exemplare. Wenn du dir einbildest, ich kauf dir ab, dass du völlig ahnungslos bist, hast du dich sauber geschnitten.«

»Wenn ich aber doch nichts weiß! Angenommen, er hätte das ganze Zeug gehabt, warum zahle ich dann wohl seine Schulden ab?«

»Er hatte einen Hang zum Horten. Der Schmuck war heiße Ware. Auch für die Briefmarken muss man erst die richtigen Sammler finden. Für den Fall, dass etwas schiefgeht, konnte Jake damit abhauen. Doch wenn er versucht hätte, sie zu verkaufen oder den Schmuck zu zerlegen, um die Steine einzeln zu veräußern, wäre man ihm bestimmt auf die Schliche gekommen. Solche Sachen muss man Jahre horten und untertauchen.«

»Untertauchen«, murmelte Shelby.

»Das war der Plan. Vier oder fünf Jahre, bevor wir das Geld einstreichen und uns zur Ruhe setzen. Zumindest teilweise, denn wer will schon auf den Spaß verzichten? Du warst sein Alibi, so viel steht fest. Wenn du mich überzeugen willst, dass du wirklich so naiv bist, musst du dich ein bisschen mehr ins Zeug legen.«

»Ich war so naiv, ihm zu glauben. Damit muss ich leben.«

»Ich geb dir ein bisschen Zeit zum Nachdenken. Selbst wenn dein Gewissen absolut rein ist, Shelby, hast du mehr als vier Jahre mit dem Mann zusammengelebt. Wenn du lange genug nachdenkst, wird dir bestimmt etwas einfallen. Die Hälfte von mindestens dreißig Millionen sollte eigentlich Motivation genug sein.«

Jetzt war es Shelby, die verächtlich lächelte. »Ich will die Hälfte von eurem schmutzigen Geld nicht.«

»Ganz, wie du möchtest. Bring deinen Anteil zur Polizei und kassier Finderlohn, wenn dir das lieber ist. Auch der reicht dicke, um die Schulden zu bezahlen, die dich gerade erdrücken. Wie gesagt, sobald ich habe, was mir zusteht, bin ich weg. Wenn du in diesem Winzkaff bleiben, für einen Hungerlohn bei deiner Großmutter im Salon schuften und freitags für ein paar Groschen in der Bar singen willst – bitte sehr. Ich will nur, was mir zusteht. Was du mit deinem Anteil machst, ist mir egal. Du hast immerhin eine süße kleine Tochter, an die du denken musst.«

»Wenn du meiner Tochter zu nahe kommst, mach ich dich fertig.«

Natalie grinste nur. »Ach ja? Und du denkst, das schaffst du?«

Shelby dachte gar nichts mehr, sondern handelte. Sie packte Natalies Bluse und zerrte sie daran auf die Füße. »Und ob ich das schaffe!«

»Genau das dürfte Jake gefallen haben. Er stand auf feurige Frauen. Entspann dich! Ich habe kein Interesse an kleinen Mädchen, und ich habe auch nicht vor, wieder hinter Gittern zu landen. Fifty-fifty, Shelby. Ansonsten muss ich leider Mickey einweihen. Dann wirst du richtige Probleme bekommen. Er verhandelt längst nicht so zivilisiert wie ich.«

Natalie schlug Shelbys Hand weg.

»Denk drüber nach. Ich melde mich.«

Weil ihre Beine zu zittern drohten, blieb Shelby auf der Bank sitzen, bis Natalie davongestöckelt war.

Achtundzwanzig Millionen? In gestohlenem Schmuck und Briefmarken? Bigamie? Wen hatte sie da um Himmels willen bloß geheiratet? Oder geglaubt zu heiraten?

Vielleicht war das alles nur gelogen. Aber warum sollte jemand so etwas machen?

Sie würde es überprüfen, alles überprüfen.

Sie rappelte sich hoch und zückte ihr Handy, um sich bei Tracey nach Callie zu erkundigen.

Bis sie den Salon erreichte, schäumte sie erneut vor Wut.

»Es tut mir so leid, Granny.«

»Wo hast du bloß gesteckt? Und wer oder was hat dich so wütend gemacht?«

Shelby verstaute ihre Handtasche unter der Ladentheke.

»Ich muss so bald wie möglich mit Mama und dir reden. Tut mir leid, Mrs. Hallister, wie geht es Ihnen?«

Die Frau in Violas Stuhl, die Großmutter des Hallister-Jungen, lächelte. »Gut. Ich bin eigentlich nur zum Nachschneiden gekommen, aber Vi hat mich zu Strähnchen überredet. Mal gucken, ob Mr. Hallister überhaupt was merkt.«

»Eine tolle Idee, genau das Richtige für den Frühling. Granny, ich muss kurz telefonieren, anschließend kontrolliere ich das Lager.«

»Die Handtücher müssen gefaltet werden.«

»Ich kümmer mich drum.«

Sie sahen sich über die Theke hinweg an. Viola nickte und hob die Hand. Fünf Minuten.

Shelby ging zum Wasch- und Lagerraum. Von dort aus rief sie ihren Bruder Forrest an.

13

Shelby konnte sich im Augenblick nicht mit dem neuen Problem beschäftigen. Callie war in Sicherheit, und Tracey würde dafür sorgen, dass das auch so blieb. Shelby wusste nicht das Geringste von dem gestohlenen Schmuck und würde eine seltene Briefmarke nicht einmal erkennen, wenn man sie ihr auf die Stirn klebte. Wenn sich diese Natalie etwas anderes einbildete, würde sie bitter enttäuscht werden.

Trotzdem fand Shelby es reichlich verstörend, wie leicht es ihr fiel zu glauben, dass Richard oder Jake ein Dieb und Betrüger gewesen war.

Und noch dazu nie mein Mann, dachte sie, während sie Handtücher faltete und aufeinanderstapelte. Doch diese schreckliche Vorstellung hatte irgendwie auch etwas Tröstliches.

Sie würde ihre Arbeit machen, lächelnd mit den Kunden plaudern und die Regale auffüllen. Anschließend würde sie nach Hause gehen und mit ihrem kleinen Mädchen zu Abend essen, bevor sie zu ihrem Konzert aufbrach und etwas für das Geld tat, das Tansy und Derrick ihr zahlen wollten.

Als sie gegen Abend den kleinen Innenhof fegte, tauchte Forrest auf.

»Hast du sie gefunden?«, fragte Shelby.

»Nein. Niemand, der so heißt oder auf den deine Beschreibung passt, ist im Hotel, in der Lodge, in einer der Blockhütten oder Bed & Breakfasts abgestiegen. Im *Ridge* wohnt sie auch nicht. Bisher habe ich auch noch nichts über eine Natalie Sinclair finden können, die in Dade County wegen Betrugs eingesessen hat.«

»Das ist bestimmt nicht ihr richtiger Name.«

»Vermutlich nicht, aber eine gut aussehende Brünette, die im Ort wohnt und Nachforschungen anstellt, sollte eigentlich auffallen. Wenn sie dich noch mal belästigt, werde ich meinen Suchradius erweitern.«

»Darüber mach ich mir keine Sorgen.«

»Das solltest du aber. Gib Mama Bescheid.«

»Das hab ich schon und Granny übrigens auch. Die beiden werden es dem Rest der Familie beibringen. Ich will keinerlei Risiko eingehen, Forrest. Trotzdem, ich weiß nichts von diesem Schmuck oder diesen Briefmarken, hinter denen sie her ist.«

»Vielleicht weißt du mehr, als du denkst? Fahr bitte nicht gleich aus der Haut«, wiegelte er ab, als sie zu ihm herumwirbelte. »Meine Güte, Shelby, natürlich hast du mit der Sache nichts zu tun. Aber vielleicht hat er ja irgendwas gesagt oder getan? Vielleicht hast du was mitbekommen, das dir damals unbedeutend vorkam. Und heute, wo du mehr weißt, fällt der Groschen. Mehr wollte ich damit nicht sagen.«

Erschöpft kniff sich Shelby in die Nasenwurzel, um die aufkeimenden Kopfschmerzen zu vertreiben. »Sie hat nicht lockergelassen.«

»Das kann ich mir vorstellen.«

Shelby lachte auf. »Schon komisch, dass ich mich insgeheim freue, nicht mit ihm verheiratet gewesen zu sein.«

»Ich finde, das klingt nur vernünftig.«

»Na gut, dann werde ich von nun an vernünftig sein. Ich bin fertig mit der Arbeit und fahre jetzt nach Hause. Mama hat Callie bei Chelsea abgeholt. Ich werde mich also meiner Tochter widmen und zusehen, dass sie ein anständiges Abendessen bekommt. Anschließend mache ich mich für meine Bühnenshow heute Abend zurecht.«

»Ich werde dir hinterherfahren, Shelby. Sicher ist sicher«, beharrte Forrest, bevor sie ihm zuvorkommen konnte.

»Gut, danke.«

Wusste sie etwas, das sie verdrängt hatte? Während sie von Forrest nach Hause eskortiert wurde, dachte Shelby angestrengt nach. Rückblickend erkannte sie, dass Richard etwas im Schilde geführt hatte. Die Telefonate, die er abgebrochen hatte, sobald sie ins Zimmer kam. Die verschlossenen Türen und Schubladen. Das Abblocken jeder Frage, die etwas mit seinem Beruf und seinen Reisen zu tun hatte.

Sie hatte mehr als einmal eine Affäre vermutet. Aber Diebstahl? Nicht in dem Ausmaß, das der Detektiv erwähnt hatte. Außerdem sollte er Schmuck im Wert von vielen Millionen Dollar erbeutet haben? Ein größeres Ding konnte man kaum drehen.

Kopfschüttelnd hielt sie in der Auffahrt. Sie wusste nichts. Nicht das Geringste.

Sie packte ihre Sachen und gab Forrest ein Zeichen. Das Erste, was sie beim Aussteigen hörte, war Callies Lachen. Sofort entspannte sie sich.

Nach Küssen, Umarmungen und aufgeregten Schilderungen ihrer Erlebnisse bei Chelsea machte es sich Callie mit einem Malbuch gemütlich, während Shelby ihrer Mutter in der Küche half.

»Du hast schöne weiße Tulpen auf deinem Zimmer«, sagte Ada Mae.

»Ach, Mama, meine Lieblingsblumen. Danke.«

»Bedank dich nicht bei mir, sondern bei Griff. Sie wurden vor etwa einer Stunde abgegeben.« Ada Mae lächelte verschmitzt. »Da scheint mir jemand einen leidenschaftlichen Verehrer zu haben, Shelby Anne.«

»Nein, ich … Das war wirklich aufmerksam von ihm. Richtig süß.«

»Ja, er ist süß, aber nicht so, dass man Zahnschmerzen davon bekäme. Ein wirklich reizender junger Mann.«

»Ich bin nicht auf der Suche nach einem Verehrer, Mama. Auch nicht nach einem reizenden, jungen Mann.«

»Tja, die spannendsten Dinge passieren meist dann, wenn man sie am wenigsten erwartet.«

»Mama, ich muss mich nicht nur um Callie und um meine Schulden kümmern. Jetzt ist noch ein neues Problem aufgetaucht.«

»Trotzdem, du musst dein Leben leben, Schätzchen. Ein netter junger Mann, der so aufmerksam ist, dir Blumen zu schicken, macht das Leben deutlich schöner.«

* * *

Das kann man wohl sagen, dachte Shelby, als sie zu den weißen Tulpen hinübersah. Ihre Lieblingsblumen. Er musste sich also bei jemandem erkundigt haben, der sie gut kannte. Gedankenverloren schlüpfte sie in ein schlichtes, klassisch geschnittenes schwarzes Kleid.

Auch wenn sie nicht danach suchte, Griff brachte die Romantik in ihr Leben, die sie schon viel zu lang vermisste.

Bestimmt spekulierte er darauf, dass die Blumen sie wieder an seine beiden Küsse erinnern würden. Das konnte sie ihm schlecht vorwerfen, denn wenn sie ehrlich war, hatte sie nichts dagegen, ein drittes Mal geküsst zu werden.

Shelby legte Ohrringe an. Sie wollte erst etwas Auffälliges nehmen, entschied sich dann aber doch passend zum Kleid für die schlichte Variante und steckte die Haare, die ihr in wilden Locken auf den Rücken fielen, an den Seiten zurück.

»Na, was sagst du, Callie?« Sie drehte sich um die eigene Achse. »Wie seh ich aus?«

»Wunderschöne Mama.«

»Wunderschöne Callie.«

»Ich will mit. Bitte, bitte.«

»Ach, das wäre zu schön.« Shelby ging in die Hocke und strich ihrer schmollenden Tochter übers Haar. »Aber Kinder dürfen nicht mit.«

»Warum?«

»Weil es das Gesetz verbietet.«

»Onkel Forrest ist das Gesetz.«

Lachend knuddelte Shelby ihre Tochter.

»Er hat gesagt, dass er mich mitnehmen kann.«

»Nicht heute Abend. Weißt du was? Wenn ich nächste Woche Probe habe, kommst du mit. Dann gebe ich dir eine Sondervorstellung.«

»Darf ich dann mein Partykleid anziehen?«

»Warum nicht? Granny und Grandpa passen heute auf dich auf. Ist das nicht toll?« In der ersten Pause würden ihre Eltern nach Hause zurückfahren und die beiden ablösen.

Es tat gut zu wissen, dass ihre Familie da sein würde.

»So, lass uns nach unten gehen. Ich muss los.«

***

Der Laden war gerammelt voll. Shelby hatte damit gerechnet, dass allein schon aus Neugier viele Leute zu ihrem ersten Auftritt kommen würden. Freunde und Verwandte, die sie unterstützen wollten. Was auch immer der Grund für ihre Anwesenheit war, es fühlte sich verdammt gut an, dass sie ihr Geld heute Abend voll und ganz wert war.

Sie sagte x-mal Hallo und bedankte sich für die guten Wünsche, bevor sie es nach vorn zu dem Tisch schaffte, an dem Griff saß.

»Du siehst fantastisch aus.«

»Danke, das ist Absicht.«

»Perfekt.«

»Danke für die Blumen, Griffin. Sie sind einfach schön.«

»Das freut mich. Emma Kate und Matt kommen gleich. Ich musste mich schon mit einem Dutzend Leute anlegen, um ihre Plätze freizuhalten. Unter anderem mit einem Riesen, den Tansy Big Bud genannt hat.«

»Big Bud? Ist er auch da?« Sie sah sich um und entdeckte den Hünen in einer der Nischen. Er nagte an Spareribs, während ihm ein dünnes Mädel gegenübersaß, das sie nicht kannte und das gelangweilt in seinem Essen herumstocherte.

»Wir waren zusammen auf der Highschool. Soweit ich weiß, arbeitet er als Fernfahrer, aber …«

Sie ließ den Blick schweifen und blieb an Arlo Kattery hängen, der ihr direkt in die Augen sah.

Er hatte sich kaum verändert. Die blassen Augen jagten ihr eine Gänsehaut über den Rücken, als er sie durchdringend musterte.

Arlo lehnte sich zurück, und sie sah, dass er mit denselben Typen an einem Tisch saß, mit denen er früher rumgehangen war.

Hoffentlich würden sie nicht allzu lange bleiben und Arlo samt seinem Schlangenblick mit ins *Shady's* nehmen, wo sie ihr Geld normalerweise für Bier auf den Kopf hauten.

»Was ist denn?«, fragte Griff.

»Ach nichts, da ist nur jemand, den ich von früher kenne. Ich hab durchaus damit gerechnet, dass viele kommen. Sei es nur, um mich scheitern zu sehen.«

»Aus reiner Sensationsgier«, sagte Griff. »Das Wort trifft es eigentlich ganz gut, denn genau das wirst du heute sein – die Sensation des Abends.«

Sie drehte sich wieder um und vergaß Arlo. »Du kannst wirklich gut mit Worten umgehen.«

»Ich drücke mich eben gern treffend aus. Ich soll dir übrigens ausrichten, dass Tansy für deine Eltern, Clay und Gilly diesen Tisch da vorgesehen hat.« Er zeigte auf einen Tisch zu seiner Rechten, auf dem ein großes Reserviert-Schild stand. »Den hat uns bisher niemand streitig gemacht. Nicht mal Big Bud.«

»Ach, Big Bud ist seit Urzeiten ein Riesenfan von Clay. Er ist echt okay, Griff, nur manchmal ein bisschen … anhänglich. Daddy wollte warten, bis Mama sich zurechtgemacht hat. Sie dürften also bald kommen. Ich bin wirklich froh, dass du schon da bist.«

»Wo sollte ich sonst sein?«

Sie zögerte kurz und setzte sich zu ihm. Es war noch jede Menge Zeit. »Griffin, das, was ich über mein chaotisches Leben und so gesagt habe … stört dich das kein bisschen?«

»So chaotisch sieht es für mich gar nicht aus.«

»Es ist ja auch nicht dein Leben. Außerdem hab ich heute weitere schlechte Nachrichten bekommen. Ich kann noch nicht drüber reden, aber es gibt neue Probleme.«

Er strich ihr über den Rücken. »Dann helf ich dir, alles wieder geradezubiegen.«

»Weil das dein Beruf ist?«

»Das auch. Aber vor allem, weil ich eine Schwäche für dich habe. So wie du für mich.«

»Wie kommst du darauf?«

Er grinste nur. »Ich hab dich beobachtet, Rotschopf.«

»Ich darf keine Schwäche für dich haben«, murmelte sie. Aber als ihr Callies Begeisterung wieder einfiel, entspannte sie sich. »Gut möglich, dass es trotzdem stimmt.« Mit einem verführerischen Lächeln stand sie auf und strich ihm sanft über den Arm. Sie spürte, wie er zitterte. Fast hätte sie vergessen, was solche Kleinigkeiten bewirken konnten. »Genieß die Show.«

Sie ging in die Küche, wo das totale Chaos herrschte, und schlüpfte in das besenkammergroße Büro, um kurz zu verschnaufen.

Tansy eilte herein. »Meine Güte, Shelby, das Lokal platzt aus allen Nähten. Derrick muss an der Bar aushelfen. Wie geht es dir? Bist du so weit? Mir ist ganz schlecht vor Aufregung.« Sie legte eine Hand auf ihren Bauch. »Du siehst völlig gelassen aus. Bist du nicht nervös?«

»Nicht deswegen. Es gibt so viel anderes, weswegen ich nervös bin, dass ich das Gefühl habe, nur in ein Paar alte Pantoffeln schlüpfen zu müssen. Ich werde euch jede Menge Umsatz bringen, Tansy.«

»Ich weiß. In wenigen Minuten geh ich da raus, bringe die Meute zum Schweigen und kündige dich an.« Sie zog einen zerknüllten Zettel aus der Hosentasche. »Meine Checkliste. Gut, die Anlage ist so eingestellt, wie du sie haben wolltest. Du weißt also, was du zu tun hast.«

»Ja.«

»Wenn irgendwas nicht stimmt …«

»Krieg ich das schon hin«, beruhigte Shelby sie. »Danke, dass du einen Tisch für meine Familie reserviert hast.«

»Machst du Witze? Natürlich haben wir ihnen Plätze in der ersten Reihe reserviert, das hat alleroberste Priorität. Der Tisch bleibt so lange reserviert, bis deine Großeltern da sind. Ich muss ein paar Dinge überprüfen, und dann geht's los. Brauchst du noch irgendwas?«

»Nein.«

Da sie es locker und natürlich halten wollte, verließ Shelby schon früh das Büro, plauderte mit ein paar Bekannten an der Bar und holte sich eine Flasche Wasser.

Sie wusste, dass ihre Mutter vor ihren Auftritten nervös war, deshalb ging sie nicht an den Tisch ihrer Eltern, sondern schenkte ihnen nur ein Lächeln aus der Ferne. Matt und Emma Kate bekamen auch eines, genau wie Griff. Dann betrat Tansy die kleine Bühne.

Sie sprach ins Mikro, und die Geräuschkulisse legte sich ein wenig. »Willkommen zum Auftakt unserer *Friday Nights*. Wir begeben uns heute auf eine Zeitreise in die 1940-er, also entspannt euch und genießt eure Martinis und Highballs. Die meisten von euch dürften Shelby bereits kennen und haben sie schon mal singen hören. Wer sie noch nicht kennt, kann sich auf ein echtes Erlebnis gefasst machen. Derrick und ich freuen uns, sie heute Abend auf unserer Bühne begrüßen zu dürfen. Bitte einen großen Applaus für Shelby Pomeroy.«

Shelby betrat die Bühne und stellte sich dem Saal, nahm den Applaus entgegen. »Vielen Dank, dass ihr heute Abend so zahlreich erschienen seid. Ich bin froh, wieder in Rendezvous Ridge zu sein, den vertrauten Dialekt zu hören und die klare Bergluft zu atmen. Der erste Song erinnert mich daran, wie es war, weg zu sein.«

Sie begann mit *I'll be Seeing You.*

Und empfand jede Note, die sie sang.

Shelby Pomeroy übertraf sich selbst.

»Sie ist einfach toll«, murmelte Griff. »Eine echte Sensation.«

»Das war sie schon immer. Du strahlst ja richtig.« Emma Kate tätschelte seinen Arm. »Sehe ich da Herzchen in deinen Augen?«

»Keine Sorge, ich kann hervorragend damit sehen.«

Shelby absolvierte das erste Set fehlerlos und freute sich über die vielen Leute, die sich um Tische und Tresen scharten. In der Pause kam Clay zu ihr und hob sie hoch.

»Ich bin so stolz auf dich«, flüsterte er ihr ins Ohr.

»Das tut wirklich gut.«

»Ich wünschte, wir könnten länger bleiben, aber ich muss zusehen, dass Gilly nach Hause kommt.«

»Geht es ihr gut?«

»Sie ist müde. Das ist seit Monaten das erste Mal, dass sie es geschafft hat, länger als bis neun aufzubleiben.« Strahlend drückte er Shelby an sich. »Schau kurz bei ihr vorbei, bevor wir gehen.«

Sie blickte zum Familientisch hinüber und sah, dass Matt und Griff beide Tische zusammenschoben, sodass aus ihrer Familie und ihren Freunden eine Einheit wurde.

Gut möglich, dass der Tag alles andere als gut angefangen hatte, doch der Abend versprach, großartig zu werden.

Shelby verbrachte ein wenig Zeit mit ihnen und ging dann zur Bar, um sich ein Wasser zu holen.

Als sie sah, dass Arlo und seine Kumpel gingen, machte ihr das nichts aus. So konnte er sie wenigstens nicht mehr unangenehm anstarren.

Das hatte er schon zu Teenagerzeiten gemacht. Außerdem hatte er versucht, sie zu Motorradfahrten oder Barbesuchen zu überreden.

Sie war auf nichts davon eingegangen.

Es fühlte sich ein bisschen gruselig an, dass er sie nach all den Jahren immer noch unverwandt wie eine Echse anstarrte.

Griff trat neben sie. Sie war froh, so angenehme Gesellschaft zu haben.

»Bitte geh morgen Abend mit mir aus.«

»Äh, ich …«

»Hab Mitleid mit mir, Shelby. Ich möchte so gern etwas Zeit mit dir verbringen. Allein.«

Sie drehte sich um und sah ihm direkt in die Augen. Es waren grüne, intelligente Augen, weit davon entfernt, ihr ein ungutes Gefühl zu geben.

»Das fände ich auch schön, aber ich möchte Callie nur ungern zwei Abende hintereinander allein lassen und meine Eltern wieder bitten, auf sie aufzupassen.«

»Na gut, dann eben irgendwann nächste Woche. Such dir einen Abend aus.«

»Äh … der Dienstag würde passen.«

»Dienstag also. Wohin wollen wir gehen?«

»Ich würde gern dein Haus sehen.«

»Tatsächlich?«

Sie grinste. »Ja. Ich hab mir bereits den Kopf zerbrochen, wie ich dich zu einer Besichtigungstour überreden kann.«

»Die wäre hiermit gebongt.«

»Ich könnte was zu essen mitbringen.«

»Lass nur, darum kümmere ich mich. So gegen sieben?«

»Wenn wir halb acht sagen, kann ich Callie vorher baden.«

»Halb acht also.«

»Ich muss erst Mama fragen, aber ich glaube nicht, dass sie was dagegen haben wird. Und du musst dir erst mal anhören, was sich heute so alles ergeben hat, bevor wir uns verabreden.«

»Wir sind bereits verabredet.« Griff küsste sie sanft und ging.

Eine mehr als eindeutige Geste. Shelby wusste nicht recht, was sie davon halten sollte. Sie verdrängte den Gedanken und betrat die Bühne für ihr nächstes Set.

Dabei sah sie, wie Forrest und die Großeltern die frei gewordenen Plätze einnahmen.

Die Brünette bemerkte sie erst, als die Hälfte des Sets vorüber war. Shelby zuckte zusammen und versuchte, Forrests Aufmerksamkeit zu erregen, aber der war gerade zur Bar gegangen und schaute nicht in ihre Richtung.

Die Brünette erhob sich, blieb einen Moment stehen und nippte an ihrem Martini. Dann stellte sie das Glas ab und schlüpfte in eine dunkle Jacke. Lächelnd warf sie Shelby einen Handkuss zu und schlenderte zum Ausgang.

Shelby sang bis zur nächsten Pause weiter. Was blieb ihr auch anderes übrig? Dann ging sie schnurstracks zu Forrest.

»Sie war hier.«

Er wusste sofort, wen sie meinte. »Wo?«

»Dahinten.«

»Wer?«, fragte Griff.

»Sie ist weg«, fuhr Shelby fort. »Bestimmt schon vor einer Viertelstunde. Sie ist weg, aber sie hat sich blicken lassen.«

»Wer?«, fragte Griff erneut.

»Das ist ein bisschen kompliziert.« Shelby setzte ein Lächeln auf und winkte jemandem, der ihren Namen rief. »Ich muss arbeiten. Vielleicht bist du so nett und klärst ihn auf, Forrest. Ich habe es nicht geschafft, dich auf sie aufmerksam zu machen. Aber sie war es, da bin ich mir ganz sicher.«

»Wer?«, fragte Griff zum dritten Mal, als Shelby zu einem anderen Tisch ging.

»Ich erklär es dir gleich, aber ich muss mich kurz draußen umsehen.«

»Dann komm ich eben mit.« Als Matt aufstehen wollte, schüttelte Griff nur den Kopf. »Halt den Tisch besetzt. Wir sind gleich wieder da.«

»Was ist denn los?« Viola beugte sich vor.

»Nichts Besorgniserregendes. Ich erklär es euch, wenn ich zurück bin.« Forrest tätschelte ihr kurz die Schulter und ging mit Griff hinaus.

»Was soll das, Forrest? Was für eine Frau? Warum hat Shelby jetzt diesen Blick drauf?«

»Welchen Blick?«

»Halb besorgt, halb sauer.«

Forrest blieb in der Tür stehen. »Du kennst sie wirklich gut.«

»Ich lasse sie nicht aus den Augen. Das habe ich mir so angewöhnt.«

»Tatsächlich?«

»Ehrlich gesagt, ja.«

Forrest kniff die Augen zusammen und nickte. »Das muss ich erst mal sacken lassen. Bis es so weit ist, halten wir nach einer Brünetten Ausschau. Um die dreißig, etwa eins achtundsechzig groß, braune Augen.«

»Warum?«

»Weil alles dafür spricht, dass sie mit dem Kerl verheiratet war, den Shelby für ihren Ehemann gehalten hat.«

»Für ihren Ehemann *gehalten hat*? Wie bitte?«

»Diese Frau hat nichts Gutes zu bedeuten. Genau wie das Arschloch, mit dem Shelby anscheinend nicht mal verheiratet war. Es ist alles noch viel schlimmer, als ich dachte, und ich bin schon vom Schlimmsten ausgegangen.«

»War Shelby jetzt verheiratet oder nicht?«

»Schwer zu sagen.«

»Wieso ist das schwer zu sagen?« Frustriert und leicht genervt, warf Griff die Arme in die Luft. »Entweder sie war es oder eben nicht.«

Forrest suchte die Straße ab, behielt die parkenden Autos und den Verkehr im Auge. »Warum seid ihr Yankees bloß immer so ungeduldig? Eine Geschichte will in Ruhe erzählt werden. Das mache ich, während wir einmal ums Haus herumgehen. Hast du meine Schwester angefasst?«

»Nicht wirklich. Aber das kommt noch. Am besten, du gewöhnst dich schon mal an den Gedanken.«

»Ich kenne dich inzwischen ganz gut, Griff. Aber es geht um meine Schwester, da genügt das nicht. Um eine Schwester, die genügend Scheiße hinter sich hat.«

Die beiden gingen um das Gebäude herum zum Parkplatz dahinter. Forrest erzählte, was er wusste.

»Und du glaubst, diese Frau sagt die Wahrheit?«

»Zumindest insoweit, dass der Mistkerl, mit dem Shelby zusammen war, ein Dieb und Betrüger war. Ich werde auf jeden Fall nach diesen Millionen in Schmuck und Briefmarken Ausschau halten, die sie jemandem gestohlen oder abgeluchst haben.«

Seine Augen suchten die Autos ab. »Wäre der Tisch der Brünetten nicht längst abgeräumt, hätte ich Fingerabdrücke nehmen und ihren richtigen Namen ermitteln können.«

»Wenn es wirklich stimmt, dass sie mit Foxworth verheiratet ist, hat der Shelby die ganze Zeit bloß benutzt.« Griff steckte die Hände in die Hosentaschen und ballte die Faust. »Und Callie …«

»Callie geht es gut, dafür sorgt Shelby schon. Trotzdem würde ich mich gern mit dieser Frau unterhalten, die sie bis hierher verfolgt hat.«

»Eine Brünette, stimmt's? Gut aussehend und mit braunen Augen.«

»Ganz genau.«

»Ich glaube nicht, dass du dich mit ihr unterhalten wirst. Schau mal da.« Griff holte tief Luft, während Forrest sich zu ihm umdrehte.

»Sieht ganz so aus, als hätten wir sie gefunden.«

Sie saß mit weit aufgerissenen Augen und starrem Blick auf

dem Fahrersitz eines silbernen BMW. Aus einem winzigen Loch in ihrer Stirn tropfte Blut.

»Scheiße, Scheiße, Scheiße«, wiederholte Forrest. »Fass den Wagen bloß nicht an.«

»Ich fass gar nichts an«, sagte Griff, als Forrest sein Handy zückte. »Ich habe keinen Schuss gehört.«

Forrest fotografierte die Frau von vorn und von der Seite. »Ein kleines Kaliber. Siehst du, wie verbrannt die Ränder der Eintrittswunde sind? Man hat ihr die Waffe direkt an den Kopf gehalten, direkt an die Stirn. Und dann abgedrückt. Vielleicht hat es leise Plopp gemacht, aber ein aufgesetzter Schuss hallt nicht besonders. Ich muss meinen Chef anrufen.«

»Was ist mit Shelby?«

Genau wie Griff sah sich auch Forrest zum *Bootlegger's* um. »Warten wir ab, bis wir ihr diese Nachricht überbringen. Vorher muss dieser Bereich abgeriegelt werden. Mist, wir werden die Gäste des *Bootlegger's* verhören müssen. Sheriff?«

Forrest richtete sich auf und hielt das Handy näher ans Ohr. »Ja, Sir. Ich habe auf dem Parkplatz des *Bootlegger's* eine Leiche gefunden. Ja, Sir, sie ist eindeutig tot.« Er sah zu Griff hinüber und hätte beinahe gegrinst. »Nein, da bin ich mir ganz sicher, weil ich die Einschusswunde sehe. Ein aufgesetzter Schuss aus einer kleinkalibrigen Waffe, direkt in die Stirn. Ja, verstanden.«

Seufzend verstaute Forrest das Handy. »Ach, hätte ich doch nur mein Bier ausgetrunken. Jetzt steht mir eine lange Nachtschicht bevor.« Er musterte die Leiche und wandte sich dann an Griff. »Hiermit ernenne ich dich zum Hilfssheriff.«

»Wie bitte?«

»Du bist nicht auf den Kopf gefallen, Griff, und verlierst angesichts einer Leiche nicht die Nerven. Dich kann so schnell nichts erschüttern, was?«

»Das ist meine erste Leiche.«

»Du hast dich auf jeden Fall nicht angestellt.« Er klopfte Griff auf die Schulter. »Außerdem weiß ich, dass du nicht der Mörder sein kannst, weil du mit mir im Lokal warst.«

»Ja.«

»Sie ist warm, kann also noch nicht lange tot sein. Ich muss ein paar Sachen aus meinem Wagen holen, bleib bitte hier und rühr dich nicht von der Stelle.«

»Gern«, sagte Griff. Was blieb ihm auch anderes übrig?

Er versuchte, sich einen Überblick zu verschaffen. Die Frau war im Lokal gewesen und dann zu ihrem Wagen gegangen. Das Fenster auf der Fahrerseite war heruntergelassen.

Draußen war es warm. Hatte sie einfach bloß frische Luft reinlassen wollen, oder hatte sich jemand dem Wagen genähert? Kurbelt eine Frau, die allein auf dem dunklen Parkplatz hinter der Bar steht, für Fremde das Fenster herunter?

Wenn, dann wohl eher für einen Bekannten.

Aber …

»Warum ist ihr Fenster heruntergelassen?«, fragte er Forrest. »Nach allem, was du mir erzählt hast, kennt sie niemanden im Ort. Sie dürfte alles andere als naiv gewesen sein, warum lässt sie also ihr Fenster herunter?«

»Du bist gerade seit zwei Minuten Hilfssheriff und denkst wie ein Profi. Ich bin stolz auf meine Menschenkenntnis. Los, zieh die an.«

Griff starrte auf die Gummihandschuhe. »O Mann.«

»Du sollst nichts anfassen, nur für alle Fälle. Nimm dein Handy und mach für mich Notizen.«

»Warum? Hast du nicht gerade Verstärkung angefordert?«

»Das dauert. Diese Frau hat meine Schwester belästigt, und da will ich bei den Ermittlungen keine Zeit verlieren, mir den Wagentyp und das Nummernschild notieren. Bald wissen wir mehr.«

Forrest leuchtete in den Wagen. »Die Handtasche liegt auf dem Beifahrersitz. Sie ist geschlossen. Der Zündschlüssel steckt, und der Motor ist aus.«

»Sie musste den Zündschlüssel einstecken, sonst hätte sie das Fenster nicht herunterlassen können. Sie ist fremd hier, dürfte den Wagen also vorher abgeschlossen haben.«

»Mein lieber Freund, solltest du das Schreinerhandwerk jemals an den Nagel hängen wollen, werde ich dich sofort einstellen.« Forrest öffnete die Beifahrertür, ging in die Hocke und machte die Handtasche auf. »Sie hat eine hübsche kleine Baby Glock einstecken.«

Griff sah Forrest über die Schulter. »Sie hat eine Waffe in der Handtasche?«

»Wir sind hier in Tennessee, Griff. Die Hälfte der Frauen in der Bar ist bewaffnet. Diese ist geladen, aber sauber. Meiner Meinung nach ist sie in letzter Zeit nicht benutzt worden. Weiter. Ein Führerschein, der auf den Namen Madeline Elizabeth Proctor ausgestellt ist, aber das ist nicht der Name, den sie Shelby genannt hat. Eine Adresse in Miami. Geboren am 22. August 1985. Ein Lippenstift, der noch ziemlich neu aussieht – und ein Springmesser.«

»Wow!«

»Ein schönes Modell, ein Blackhawk. Kreditkarten von Visa und American Express auf denselben Namen. Hundertzweiunddreißig Dollar in bar. Außerdem eine Schlüsselkarte für ein Zimmer in der *Buckberry-Creek-Lodge* in Gatlinburg. Nobel, nobel.«

»Sie wollte nicht auffallen.« Als Forrest ihm einen anerkennenden Blick zuwarf, zuckte Griff nur mit den Schultern. »Sie muss gewusst haben, dass Shelbys Bruder Polizist ist. Wenn sie Shelby anspricht, wird sie zwangsläufig die Polizei auf sich aufmerksam machen. Außerdem gibt es in der Gegend genügend Verwandte, die auf Shelby aufpassen. Deshalb steigt sie nicht in unserem Hotel ab, das auch ziemlich nobel ist, sondern hält etwas Abstand zu Rendezvous Ridge und nennt Shelby einen falschen Namen.«

»Verstehst du, warum ich dich zum Hilfssheriff ernannt habe? Was, glaubst du, hat sich auf dem Parkplatz abgespielt?«

»Ist das dein Ernst?«

»Die Tote im Auto, Griff.« Forrest richtete sich auf und ließ die Schultern kreisen. »Das ist eine ziemlich ernste Angelegenheit.«

»Nun, ich bin mir sicher, dass sie hergekommen ist, um Shelby unter Druck zu setzen. Sich in Erinnerung zu bringen. Nachdem Shelby sie bemerkt hat, konnte sie gehen. Sie ist in ihren Wagen gestiegen und wollte vermutlich nach Gatlinburg zurück. Jemand ist zu ihr ans Auto getreten, auf der Fahrerseite. Ich gehe davon aus, dass sie die Person gekannt und das Fenster heruntergelassen hat, anstatt davonzufahren oder ihre Waffe zu zücken. Doch als das Fenster unten war ...«

Griff tat so, als würde er sich eine Waffe an die Stirn halten und abdrücken.

»Das sehe ich ganz genauso. Wenn ich nicht wüsste, dass meine Mama dich anruft, wenn die Veranda abgeschliffen und neu gestrichen werden soll, würde ich dich überreden, unsere Polizei zu verstärken.«

»Nicht für alles Geld der Welt. Ich mag keine Waffen.«

»Daran gewöhnt man sich.« Forrest sah auf, als ein Streifenwagen vorfuhr. »Mist, ich hätte mir denken können, dass er zuerst Barrow schickt. Der Typ ist ganz in Ordnung, aber unglaublich langsam. Geh wieder rein, Griff, schnapp dir Derrick und weih ihn ein.«

»Ich soll Derrick einweihen?«

»Das spart uns wertvolle Zeit. Er ist auch nicht auf den Kopf gefallen und hat die ganze Zeit hinter der Bar gestanden. Gut möglich, dass ihm jemand aufgefallen ist.«

»Wer das getan hat, ist längst über alle Berge.«

»Ja, fürs Erste schon. Du bist viel schneller als Barrow, Griff.«

»Na gut, aber dazu braucht es nicht viel.«

»Was haben wir denn da, Forrest? Hallo, Griff, wie geht's? Der Sheriff hat gesagt ... Heiliger Strohsack!« Als Barrow die Leiche sah, verstummte er abrupt. »Ist sie tot?«

»Sieht fast so aus, Woody.« Forrest verdrehte die Augen.

Griff kehrte ins Lokal zurück, um nach Derrick zu suchen und ihn einzuweihen.

14

Shelby saß im winzigen Büro des *Bootlegger's* und umklammerte die Cola, die Tansy ihr in die Hand gedrückt hatte. Sie brachte allerdings kaum etwas hinunter.

O. C. Hardigan war Sheriff, seit sie denken konnte. Er hatte ihr stets ein wenig Angst eingejagt, aber das lag vermutlich an seinem Beruf, da sie nie mit dem Gesetz in Konflikt geraten war. Während ihrer Abwesenheit aus Rendezvous Ridge war er ergraut, und sein kurz rasiertes Haar erinnerte an Stahlwolle. Sein markantes Gesicht war runder geworden, dasselbe galt für seinen Bauch.

Er roch nach Pfefferminz und Tabak.

Sie wusste, dass er sie sehr behutsam vernahm, und war ihm dankbar dafür.

Er nannte die Frau konsequent *das Opfer* und sagte, Forrest habe ihm bereits alles über ihre Begegnung erzählt. Trotzdem ließ er sie sich von Shelby ein zweites Mal ausführlich schildern.

»Sie haben sie vor heute Vormittag noch nie gesehen oder mit ihr gesprochen?«

»Nein, Sir.«

»Und Ihr ... der Mann, den Sie unter dem Namen Richard Foxworth kannten, hat eine Natalie Sinclair oder Madeline Proctor nie erwähnt?«

»Nein, Sir. Nicht, dass ich wüsste.«

»Was ist mit diesem Privatdetektiv, diesem Ted Privet? Hat er ihren Namen erwähnt?«

»Nein, Sheriff, da bin ich mir ganz sicher.«

»Und dieser Mickey O'Hara, von dem sie gesprochen hat?«

»Auch von ihm hatte ich vorher nichts gehört.«

»Verstehe. Um welche Uhrzeit haben Sie das Opfer heute Abend ungefähr gesehen?«

»Das dürfte so gegen halb elf gewesen sein. Vielleicht auch fünfundzwanzig nach zehn. Ich hatte mehr als die Hälfte meines dritten Sets hinter mir, mit dem ich so gegen zehn angefangen habe. Die Frau saß ganz hinten, in der rechten Ecke. Also aus meiner Sicht rechts. Vorher ist sie mir nicht aufgefallen, die Beleuchtung dahinten ist nicht besonders gut.« Sie zwang sich, einen Schluck zu trinken. »Als ich sie entdeckt habe, ist sie seelenruhig aufgestanden. Nach dem Motto: *Du hast mich gesehen, da kann ich ja wieder gehen.* Sie hatte ein Martini-Glas in der Hand, aber ich weiß nicht, wer sie bedient hat. Dann hat es mindestens noch eine Viertelstunde gedauert, bis ich meinen Set fertig hatte und Forrest Bescheid geben konnte. Vielleicht ein bisschen länger, aber höchstens zwanzig Minuten. Ich musste noch vier Songs singen und dazwischen ein paar Sätze sagen. Aber ich habe mich kurzgefasst. Es dürfte also eher fünfzehn, höchstens siebzehn Minuten gedauert haben.«

»Haben Sie gesehen, ob ihr jemand gefolgt ist?«

»Nein. Als sie aufstand, hab ich nach Forrest Ausschau gehalten und nicht auf die Tür geachtet.«

»Ich nehme an, Sie haben heute Abend viele bekannte Gesichter gesehen.«

»Ja, und das hat gutgetan.« Sie dachte an Arlo. »Bis auf wenige Ausnahmen natürlich.«

»Aber es waren auch viele Fremde da.«

»Tansy hat jede Menge Werbung gemacht und überall Flyer verteilt. Soweit ich weiß, waren viele Touristen aus dem Hotel, aus der Lodge und vom Campingplatz da. Na ja, wenn hier mal was los ist …«

»Ich wünschte, ich wäre auch da gewesen. Beim nächsten Mal

werden meine Frau und ich auf jeden Fall dabei sein. Nun, ist Ihnen jemand aufgefallen, Shelby? Jemand, der nicht hierhergehört hat?«

»Nicht, dass ich wüsste. Arlo Kattery war da, mit den beiden Typen, mit denen er immer abhängt. Die sind kurz nach dem ersten Set gegangen.«

»Arlo geht normalerweise eher ins *Shady's* oder in eine der Raststätten am Highway.«

»Sie haben ein paar Bier getrunken und sind wieder weg. Er ist mir bloß aufgefallen, weil ich ihn schon früher ein bisschen komisch fand.«

»Ja, das stimmt.«

»Natürlich habe ich mich mehr auf die vertrauten Gesichter und Pärchen konzentriert. Viele Lieder, die ich heute gespielt habe, sind ziemlich romantisch, also habe ich mich an diese Klientel gewandt. Es kann unmöglich jemand aus Rendezvous Ridge gewesen sein, Sheriff. Sie hat in der Gegend niemanden gekannt.«

Er tätschelte ihre Hand. »Machen Sie sich keine Sorgen, wir kriegen das schon raus. Sollte Ihnen noch etwas einfallen, geben Sie mir bitte Bescheid. Oder Forrest, wenn Ihnen das lieber ist.«

»Ich wüsste nicht, was mir noch einfallen sollte.« Shelby seufzte.

Während ihrer Vernehmung hatte Griff im Lokal geholfen, so gut er konnte. Er hatte die Zeugenvernehmungen organisiert, Namen diktiert und mit Derrick Kaffee, Limonade und Wasser serviert, während ein Beamter das Küchenpersonal befragte.

Zwischendurch war er einmal kurz rausgegangen, um frische Luft zu schnappen, und hatte den von Polizeischeinwerfern angestrahlten BMW gesehen. Genau in dem Moment, als der Leichensack in die Gerichtsmedizin gebracht wurde.

Eine Erfahrung, die er nicht so bald wiederholen wollte.

Als er das zweite Mal mit Kaffee herumging, nahm ihn Forrest beiseite.

»Shelby ist gleich fertig. Ich muss dableiben und gebe meine

Schwester in deine Obhut, Griff, weil ich weiß, dass sie bei dir gut aufgehoben ist.«

»Ich pass auf sie auf.«

»Ebendrum. Sie hat Emma Kate gedrängt heimzugehen, und das war auch besser so. Je weniger Freundinnen Aufhebens um sie machen und sie mit Fragen löchern, desto schneller kommt sie weg. Bring sie nach Hause.«

»Du kannst dich auf mich verlassen.«

»Sobald der Rechtsmediziner die Kugel rausgepopelt hat, kann er uns mehr sagen. Auf den ersten Blick geht er von einem Kaliber .25 aus.«

»Weißt du schon, wer sie ist? Ich meine, kennst du ihren richtigen Namen?«

Forrest schüttelte nachdenklich den Kopf. »Wir haben ihre Fingerabdrücke genommen. Ich werde sie noch heute in die Datenbank eingeben. So, da ist Shelby. Lass mich kurz mit ihr reden und bring sie dann weg. Wenn sie sich wehrt, schleifst du sie mit Gewalt nach Hause.«

»Nur, wenn du mich dann nicht erschießt.«

»Unter diesen Umständen ausnahmsweise nicht.« Forrest ging zu Shelby, legte ihr die Hand auf die Schulter und sah sie forschend an. Dann nahm er sie einfach in die Arme.

Er sagte etwas zu ihr, und sie schüttelte den Kopf, wollte gar nicht mehr damit aufhören, während sie sich an ihn schmiegte. Irgendwann gab sie nach und zuckte mit den Schultern. Als Forrest sie losließ, ging sie zu Griff, der ihr seinerseits entgegenkam.

»Forrest sagt, du sollst mich nach Hause fahren. Tut mir leid, dass er so ein Drama daraus macht.«

»Egal, was Forrest sagt. Ich fahr dich auf jeden Fall nach Hause. Männer machen kein Drama, das ist bloß was für Mädchen. Wir sind nur vernünftig und beschützen euch.«

»Und genau das meine ich mit Drama daraus machen. Trotzdem danke.«

»Komm, fahren wir.«

»Ich sollte mich vorher von Tansy verabschieden, von Derrick und …«

»Die sind beschäftigt.« Er musste sie zwar nicht rausschleifen, zog sie aber aus dem Lokal und fort von den grellen Scheinwerfern.

»Wir nehmen deinen Kombi.«

»Wie willst du dann nach Hause kommen?«

»Mach dir darüber keine Sorgen. Du brauchst deinen Kombi. Ich fahre.« Er hielt ihr die Hand hin, damit sie ihm die Autoschlüssel gab.

»Na gut, ich bin zu erschöpft, um rumzustreiten. Niemand hier hat sie gekannt. Niemand hier geht auf eine Wildfremde zu und schießt ihr ein Loch in den Kopf.«

»Wer das getan hat, kann also nicht von hier sein.«

Sie sah ihn sichtlich erleichtert an. »Genau das hab ich dem Sheriff auch gesagt.«

»Sie hat ihren Mörder mitgebracht, Shelby. Für mich sieht es ganz danach aus.«

»Es muss dieser O'Hara sein.« Shelby dachte an den Mann, vor dem die Brünette sie gewarnt hatte. »Diese Frau hat behauptet, er sei im Gefängnis, aber sie hat gelogen, was ihren Namen betrifft. Wer weiß, worüber sie noch alles die Unwahrheit gesagt hat. Er war es. Wenn sie mir die Wahrheit über Richard gesagt hat, wenn das mit den vielen Millionen stimmt, ist es gefährlich, in meiner Nähe zu sein.«

»Das sind aber ganz schön viele Wenns. Ich werde auch noch ein paar beisteuern.« Griff musterte sie verstohlen von der Seite und war unheimlich traurig, dass das Strahlen erloschen war, das sie beim Singen gehabt hatte. »Wenn dieser O'Hara hier war und der Täter ist, und wenn er glaubt, dass du etwas von diesen Millionen weißt, dann wäre er ziemlich dumm, dir was zu tun.«

Er wartete, bis sie eingestiegen war, bevor er sich hinters Steuer setzte.

»Wenn er so ein Schwerverbrecher ist, warum hat sie dann nicht die Flucht ergriffen oder ihre Waffe gezückt? Warum ist sie einfach sitzen geblieben?«

»Keine Ahnung.« Shelby legte erschöpft den Kopf in den Nacken. »Ich hab gedacht, schlimmer kann es nicht kommen. Nach Richards Tod, nachdem das ganze Kartenhaus über mir zusammengebrochen ist, hab ich mir gedacht: Schlimmer als jetzt kann es nicht werden. Dann ist es doch schlimmer gekommen. Und wieder hab ich mir gedacht: Na gut, jetzt habe ich wirklich den absoluten Tiefpunkt erreicht, ich werde einen Weg finden, da wieder rauszukommen. Dann ist sie aufgetaucht und hat alles noch mal schlimmer gemacht. Von den jetzigen Entwicklungen ganz zu schweigen.«

»Du hast wirklich eine Pechsträhne.«

»So kann man das auch nennen.«

»Keine Pechsträhne dauert ewig. Es geht auch wieder aufwärts. Sogar für dich ist es schon aufwärtsgegangen.« Langsam folgte er der kurvigen Straße. »Du hast das Haus verkauft und trägst die Schulden ab. Heute Abend hast du für ein ausverkauftes Haus gesorgt. Die Leute hingen an deinen Lippen.«

»Findest du?«

»Ich hab's mit eigenen Augen gesehen. Außerdem bist du Dienstag mit mir verabredet, und ich bin eine verdammt gute Partie.«

Nie hätte sie gedacht, an diesem Tag noch mal lächeln zu können, aber er schaffte es, sie dazu zu bringen.

»Ist das so?«

»Na und ob. Frag meine Mutter. Oder besser deine.«

»An Selbstvertrauen hat es dir noch nie gefehlt, was, Griffin?«

»Ich weiß, was ich wert bin«, sagte er und hielt vor dem Haus ihrer Eltern.

»Wie kommst du heim?« Sie massierte sich die Schläfen. »Ach ja, du kannst den Kombi nehmen, und ich frag Daddy, ob er mich morgen früh fährt, dann kann ich ihn abholen.«

»Mach dir darüber keine Gedanken.«

Er stieg aus und ging zur Beifahrerseite. Doch bevor er sie öffnen konnte, war sie ihm zuvorgekommen, sodass er ihr nur beim Aussteigen behilflich sein konnte. Er nahm ihre Hand.

»Du musst mich nicht bis zur Tür bringen.«

»Das gehört zu meinen Pflichten als gute Partie.«

Sie waren auf dem Gartenweg, als die Haustür aufging.

»Ach, meine Kleine!«

»Es geht mir gut, Mama.«

»Natürlich. Komm mit rein, Griff.« Ada Mae zog Shelby in die Arme. »Deine Granny und dein Grandpa sind vorbeigekommen und haben uns alles erzählt. Ist Forrest noch vor Ort?«

»Ja.«

»Gut. Mach dir keine Sorgen um Callie. Ich habe vor fünf Minuten nach ihr gesehen. Sie schläft tief und fest. Soll ich euch was zu essen machen?«

»Ich bring keinen Bissen runter, Mama.«

»Wo ist mein Mädchen?« Clayton kam und hob Shelbys Kinn. »Du bist ja ganz blass und erschöpft.«

»Kein Wunder.«

»Wenn du nicht schlafen kannst, geb ich dir eine Tablette. Aber erst solltest du es ohne versuchen.«

»Ja. Ich geh nach oben. Daddy, Griff hat sein Auto stehen lassen und mich mit meinem Wagen heimgefahren. Danke, Griff.« Sie drehte sich um und küsste ihn auf die Wange.

»Ich bring dich ins Bett.« Ada Mae legte den Arm um Shelbys Taille. »Danke, Griff, dass du dich so um meine Kleine gekümmert hast. Du bist ein guter Junge.«

»Bin ich dann auch eine gute Partie?«

Als Shelby leise auflachte, schaute Ada Mae verdutzt drein. »Die beste weit und breit. So, und jetzt komm, Schätzchen.«

Clayton wartete, bis die beiden oben waren. »Hast du Zeit, mir bei einem Bier mehr zu erzählen, Griff?«

»Wenn es auch eine Cola oder eine Limo sein darf, gern. Ich möchte sowieso hier auf dem Sofa übernachten.«

»Ich kann dich zu deinem Auto bringen.«

»Es wäre mir lieber, ich dürfte bei euch schlafen. Ich glaube nicht, dass es Probleme geben wird, trotzdem wäre mir wohler, wenn ich bleiben könnte.«

»Na gut. Lass uns eine Cola trinken und reden. Anschließend hole ich dir ein Kissen und eine Decke.«

Eine Stunde später streckte sich Griff auf dem Sofa aus, das ziemlich bequem war. Er hatte schon ungemütlichere Schlafgelegenheiten gehabt. Mit Blick zur Decke dachte er an Shelby und die Lieder, die sie gesungen hatte.

An das, was anschließend passiert war. Denn genau so löst man Probleme: Man ruft sich alles wieder in Erinnerung, dreht und wendet es so lange hin und her, bis ein stimmiges Bild entsteht.

Doch das einzige Bild, das er vor sich sah, war Shelby.

Sie steckte definitiv in Schwierigkeiten. Konnte er ihr deshalb nicht widerstehen, weil sie eine Frau in Not war? Nicht, dass er das jemals laut sagen würde. Denn entweder regte sich die Frau darüber auf. Oder aber es gefiel ihr. Doch in diesem Fall gehörte sie zu der Sorte, die bloß tatenlos darauf wartet, gerettet zu werden. Ein Frauentyp, der ihn zu Tode langweilen und ihn bloß nerven würde.

Es ging ihm also eindeutig nicht um eine *Frau in Not*. Stattdessen interessierte er sich für eine intelligente, starke Frau, die ein bisschen Hilfe gebrauchen konnte. Wenn man dann noch ihr Aussehen und ihre Stimme berücksichtigte, ihre ganze Art … er wäre dumm, darauf zu verzichten.

Und er war alles andere als dumm.

Griff schloss die Augen und hing seinen Gedanken nach. Dann fiel er in einen leichten, unruhigen Schlaf, bis ihn ein Geräusch aufschrecken ließ.

Das Ächzen und Knarzen eines alten Hauses? Er lauschte angestrengt.

Nein, das waren Stufen, die da knarrten, und er hörte Schritte. Er stand auf und schlich darauf zu. Dann wappnete er sich innerlich und machte das Licht an.

Shelby schlug die Hand vor den Mund, um ihren Schrei zu dämpfen.

»Ups, entschuldige bitte«, hob Griff an.

Sie winkte bloß ab, schüttelte stumm den Kopf und lehnte sich gegen die Wand. »Na ja, wieder um zehn Jahre gealtert. Was machst du denn noch hier?«

»Ich schlafe heute auf dem Sofa.«

»Aha.« Sie fuhr sich durchs Haar und zerzauste ihre wilden Locken noch mehr. Er reagierte mit jeder Faser seines Körpers darauf.

»Tut mir leid, aber ich konnte nicht schlafen und bin nach unten gegangen, um mir einen Tee zu machen.«

»Verstehe.«

»Möchtest du auch einen Tee? Oder was anderes?« Sie runzelte die Stirn. »Ein Rührei vielleicht?«

»O ja!«

Er folgte ihr in die Küche. Sie trug eine knallblaue Schlafanzughose mit gelben Blümchen, dazu ein gelbes T-Shirt.

Und sah zum Anbeißen aus.

Sie setzte den Wasserkessel auf und holte eine Pfanne aus dem Schrank.

»Ich kann einfach nicht abschalten«, sagte sie. »Aber wenn ich Daddy um eine Schlaftablette bitte, macht sich Mama nur unnötig Sorgen.«

»Deine Eltern lieben dich sehr.«

»Ja, ich kann mich glücklich schätzen.« Sie gab etwas Butter in die Pfanne, ließ sie schmelzen und verquirlte ein paar Eier. »Als mich die Frau heute Morgen mit all diesen Dingen konfrontiert hat, bin ich auf den Gedanken gekommen, dass derjenige, der den Detektiv beauftragt hat, vermutlich der Bestohlene ist.«

»Das ist sehr wahrscheinlich.«

»Jetzt frage ich mich: War diese Frau die Auftraggeberin? Hat er in ihrem Auftrag nach mir gesucht? Sie hat es abgestritten, als ich sie danach gefragt habe. Doch sie ist … war eine Lügnerin. Vielleicht hat sie ihn doch auf mich angesetzt, um mich wegen dieser Sache unter Druck zu setzen, von der ich nichts weiß.«

»Das ist eine Möglichkeit. Aber wer hat sie dann umgebracht? Der Detektiv? Warum sollte er?«

»Keine Ahnung. Vielleicht hat sie ihn hintergangen? Er hat einen Finderlohn erwähnt, falls er das Diebesgut auftreibt. Forrest und ich haben das alles nicht ernst genommen. Beziehungsweise ich habe ihn nicht ernst genommen, ihm nicht geglaubt, dass Richard so viel gestohlen haben soll.«

»Ich weiß genau, was du meinst.«

»Inzwischen glaube ich ihm. Richard und diese Frau waren bestimmt sehr gut darin, Leute zu betrügen und zu bestehlen. Vielleicht waren sie auch ein Liebespaar, und sie hat ihn betrogen. Die Frau den Detektiv, meine ich.«

»Das glaube ich kaum.«

Sie runzelte erneut die Stirn und steckte Brot in den Toaster. »Wieso nicht?«

»Wenn Liebe, Sex oder beides ins Spiel kommen, ist Mord eher eine Beziehungstat, der lange Streitigkeiten vorausgehen.«

Sie dachte nach. »Vermutlich.«

»Meistens zumindest«, sagte Griff. »Man wirft dem anderen an den Kopf, was er einem alles angetan hat, und wird handgreiflich. Dieser Mord hier kommt mir sehr kaltblütig vor.«

»Du hast sie tatsächlich gefunden?«

»Forrest hat in die eine Richtung geschaut und ich in die andere, mehr nicht.«

»Du bist so ruhig geblieben. Zumindest nach außen hin. Du

hast ganz ruhig gewirkt, als du wieder ins Lokal gekommen bist. Ich hab dir gar nicht angemerkt, dass etwas nicht stimmt. Die meisten wären in Panik geraten.«

»Ich versuche das generell zu vermeiden, weil es nichts als Chaos verursacht und nur zu weiteren Problemen führt. Das weiß ich aus bitterer Erfahrung, nachdem ich mit siebzehn aus Annie Roebucks Schlafzimmerfenster geklettert bin.«

»Du bist *raus*geklettert?«

Er grinste vielsagend. »Das Reinklettern war deutlich einfacher.«

»Hat sie mit deinem Besuch gerechnet?«

»Klar. Sechseinhalb herrliche Monate lang hat sie all meine Gedanken beherrscht. Und ich ihre. Wir haben uns aufeinander gestürzt wie Karnickel auf Crack. Dass ihre Eltern auf der anderen Seite des Flurs geschlafen haben, hat die Sache nur noch aufregender gemacht. Bis wir eines Abends im postkoitalen Koma dalagen, sie nach der Wasserflasche griff und dabei die Lampe umstieß. Es klang, als wäre eine Bombe explodiert.«

»Oje.«

»Das kannst du laut sagen. Sofort hat ihr Vater nach ihr gerufen. Ich bin aufgesprungen und hab versucht, meine Hose anzuziehen, während mir der Angstschweiß ausbrach und mein Herz raste wie verrückt. Ja, du lachst«, sagte Griff. »Aber das war der reinste Albtraum, schlimmer als ein Freddy-Krüger-Streifen. Annie ruft: *Alles bestens,* und dass sie bloß was umgestoßen hat. Sie zischt mich an, dass ich verschwinden soll, so schnell wie möglich, sie wüsste nicht mehr, ob sie die Tür abgeschlossen hätte. Also bin ich halb nackt und in panischer Angst aus dem Fenster geklettert und habe den Halt verloren.«

»Oje!«

»Autsch trifft es wohl eher. Die Azaleen haben meinen Sturz etwas gedämpft, trotzdem habe ich es geschafft, mir das Handgelenk zu brechen. Ich konnte den Schmerz förmlich sehen, als ich in Deckung ging, ein weißes grelles Licht. Wäre ich nicht in Panik geraten und wie sonst rausgeklettert, hätte ich nicht vorgeben müssen, auf dem Weg zum Klo gestürzt zu sein, damit mein Vater mich in die Notaufnahme fährt und ich meine Hand geschient bekomme.«

Shelby stellte ihm einen Teller mit Rührei und Toast hin und musste sich schwer beherrschen, ihn nicht zu knuddeln wie Callie. »Ich hoffe, du hast das alles nicht nur erfunden, um mich abzulenken?«

»Nein. Trotzdem habe ich natürlich gehofft, dass es dich ablenkt.«

»Und, was ist aus Annie geworden?«

»Sie arbeitet als Nachrichtensprecherin und war eine Weile bei einem Lokalsender in Baltimore. Inzwischen ist sie in New York. Wir mailen uns hin und wieder. Sie hat vor ein paar Jahren geheiratet, einen wirklich netten Kerl.« Er schob Rührei auf seine Gabel. »Hm, lecker.«

»Um drei Uhr morgens gibt es einfach nichts Besseres als Rührei. War das dein erstes Mal mit Annie?«

»Na ja, äh …«

»Du musst diese Frage nicht beantworten, ich will dich nicht in Verlegenheit bringen. Mein erstes Mal war mit knapp siebzehn. Es war für uns beide das erste Mal. Mit July Parker.«

»*July*?«

»Ja, weil er am ersten Juli Geburtstag hat. Er war ein lieber Kerl, und wir haben uns da irgendwie durchgefummelt.«

Sie grinste, und ihr Blick verschwamm. »Es war ganz nett, aber ich hatte keine Lust, die Erfahrung zu wiederholen. Bis zum Sommer vor dem College. Da lief es auch nicht viel besser, nur dass der Typ längst nicht so liebevoll war wie July. Danach habe ich beschlossen, mich aufs Singen, auf die Band und mein Studium zu konzentrieren. Bis Richard kam und mich total umgehauen hat. Tja, das war es dann.«

»Was ist aus July geworden?«

»Er ist Förster in Pigeon Forge. Mama erzählt mir hin und wieder von ihm. Er ist noch nicht verheiratet, hat aber eine nette Freundin. Ich nehme an, du planst, irgendwann Sex mit mir zu haben?«

Er ließ sich nichts anmerken. »Ich plane es nicht nur, ich habe es fest vor.«

»Nun, jetzt kennst du mein Vorleben. Unbeholfenes Rumfummeln. Eine herbe Enttäuschung. Und Richard. An dem nichts echt war.«

»Kein Problem, Rotschopf. Ich bring es dir schon bei.«

Sie lachte. »Das kann ich mir vorstellen, du Angeber.«

»Wie bitte?«

»Wie gesagt, Griffin, dir mangelt es wahrhaftig nicht an Selbstvertrauen.« Sie aß ihr Rührei und trug den Teller zur Spüle. »Sollte ich jemals auf deine Pläne eingehen, kann ich dir nicht versprechen, dass es gut wird. Ich kann auch kein postkoitales Koma in Aussicht stellen. Aber es wird zumindest echt sein. Gute Nacht.«

»Gute Nacht.«

Griff saß noch lange in der stillen Küche und wünschte sich, dass Richard Foxworth dieses Boot nie bestiegen oder zumindest überlebt hätte. Zu gern hätte er sich diesen Kerl gründlich vorgeknöpft. Und ihm einen gehörigen Fußtritt verpasst.

***

»Ihr richtiger Name war Melinda Warren.« Forrest stand in dem Zimmer, das einst Shelby gehört hatte, und sah zu, wie Griff die Fugen der Trockenbauwand glatt schliff. »Neununddreißig Jahre alt, geboren in Springbrook, Illinois. Sie saß wegen Betrugs im Gefängnis, das hat also gestimmt. Es war ihr erster Gefängnisaufenthalt. Davor war sie mal in einer Einrichtung für jugendliche Straftäter und ist mehrfach wegen Diebstahls, Betrugs und Fälschung verhaftet worden. Nichts davon konnte man ihr nachweisen, bis auf das letzte Mal. Und sie hat definitiv einen Jake Brimley geheiratet, in Las Vegas, vor ungefähr sieben Jahren. Eine Scheidung ist nicht aktenkundig.«

»Du bist sicher, dass Jake Brimley Richard Foxworth war?«

»Daran arbeiten wir noch. Was das Kaliber anbelangt, hat der Gerichtsmediziner recht gehabt. Ein .25-er. Ein Schuss aus nächster Nähe. Das Projektil muss durch ihr Hirn geschossen sein wie Kugeln durch einen Flipperautomaten.«

»Na reizend.« Griff schliff weiter und sah sich zu Forrest um. »Warum erzählst du mir das eigentlich alles?«

»Na ja, du hast sie schließlich gefunden und ein berechtigtes Interesse, das zu erfahren.«

»Du bist ein komischer Kauz, Pomeroy.«

»Ja, die Leute lachen, sobald sie mich sehen. Unabhängig von deinem berechtigten Interesse bin ich eigentlich hergekommen, um Shelby Bescheid zu sagen. Aber die ganze Familie ist ausgeflogen. Bis auf dich.«

»Ja«, bestätigte Griff. »Matt holt gerade Material für Montag. Außerdem bin ich der bessere Trockenbauer von uns beiden. Er hat einfach nicht die Geduld dafür.«

»Du schon.«

Griff zog die Baseballkappe tiefer ins Gesicht, damit er keinen Staub in die Augen bekam. »Es dauert ein bisschen, aber irgendwann ist die Oberfläche spiegelglatt. Shelby ist im Salon«, fügte er erklärend hinzu. »Deine Mutter ist mit Callie zu einer Blumenhandlung gefahren, um Pflanzen für etwas zu kaufen, das sie *Feengarten* nennt. Ihre Freundin Suzannah will nachher mit Chelsea vorbeikommen, und dann können die Mädchen in der Erde wühlen. Dein Vater ist in der Klinik.«

Forrest nahm einen Schluck aus der Limonadenflasche, die er mitgebracht hatte. »Du bist ja ziemlich gut informiert über meine Familie, Griff.«

»Ich habe heute Nacht auf dem Sofa geschlafen.«

Forrest nickte. »Deshalb erzähle ich dir das alles. Wenn ich nicht auf meine Familie aufpassen kann, tust du es. Dafür bin ich dir dankbar.«

»Ich hab sie ins Herz geschlossen.« Griff fuhr mit dem Finger über die Fuge. Zufrieden begann er mit der nächsten.

»Ich hatte heute Morgen Gelegenheit, mich mit Clay zu unterhalten. Wie alle Brüder fragen wir uns, ob du bloß darauf aus bist, meine Schwester ins Bett zu kriegen.«

»Meine Güte, Forrest.« Griff schlug vorsichtig mit dem Kopf gegen die Wand.

»Das ist eine ganz normale Frage.«

»Nicht, wenn ich eine Wand abschleife und du bewaffnet vor mir stehst.«

»Ich werd dich schon nicht gleich erschießen.«

Griff ließ das Grinsen seines Freundes auf sich wirken. »Wie beruhigend. Ich will einfach nur Zeit mit deiner Schwester verbringen. Mal sehen, was sich daraus entwickelt. Meiner Meinung nach hat ihr falscher toter Mann auf dem Gebiet, über das du dir Sorgen machst, so einiges kaputt gemacht.«

»Das wundert mich nicht im Geringsten. Ich muss wieder an die Arbeit.«

»Was ist mit dem anderen Typen? Mit diesem O'Hara?«

Forrest grinste erneut. »Noch ein Grund, dir das alles zu erzählen. Pass auf, der Typ heißt gar nicht O'Hara, sondern James alias Jimmy Harlow. Wie die Brünette ist auch er aufgeflogen, nur dass es ihn deutlich schlimmer erwischt hat. Wenn es stimmt, was sie damals ausgesagt hat, waren sie gerade dabei, eine reiche Witwe namens Lydia Redd Montville übers Ohr zu hauen. Sie und ihr toter Mann schwammen nur so in Geld. Foxworth, wie wir ihn der Einfachheit halber nennen wollen, hat ihr den Hof gemacht und sich als wohlhabender Kunsthändler ausgegeben.«

Forrest nahm einen weiteren Schluck aus der Flasche und gestikulierte mit ihr.

»Die Brünette hat sich als seine Assistentin ausgegeben, Harlow als sein Sicherheitsfachmann. Sie haben zwei Monate auf sie eingeredet und sie um eine knappe Million erleichtert. Aber sie konnten den Hals nicht vollkriegen. Die Lady war berühmt für ihren Schmuck und ihr verstorbener Mann für seine wertvolle Briefmarkensammlung. Der Keller war voll mit dem Zeug. Laut der Brünetten sollte das ihr letzter großer Coup werden. Danach wollten sie sich zur Ruhe setzen.«

»Das sagen sie immer.«

»Doch da begann der Sohn der Witwe, zu viele Fragen zu den Geschäften zu stellen, zu denen Foxworth sie überredet hatte. Deshalb beschlossen sie, die Sache so schnell wie möglich hinter sich zu bringen. Das ging schief.«

»Das kommt davon, wenn man überstürzt handelt. So was ist einfach zum Scheitern verurteilt.«

»Vermutlich hast du recht. Die Witwe wollte ein paar Tage in einem Wellnesstempel verbringen. Doch wie sich herausstellte, ließ sie eine komplette Runderneuerung vornehmen, eine Schönheits-OP.«

»Weil sie ihrem deutlich jüngeren Liebhaber nicht sagen wollte, dass sie sich unters Messer legt.«

»Ganz genau. Die Ganoven sind also in ihrer großen Villa und räumen den Keller aus, als der Sohn die Witwe nach Hause bringt, wo sie vermutlich abwarten will, bis ihre Narben und Blutergüsse verheilt sind. Also werden die drei in flagranti erwischt, als sie die Hand gerade in der Keksdose haben.«

»Das waren ziemlich große Kekse.«

»Entweder Foxworth oder Harlow hat auf den Sohn geschossen. Die Brünette kommt aus dem Schlafzimmer und knockt die Witwe aus. Sie hat Harlow angeblich daran gehindert, die alte Frau zu erschießen. Der wiederum behauptet, Foxworth hätte geschossen.«

»Also versucht jeder, die Schuld auf den anderen abzuwälzen. Wie erbärmlich«, sagte Griff.

»Als Nächstes, darüber sind sich Warren und Harlow einig, schnappt sich Foxworth die Tasche mit dem Schmuck und den Briefmarken. Sie hauen ab und lassen den Sohn auf einem blutigen Schlachtfeld zurück.«

»Panik ist ein schlechter Ratgeber.« Griff überprüfte sorgfältig die nächste Fuge.

»Die Witwe kommt wieder zu sich und ruft einen Krankenwagen für ihren Sohn. Sein Leben hängt am seidenen Faden, aber er kommt durch. Keiner von beiden kann sagen, wer geschossen hat. Es ist alles viel zu schnell gegangen. Der Sohn lag fast drei Wochen im Koma, kann sich also nur lückenhaft an den Vorfall erinnern.«

»Was ist mit den Bösewichtern?«

»Die haben sich getrennt und wollten sich in einem Motel auf dem Weg zu den Florida Keys treffen. Dort sollte ein Privatflugzeug auf sie warten, um sie nach St. Kitts zu bringen.«

»Da wollte ich auch immer schon mal hin. Ich schließe daraus, dass es nicht alle Bösewichter in die Karibik geschafft haben.«

»Nein. Die Brünette und Harlow tauchen wie verabredet in dem Motel auf, nicht jedoch Foxworth. Dafür die Bullen.«

»Weil Foxworth ihnen einen Tipp gegeben hat?«

»Jetzt bist du mir zuvorgekommen. Sie bekamen einen anonymen Anruf von einem Prepaid-Handy. Ich wette darauf, dass er von Foxworth kam.«

Griff riss Forrest die Limonade aus der Hand und nahm einen großen Schluck, bevor er sie ihm zurückgab. »So etwas wie Ganovenehre gibt es einfach nicht.«

»Richtig. Zu allem Überfluss hatte Harlow einen Diamantring in der Hosentasche, der allein schon hunderttausend Dollar wert war. Mit Sicherheit hat Foxworth ihm den zugesteckt, um ihm die Sache ›zu versüßen‹.«

»Das hast du schön gesagt.«

»Tja, ich kann eben gut mit Sprache umgehen. Harlow war

schon mal im Gefängnis, aber nicht wegen eines Gewaltverbrechens. Er schwört, auf niemanden geschossen zu haben. Die Brünette habe ganz genau gesehen, wer geschossen habe. Aber sie hat es geschafft, einen Deal auszuhandeln. Sie hat vier Jahre bekommen und er fünfundzwanzig. Und Foxworth ist mit den Millionen auf und davon.«

»Da kann man schon wütend werden.«

»Allerdings.«

»Aber wenn Harlow fünfundzwanzig Jahre einsitzt …«

»Ja, theoretisch. Er ist nicht mehr im Gefängnis.«

Griffs Schleifbewegungen wurden langsamer. »Wie hat er das denn geschafft?«

»Das fragen sich die Gefängnisbehörden und der Staat Florida ebenfalls. Er ist kurz vor Weihnachten ausgebrochen.«

»Na dann, frohes Fest.« Griff nahm seine Kappe ab, klopfte den Staub ab und setzte sie wieder auf. »Damit wäre er in unserem Mordfall der Hauptverdächtige. Warum hast du mir das nicht gleich gesagt?«

»Ich wollte deinen detektivischen Spürsinn testen. Ich habe dir sein Fahndungsfoto aufs Handy geschickt, wobei man sagen muss, dass alle drei sehr geschickt darin gewesen sind, ihr Äußeres zu verändern. Er ist ein ziemlicher Brecher und gut in Form.«

»So wie Big Bud?«

Forrest lachte. »Nein, ich meine groß und kräftig, nicht fett. Schau dir das Foto an. Wenn du jemanden siehst, der ihm ähnelt, halt Abstand und ruf mich an.«

»Darauf kannst du Gift nehmen. Hast du mir nicht gerade erzählt, dass er nie wegen eines Gewaltdelikts im Knast war? Die Brünette hat Shelby was ganz anderes erzählt. Nämlich dass er durchaus gewalttätig ist.«

»Ja, das wirft eindeutig Fragen auf. Pass gut auf meine Schwester auf, Griff.«

»Ich werde auf beide achtgeben.«

Forrest wandte sich zum Gehen. »Das ist aber ziemlich mühsam, was du da machst.«

Griff zuckte mit den Schultern. »Arbeit eben«, sagte er und fuhr damit fort, die Trockenbauwand glatt zu schleifen.

15

Shelby stand in Emma Kates hübscher kleiner Küche und sah zu, wie ihre Freundin eine Lasagne in den Ofen schob. Sie hatte nicht viel Zeit, doch der Wunsch, bei Emma Kate vorbeizuschauen und sich deren Wohnung anzusehen, war stärker gewesen.

»Ich lass mich heute Nacht so richtig verwöhnen.« Grinsend stellte Emma Kate die Ofenuhr. »Spinatlasagne ist Matts Lieblingsessen, und auf dem Heimweg von der Klinik hab ich einen guten Wein gekauft. Alles, was mit Spinat zu tun hat, entspricht zwar nicht unbedingt meinen Vorstellungen von einem romantischen Abendessen, aber dafür seinen umso mehr. Das hat seine Vorteile.«

»Ihr habt eine tolle Beziehung und passt wirklich gut zusammen. Eure Wohnung finde ich auch super.«

»Danke.«

Wenn sie sich vom Herd wegdrehte, schaute sie durch die ausgehängte Tür auf den Tisch, den Matt aus einem alten Metzgerhackklotz gebaut hatte und an dem die beiden ihre romantische Spinatlasagne essen würden.

»Wenn Matt und Griff da sind, fällt ihnen ständig etwas Neues ein. Hier eine Zwischenwand rausnehmen. Da einen Spritzschutz anbringen. Irgendwann werde ich Matts Wunsch nachgeben, ein eigenes Haus zu bauen. Er redet viel davon.«

»Möchtest du das auch?«

»Er hat sich richtig gut eingelebt, Shelby, und hätte gern ein einsames Grundstück oben in den Wäldern. Genau wie Griff. Ich sehe es schon von mir. Nichts als Stille. Außerdem hätte es den Vorteil, dass es uns gehört. Vielleicht werde ich ja Hobbygärtnerin? Aber noch finde ich es praktisch, nur ein paar Minuten Fußweg zur Klinik zu haben.«

»Ja, aber es ist bestimmt toll, ein Haus von Grund auf selbst zu entwerfen und zu bauen. Zu entscheiden, wo welches Zimmer hinsoll, wo die Fenster hinkommen …«

»Ich sehe schon, ihr drei könnt endlos darüber reden«, sagte Emma Kate. »Ich werde schon nervös, wenn ich mehr entscheiden soll als die Wandfarbe. In einer Wohnung wie der hier ist mehr oder weniger alles von Anfang an vorhanden. Möchtest du den Wein probieren?«

»Lieber nicht, ich kann auch nicht lange bleiben. Ich wollte bloß dich und deine Wohnung sehen. Obwohl die schon ziemlich komplett war, hast du es geschafft, der Wohnung eine persönliche Note zu geben, Emma Kate. Es ist alles so freundlich und durchdacht, typisch du eben.« Shelby ging von der Küche ins Wohnzimmer mit dem roten Sofa und den wild gemusterten Kissen. Die großen Poster mit bunten Blumenmotiven sorgten nicht nur für zusätzliche Farbakzente, sondern auch für eine schöne Atmosphäre.

»Matt hat auch ein Wörtchen mitgeredet. Dieser Geldbaum ist ein Setzling von seiner Großmutter. Er hegt und pflegt ihn wie ein Baby. Es ist wirklich rührend.«

Sie nahm Shelbys Arm.

»Ich habe dir etwas Zeit gelassen, aber wie ich sehe, willst du nicht über gestern Abend und die damit verbundenen Ereignisse reden.«

»Ehrlich gesagt, nein. Aber ich kann dir sagen, dass die Frau weder Natalie noch Madeline hieß, sondern Melinda Warren. Und dass der Mann, vor dem sie mich gewarnt hat, ein gewisser James Harlow ist. Er ist aus dem Gefängnis ausgebrochen, Emma Kate. So gegen Weihnachten.«

Shelby zückte ihr Handy.

»Das ist das Foto, das Forrest mir von ihm geschickt hat. Nimm dich bloß in Acht, wenn du ihn siehst. Forrest meint, dass er inzwischen bestimmt eine neue Frisur hat und anders aussieht. Aber er ist eins neunzig groß und wiegt hundertzehn Kilo. Daran dürfte er nicht allzu viel ändern können.«

»Ich werd die Augen offen halten. Das ist ein Fahndungsfoto, oder?«

»Ich denke schon.«

Emma Kate warf einen zweiten Blick darauf und schüttelte den Kopf. »Eigentlich sollte man meinen, dass er darauf brutal aussehen sollte oder zumindest irgendwie hinterhältig. Dabei wirkt er durchaus sympathisch. Eher wie jemand, der auf der Highschool im Footballteam war, jetzt Sozialkunde unterrichtet und als Trainer arbeitet.«

»Genau dieses sympathische Auftreten ermöglicht es solchen Leuten, zu stehlen und zu betrügen.«

»Wahrscheinlich hast du recht. Die Polizei glaubt, er ist der Mörder?«

»Wer sonst?« Shelby hatte sich das auch schon zig Mal gefragt, ohne eine andere Antwort zu finden.

»Vermutlich vernehmen sie alle, die gestern Abend im Lokal waren, und hören sich im Ort um. Forrest sagt, sie versuchen, den Detektiv ausfindig zu machen, der mit mir gesprochen hat, aber noch haben sie ihn nicht zu fassen bekommen.«

»Wir haben Wochenende.«

»Ja. Aber in einem Punkt hat Melinda Warren tatsächlich die Wahrheit gesagt. Sie war verheiratet.«

»Mit Richard?« Diesmal ließ Emma Kate die Hand auf Shelbys Arm liegen.

»Höchstwahrscheinlich, ja. Es stehen noch einige Informationen und Unterlagen aus, die belegen, dass sie wirklich mit dem Mann verheiratet war, den ich für meinen Ehemann gehalten habe. Höchstwahrscheinlich zu Unrecht, Emma Kate.«

»Shelby … schlimmer wäre es, wenn du tatsächlich mit ihm verheiratet gewesen wärst.«

Das hatte sich Shelby auch schon gedacht. War sie verletzt? War sie traurig? War sie wütend? Ein bisschen was von allem. In erster Linie war sie erleichtert.

»Ja, ich bin froh darüber.« Getröstet legte sie eine Hand auf die von Emma Kate. »So schlimm sich das auch anhört. Letztlich bin ich froh darüber.«

»Ich finde das gar nicht schlimm, sondern intelligent und vernünftig.« Sie verschränkte ihre Finger mit Shelbys. »Und ich bin auch froh darüber.«

»Er hat mich für blöd gehalten, dabei war ich nur anpassungsfähig.«

Nachdem sie Emma Kates Hand gedrückt hatte, lief sie in der kleinen hellen Wohnung auf und ab.

»Wenn ich nur daran denke, werde ich unglaublich wütend. Ich finde es einfach wahnsinnig kränkend.«

»Das kann ich mir vorstellen.«

»Damals dachte ich, ich muss die Familie zusammenhalten. Dabei waren wir gar keine richtige Familie. Ich dachte, ich müsste tapfer sein, durchhalten, und dann würde alles gut. Aber nichts ist gut. Nicht, solange dieser Harlow frei rumläuft. Keine Ahnung, ob der Schmuck dieser Frau und ihre Briefmarken je wieder auftauchen. Ich habe wirklich nicht die leiseste Ahnung, was Richard damit angestellt haben könnte.«

»Das ist nicht dein Problem, Shelby.«

»O doch.« Sie ging zum Fenster und genoss Emma Kates Blick auf Rendezvous Ridge, auf die kurvige, steile, von Häusern gesäumte Straße.

Überall Holzbottiche und Töpfe mit Blumen in kräftigen Rot- und Blautönen, die inzwischen die pastellfarbenen Frühlingsblumen ersetzten.

Wanderer mit Rucksäcken und ein paar Einheimische, die vor

dem Salon ihrer Großmutter und dem Herrenfriseur in der Sonne saßen.

Sie konnte sogar die Quelle erkennen und eine junge Familie, die das Informationsschild las. Ein paar Jungs rannten einem gefleckten Hund nach, der sich losgerissen hatte, und sie musste lächeln.

Dann wandte sie sich wieder von der schönen Aussicht ab und kehrte in die nicht ganz so idyllische Gegenwart zurück.

»Angenommen, die Polizei entdeckt die Beute oder findet zumindest heraus, was Richard damit angestellt hat. Dann müsste ich mir wenigstens diesbezüglich keine Sorgen mehr machen, und der Fall wäre erledigt.«

»Es bringt dir auch so nichts, dir Sorgen zu machen.«

»Das stimmt.« Shelby lächelte über die ebenso pragmatische wie beruhigende Art ihrer Freundin. »Und wer weiß? Vielleicht fällt mir ja doch noch was ein, wenn ich nicht jede Sekunde darüber nachgrüble.«

»Mir kommen die besten Ideen beim Staubsaugen. Dabei hasse ich Staubsaugen.«

»Das war schon immer so.«

»Ja. Dabei lasse ich die Gedanken schweifen und habe gute Einfälle.«

»Na, hoffen wir das Beste. Jetzt muss ich dringend nach Hause. Mama hat mit Callie und ihrer Freundin einen Miniaturgarten gepflanzt, einen *Feengarten*. Den möchte ich mir ansehen. Weißt du noch, wie meine Mutter das mit uns gemacht hat?«

»Ja. Jeden Frühling, als wir noch klein waren. Ich werde es auch so halten, falls unser Traum vom eigenen Haus jemals wahr werden sollte.«

»Du könntest dir einen auf der Fensterbank anlegen, in einem Blumenkasten.«

»Stimmt, daran habe ich noch gar nicht gedacht. Demnächst werde ich losziehen und Pflanzen sowie Pflanzgefäße besorgen. Das wird bestimmt toll.«

»Mit Sicherheit.«

»Ich könnte … Warte kurz!« Emma Kate griff nach ihrem Handy, das eine SMS ankündigte. »Matt schreibt, dass er in etwa einer halben Stunde zu Hause ist. Vermutlich eher in einer Stunde, wenn er Griff noch im Haus hilft und die beiden erst mal anfangen zu fachsimpeln.«

»Ja, das kann dauern. Ich bin übrigens am Dienstag mit Griff verabredet.«

Emma Kate zog die Brauen hoch. »Ach ja? Und das sagst du mir erst jetzt?«

»Ich weiß nicht, worauf es hinauslaufen wird, aber ich möchte mir auf jeden Fall sein Haus anschauen. Ich wollte immer schon sehen, was jemand mit dem richtigen Gespür aus diesem Grundstück machen kann.«

Die Brauen blieben, wo sie waren. »Du gehst da also nur hin, um das Haus zu besichtigen?«

»Nein, nicht nur, aber auch. Ehrlich gesagt weiß ich nicht, worauf das mit Griff und mir hinausläuft.«

»Ich hätte da einen Vorschlag.« Emma Kate hob beide Zeigefinger. »Wie wär's damit, zur Abwechslung mal etwas Priorität einzuräumen, das du in den letzten Jahren völlig vernachlässigt hast? Wie wär's damit, einfach zu tun, worauf du Lust hast?«

»Jetzt, wo du es sagst …« Shelby lachte gelöst. »Im Grunde hätte ich große Lust, mich auf ihn zu stürzen. Aber mein Kopf rät mir, es langsam angehen zu lassen.«

»Und, wer wird die Oberhand gewinnen, Kopf oder Bauch?«

»Keine Ahnung. Ich hatte wirklich nicht vor, mich in Griffin zu verlieben. Bei dem, was ich alles noch abhaken muss …«

»Ich werd dich am Mittwochvormittag anrufen. Mal sehen, ob Sex mit Griff dann abgehakt ist.«

Jetzt hob Shelby die Brauen. »Das stand ehrlich gesagt nicht auf meiner Liste.«

»Sollte es aber«, schlug Emma Kate vor.

Nun … vielleicht würde sie das tatsächlich irgendwann auf ihre Liste setzen. Aber bis es so weit war, würde sie zuerst das Wochenende mit ihrer Tochter verbringen.

* * *

Am Montag fehlte von Jimmy Harlow nach wie vor jede Spur. Niemand, auf den seine Beschreibung passte, war in Rendezvous Ridge gewesen oder hatte sich in dem Hotel in Gatlinburg nach der Brünetten erkundigt.

Shelby beschloss, optimistisch zu bleiben. Vermutlich hatte er sich nur an Melinda Warren rächen wollen und war längst über alle Berge.

Sie parkte vor dem Salon. Weil sie noch ein bisschen Zeit hatte, schaute sie kurz im *Bootlegger's* vorbei. Sie klopfte, und Tansy machte ihr auf.

»Shelby.« Tansy zog sie in eine Umarmung. »Ich habe das ganze Wochenende an dich gedacht.«

»Es tut mir alles so leid, Tansy.«

»Allen tut es leid. Komm rein und setz dich.«

»Ich muss gleich zur Arbeit, wollte aber erst bei dir vorbeischauen und dir sagen, dass ich gut verstehen kann, wenn Derrick und du die *Friday Nights* abblasen wollt.«

»Wieso sollten wir?«

»Die Zugabe war nicht gerade das, was wir für mein Debüt erhofft haben.«

»Das hatte doch nichts mit uns oder dir zu tun. Erst gestern hat Derrick mit dem Sheriff gesprochen. Die Polizei betrachtet es als Racheakt, als Altlast, die diese Frau mitgebracht hat.«

»Ich gehöre auch zu diesen Altlasten.«

»Das sehe ich anders. Das ist …« Abrupt ließ sie sich auf einen Stuhl sinken. »Morgens wird mir immer ein bisschen schwindelig.«

272

»Und jetzt komm auch noch ich und stress dich. Warte, ich hol dir einen kalten Lappen.«

»Eine Limonade wär mir lieber.«

Schnell trat Shelby hinter die Bar und goss zerstoßenes Eis mit Ingwerlimonade auf. »Schön langsam trinken«, befahl sie, holte einen sauberen Lappen von der Bar, tränkte ihn mit kaltem Wasser und wrang ihn aus.

Dann hob sie Tansys Haar und legte ihr den Lappen in den Nacken. Tansy seufzte wohlig auf.

»Das tut wirklich gut.«

»Bei mir hat das immer hervorragend funktioniert, als ich mit Callie schwanger war.«

»Vor allem morgens passiert mir das noch, es geht aber normalerweise schnell wieder vorbei. Manchmal dauert es ein bisschen länger und überfällt mich ein-, zweimal. Diese Übelkeit, du weißt schon.«

»O ja. Es ist schon seltsam, dass so etwas Wunderbares wie werdendes Leben Übelkeit verursacht. Das scheint der Preis zu sein, den man dafür zahlen muss – aber am Ende ist es locker das Doppelte und Dreifache wert.«

»Das sag ich mir auch jeden Morgen, wenn ich mit dem Kopf über der Kloschüssel hänge.«

Als Shelby den Lappen umdrehte, damit die kühlere Seite Tansys Haut berührte, seufzte ihre Freundin erneut.

»Es wird schon besser. Den Trick muss ich mir merken.« Sie tätschelte Shelbys Arm. »Danke.«

»Möchtest du ein paar Cracker? Ich kann welche aus der Küche holen.«

»Nein, wirklich, es geht schon wieder. So, und jetzt setz dich und lass dich von mir aufpäppeln.«

Tansy drehte Shelby zu sich herum und sah ihr direkt in die Augen. »Diese Warren war eine furchtbare Person. Nach allem, was ich über sie weiß, war sie eine gewissenlose Egoistin. Sie hatte es zwar nicht verdient zu sterben, trotzdem war sie eine furchtbare Person. Wer auch immer sie umgebracht hat, ist genauso furchtbar. Du kanntest diese Leute nicht mal, Shelby.«

»Aber ich kannte Richard. Zumindest dachte ich das.«

Tansy, die wieder ganz die Alte war, stieß nur ein verächtliches Zischen aus. »Derrick hat einen Cousin in Memphis, der davon lebt, dass er Drogen vertickt. Deswegen hat er noch lange nichts mit der Sache zu tun. Bist du zu verstört, um freitags zu singen? Ich könnte das gut verstehen. Eine Kellnerin hat uns deshalb bereits gekündigt.«

»Ach herrje, das tut mir leid.«

»Vergiss es. Ihre Mutter ist ausgeflippt und meinte, wenn hier Leute erschossen würden, könnte sie gleich in *Shady's Bar* arbeiten. Als ob das jede Woche vorkommen würde. Sie war ohnehin eine Memme«, fügte sie verächtlich hinzu. »Lorna ist nicht traurig, dass sie geht.«

»Ich bin nicht verstört, nicht deswegen. Wenn ihr wollt, dass ich singe, stehe ich nach wie vor zur Verfügung. Ich habe das nächste Programm bereits zusammengestellt.«

»Dann werde ich heute neue Flyer verteilen. Wir haben am Freitag sämtliche Rekorde gebrochen.«

»Tatsächlich?«

»Wir hatten sogar mehr Umsatz als mit den Rough Riders aus Nashville. Dreiundfünfzig Dollar und sechs Cent mehr! Bitte mail mir so bald wie möglich deine Songs, damit ich die Karaokemaschine programmieren kann. Wie geht es deiner Mutter und dem Rest der Familie?«

»Es geht so. Ich sollte lieber gehen, bevor Granny meinen Lohn einbehält.«

Shelby betrat pünktlich den Salon und machte sich sofort an die Arbeit. Sie fegte den Innenhof, goss die Blumen und spannte Sonnenschirme auf, damit die Kunden mehrere Schattenplätze zur Auswahl hatten.

Anschließend gab es jede Menge Handtücher zusammenzufalten. Als sie wieder in den Hauptraum kam, sah sie ihre Großmutter, deren Stuhl bereits besetzt war. Crystal plauderte fröhlich mit der Frau, die sie gerade shampoonierte.

Melody Bunker sowie Jolene Newton saßen in den Pediküre-stühlen und hielten ihre Füße ins Sprudelbad.

Seit ihrer Rückkehr war sie Jolene noch nicht über den Weg gelaufen. Melody hatte sie nach ihrer Begegnung im *Artful Ridge* auch nicht mehr gesehen. Dabei hätte sie es gern belassen. Aber da sie gelernt hatte, höflich zu sein, blieb sie auf dem Weg zu den vorderen Behandlungszimmern kurz stehen.

»Hallo, Jolene. Wie geht es dir?«

»Das muss Shelby sein.« Die junge Frau ließ ihr Hochglanzmagazin in den Schoß sinken und riss den Kopf herum, dass ihr hoch sitzender Pferdeschwanz wippte. »Du hast dich wirklich kein bisschen verändert, obwohl du so viel durchgemacht hast. Lässt du dir heute auch die Nägel machen?«

»Nein, ich arbeite hier.«

»Tatsächlich?« Jolene riss die haselnussbraunen Augen auf als wäre ihr das vollkommen neu.

»Ach so, stimmt, das hast du mir ja erzählt, nicht war, Melody? Dass Shelby wieder bei *Vi's* arbeitet, genau wie zu Highschool-Zeiten.«

»Vermutlich ja.« Ohne aufzublicken, blätterte Melody in ihrer Zeitschrift. »Wie ich sehe, bist du meinem Rat gefolgt, Shelby, und hast dir einen Job gesucht, der deinen Fähigkeiten entspricht.«

»Danke. Ich hatte ganz vergessen, wie gern ich hier immer gearbeitet habe. Genießt eure Pediküre.« Sie ging zur Rezeption, um einen Anruf entgegenzunehmen, machte einen Termin und setzte ihren Weg zu den vorderen Behandlungszimmern fort.

Aus den Augenwinkeln sah sie, wie Melody und Jolene die Köpfe zusammensteckten, kurz darauf erschallte Jolenes schrilles Kichern. Genau wie in der Highschool.

Sie beachtete die beiden nicht weiter, sie hatte Wichtigeres zu tun.

Als sie erneut in den Salon zurückkehrte, saßen Maybeline und Lorilee, Mutter und Tochter, auf ihren Hockern, um die Hornhaut der Kundinnen abzuraspeln.

Sie hatten sich also die Deluxe-Version gegönnt. Shelby kontrollierte, ob das Enthaarungswachs heiß war, überprüfte die Umkleiden, nahm die benutzten Bademäntel mit und erledigte den Rest ihrer Vormittagsaktivitäten.

Sie unterhielt sich freundlich mit einer Frau aus Ohio, die sich eine kurze Auszeit vom Wandern mit ihrem Freund genommen hatte, und bot an, ihr ein Mittagessen zu holen. Schließlich hatte die Frau einen ganzen Tag gebucht.

»Sie können draußen im Garten essen, wenn Sie möchten. Es ist so ein schöner Tag.«

»Das hört sich gut an. Ich könnte nicht zufällig ein Glas Wein dazubekommen?«

»Doch, natürlich.« Shelby legte ihr ein paar Speisekarten hin. »Sagen Sie mir einfach, worauf Sie Lust haben, ich besorg es Ihnen dann. So gegen Viertel nach eins, zwischen Aromatherapiewickel und Vitamingesichtsmaske?«

»Ach, ich werde hier wirklich herrlich verwöhnt.«

»Genau so soll es sein.«

»Das ist fantastisch. Ehrlich gesagt hatte ich den Wellnesstag nur gebucht, um nicht drei Tage hintereinander wandern zu müssen. Aber hier ist alles perfekt, die Leute sind unglaublich nett. Könnte ich bitte den Gärtnerinnen-Salat mit der gegrillten Hühnerbrust haben? Das Dressing bitte extra. Dazu ein Glas Chardonnay? Das wäre himmlisch.«

»Wird gemacht.«

»Die Frau da vorne, die Eigentümerin, ist das Ihre Mutter? Sie sehen ihr ähnlich.«

»Meine Großmutter. Meine Mama übernimmt nachher Ihre Gesichtsbehandlung.«

»Ihre Großmutter? Das soll wohl ein Witz sein.«

Shelby lachte. »Ich werd's ihr ausrichten, sie wird sich freuen. Kann ich Ihnen sonst noch etwas bringen?«

»Nein, ich bin wunschlos glücklich.« Die Frau machte es sich in einem der Sessel bequem. »Ich werde einfach nur dasitzen und mich erholen.«

»Machen Sie das. Sasha holt Sie in zehn Minuten ab, dann bekommen Sie den Aromatherapiewickel.«

Mit einem Lächeln ging Shelby zur Rezeption und bestellte das Essen für ein Uhr. Sie wollte sich gerade zu ihrer Großmutter umdrehen, als Jolene ihr ein Zeichen gab.

»Das ist eine schöne Farbe«, sagte Shelby und zeigte mit dem Kinn auf Jolenes rosa Zehennägel.

»Sie erinnert mich an die Pfingstrosen meiner Mutter. Was ich vorhin noch sagen wollte, bevor du so beschäftigt warst. Wie ich gehört habe, singst du freitags im *Bootlegger's*. Tut mir leid, dass ich es letztes Mal nicht geschafft habe. Doch nachdem ich gehört habe, was passiert ist, war ich froh darüber. Ich glaube, ich hätte einen Herzinfarkt bekommen, wenn ich erfahren hätte, dass draußen vor der Tür eine Frau erschossen wurde.« Sie legte die Hand aufs Herz, als wäre sie in akuter Lebensgefahr. »Wie ich hörte, hast du sie gekannt. Stimmt das?«

Shelby sah kurz zu Melody hinüber. »Ich weiß, dass du Melody für eine vertrauenswürdige Quelle hältst. Und Melody weiß, dass du alles tust, was sie dir sagt.«

»Wieso denn das, Shelby? Ich hab dich doch bloß gefragt, was ...«

»Was du mich von Melody aus fragen solltest. Die Antwort lautet: Nein, ich kann nicht behaupten, sie gekannt zu haben.«

»Dein *Mann* hat sie gekannt«, sagte Melody. »Der gar nicht dein Mann war, wie sich herausgestellt hat.«

»Anscheinend nicht.«

»Es muss furchtbar sein, so hintergangen worden zu sein.«

Jolene ließ nicht locker. »Ich würde sterben, wenn ich mit so jemandem jahrelang zusammengelebt und sogar ein Kind von ihm hätte. Nur um dann zu erfahren, dass er ein Doppelleben geführt hat.«

»Wie du siehst, bin ich quicklebendig. Ich bin wohl nicht so empfindlich wie du.«

Shelby trat einen Schritt zurück.

»Du scheinst im Moment nicht sehr beschäftigt zu sein. Ich hätte gern ein Glas Mineralwasser mit Eis.«

»Ich hol es schon«, hob Maybeline an, aber Melody brachte sie mit einem eisigen Blick zum Schweigen. »Du bist gerade dabei, mir die Nägel zu lackieren. Shelby holt es mir bestimmt, nicht wahr, Shelby?«

»Ja. Möchtest du auch etwas, Jolene?«

»Nein danke.«

Shelby drehte sich um und ging in die kleine Küche. Sie konnte sich nachher aufregen, zuerst würde sie ihnen dieses verdammte Wasser bringen.

Sie trug die Gläser hinaus und gab eines Jolene.

»Danke, Shelby.«

»Gern geschehen.«

Als sie das andere Melody reichte, stieß diese absichtlich dagegen, sodass es überschwappte.

»Schau nur, was du angerichtet hast.«

»Ich hol schnell ein Handtuch.«

»Diese Caprihose ist aus Seide, und jetzt hat sie Wasserflecken. Was schlägst du vor?«

»Ich hol schnell ein Handtuch.«

»Das hast du wahrscheinlich mit Absicht gemacht, weil ich dich nicht in meinem Laden arbeiten lasse.«

»Soweit ich weiß, gehört der Laden deiner Großmutter. Glaub mir, wenn ich das mit Absicht gemacht hätte, hätte ich dir das ganze Glas in den Schoß geschüttet. Möchtest du jetzt ein Handtuch oder nicht, Melody?«

»Von dir möchte ich gar nichts mehr.«

Shelby merkte, dass es im Salon mucksmäuschenstill geworden war. Sogar die Haartrockner waren ausgeschaltet worden. Alle hatten die Ohren gespitzt. Also lächelte sie. »Nun, Melody, du bist wirklich genauso gehässig und selbstgefällig wie in der Highschool. Es muss schwer sein, das auszuhalten. Du tust mir wirklich aufrichtig leid.«

»*Ich* tue *dir* leid?«

Melody ließ die Zeitschrift fallen, die mit einem lauten Knall auf dem Fußboden landete. »Du bist diejenige, die wieder angekrochen kam. Und was hast du uns mitgebracht?«

Ihre Stimme wurde schrill, und sie bekam rote Flecken im Gesicht.

»Meine Tochter habe ich mitgebracht, und sonst gar nichts. Du hast unschöne Flecken im Gesicht, Melody. Ich glaube, du solltest dringend einen Schluck von diesem Wasser trinken.«

»Erzähl mir bloß nicht, was ich zu tun und zu lassen habe. *Ich* bin die Kundin. Du fegst bloß den Boden, weil du nicht mal in der Lage bist, so was Simples zu tun, wie Nägel zu polieren oder mit einem Lockenstab umzugehen.«

»Simpel.« Shelby hörte, wie Maybeline laut schnaubte. Dann schraubte die langjährige Angestellte energisch das Nagellackfläschchen zu, obwohl erst die Hälfte von Melodys Zehen lackiert war.

»Melody«, hob Jolene versöhnlich an und biss sich angesichts von Maybelines versteinertem Gesichtsausdruck auf die Unterlippe.

Melody schlug Jolenes Hand einfach weg. »Du solltest lieber ein bisschen Dankbarkeit zeigen, nach allem, was du hinter dir hast. Wessen Schuld ist es wohl, dass am Freitagabend in unserem Ort eine Frau erschossen worden ist?«

»Ich würde sagen, die Schuld desjenigen, der den Abzug betätigt hat.«

»Wärst du nicht zurückgekommen, wäre das gar nicht erst passiert. Mit dieser Auffassung stehe ich nicht allein da. Niemand, der ganz bei Trost ist, möchte etwas mit dir zu tun haben. Du bist diejenige, die mit einem *Verbrecher* auf und davon ist. Erzähl mir nicht, dass du dir eingebildet hast, wirklich mit ihm verheiratet zu sein. Bestimmt hast du die Leute belogen und betrogen, genau wie er. Und jetzt, wo er tot ist und du in der Patsche steckst, kommst du mit deinem unehelichen Kind wieder angekrochen.«

»Pass auf, was du sagst, Melody«, warnte Shelby. »Ich an deiner Stelle würde sehr gut aufpassen, was ich sage.«

»Ich sage, was ich will und was die meisten denken.«

»Aber nicht in meinem Salon.« Viola packte Shelbys Arm und nahm ihr das Wasserglas aus der Hand, mit dem diese beinahe ausgeholt hätte. »Ich habe dich gerade davor bewahrt, pitschnass zu werden oder Schlimmeres, weil Shelby kurz davorstand, etwas zu tun, was ich selbst gern tun würde. Nämlich dich aus diesem Stuhl zerren und dir ein paar saftige Ohrfeigen verpassen, du mitleiderregendes, widerwärtiges Mädchen.«

»Wagen Sie es nicht, in diesem Ton mit mir zu reden. Für wen halten Sie sich eigentlich?«

»Ich bin Viola MacNee Donahue, und das ist mein Salon. Ich rede in einem Ton mit dir, der absolut angemessen ist und den ich schon längst hätte anschlagen sollen. Und jetzt seht bitte zu, dass ihr so schnell wie möglich verschwindet. Steht auf und geht und wagt es bloß nicht, euch je wieder bei mir blicken zu lassen.«

»Wir sind noch nicht fertig«, hob Melody an.

»Du bist fertig, und zwar so was von fertig. Ich möchte kein Geld von euch. Seht zu, dass ihr fortkommt. Keine von euch wird meinen Salon je wieder betreten.«

»Ach, aber Miz Vi! Crystal macht mir doch die Hochzeitsfrisur.« Tränen standen in Jolenes Augen. »Ich habe einen ganzen Tag gebucht.«

»Der Auftrag wurde soeben storniert.«

»Mach dir keine Sorgen, Jolene.« Melody schnappte sich die Zeitschrift, die noch in Jolenes Schoß lag, und warf sie quer durch den Raum. »Bezahl Crystal einfach dafür, dass sie zu dir nach Hause kommt.«

»So viel kann sie mir gar nicht bezahlen«, rief Crystal.

»Crystal …«

»Schäm dich, Jolene.« Crystal beugte sich vor und hob die Zeitschrift auf. »Von Melody sind wir ja einiges gewohnt, aber du solltest dich wirklich schämen.«

»Wir sind nicht auf dich angewiesen«, zischte Melody, während Jolene schluchzte. »Du bist doch gerade erst gestern aus der Gosse gekrochen. Auf diesen Salon können wir gut verzichten. Ich komme sowieso bloß hierher, weil ich Läden aus der Region unterstützen möchte. Es gibt jede Menge andere Salons, die deutlich mehr Stil haben.«

»Du hast offensichtlich nie gelernt, was Stil bedeutet«, bemerkte Viola, als Melody nach ihren Schuhen griff. »Und das bei deiner Großmutter. Sie wird sehr enttäuscht von dir sein, wenn ich ihr erzähle, wie du dich aufgeführt hast. Vor allem gegenüber meiner Enkelin. Sie wird dir gehörig den Kopf waschen.« Melodys rotes Gesicht erblasste. »Du scheinst ganz vergessen zu haben, dass ich deine Großmutter seit über vierzig Jahren kenne. Wir schätzen einander sehr.«

»Erzählen Sie ihr doch, was Sie wollen.«

»Das werde ich. Und jetzt schwing deinen zweitplatzierten Hintern aus meinem Salon.«

Melody rauschte davon, während sich Jolene mühsam aufrappelte. »Warte, Melody, warte! Ach, Miz Vi.«

»Du hast dir diese Freundin selbst ausgesucht, Jolene. Vielleicht solltest du endlich erwachsen werden. So, raus hier.«

Schluchzend rannte Jolene hinaus.

Nach einem kurzen Moment der Stille begannen Angestellte wie Kunden zu klatschen.

»Ich schwöre dir, Vi«, sagte die Frau in Violas Stuhl und drehte sich mit ihm herum. »Ein Besuch bei dir ist spannender als jede Seifenoper.«

Da sie es bereits geholt hatte, trank Shelby das Wasser selbst aus. »Tut mir leid, Granny. Ich hätte sie nicht geohrfeigt. Sondern sie aus dem Stuhl gezerrt und ihr die Fresse poliert. Niemand redet so über meine Kleine.«

»Oder meine.« Viola umarmte Shelby mit einem Arm.

»Wirst du ihre Großmutter tatsächlich anrufen?«

»Das muss ich gar nicht. Melody ruft Flo mit Sicherheit gleich selbst an. Flo liebt ihre Enkelin, kennt sie aber genau. Noch in der nächsten halben Stunde wird mein Telefon klingeln. Maybeline, Lorilee, ihr nehmt euch bitte euer normales Trinkgeld für eine Pediküre aus der Kasse.«

»Nein, Madam«, sagten sie einstimmig.

»Das muss wirklich nicht sein«, fügte Maybeline hinzu. »Bitte, Viola, ich möchte kein Wort mehr darüber verlieren. Dieses Mädchen kann von Glück sagen, dass ich es nicht mit der Nagelschere erstochen habe. Shelby, sie hat eine halbe Stunde lang nichts als Unsinn über dich verbreitet. Ich bin froh, dass ich sie nie mehr sehen muss. Sie hat ohnehin immer mit Trinkgeld gegeizt.«

»Jolene ist eigentlich ganz in Ordnung, wenn sie allein ist«, sagte Lorilee. »Aber beide zusammen sind der reinste Albtraum.«

»Na gut.« Mit einem Funken Stolz trotz des Ärgers verkündete Viola: »Dann lad ich euch eben alle zum Mittagessen ein.«

»Wir feiern«, rief Crystal. »Die Zweitplatzierte kann uns mal.« Sie stieß ein höhnisches Lachen aus. »Miz Vi, ich liebe Sie wirklich über alles.«

»Ich dich auch.« Shelby schmiegte ihre Wange an die von Viola. »Ich dich auch.«

* * *

Der Mord und Melodys Rausschmiss bei Viola ließen die Gerüchteküche überkochen. Es stimmte, dass es in Rendezvous Ridge seit drei, vier Jahren keinen Mord mehr gegeben hatte. Nicht, seit Barlow Keith seinen Schwager erschossen und zwei Passanten verletzt hatte, wegen einer albernen Billard-Wette in *Shadys Bar*. Nur diesmal kannte keiner die Frau, die gerade in der Kühlung des Bestattungsinstituts lag. Genauer gesagt, in dessen Anbau, der vom Rechtsmediziner benutzt wurde.

Dafür kannten alle Melody und Viola, sodass diese Geschichte die größten Wellen schlug.

Vor allem als sich am Dienstagvormittag herumsprach, dass Florence Piedmont ihrer Enkelin befohlen hatte, sich bei Shelby und Viola zu entschuldigen.

Mit angehaltenem Atem wartete der ganze Ort darauf, ob Melody ihr gehorchen würde oder nicht.

»Ich kann auf ihre Entschuldigung gut verzichten.« Shelby stapelte frische Handtücher neben den Waschbecken. »Sie kommt sowieso nicht von Herzen, also wozu das Ganze?«

»Allein, dass sie es tut und du ihre Entschuldigung annimmst, wird ihre Großmutter beruhigen.« Ausnahmsweise einmal saß Viola selbst im Stuhl, während Crystal ihr die Ansätze nachfärbte.

»Na ja, wenn das so ist, bin ich notfalls bereit, so zu tun, als würde ich die Entschuldigung annehmen.«

»Es dürfte ein paar Tage dauern, aber irgendwann ist es so weit. Das Mädchen weiß genau, dass es den Ast nicht absägen darf, auf dem es sitzt. Wir haben heute nicht viel zu tun. Warum lässt du dir von Maybeline nicht eine schöne Pediküre machen? Es ist bestimmt nett, schöne Füße zu haben, wenn du dich heute Abend mit Griff triffst.«

Crystal und Maybeline, die momentan die Einzigen im Salon waren, sahen wie auf Kommando zu Shelby hinüber.

»Ich weiß nicht, ob ihm meine Füße großartig auffallen werden.«

»Ein Mann, der sich für eine Frau interessiert, bemerkt alles an ihr.«

»Das stimmt«, pflichtete Crystal Viola bei. »Aber irgendwann würden sie es nicht mal mehr merken, wenn dir eine sechste Zehe wächst und du sie in allen Regenbogenfarben lackierst. Vor allem, wenn Sport im Fernsehen läuft und sie ein Bier in der Hand halten.«

»Wir haben ein paar schöne Frühlingsfarben«, warf Maybeline ein. »*Mitternachtsblau* zum Beispiel, die passt toll zu deinen Augen. Ich habe heute Vormittag drei Maniküren und danach nur noch eine Pediküre. Ich würde dir gern die Fußnägel machen, Shelby.«

»Wenn du Zeit dazu hast, würde ich mich freuen. Danke, Maybeline.«

»Was wirst du anziehen? Zu deiner Verabredung mit Griff?«, fragte Crystal.

»Das weiß ich noch nicht. Außerdem gehe ich wirklich in erster Linie zu ihm, um das Haus zu sehen. Ich habe den alten Kasten schon immer geliebt und bin neugierig, was er damit angestellt hat.«

»Da er dich bekocht, solltest du was Nettes anziehen.«

Shelby drehte sich zu ihrer Großmutter um. »Er bekocht mich? Woher weißt du das?«

»Weil er am Sonntagnachmittag bei mir vorbeigeschaut und sich ganz nebenbei erkundigt hat, ob du irgendwas besonders gern isst.«

»Ich dachte, er würde einfach was kaufen.« Im Augenblick wusste sie nicht, ob sie geschmeichelt oder nervös sein sollte. »Was kocht er denn?«

»Ich glaube, das soll eine Überraschung sein. Du solltest ein nettes Kleid anziehen. Nichts Übertriebenes, einfach nur ein nettes Kleid. Du hast schöne Beine, Mädchen, schöne lange Beine. Die hast du von mir geerbt.«

»Und schöne Unterwäsche.«

»Crystal.« Maybeline wurde rot und kicherte wie ein kleines Mädchen.

»Eine Frau sollte ohnehin jeden Tag schöne Unterwäsche tragen, aber erst recht zu einer Verabredung. Das hebt das Selbstbewusstsein, finde ich. Außerdem sollte man stets gut vorbereitet sein.«

»Wenn ich Jackson scharfmachen will, muss ich nur einen schwarzen BH und ein passendes Höschen anziehen.«

»Ach, Granny.« Peinlich berührt schlug Shelby die Hände vors Gesicht.

»Hätte ich das nicht gemacht, würde es dich gar nicht geben. Wenn ich deiner Mama glauben darf, scheint dein Vater Dunkelblau zu bevorzugen, was die Dessous angeht.«

»Ich glaub, ich geh kurz nach hinten, ein paar Sachen überprüfen.«

»Was denn?«, erkundigte sich Viola.

»Egal was. Hauptsache, meine Eltern und Großeltern werden nicht scharf davon.«

Shelby machte, dass sie wegkam. Doch das Lachen der Frauen war nicht zu überhören.

* * *

Shelby ließ sich die Zehennägel in einem schönen dunklen Lila lackieren, und weil Callie nicht lockerließ, zog sie ein narzissengelbes Kleid an. Darunter einen weißen Spitzen-BH mit gelben Blümchen sowie ein passendes Höschen.

Nicht, dass diese Dessous irgendjemand zu Gesicht bekommen würde, aber vielleicht würden sie ihr Selbstbewusstsein heben.

Kaum war sie fertig angezogen, klammerte sich Callie an ihre Beine. »Ich will mich auch mit Griff verabreden.«

Da sie schon mit so etwas gerechnet hatte, konterte sie mit

einem Gegenvorschlag. »Wieso laden wir Griff nicht am Sonntagnachmittag auf ein Picknick ein? Wir könnten Hühnchen und Limonade mitnehmen.«

»Und Cupcakes.«

»Unbedingt.« Sie nahm Callie auf den Arm, bevor sie das Zimmer verließ. »Wäre das nicht toll?«

»Ja. Wann ist Sonntagnachmittag?«

»In ein paar Tagen.«

»Du siehst aber schön aus«, rief Ada Mae. »Sieht deine Mama nicht schön aus, Callie?«

»Ja. Sie ist mit Griff verabredet, und wir laden ihn am Sonntagnachmittag zu einem Picknick ein.«

»Das klingt ja großartig. Keine Ahnung, ob die Seifenblasenmaschine, die dein Opa gerade im Garten aufbaut, auch so großartig ist.«

»Eine Seifenblasenmaschine?«

»Am besten, du gehst raus und schaust nach.«

»Ich werde Seifenblasen machen, Mama. Tschüs.« Sie küsste Shelby auf die Wange, ließ sich zu Boden gleiten und sauste, laut nach ihrem Großvater rufend, davon wie eine Rakete.

»Vielen Dank, dass du wieder auf sie aufpasst, Mama.«

»Wir genießen jede gemeinsame Minute. Ich glaube, dein Daddy ist genauso verrückt nach Seifenblasen wie sie. Amüsier dich schön. Hast du ein Kondom dabei?«

»Mama!«

Ada Mae zog wortlos eines aus ihrer Hosentasche. »Nur für alle Fälle. Steck es in deinen Geldbeutel, dann hab ich eine Sorge weniger.«

»Mama, ich schau mir nur sein Haus an, und dann essen wir was zusammen.«

»Man kann nie wissen, und eine kluge Frau baut vor.«

»Ja, Madam, und ich werde auch nicht zu spät nach Hause kommen.«

»Bleib, so lange, wie du willst.«

Mit dem Kondom in ihrem Geldbeutel verließ Shelby das Haus. Sie hatte gerade die Tür ihres Kombis geöffnet, als Forrest vorfuhr.

»Wo willst du denn in diesem gelben Kleid hin?«

»Ich bin nur mit Griff zum Essen verabredet.«

»Wo denn?«

Sie verdrehte die Augen. »Bei ihm zu Hause, weil ich sehen will, wie es dort aussieht. Wenn du mich noch länger verhörst, werde ich zu spät kommen.«

»Der wird schon auf dich warten. Der Sheriff hat mir erlaubt, dich einzuweihen. Richard war auch nicht Jake Brimley.«

Das Herz schlug ihr bis zum Hals. »Wie meinst du das?«

»Der Jake Brimley, zu dem die Sozialversicherungsnummer gehörte, die er benutzt hat, ist 2001 im Alter von drei Jahren gestorben. Richard hat den Ausweis gefälscht oder für den gefälschten Ausweis bezahlt.«

»Das heißt … er hat diesen Namen benutzt, ohne die Person wirklich zu sein?«

»Ja, genau.«

»Wer war er dann? Um Himmels willen, wie viele Identitäten kann ein Mann haben?«

»Keine Ahnung«, sagte Forrest. »Wir arbeiten dran, Shelby. Ich dachte nur, das könnte dich interessieren.«

»Allerdings. Ich kann es kaum erwarten, endgültig Bescheid zu wissen. Hast du etwas über den Mörder herausgefunden?«

»Es ist tatsächlich heute jemand aufs Revier gekommen. Die Frau war auch auf dem Parkplatz, auf dem Rücksitz eines Wagens mit einer anderen Person, die nicht ihr Mann war. Während sie mit Aktivitäten beschäftigt waren, bei denen die Scheiben beschlugen, hat sie ein lautes Plopp gehört. Das muss der Schuss gewesen sein. Sie hat ihre Aktivitäten lang genug unterbrochen, um zu sehen, wie jemand in einen Wagen gestiegen und kurz darauf losgefahren ist.«

»Meine Güte, sie hat den Mörder gesehen?«

»Leider nicht wirklich. Sie sagt, es wär ein Mann gewesen, aber sie hatte ihre Brille nicht auf, hat also nicht viel erkannt. Hätte ihr Gewissen ihr nicht befohlen, sich zu melden, wüssten wir nicht mal das. Wir haben es also höchstwahrscheinlich mit einem männlichen Täter zu tun, der in einen dunklen Wagen gestiegen ist, vermutlich in einen Geländewagen. Marke, Modell oder Kennzeichen sind nicht bekannt. Sie glaubt, dass das Fahrzeug schwarz oder blaumetallic war. Glänzend wie ein Neuwagen, aber mit Sicherheit weiß sie es nicht.«

»Was ist mit dem Mann, mit dem sie zusammen war? Hat er was gesehen?«

»Sie hat nicht gesagt, dass sie mit einem Mann zusammen war.«

»Aha.«

»Deshalb hat sie sich auch so schwer damit getan, sich zu melden. Die andere Person befand sich unterhalb des Fensters und hat nichts mitbekommen.«

»Na gut. Was ist mit Harlow?«

»Noch fehlt von ihm jede Spur. Pass also auf, wenn du zu Griff fährst, Shelby. Schick mir eine SMS, wenn du angekommen bist.«

»Meine Güte, Forrest!«

»Wenn du nicht willst, dass ich anrufe, wenn ihr gerade … beschäftigt seid, solltest du mir eine SMS schicken. Ich komm dann später zum Reste essen vorbei.«

»Sie sind draußen im Garten«, rief sie, als er aufs Haus zumarschierte. »Daddy hat Callie eine Seifenblasenmaschine gekauft.«

»Ja? Ich glaube, ich hol mir ein Bier und spiele mit. Vergiss nicht, mir eine SMS zu schicken.«

16

Shelby hielt am Anfang der kurzen Allee, die zu dem alten Tripplehorn-Haus führte, frischte ihren Lipgloss auf und warf einen kritischen Blick in den Rückspiegel.

Gut. Keine dunklen Augenringe mehr, und auch ihr gesunder Teint ließ sich nicht nur auf den kleinen Tiegel Cremerouge zurückführen, den ihr die Großmutter aufgedrängt hatte.

Ihr windzerzaustes Haar wirkte lässig. Lässig war genau das Richtige.

Sie atmete tief durch.

Ein Date hatte sie nicht mehr gehabt, seit sie mit Richard nach Las Vegas geflogen war, um ihn zu heiraten. Nur um hinterher festzustellen, dass sie nie mit ihm verheiratet gewesen war. Davor hatte sie sich natürlich durchaus mit Männern verabredet. Zu Highschool- und College-Zeiten. Aber sie konnte sich kaum noch daran erinnern, so lange war das her.

Außerdem wollte Griff für sie kochen, sodass er es wirklich ernst meinte. Ein Mann, der für sie kochte. Das hatte es noch nicht gegeben.

Aber vielleicht sollte sie das nicht zu ernst nehmen. Vielleicht machten Erwachsene so etwas öfter.

Wahrscheinlich maß sie dem Ganzen viel zu viel Bedeutung bei.

Shelby nahm die schmale Zufahrt, die er noch nicht ausgebessert hatte, hielt erneut und staunte.

Sie hatte das alte, verwunschene Haus mit dem Bach dahinter seit jeher gemocht. Jetzt besaß es mehr Charme denn je.

Griff hatte die Fassade gesäubert, sodass sie aussah wie neu. Vermutlich hatte er sie sandgestrahlt und neu verfugt, sodass die Steinquader goldbraun zwischen den Bäumen hindurchschimmerten.

Außerdem hatte er sämtliche Fenster ausgetauscht und Terrassentüren eingelassen, wo sie das große Schlafzimmer vermutete. Davor lag eine überdachte Veranda mit Messinggeländer.

Die meisten alten Bäume hatte er stehen lassen, Ahorn und Eichen in sommerlich sattem Grün. Dazwischen war Hartriegel gepflanzt worden, der teilweise bereits blühte. Griff hatte das Gestrüpp und Unkraut beseitigt, was bestimmt eine äußerst schweißtreibende und unangenehme Arbeit gewesen war. Doch die Mühe hatte sich gelohnt, denn junge Azaleen und Rhododendronbüsche sorgten nun für hübsche Farbakzente.

Auf der anderen Seite des Hauses legte er gerade Terrassen an, die dem ansteigenden Boden folgten, eingefasst von einer teilweise fertiggestellten Steinmauer, die die Farben des Hauses aufnahm. Shelby stellte sich vor, wie die Beete dort einmal aussehen würden, wenn sie erst mit Blumen und Sträuchern bepflanzt waren.

Sie war so bezaubert, dass ihre Nervosität vollkommen verflogen war, ließ den Kombi neben seinem Wagen stehen und ging mit dem eingetopften Lorbeer, den sie als Willkommensgeschenk dabeihatte, zur breiten Veranda.

Sie bewunderte die in Tannengrün gestrichenen Gartenstühle und den rustikalen Holztisch aus einem Baumstumpf, den er bestimmt selbst abgeschliffen und versiegelt hatte. Sie wollte gerade anklopfen, als die Tür aufging.

»Ich habe dein Auto gehört.«

»Ich bin ganz verliebt in das Haus. Du musst ziemlich geackert haben, um das ganze Unterholz und Gestrüpp zu entfernen.«

»Um das Unterholz hat es mir fast leidgetan. Es hat dem Haus so was Verwunschenes gegeben. Du siehst toll aus.«

Auch Griff sah in seinem hellblauen Hemd mit den hoch-gekrempelten Ärmeln ziemlich gut aus. Außerdem war er frisch rasiert.

Er nahm ihre Hand und zog sie ins Haus.

»Ich bin froh, dass du nichts gegen Pflanzen hast. Dann wirst du auch für die hier ein geeignetes Plätzchen finden.«

»Danke. Ich geh nur schnell …«

»O mein Gott.«

Ihr geschockter Tonfall ließ ihn hektisch nach riesigen Spin-nen Ausschau halten, die er mühselig aus dem Haus verbannt hatte.

Doch als sie sich losriss und sich einmal um die eigene Achse drehte, strahlte sie übers ganze Gesicht. »Das ist ja Wahnsinn, Griffin, einfach Wahnsinn.«

Er hatte Zwischenwände herausgerissen, sodass aus dem einst dunklen, engen Flur ein großzügiges Foyer geworden war. Das ging nahtlos in ein Wohnzimmer mit Kamin über, den er mit Steinen aus der Gegend eingefasst hatte. Die Abendsonne fiel durch die vorhanglosen Fenster und beschien den satt glänzen-den Eichenholzboden.

»Noch benutze ich diese Räume nicht oft, deshalb habe ich ein-fach eine alte Couch und ein paar Sessel reingestellt. Ich weiß auch nicht, für welche Wandfarbe ich mich entscheiden werde, weshalb die Wände noch nicht gestrichen sind.«

»Es ist alles so großzügig.« Sie sah sich um. »Ich habe unzäh-lige Male durch die alten Fenster gestarrt. Einmal bin ich sogar eingebrochen und habe mir alles genau angeschaut. Sind das die Originalböden?«

»Ja.« Er war stolz auf jeden Quadratmeter. »Es hat ganz schön Arbeit gemacht, aber wenn man sie erhalten kann, sollte man das unbedingt tun. Ich hab sie abgeschliffen und schadhafte Stellen unauffällig ersetzt.«

»Und der Stuck! Von dem habe ich wochenlang geträumt,

nachdem ich hier gewesen bin. Diese im Kreis angeordneten kleinen Gesichter.«

»Schön gruselig. Die Beleuchtung passt noch nicht.« Wie Shelby schaute er zu den Stuckverzierungen hinauf. »Mir wird schon was einfallen.«

»Es sollte was Altes sein. Hier gehört einfach nichts rein, was glänzend und neu ist. Von Küche und Bad vielleicht einmal abgesehen … Aber was rede ich, ich merke, du weißt genau, was du tust. Ich möchte mir gern das ganze Haus ansehen.«

»Noch ist nicht alles fertig. Bei einigen Zimmern habe ich die Renovierung wieder abgebrochen, weil ich nicht in der richtigen Stimmung war. Man darf nichts überstürzen, sonst macht man Fehler. Oder das Endergebnis wird nicht so, wie man es möchte.«

Ein warmer, satter Goldton wäre für diesen Raum genau das Richtige. Und bloß keine Vorhänge, damit man das schöne Maßwerk sah. Dazu …

Sie musste dringend aufhören, das Haus für ihn einzurichten.

»Du machst das nicht alles ganz allein, oder?«

»Nein.« Er nahm erneut ihre Hand und zog sie weiter. »Matt hat geschuftet wie ein Tier, nur für ein paar Bier als Gegenleistung. Sobald er Zeit hat, hilft er mir. Forrest genauso. Auch Clay hat ab und zu Hand angelegt. Mein Vater und mein Bruder kommen ebenfalls hin und wieder ein, zwei Wochen her, um mich zu unterstützen. Und meine Mutter hat geholfen, das Gestrüpp zu beseitigen. Angeblich war das schlimmer als vierzehn Stunden Wehen«, sagte er. »Das ist ein halb fertiges Badezimmer«, fügte er hinzu, als sie laut lachte.

Shelby warf einen Blick hinein. »Schau dir nur dieses Waschbecken an. Wie eine alte Waschschüssel. Als wäre es schon immer da gewesen. Und die alten Messingarmaturen und -lampen. Sie passen perfekt dazu. Du hast wirklich ein Gespür für so was, Griff, auch für die Farben. Lauter warme, neutrale Töne. Zu grelle Farben stehen diesem Haus nämlich nicht. Und was verbirgt sich dahinter?«

»Hauptsächlich Werkzeug und Material.« Was soll's?, dachte er und öffnete die alte Schiebetür.

»Was für schöne hohe Decken.« Shelby ließ sich von den Werkzeug- und Bauholzstapeln, den Mörtelwannen und Staubhaufen nicht im Geringsten beeindrucken. »Und noch mehr Stuck. Du weißt wahrscheinlich, dass der alte Tripplehorn knapp zwei Meter groß gewesen sein soll, daher die großzügigen Raummaße. Funktioniert der Kamin?«

»Im Moment nicht. Da muss noch einiges passieren. Vermutlich muss ich einen Gasofen einbauen, der nicht so aussieht wie ein Gasofen. Und den Kamin neu einfassen, vielleicht mit Schiefer- oder Granitziegeln. Die alten zerbröckeln schon.«

»Was soll aus diesem Raum werden?«

»Eine Bibliothek vielleicht. Ich finde, in dieses Haus gehört eine Bibliothek.«

Wild gestikulierend, zeigte er ihr, was ihm vorschwebte. »Einbauregale neben dem Kamin, dazu eine Bibliotheksleiter, ein großes Ledersofa und eine Tiffanylampe, wenn ich eine schöne finde. Hat aber alles Zeit.« Er zuckte mit den Schultern. »Es gibt noch genügend andere Zimmer, über die ich mir Gedanken machen muss. Alle Zwischenwände wollte ich eigentlich nicht einreißen. Große Räume sind etwas Tolles. Doch wenn man übertreibt, bleibt vom Charme des Originals nichts mehr übrig.«

»Du hast das Beste aus beiden Welten herausgeholt. Das könnte ein schönes Wohnzimmer, ein Arbeits- oder Gästezimmer werden.« Sie musterte einen weiteren leeren Raum. »Der Blick aus dem Fenster ist wunderbar. Die Bäume, die Biegung des Baches … Wenn es ein Arbeitszimmer wird, könntest du den Schreibtisch in die Mitte stellen und hinausschauen, ohne mit dem Rücken zur Tür zu sitzen. Dann könntest du auch … Hilfe, die Pferde gehen mit mir durch.«

»Nein, erzähl ruhig weiter. Das ist eine gute Idee.«

»Na ja, ursprünglich wollte ich Sängerin werden. Plan B war

Innenarchitektin. Ich habe auf dem College ein paar Seminare belegt.«

»Im Ernst? Warum weiß ich nichts davon?«

»Das ist eine Ewigkeit her.«

»Ich werde auf deine Kenntnisse zurückgreifen. Zuerst hole ich dir aber ein Glas Wein.«

»Danke, gern.« Sie nahm sich vor, nur eines zu trinken. Anschließend würde sie mit dem Autofahren warten. »Irgendwas duftet hier. Ich habe nicht damit gerechnet, dass du ...«

Sie verstummte überrascht.

Wo früher ein Labyrinth aus Zimmern gewesen war, vermutlich ein Dienstbotentrakt, bestehend aus einem winzigen Esszimmer, das von einer noch winzigeren Küche abging, gab es nun einen einzigen großen Raum mit einer Glaswand, die den Blick auf Berge, Bäume und Bach freigab. »Ich fürchte, hier ist es doch etwas neu und glänzend geworden.«

»Nein, nein, wunderbar. Und die große Spüle! Dass so viele Schränke Glastüren haben, gefällt mir ebenfalls ausnehmend gut.«

»Die meisten sind allerdings leer.«

»Die füllen sich schneller, als du denkst. Ich würde mich auf Flohmärkten nach altem Geschirr umsehen. Vielleicht kannst du ein paar alte Teekannen und Tassen dahin stellen. Und dort ...«

Sie fing sich wieder, bevor sie sein Haus vom Keller bis zum Dachboden einrichtete.

»Ess- und Wohnbereich gehen wunderbar ineinander über. Und so viel Arbeitsfläche! Was ist das?«

»Schiefer.«

»Perfekt. Meine Mutter wäre ganz neidisch, wenn sie das sehen würde. Mir gefallen die Lampen, dieser blasse Bernsteinton zu der Messingfassung. Hast du das alles selbst entworfen?«

»Ich habe Tipps von meinem Dad, von Matt und ein paar Elektrikern bekommen. Und von einem Architekten. Wenn die Eltern Bauunternehmer sind, hat man viele Kontakte.«

»Trotzdem, das ist dein Werk. Es passt zu dir. Ehrlich, ich habe noch nie eine schönere Küche gesehen. Sie passt gut in dieses Haus und bietet alle modernen Annehmlichkeiten. Trotzdem ist der alte Charakter erhalten geblieben. Es muss eine Freude sein, hier zu kochen.«

»Ich koche nicht sehr viel.« Er zupfte an seinem Ohrläppchen. »Nur ganz normale Sachen. Das soll sich ändern, der Herd ist schließlich der Mittelpunkt des Hauses.«

»Unbedingt.«

»Das Beste kennst du noch gar nicht.«

Er reichte ihr ein Glas Wein und ging zu den Terrassentüren. Als er sie öffnete, ließ sie sich falten wie eine Zichharmonika.

»Ah, diese Türen sind wirklich fantastisch. An warmen Abenden und sonnigen Vormittagen kann man sie einfach ganz aufmachen. Und bei Partys.«

Sie trat nach draußen und seufzte.

»Da ist jede Menge Arbeit, mit dem Teil des Grundstücks habe ich noch gar nicht richtig angefangen.«

»Die Aussicht ist unschlagbar.«

Gemeinsam schauten sie über den von Unkraut bedeckten Gartenteil auf die sattgrünen Berge. Sanft ragten sie im Dämmerlicht vor ihnen auf.

»Ja. Das ist zu jeder Jahreszeit so«, fügte er hinzu. »Vor ein paar Monaten habe ich auf eine Schneelandschaft geschaut. Bis April waren die Berge in den höheren Lagen weiß oder silbern. Und im letzten Herbst erst! Solche Farben habe ich bisher nirgends gesehen, dabei ist die Laubpracht in Maryland auch nicht zu verachten. Doch hier schien sie gar kein Ende nehmen zu wollen. Wochenlang war der Blick einfach atemberaubend.«

Griff liebte die Gegend, ja, mehr noch, er verstand sie. Das alte Tripplehorn-Haus konnte von Glück sagen, dass er der neue Eigentümer war.

»Man hört den Bach rauschen.« Ein Geräusch, das Shelby

romantischer fand als ein Geigenständchen. »Du könntest einen großen Blumengarten anlegen, mit Pflanzen, die Schmetterlinge und Kolibris anlocken. Vor der Küche kannst du einen Kräutergarten anpflanzen, es ist sonnig genug dafür. Wenn du überhaupt kochen willst.«

»Vielleicht kannst du mir ja dabei helfen?«

»Ich sehe alles schon genau vor mir.« Shelby hielt das Gesicht in die Abendbrise. »Du solltest ein paar Weiden pflanzen und eine große Windorgel in die alte Eiche da drüben hängen. Mit ein paar Futterstellen für Vögel. Oberhalb der Veranda, damit keine Bären zu Besuch kommen.«

»Lieber nicht. Ich hab ein paar Bären durch die Wälder streifen sehen, als ich aus dem Fenster geschaut habe. Näher brauchen sie mir nicht zu kommen.«

»Ich beneide dich um dieses Haus, Griff. Um seine Atmosphäre, sein Potenzial, seine Geschichte. Ich freue mich, dass es jemand gekauft hat, der weiß, wie man damit umgeht. Ich hätte nicht gedacht, dass du das so gut kannst.«

»Nein?«

Shelby lachte und drehte sich entschuldigend zu ihm um. »Ich weiß natürlich, wie gut du deine Arbeit beherrschst. Ich habe schließlich mit eigenen Augen gesehen, was ihr, Matt und du, für Mama gemacht habt. Aber es geht bei diesem Haus nicht nur darum, etwas umzubauen, es hübscher oder praktischer zu machen. Sondern darum, etwas, das viele tot geglaubt haben, wieder zum Leben zu erwecken.«

»Ich habe mir das Anwesen aus einer Laune heraus angeschaut und mich auf Anhieb verliebt.«

»Vermutlich hat es all die Jahre nur auf dich gewartet. Ich weiß nicht, was da so gut riecht, aber ich hoffe, es kann einen Augenblick warten, denn ich würde gern noch ein bisschen draußen sitzen.«

»Es kann warten. Einen Moment, bitte.«

»Was gibt es denn?«, fragte sie, während er die Herdplatte herunterschaltete.

»Penne mit Tomatensauce, schwarzen Oliven und Basilikum. Aber nur, wenn alles gut geht.«

Sie empfing ihn mit einem Lächeln. »Woher weißt du, dass das eines meiner Lieblingsgerichte ist?«

»Vielleicht kann ich hellsehen?«

»Das glaube ich kaum. Es ist echt lieb von dir, dass du dich nach meinen Vorlieben erkundigt und dir so viel Mühe gemacht hast.«

»Wart lieber ab, bis du es probiert hast. Vielleicht schmeckt es ja fürchterlich.« Ausschließen ließ sich das jedenfalls nicht. »Die Cannoli habe ich allerdings gekauft, die dürften also in Ordnung sein.«

»Es gibt Cannoli?«

»Ja. Aber wie gesagt, die sind gekauft, genauso wie das italienische Brot. Der Salat kommt aus der Tüte. Ich habe mich voll und ganz auf die Pasta konzentriert.«

»Du bist der erste Mann, der für mich kocht. Das Menü klingt köstlich.«

»Was?«

»Es klingt einfach nur köstlich.«

»Nein, was hast du da gerade gesagt? Ich bin der erste Mann, der für dich kocht?«

»Na ja, mein Daddy hat mir natürlich ab und zu was zu essen gemacht, und Grandpa hat sich im Lauf der Jahre zu einem echten Grillprofi entwickelt.«

»Ich … Wenn ich gewusst hätte, dass das eine Premiere ist, hätte ich edleres Geschirr besorgt.«

»Ich will gar kein edles Geschirr. Davon hatte ich mehr als genug. Das Essen schmeckt darauf auch nicht anders als auf Alltagsgeschirr.«

Er überlegte. »Ich habe zwei Standardgerichte, wenn ich eine

Frau beeindrucken will. Eines ist ein einfaches Steak vom Grill, dazu eine große Ofenkartoffel und den allseits beliebten Salat aus der Tüte. Und wenn ich so richtig angeben will, koche ich Huhn in Weißwein. Das kann ich wirklich gut.«

»Warum gibt es dann heute kein Huhn in Weißwein?«

»Weil du mir für Standardgerichte zu wichtig bist. Außerdem wollte ich dir Gelegenheit geben, dich bei deinem ersten Besuch gründlich umzuschauen.«

Er nahm ihr das Weinglas ab, stellte es neben seines und zog sie an sich.

Sie roch wie ein Sonnenuntergang in den Bergen. Strahlend frisch. Er fuhr ihr durch die dicken, wilden Locken und nahm sich vor, es langsam angehen zu lassen, während er seine Lippen auf ihren Mund presste.

Er löste sich von ihr. »So! Damit du nicht denkst, ich hätte vergessen, dir einen Willkommenskuss zu geben.«

»Ich habe gar nichts gedacht, ich … Ich … Mist, was soll's!«

Sofort fiel sie ihrerseits so über ihn her, dass er keinen klaren Gedanken mehr fassen konnte.

Er taumelte zwei Schritte zurück, bevor er das Gleichgewicht wiederfand und sie an sich zog, damit sie nicht von der Veranda fielen. Er konnte sich gerade noch beherrschen, ihr nicht das Kleid über den Kopf zu ziehen.

Sie war ein Naturereignis, das reinste Feuerwerk. Ihm schwirrte der Kopf.

Er wirbelte sie herum und drückte sie gegen einen Pfosten. Als er endlich die Hände frei hatte, schob er sie unter ihr Kleid, strich über ihre Hüften und ließ sie weiter nach unten wandern.

Sie zitterte, stöhnte an seinem Mund und nahm ihm das letzte bisschen Kontrolle, indem sie ihre Lippen auf seine presste.

Mit letzter Kraft riss er sich von ihr los. »Warte.«

Sie packte seine Haare und zog seinen Mund erneut auf ihren. »Warum?«

Wieder verlor er kurz die Kontrolle. »Warte«, wiederholte er und lehnte seine Stirn gegen ihre. »Vergiss nicht zu atmen.«

»Ich atme doch.«

»Nein, ich habe mit mir selbst gesprochen.« Er atmete tief durch. »So.«

Sie interpretierte das eindeutig als Aufforderung und zog ihn an sich.

»Nein, ich meine …« Er löste das Dilemma, indem er sie hochhob und an sich presste. Meine Güte, warum war sie nur so groß, schlank und zart? »Na gut, wir atmen tief durch. Und jetzt noch einmal.«

Eigentlich hatte er äußerst ruhige Hände. Chirurgenhände. Warum zitterten sie auf einmal so?

Er packte ihre Schultern und hielt sie auf Armeslänge von sich ab. Schau sie dir genau an, dachte er. Diese großen, hypnotisierenden Augen, die in der Dämmerung violett wirkten …

Er rief sich in Erinnerung, wie schwer sie es gehabt hatte und noch hatte.

»Vielleicht sollten wir … Ich möchte dich zu nichts drängen.«

Etwas funkelte in diesen Augen, sodass er eine ganz staubtrockene Kehle bekam.

»Wieso? Hast du das Gefühl, mich zu etwas zu drängen?«

»Ich weiß nicht, vielleicht. Wenn wir nicht zwischendurch kurz Luft holen, dann … dann werden wir noch hier auf der Veranda übereinander herfallen.«

»Gut.«

»Okay, also …« Er ließ die Hände sinken und wich einen Schritt zurück. »Lass uns eine kurze Pause einlegen.«

»Ich meinte: Gut! Warum sollen wir nicht auf der Veranda übereinander herfallen?«

Wieder verschlug es ihm den Atem. »Du bringst mich echt um, Rotschopf.«

»Ich weiß, dass ich eine ziemliche Durststrecke hinter mir habe. Trotzdem weiß ich nach wie vor, wann mich ein Mann begehrt. Mal ganz davon abgesehen, dass du mir bereits in der Küche meiner Mutter gesagt hast, dass du mich willst.«

»Hätte ich das nicht getan, wäre ich ziemlich dumm. Meine Mutter ist stolz darauf, keinen dummen Sohn zu haben.«

»Ich begehre dich auch. Ist das nicht toll?«

»Das ist … Das ist wirklich fantastisch. Ich habe das durchaus gemerkt, aber angesichts der Umstände wollte ich dich mit einem Abendessen weichkochen und ein paar Mal mit dir ausgehen, bevor ich dich ins Bett zerre.«

Nickend lehnte sie sich an den Pfosten. So etwas wie Belustigung schlich sich in ihren Blick. »Du planst gern weit im Voraus, beruflich wie privat.«

»Ja, denn dann läuft es in der Regel besser.«

»Magst du keine Überraschungen?«

»O, ich habe nichts gegen Überraschungen.« Heiliger Bimbam, von ihm aus konnten sie gern auf der Veranda übereinander herfallen!

»Ich bin selbst gut für Überraschungen«, brachte er gerade noch heraus.

»Anscheinend brauchst du ein bisschen, um dich an die Vorstellung zu gewöhnen.«

»Vermutlich.«

Sie grinste über das ganze Gesicht.

Die violetten Augen einer Meerjungfrau, dazu der biegsame Körper …

Ja, sie brachte ihn schier um den Verstand.

»Soll ich dir meine Pläne verraten?«, fragte sie. »Sie sind ziemlich spontan, dürften sich aber problemlos umsetzen lassen.«

»Ich höre.«

»Wie wär's, wenn wir die Sache mit dem Weichkochen und die weiteren Verabredungen einfach auslassen? Wir können später wieder darauf zurückkommen, nachdem wir uns auf der Veranda nackig gemacht haben.«

»Du bist wirklich für eine Überraschung gut. Meine Antwort lautet Nein.«

Sie seufzte. »Du bist echt schwer zu knacken, Griff.«

»Ich meine nur den Teil mit der Veranda. Ich habe einen besseren Vorschlag.«

»Einen besseren, als auf der Veranda übereinander herzufallen?«

»Diesmal ja.« Das erste Mal, dachte er. Das völlig unverhoffte erste Mal. »Ich hab dir den ersten Stock noch nicht gezeigt.«

Sie legte den Kopf schräg, und ihr Lächeln wurde breiter. »Nein, das stimmt.«

»Das würde ich aber gern.« Er hielt ihr die Hand hin.

»Einverstanden.« Sie schlug ein. »Gut möglich, dass ich ein bisschen eingerostet bin.«

»Das sehe ich anders.« Er führte sie zurück in die Küche. »Keine Sorge, ich gebe dir notfalls gern Nachhilfe.«

Sie blieb stehen und klopfte auf ihre Handtasche, die auf der Küchentheke lag. »Nur gut, dass meine Mutter mir ein Kondom zugesteckt hat, bevor ich hergefahren bin.«

»O Mann.« Er fuhr sich übers Gesicht. »Das ist wirklich sehr aufmerksam von ihr, doch das kann ich unmöglich annehmen. Ich habe selbst welche.«

»Na gut.«

»Wir können die Hintertreppe nehmen.«

»Ich habe ganz vergessen, dass es eine Hintertreppe gibt.« Entzückt folgte sie ihm. »Ein Haus mit einer Hintertreppe, ist das nicht toll?«

»Ich bin auch ganz begeistert. Sie muss restauriert werden, ist aber benutzbar.« Er betätigte einen Lichtschalter, und eine nackte Glühbirne ging an. »Da kommt noch eine richtige Lampe hin.«

»Das wird bestimmt toll. Noch ist es düster und gespenstisch.

Ich mag es, wie sich die Treppe teilt, sodass man nach links oder nach rechts gehen kann.«

»Wir gehen nach links.«

»Wie viele Zimmer gibt es?«

»Es waren sieben. Ich will fünf daraus machen. Im Augenblick sind es sechs, weil ich beschlossen habe, dass das große Schlafzimmer nach vorn rausgehen soll.«

»Auf die wunderschöne, umrankte Veranda.«

»Genau. Im zweiten Stock gibt es ebenfalls ein ganzes Labyrinth aus kleinen Zimmern mit schiefen Wänden. Darum werde ich mich zuletzt kümmern.«

Shelby war völlig entspannt. Nie hätte sie gedacht, dass sie so entspannt sein würde. Sie liefen durch den breiten dunklen Flur. Sie war gelassen. Und gleichzeitig aufgeregt, das schon. Sie war weiß Gott aufgeregt. Aber nicht nervös. Und schon gar nicht schüchtern.

Griff hatte etwas an sich, das jede Nervosität verfliegen ließ.

»Ah, eine Doppeltür. Das sieht elegant aus, ist aber schlicht genug, um zum Rest zu passen.«

»Es ist nicht ganz fertig.« Er machte das Licht an.

»Ach, ist das schön. Das wird ein wunderschönes Zimmer. Schau nur, wie das Abendlicht hereinfällt, und dann der Kamin, der schwarze Granit. Schön massiv, ein echter Hingucker.«

»Was die Farbe anbelangt, bin ich mir nicht sicher.« Er zeigte mit dem Kinn auf Farbproben an der Wand. »Die Kronleuchter habe ich vom Flohmarkt. Ich habe sie aufpoliert und neu verkabelt. Ich suche nach weiteren Lampen, die dazupassen. Im Moment benutze ich noch Einrichtungsgegenstände, die ich von meiner Familie geerbt habe. Aber das Bett ist neu, zumindest die Matratze. Ich habe es erst vor ein paar Wochen entdeckt, ebenfalls auf einem Flohmarkt.«

Sie fuhr mit der Hand über das geschwungene Fußende. Glatt, stabil, schlicht. »Wunderschön.«

»Kastanienholz. Es musste nur gründlich aufpoliert werden.«

»Das gilt für alles, nicht wahr? Wo hast du vorher geschlafen?«

»Auf einer Luftmatratze auf dem Boden, im Schlafsack. Da ich dich herlocken wollte, dachte ich, ich sollte lieber ein Bett kaufen. Gut, dass ich nicht länger damit gewartet habe.«

»Ja, darüber bin ich auch froh.« Sie drehte sich zu ihm um. »Dass wir nicht länger damit gewartet haben, meine ich.«

Er öffnete die Verandatüren, um die Abendluft hereinzulassen, und betätigte dann einen Schalter, der den Kamin aufleuchten ließ. Gleichzeitig löschte er das Licht.

»Passt es so?«

»Perfekt.«

Er ging auf sie zu, fasste sie um die Taille. »Bist du dort, wo du sein willst?«

»Ich bin genau am richtigen Ort.« Erstaunt über sich selbst fuhr sie ihm durchs Haar. »Du überraschst mich auch. Nie hätte ich gedacht, mich so bald mit einem Mann in dieser Situation wiederzufinden.« Sie schlang die Arme um seinen Nacken.

Es folgte ein langer, intensiver Kuss. Wie schon beim ersten Mal schmolz sie dahin wie Eis in der Sonne.

All diese Gefühle, diese feinen Empfindungen. Wie lange sie das vermisst hatte.

Shelby gab sich ihnen vollkommen hin, ließ sich treiben wie Pusteblumenschirmchen im Sommerwind. Ein Sturm baute sich in ihr auf. Sie nahm sein Gesicht in beide Hände, und ihr Kuss wurde intensiver. Die Vorfreude ließ sie erzittern, als sie spürte, wie er den Reißverschluss ihres Kleides aufzog.

Langsam fuhr Griff mit dem Finger ihre Wirbelsäule entlang. Schnurrend schmiegte sie sich an ihn, während seine Hände die Träger ihres Kleides von ihren Schultern streiften.

Das Kleid glitt zu Boden.

»Wie schön du bist«, murmelte er und schob einen rauen Finger in ihren Spitzen-BH.

»Ich hab solches Herzklopfen.«

»Das spüre ich.«

»Und du?« Sie legte die Hand auf seine Brust und war erleichtert, dass sein Herz genauso wild schlug. »Du auch.«

Sie begann, sein Hemd aufzuknöpfen, und lachte heiser, weil ihre Finger so zitterten. »Ich zittere innerlich und äußerlich.«

Er wollte ihr helfen, aber sie wehrte ab.

»Nein, ich will das selbst machen. Bitte verzeih, wenn ich mich etwas ungeschickt anstelle, aber ich …« Sie spürte, wie er zusammenzuckte, als sie die Hände auf seine nackte Brust legte. Ihm in die Augen sah. »Ich will alles.«

In diesem Moment brach der Damm. Sie rang nach Luft, als er sie hochhob und rücklings aufs Bett warf.

Sie war so gertenschlank, dass er schon befürchtete, ihr wehzutun. Diese Angst löste sich jedoch sofort im Dunkeln auf, als sie sich ihm entgegenstemmte und ihn an sich zog.

Die Sonne ging unter, und eine Nachtschwalbe stieß Balzrufe aus.

Der Sturm steigerte sich zu einem wilden Tornado. Sie war unersättlich, verlangte nach mehr.

Trotz seines schlaksigen Äußeren hatte er stahlharte Muskeln, die sich unter seiner Haut wölbten. Ach, wie herrlich sie sich anfühlten! Und sein Gewicht, das sie aufs Bett presste und unzählige Begierden in ihr weckte. Wobei *wecken* stark untertrieben war.

Es fühlte sich eher an wie eine Auferstehung.

Als sich sein Mund über ihrer Brust schloss, sie seine Zähne und seine Zunge spürte, seine Hand zwischen ihren Beinen, durchzuckte sie ein Orgasmus, der sie zitternd und zuckend zurückließ.

Doch er hörte nicht auf, machte keine Pause, sondern trug sie wieder in ungeahnte Höhen.

Sie ließ sich emporkatapultieren, flog und flog und flog …
atemlos. Sie gab sich ihm vollkommen hin, öffnete sich vorbe-

haltlos. Er nahm, was sie ihm gab, schenkte ihr so viele intensive Gefühle, dass sie sich in ein einziges, sehnsüchtiges Pochen verwandelte.

Dann drang er in sie ein, und Lust durchströmte sie.

Sie fielen in einen Rhythmus, gemeinsam galoppierten sie auf den Höhepunkt zu, während ihr Herz wild klopfte. Ihr Haar in der Farbe des Sonnenuntergangs fiel kreuz und quer auf das Laken, ihre Haut glühte in der Dämmerung.

»Shelby, sieh mich an.« Sein Körper sehnte sich nach Erlösung, danach, die letzte Hürde zu nehmen. Er wollte ihr dabei in die Augen sehen. »Schau mich an.«

Als sie die Augen aufschlug, waren sie dunkel und wie hypnotisiert.

»Genau das habe ich gebraucht«, sagte er und kam.

17

Als Shelby wieder einigermaßen klar im Kopf war, dachte sie: So ist das also.

Sie fühlte sich schwer und leicht zugleich, kraftlos, erschöpft und stark. Sie hätte Bäume ausreißen und tagelang schlafen können.

Vor allem fühlte sie sich quicklebendig.

Griff lag auf ihr und hatte alle viere von sich gestreckt. Sie fand sein Gewicht angenehm, den direkten Hautkontakt, heiß und feucht wie nach einem Sommergewitter.

Eine Brise wehte herein und brachte etwas Abkühlung, sie musste lächeln. Alles brachte sie zum Lächeln! Wenn sie nicht aufpasste, würde sie gleich laut lossingen vor Glück.

»Gleich rühr ich mich wieder«, murmelte er.

»Kein Problem, alles bestens. Echt.«

Er drehte den Kopf, und seine Lippen streiften ihren Hals. »Ich war ein bisschen gröber als gewollt.«

»Für mich war es genau richtig. Keine Ahnung, ob ich mich jemals so herrlich gefühlt habe oder ob ich mich bloß nicht mehr erinnern kann. Du bist wirklich sehr gewissenhaft, Griffin. Gründlich und gewissenhaft.«

»Na ja, wenn es sich lohnt …« Er stützte sich auf und bewunderte sie im Schein des flackernden Kaminfeuers. »Du warst übrigens kein bisschen eingerostet.«

Überglücklich strich sie ihm zärtlich über die Wange. »Ich habe ganz vergessen, mir deswegen den Kopf zu zerbrechen.«

»Ich habe mir oft vorgestellt, wie es wohl wäre, wenn du neben mir liegst. Es ist viel schöner als in meiner Fantasie.«

»In diesem Moment ist alles schöner als in meiner Fantasie. Weil ich eine so lange Durststrecke hatte. Trotzdem, du bist auch nicht ganz unschuldig daran.«

»Danke für das Kompliment. Es wird langsam kühl. Pass auf, dass du dich nicht erkältest.«

»Mir ist nicht kalt.«

»Noch nicht. Wir haben noch nichts gegessen.« Er küsste sie auf den Mund »Ich muss das Abendessen fertigmachen. Aber zuerst ...«

Er stand auf und hob sie einfach hoch. Ihr Herz schlug einen Purzelbaum.

Wieder spürte sie seine stählernen Muskeln. Er war kräftiger, als er aussah.

»... sollten wir duschen.«

»Ach ja?«

»Unbedingt.« Grinsend trug er sie hinaus. »Mein Bad wird dir gefallen.«

Er hatte nicht zu viel versprochen. Sie war begeistert von dem großzügigen Raum, der großen Wanne auf Löwenpfoten und den Fliesen in Erdtönen. Am besten gefiel ihr die riesige Dusche mit den vielen Massagedüsen und was zwei erfinderische, gelenkige junge Menschen, umgeben von heißem Dampf, darin anstellen konnten.

Als sie wieder in die Küche kamen, fühlte Shelby sich wie neugeboren und hätte am liebsten einen Freudentanz aufgeführt vor lauter Glück.

»Ich sag nur kurz meinen Eltern Bescheid, dass ich etwas später komme.«

»Gut. Da deine Mutter dir ein Kondom mitgegeben hat, dürfte sie das kaum überraschen.«

Sie schickte eine SMS und fragte, ob Callie sich problemlos habe zu Bett bringen lassen. Als Griff die Sauce erhitzte und Wasser für die Nudeln aufsetzte, teilte sie ihr Glück, indem sie auch Emma Kate eine kurze Nachricht schickte.

Bin seit zwei Stunden bei Griff. Haben noch nichts gegessen.
Du weißt, warum. Wow! Näheres unter vier Augen.

»Kann ich helfen?«, erkundigte sie sich.

»Du kannst den Wein trinken, an dem wir kaum genippt haben.«

»Einverstanden.« Ihr Handy piepte, und sie griff danach. »Das ist Mama. Callie liegt selig schlafend im Bett. Wir sollen uns einen schönen Abend machen. Ich vergaß ganz zu sagen, dass Callie ein wenig enttäuscht war, weil sie nicht mitkommen durfte. Ich habe ihr versprochen, dass wir uns bald mit dir treffen.«

»Wirklich?« Er schaute sich nach ihr um und holte Salat aus dem Kühlschrank.

»Lass mich das doch machen. Hast du Salatbesteck?«

»Was?«

»Dann gib mir einfach zwei Gabeln.«

»Die kann ich vorweisen. An was für eine Verabredung hast du denn gedacht?«

»An ein gemeinsames Picknick.« Sie nahm die Gabeln, das Fläschchen mit dem italienischen Dressing und lächelte.

»Mit kaltem Huhn und Kartoffelsalat. Oder wird es eher eine vornehme Teeparty? Ich muss schließlich wissen, was ich anziehen soll.«

»Ersteres. Ich kenne da ein wunderbares Fleckchen. Man fährt ein Stück mit dem Auto und muss anschließend ein bisschen laufen. Wie wär's am Sonntagnachmittag?«

»Zwei schöne Rothaarige und etwas Leckeres zu essen? Ich kann es kaum erwarten.«

»Sie ist ganz vernarrt in dich, Griff.«

»Das beruht auf Gegenseitigkeit.«

»Das merkt man auch. Trotzdem, sie hat in letzter Zeit einiges mitgemacht hat, und …«

»Willst du mich ärgern, Rotschopf?«

»Nein, du hast wirklich eine wahnsinnig liebe Art, Griffin. Egal, was aus uns wird, ich hoffe, du … Na ja, ich hoffe, du führst sie unabhängig davon hin und wieder mal aus.«

»Ich habe das Glück, vier Generationen von Donahue- und Pomeroy-Frauen zu kennen und bin in jede Einzelne vernarrt. Was sich nicht so bald ändern dürfte. Ihr seid selbstbewusst und schlagfertig, alle miteinander.«

»Nun ja, noch stehe ich vor den Scherben meines bisherigen Lebens.«

»So ein Quatsch.« Er sagte es mit solchem Nachdruck, dass sie ihn erstaunt anblinzelte.

»Die meisten Menschen wären am Boden zerstört, wenn sie solche Schulden hätten. Ich übrigens auch. Zumal du überhaupt nichts dafür kannst.«

Er war offensichtlich bestens informiert. So war das eben in Rendezvous Ridge. »Ich habe mitgespielt und …«

»Noch einmal: So ein Quatsch! Du warst einfach jung und hast dich Hals über Kopf in den falschen Mann verliebt. Anstatt am Boden zerstört zu sein, als dir das ganze Ausmaß der Katastrophe bewusst wurde, als du mit dem Kind und dem Berg Schulden allein dastandst, hast du dich allem tapfer gestellt und damit begonnen, die Schulden abzutragen. Dass deine Kleine so fröhlich und selbstbewusst ist, das ist allein dein Verdienst. Ich bewundere dich maßlos.«

Verblüfft starrte sie ihn an. »Ich, äh, ich weiß gar nicht, was ich dazu sagen soll.«

»Darüber hinaus bist du verdammt scharf.« Er schüttete die Nudeln in den Topf. »Was nicht ganz unwesentlich ist.«

Sie musste lachen und konzentrierte sich wieder auf den Salat.

»Trotzdem möchte ich dich bitten, mir eine Frage zu beantworten, die mich schon länger beschäftigt.«

»Ich kann es versuchen.«

»Warum bist du bei ihm geblieben? Du warst nicht glücklich in dieser Ehe. Dass dieser Mann kein besonders guter Vater für Callie war, ist ebenfalls klar. Warum also bist du geblieben?«

Unter den gegebenen Umständen war das eine durchaus berechtigte Frage. »Ich habe mehr als einmal daran gedacht, mich scheiden zu lassen. Wenn ich damals gewusst hätte, was ich heute weiß ... Aber dem war nicht so. Außerdem wollte ich in meiner Rolle nicht versagen. Stell dir vor, meine Oma war erst sechzehn, als sie meinen Opa geheiratet hat.«

Das war wirklich unglaublich jung. »Dass sie nicht sehr alt gewesen sein kann, hab ich mir gedacht. Aber so jung ...«

»Bald werden sie fünfzig Jahre miteinander verheiratet sein. Ein halbes Jahrhundert. Dabei hatten sie es wahrhaftig nicht leicht. Ihre Mutter war bei der Hochzeit sogar erst fünfzehn. Mein Urgroßvater und sie waren achtunddreißig Jahre zusammen, als er im Winter 1971 bei einem Autounfall ums Leben kam. Meine Mutter wiederum war achtzehn, als sie meinen Vater heiratete.«

»Die Frauen in deiner Familie sind treue Seelen.«

»Die Männer auch. Es hat trotzdem ein paar hässliche Scheidungen gegeben. Ein paar der Cousins, Tanten und so weiter haben es nicht geschafft. Aber in meiner Familie kann ich sechs Generationen zurückgehen, ohne dass eine einzige Frau ihrem Kind eine Trennung zugemutet hat. Ich wollte nicht die Erste sein.« Achselzuckend griff sie nach ihrem Glas und nahm sich vor, ein angenehmeres Thema anzuschneiden. »Gut, meine Ururgroßmutter mütterlicherseits hatte drei Männer. Der Erste starb in einer blutigen Fehde mit dem Nash-Clan. Er war erst achtzehn, als er ... als Harlan Nash ihn hinterrücks erschoss und meine Ururgroßmutter mit ihren bald vier Kindern zur Witwe machte. Sie hat dann einen Cousin dritten Grades ihres Mannes geheiratet und zwei Kinder von ihm bekommen, bevor er an der Grippe gestorben ist. Anschließend hat sie einen großen Iren namens

Finias O'Riley geheiratet. Sie war damals zweiundzwanzig und hat ihm sechs Kinder geschenkt.«

»Moment mal, lass mich kurz nachrechnen. Zwölf Kinder? Sie hatte zwölf Kinder?«

»Ja. Und im Gegensatz zu vielen gleichaltrigen Frauen ist sie einundneunzig geworden. Sie hat fünf von ihren Kindern überlebt, was wirklich schlimm gewesen sein muss. Finias war übrigens Sheriff im Ort. Forrest kommt ganz nach ihm. Er starb, als sie zweiundachtzig war und er achtundachtzig. Meine Urgroßmutter wohnt bei ihrer ältesten Tochter in Tampa, Florida. Sie hat erzählt, dass sie Loretta hieß, aber von allen nur Bunny genannt wurde, Karnickel.«

»Nun ja, angesichts der Umstände …«

Kichernd griff Shelby erneut nach ihrem Glas. »Angeblich hätte sie ein weiteres Mal heiraten können. Einen Verehrer, einen Witwer, der ihr jede Woche Blumen geschenkt hat. Aber bevor er sich aufraffen konnte, ihr einen Antrag zu machen, ist er gestorben. Ich fände es cool, wenn ich in dem Alter noch Verehrer hätte.«

»Ich werde dir bestimmt Blumen schenken.«

»Pass auf, was du sagst. Wenn du in sechzig Jahren nicht mit Blumen bei mir auf der Matte stehst, werde ich bitter enttäuscht sein.«

* * *

Griff fiel ein Stein vom Herzen. Das Essen war nicht nur genießbar, sondern richtig lecker geworden. Sie erzählte von Melodys Rausschmiss aus dem Salon. Er hatte schon davon gehört, aber erst anhand ihrer Schilderung konnte er sich die Szene lebhaft vorstellen.

»Was hat sie nur?«

»Sie war schon immer eine Zicke. Verwöhnt, arrogant und hinterhältig. Das hast du ja auch schon gemerkt. Ihre Mutter lässt ihr alles durchgehen. Sie hat sie von klein auf zu Schönheitswettbewerben angemeldet. Die meisten hat sie gewonnen und ist sich anschließend wahnsinnig wichtig vorgekommen. Sie hat immer bekommen, was sie wollte. So etwas wie Dankbarkeit ist ihr völlig fremd. Sie hasst mich, seit ich denken kann.«

»Vermutlich weil sie genau weiß, dass du sie bei sämtlichen Schönheitswettbewerben schlagen würdest. Vorausgesetzt du würdest daran teilnehmen.«

»Keine Ahnung, aber ein paar Mal habe ich sie tatsächlich geschlagen.«

»Zum Beispiel?«

»Ach, nicht der Rede wert. Mit vierzehn war sie in einen Jungen verknallt, der auf mich stand. Sie hat Arlo Kattery überredet, ihn zusammenzuschlagen. Das weiß ich ganz genau, auch wenn Arlo das bestritten hat. Außerdem war ich Anführerin der Cheerleader, was sie auch gern gewesen wäre. Grandpa hat seinen alten Chevy repariert, damit ich nach dem Training nicht zu Fuß nach Hause laufen musste. Melody hat *Schlampe* und Schlimmeres draufgesprüht. Sie war das ganz bestimmt, denn als ich sie darauf angesprochen habe, hatte Jolene ein sichtlich schlechtes Gewissen. Genau wie damals, als ich Ballkönigin geworden bin und anschließend die Windschutzscheibe des Chevy eingeschlagen und die Reifen aufgeschlitzt waren.«

»Das klingt ja fast krankhaft.«

»Sie ist falsch und hinterhältig. Manche Menschen sind so. Wenn sie nie zur Rechenschaft gezogen werden, wird es nur noch schlimmer. Ihretwegen zerbreche ich mir wirklich nicht den Kopf. Zum Glück hat sie im Salon und in der Wellnessoase Hausverbot. Du hast wunderbar gekocht, Griffin. Gut möglich, dass du tatsächlich eine gute Partie bist.«

»Sag ich doch.«

»Ich helf dir beim Aufräumen, aber dann muss ich los.«

Er strich ihr zärtlich über den Arm. »Kannst du wirklich nicht bleiben?«

Seine eindringlichen grünen Augen, seine rauen, geschickten, kräftigen Hände und seine Art, sie zu küssen, ließen ihr das Blut in den Adern rauschen.

»Das klingt verführerisch, zumal da draußen die Veranda auf uns wartet. Aber es fühlt sich einfach nicht richtig an, Callie allein zu lassen.«

»Vielleicht kann ich mich vor unserem gemeinsamen Picknick mit Callie auf eine Pizza verabreden?«

»Ach, das wäre toll. Aber ich habe diese Woche viel zu tun. Ich muss proben und …«

»Ich habe nicht dich gefragt.« Er beugte sich vor und küsste sie. »Hast du was dagegen, wenn ich den kleinen Rotschopf allein ausführe?«

»Ich … Ich denke nicht. Das würde ihr bestimmt gefallen.« Sie stand auf und trug die Teller zur Spüle. »Bist du sicher, dass du das willst, Griffin?«

»Callie oder dich?«

»Uns gibt es nur im Doppelpack.«

»Ein fantastisches Doppelpack.«

Er wechselte das Thema, erzählte ihr von seinen Plänen für das Haus, während sie die Spülmaschine einräumten. Es machte ihm Spaß, jemandem davon zu erzählen, der verstand, wovon er sprach, der das Potenzial erkannte.

»Eines brauchst du allerdings unbedingt, und zwar bald – eine Schaukel auf der Veranda. Eine so schöne Veranda ohne Schaukel geht gar nicht.«

»Eine Schaukel für die vordere Veranda also. Was ist mit der hinteren Veranda?«

»Dorthin gehört eine alte Bank oder ein Schaukelstuhl. Darauf könntest du dann sitzen und den Garten bewundern, den du mühevoll angelegt hast.«

»Ich soll den Garten anlegen?«

»Mit Blauregen.« Sie trocknete sich die Hände ab. »Es war ein wunderschöner Abend. Auf die Besichtigungstour in den ersten Stock hätte ich wirklich nicht verzichten wollen.«

Er schlang die Arme um ihre Taille. »Es gibt so vieles, das ich dir zeigen will.«

Sie schmolz dahin, überließ sich seinem Kuss und befreite sich nur widerwillig aus der Umarmung. »Ich muss wirklich los.«

»Gut, aber nur wenn du bald für den zweiten Teil der Besichtigungstour zurückkommst.«

»Ich fürchte, dieser Einladung kann ich nicht widerstehen.«

Sie griff nach ihrer Handtasche, und er nahm die Schlüssel aus einer Schale auf der Küchentheke.

»Ach, gehst du noch weg?« Sie liefen zur Haustür.

»Klar. Ich begleite dich nach Hause.«

»Sei nicht albern.«

»Ich bin nicht albern. Ich begleite dich und lasse mich nicht davon abbringen. Es ist keine Woche her, dass die Frau, die dich belästigt hat, vor deinem Arbeitsplatz erschossen worden ist. Du fährst nach Einbruch der Dunkelheit nicht allein nach Hause.«

»Ich kann dich schlecht davon abhalten, mir nachzufahren, aber das ist wirklich albern.«

»Pst!« Er zog sie für einen weiteren Kuss an sich und ging zu seinem Wagen, während sie ihren Kombi nahm.

Albern, aber auch wahnsinnig süß, dachte Shelby. Griff war wirklich ein Volltreffer, ein Kandidat für hundert Punkte. Als sie noch zur Highschool gegangen war, hatte sie sich mit Emma Kate ein Bewertungssystem für Männer ausgedacht. Amüsiert begann sie im Stillen, Griffs Pluspunkte zusammenzuzählen.

Gut aussehend: Auf einer Skala von eins bis zehn eindeutig zehn Punkte. Das war wirklich nicht übertrieben.

Gute Gespräche: wieder zehn Punkte. Er konnte reden, aber auch zuhören.

Humor: noch so ein Pluspunkt.

Sie bog auf die Hauptstraße ein und sah, wie ihr seine Scheinwerfer folgten.

Rücksichtsvoll: Fast ein bisschen zu rücksichtsvoll, wenn er seine kostbare Zeit damit verschwendete, ihr Geleit auf Straßen zu geben, die sie ein Leben lang kannte.

Kusskünste: zehn Punkte.

Sie ließ ihr Fenster herunter und genoss die kühle Abendluft. Beim Gedanken daran war ihr wieder ganz heiß geworden. Sie konnte ohne jede Übertreibung sagen, dass sie noch nie so gut geküsst worden war.

Welche Voraussetzungen musste der ideale Partner außerdem mitbringen? Irgendwo hatte sie das bestimmt aufgeschrieben. Sie hatten die Liste mit Eigenschaften aufgestellt, als sie beide keine Erfahrung gehabt hatten. Sex stand also nicht darauf.

Die erwachsene Shelby konnte diesen Punkt getrost in ihre Liste mit aufnehmen und wieder zehn Punkte vergeben.

Sie nahm die kurvige Umgehungsstraße, dicht gefolgt von Griffs Scheinwerfern, von denen ihr richtig warm ums Herz wurde.

Es tat gut, dass jemand auf sie aufpasste. Seit ewigen Zeiten war sie für Callie und sich allein verantwortlich gewesen.

Sie hielt in der Auffahrt und sah, dass bei ihren Eltern Licht brannte. Beim Aussteigen wollte sie sich mit einem kurzen Winken von Griff verabschieden, doch er war schon aus seinem Wagen gesprungen.

»Du musst mich nicht bis zur Tür bringen.«

»Natürlich muss ich das. Das gehört sich so. Außerdem: Wie soll ich dir sonst einen Gutenachtkuss geben?«

»Das gefällt mir. Als ich zum ersten Mal vor dieser Haustür geküsst worden bin, war ich fünfzehn. Silas Nash, ein Nachfahre des berüchtigten Nash, gab mir einen Kuss, der mich in mein Zimmer schweben und die ganze Nacht von ihm träumen ließ.«

»Dem kann ich locker das Wasser reichen«, sagte Griff nach einer kurzen Pause. »Den Kuss eines Teenagers namens Silas? Ich bitte dich.«

»Er macht gerade sein Jura-Examen an der University of Tennessee.«

»Auch einen Anwalt übertreffe ich leicht«, behauptete Griff und ließ seinen Worten Taten folgen.

»Dann werde ich jetzt nach oben schweben und die ganze Nacht von dir träumen.«

»Die ganze Nacht.« Er griff in ihre Mähne und küsste sie erneut, bis ihr ganz schwindelig wurde. »Ich mache nämlich keine halben Sachen.«

»Gute Nacht, Griffin.«

»Gute Nacht.«

Griff wartete, bis die Haustür hinter ihr ins Schloss gefallen war, und ging dann zu seinem Wagen. Auch er würde heute Nacht heiße Träume haben. Diese Frau hatte ihn wirklich umgehauen. Bei ihr fühlte er sich zu Hause.

Er sah zum ersten Stock hinauf, bestimmt würde sie kurz bei Callie hereinschauen. Und an ihn denken, zumindest wenn sie sich bettfertig machte.

Er für seinen Teil würde es so halten.

Dann trat er die Heimfahrt an, nahm ebenfalls die Umgehungsstraße und fuhr bewusst langsam, hing seinen Gedanken nach und schmiedete Pläne.

Bald würde er das hübsche kleine Mädchen auf eine Pizza einladen, mit ihm und seiner Mutter picknicken. Er freute sich darauf.

Vielleicht würde er eine Flasche Champagner mitbringen, um dem Picknick eine vornehme Note zu verleihen.

Als Scheinwerfer hinter ihm auftauchten, sah er in den Rückspiegel. Da er getrödelt hatte, gab er ein wenig mehr Gas.

Anscheinend nicht genug, denn die Scheinwerfer kamen näher. Er wartete darauf, dass ihn der Pritschenwagen überholte. Es war eindeutig ein Pritschenwagen, der es furchtbar eilig zu haben schien.

Doch stattdessen fuhr er ihm so fest hintenauf, dass er gegen das Lenkrad prallte.

Instinktiv trat er aufs Gas. Das Handy fiel ihm ein, das er wie immer in den Becherhalter gelegt hatte. Doch er wagte es nicht, eine Hand vom Lenkrad zu nehmen.

Erneut rammte ihn der Pritschenwagen, diesmal noch heftiger, sodass er ins Schleudern geriet. Griff hielt den Wagen auf der Straße, aber als er in der nächsten Kurve erneut getroffen wurde, rutschte er in den Straßengraben und prallte gegen eine grün belaubte Eiche.

Er hörte es krachen, hatte gerade noch Zeit genug zu denken: Mist, Mist, Mist, bevor der Airbag aufging. Trotzdem prallte er mit dem Kopf gegen das Seitenfenster. Er sah Sternchen und die roten Schlusslichter des Lieferwagens, der erst stehen blieb und dann wieder Gas gab, um hinter der nächsten Kurve zu verschwinden.

»Nicht verletzt«, murmelte er, aber die Sterne liefen in wild gezackten Enden aus, sodass er kaum etwas sah. »Alles halb so schlimm. Ich hab mir nichts gebrochen.«

Nur sein Auto war hinüber.

Er griff nach dem Handy, und alles war so seltsam verzerrt wie unter Wasser.

Nicht ohnmächtig werden!

Im Schein des Armaturenbretts gelang es ihm, die richtige Nummer zu finden. Er drückte die Wähltaste.

»Wo ist meine Schwester?«, fragte Forrest.«

»Zu Hause. Ganz im Gegensatz zu mir. Ich habe ein Problem.

Falls ich das Bewusstsein verlieren sollte: Ich bin auf der Black Bear Road, ungefähr drei Kilometer von meinem Haus entfernt. Du kennst die Kurve, wo die große Eiche steht?«

»Ja.«

»Mein Wagen steckt in diesem Baum. Jemand hat mich von der Straße gedrängt. Ich könnte einen Polizisten gebrauchen.«

»Und einen Abschleppwagen. Bist du verletzt?«

»Ich weiß nicht.« Wieder diese gezackten Sterne. »Ich bin mit dem Kopf aufgeprallt. Und ich blute ein bisschen.«

»Bleib, wo du bist. Ich bin schon unterwegs.«

»Der Wagen steckt mitten im Baumstamm. Wo sollte ich bitte schön hinfahren?«

Forrest hatte bereits aufgelegt.

Griff blieb eine Weile sitzen und versuchte, sich an das Auto zu erinnern, das ihn von der Straße gedrängt hatte.

Ein Chevy, ja, es war ein Chevy gewesen. Ein älterer Pick-up. Vielleicht vier, fünf Jahre alt. Etwas war am Kühler befestigt gewesen, eine Art … Pflug?

Weil er Kopfschmerzen bekam, hörte er auf, darüber nachzugrübeln. Er zerrte an seinem Sicherheitsgurt. Als er es schaffte, die Tür aufzustoßen, spürte er, dass ihm alles wehtat. Zur Tür zu schauen und die kühle Nachtluft in sich aufzusaugen war das Beste, was er machen konnte. Er wischte sich etwas Nasses aus dem Gesicht und sah, dass seine Hand blutverschmiert war.

Mist!

Eigentlich hatte er einen Bandana im Handschuhfach, aber es war ihm zu anstrengend, sich bis dorthin vorzuarbeiten.

Nichts ist gebrochen, rief er sich in Erinnerung. Mit acht Jahren hatte er sich einmal den Arm gebrochen, als der Ast heruntergekracht war, auf dem er gewippt hatte. Und mit siebzehn das Handgelenk beim Sprung aus Annies Fenster.

Er wusste also, wie sich das anfühlte.

Er war einfach nur gründlich durchgeschüttelt worden.

Nur sein Auto, an dem er weiß Gott hing, war bestimmt nicht mehr zu retten.

Er zwang sich aufzustehen, nur um zu prüfen, ob er dazu in der Lage war. Ihm war ein wenig schwindelig, aber nicht zu sehr. Mit letzter Kraft umrundete er einmal den Wagen, um den Schaden zu begutachten.

»Scheiße! Verdammte Scheiße!« Es war so schlimm, wie er befürchtet hatte. Er fuhr sich durchs Haar und sah erneut Sterne, als er die Wunde berührte.

Der Kühler war vollkommen eingedrückt, und die Motorhaube sah auch nicht besser aus. Ganz zu schweigen vom Motor darunter.

Er war kein Automechaniker, aber bestimmt war auch die Achse gebrochen.

Der Aufprall war heftig gewesen. Heftig genug, um die Windschutzscheibe zu zertrümmern.

Glas knirschte unter seinen Füßen, als er das Bandana und eine Taschenlampe aus dem Handschuhfach nahm. Die Warnblinkanlage! Er hätte als Erstes die Warnblinkanlage einschalten müssen.

Doch noch bevor er etwas tun konnte, durchschnitt Scheinwerferlicht die Dunkelheit.

Forrests Streifenwagen hielt neben dem Autowrack. Der Polizist stieg aus und musterte erst Griff, dann dessen Wagen.

»Du blutest am Kopf, Kumpel.«

»Ich weiß. So ein Mistkerl.« Er trat gegen den Hinterreifen, was er sofort bereute, als er ein Stechen im Nacken spürte.

Er hatte kein Schleudertrauma. Er hatte verdammt noch mal kein Schleudertrauma.

»Hast du was getrunken, Griff?«

»Zwei Gläser Wein, verteilt über den ganzen Abend, das letzte vor einer reichlichen Stunde. Ich bin von der Straße gedrängt worden, verdammt! Forrest, der Typ ist ganz dicht aufgefahren und hat mich mehrmals gerammt, bis er mich in der Kurve erwischt und in den Baum geschubst hat.«

»Welcher Typ?«

»Was weiß denn ich, wer das war.« Er presste den Handballen auf die pochende Wunde, denn er war es leid, dass ihm Blut ins Auge lief. »Es war ein vier, fünf Jahre alter Chevy. Irgendein Pflug oder ein anderes landwirtschaftliches Gerät war am Kühler befestigt. Rot, ich glaube es war ein roter Lieferwagen. Der Pflug war gelb.«

»Gut, wie wär's, wenn du dich hinsetzt? Ich habe einen Erste-Hilfe-Koffer dabei. Zunächst einmal sollten wir die Blutung stillen.«

»Ich lehne mich einfach an.« Er lehnte sich ans Heck seines Wagens. »Ah, da ist noch etwas …« Er versuchte, sich daran zu erinnern, als Forrest zu seinem Auto zurückging. »Nachdem ich in den Baum gefahren bin, hat er kurz angehalten. Nur wenige Sekunden, als wollte er sich vergewissern, dass ich richtig dagegengeknallt bin. Ich habe die Hecklichter gesehen und … einen Aufkleber. Eine Art Aufkleber. Auf der … Welche Hand ist das?«

Er hob die Linke und musterte sie eine Weile, bis er wieder wusste, wo rechts und links war.

»Auf der linken Hälfte der Heckklappe.«

Griff schloss die Augen, und das Pochen ließ etwas nach. »Er war nicht betrunken. Der hat das mit Absicht gemacht. Ich weiß nicht, wann er hinter mir aufgetaucht ist. Wahrscheinlich kurz nachdem ich Shelby zu deinen Eltern begleitet hatte.«

»Du bist ihr nachgefahren?«

»Ja. Nach allem, was passiert ist, wollte ich nicht, dass sie sich allein im Dunkeln auf den Heimweg macht.«

»Verstehe.« Forrest machte die Warnblinkanlage an, und Griff schloss erneut die Augen.

»Ich fürchte, mein Auto hat einen Totalschaden. Dabei ist es erst drei Jahre alt. Es hat zwar einige Kilometer drauf, trotzdem wäre es noch eine ganze Weile gefahren.«

»Wir lassen Grandpa draufschauen, nachdem es abgeschleppt worden ist. Du bist auf jeden Fall klar im Kopf«, sagte Forrest und kam mit seinem Erste-Hilfe-Koffer angelaufen. »Und du hast dich nicht übergeben.«

»Das werde ich auch nicht.«

»Sollte es dennoch dazu kommen, ziel bitte in die andere Richtung. Kannst du einigermaßen sehen?«

»Anfangs war alles so seltsam verschwommen. Aua, Mist!«

»Stell dich nicht so an«, sagte Forrest sanft und fuhr damit fort, die Wunde mit einem Alkoholtupfer zu desinfizieren.

»Wenn du so eine sadistische Krankenschwester hättest, würdest du dich genauso anstellen.«

»Ich kann nicht sehen, wie schlimm es ist, dazu muss die Wunde erst richtig gesäubert werden. Schwester Emma Kate ist schon unterwegs.«

»Wie bitte? Wieso denn das?«

»Wenn sie sagt, dass du in die Notaufnahme nach Gatlinburg musst, wirst du dorthin fahren. Nachdem ich mich um den Schlamassel hier kümmern muss, können Matt und sie das erledigen.«

»Du hast sie angerufen.«

»Ja. Ich werde auch den Abschleppwagen rufen, nachdem ich mir die Sache gründlich angesehen habe. Kannst du mir mehr über den anderen Wagen erzählen?«

»Du meinst, abgesehen davon, dass sein Fahrer ein Irrer sein muss?«

»Du hast also nichts von dem Irren mitbekommen?«

»Nur vage. Ich würde sagen, es war ein Mann. Andererseits war ich voll und ganz damit beschäftigt, nicht so zu enden, wie ich geendet habe.« Griff schwieg eine Weile und sah zu, wie Forrest einen notdürftigen Verband anlegte. »Nach allem, was ich dir gesagt habe, müsstest du eigentlich wissen, wer der Fahrer ist.«

»Ich habe eine Vermutung. Das ist mein Job, Griff.«

»Von wegen. Es ist schließlich mein Auto und mein Kopf.«

»Nein, das ist mein Job. Emma Kate und Matt müssen jeden Moment hier sein. Hast du dich in letzter Zeit mit jemandem angelegt?«

»Wenn, dann höchstens mit dir. Schließlich schlafe ich mit deiner Schwester.«

Forrest erstarrte und kniff die Augen zusammen. »Ist das wahr?«

»Ich finde, das ist ein guter Moment, dich offiziell einzuweihen. Ich blute ohnehin schon. Ich bin verrückt nach ihr, einfach verrückt nach ihr.«

»Das ging aber schnell.«

»Sie hat mich umgehauen. Peng!«

Bevor Forrest etwas sagen konnte, kam Emma Kate angerannt, einen großen Arztkoffer in der Hand. »Was ist passiert? Lass mich mal sehen.«

Sie holte eine Taschenlampe hervor und leuchtete ihm ins Gesicht. »Folge dem Lichtstrahl mit den Augen.«

»Es geht mir gut.«

»Halt den Mund. Sag mir deinen vollständigen Namen und das heutige Datum.«

»Franklin Delano Roosevelt. 7. Dezember 1941. Ein berüchtigtes Datum.«

»Klugscheißer. Wie viele Finger siehst du?«

»Elf minus neun. Es geht mir gut, Emma Kate.«

»Ob es dir gut geht oder nicht, bestimme ich, nachdem ich dich in der Klinik gründlich untersucht habe.«

»Ich muss nicht …«

»Halt's Maul«, wiederholte sie und umarmte ihn fest. »Dein Verband in allen Ehren, Forrest, aber ich werde ihn in der Klinik abnehmen und einen Blick auf die Wunde werfen. Vielleicht muss sie genäht werden.«

»Kommt gar nicht infrage«, protestierte Griff.

Matt hatte die Hände in die Hüften gestützt und musterte den Wagen. »Die Karre ist echt nur noch Schrott. Forrest hat erzählt, jemand hätte dich von der Straße gedrängt? Wer war das?«

»Frag Forrest. Ich glaube, er weiß es, nachdem ich ihm den Wagen beschrieben habe.«

»Ich kümmere mich darum. Ihr fahrt Griff bitte in die Klinik und schaut ihn euch genau an. Das Auto lass ich in Grandpas Werkstatt schleppen. Morgen könnt ihr dann abholen, was noch davon übrig ist.«

»Mein Werkzeug …«

»Wird morgen früh auch noch da sein. Ich muss den Vorfall melden, habe aber deine ausführliche Zeugenaussage. Sollte ich Fragen haben, rühr ich mich. Du hast hier nichts mehr verloren, Griff.«

Der protestierte, wurde aber überstimmt und zu Matts Auto geschleift.

»Er weiß, wer es war, will es mir aber nicht verraten.« Griff war verbittert.

»Weil er ganz genau weiß, dass du zwar ein netter Kerl bist, aber sofort auf Rache sinnen würdest.« Matt schüttelte den Kopf. »Wer könnte dir das verübeln? Aber du bist schon lädiert genug, und es dürfte dir eine Genugtuung sein, wenn der Kerl demnächst in der Zelle hockt.«

»Das kann er auch noch, nachdem ich ihn vermöbelt habe.«

»War das etwa Absicht?«, fragte Emma Kate. »Bist du sicher?«

»Und ob.«

»Was hattest du überhaupt auf dieser Straße zu suchen?«

»Ich war bei Shelby und habe mich dann auf den Heimweg gemacht.« Griff setzte sich abrupt auf. »Ich kam gerade von Shelby, als sich der andere Wagen hinter mich geklemmt hat. Gleich nachdem ich bei ihr weg bin. Er muss also ihr oder mein Haus beobachtet und auf seine Chance gewartet haben.«

»Du glaubst, er ist dir gefolgt, weil er an sie nicht rangekommen ist?«, fragte Matt.

»Wer auch immer das war, ich glaube nicht, dass das ein Irrer ist. Sondern etwas Schlimmeres. Etwas viel Schlimmeres.«

18

Shelby begann den Tag laut singend unter der Dusche. Sie machte sich nicht die Mühe, ihre beschwingten Schritte zu verbergen. Sollten sich die anderen ruhig ihren Teil dazu denken!

Sie zog sich an und half Callie beim Aufstehen.

»Du darfst heute mit zu Grandma.«

»Zu Grandma nach Hause?«

»Ganz genau, denn heute ist ihr freier Tag. Ist das nicht toll?«

»Grandma hat Kekse und Teddy.«

Teddy war der große gelbe Hund, der den ganzen Tag mit dem kleinen Mädchen spielen und mit ihm um die Wette sausen würde. Wenn er nicht gerade in der Sonne lag und schlief.

»Ich weiß. Grandpa wird auch eine Weile da sein. Deine Granny wird dich auf dem Weg zur Arbeit hinbringen. Ich muss heute Vormittag einiges erledigen. Nach der Arbeit hol ich dich wieder ab.«

Während Callie alles aufzählte, was sie zu Grandma mitnehmen und was sie dort alles machen würde, gingen sie in die Küche.

Shelbys Eltern verstummten abrupt. Der kurze Blick, den sie wechselten, machte Shelby sofort misstrauisch.

»Stimmt was nicht?«

»Wieso, was sollte denn nicht stimmen?«, sagte Ada Mae angestrengt fröhlich. »Callie Rose, es ist so ein schöner Tag, da dachte ich, wir frühstücken draußen auf der Veranda. Wie bei einem Picknick.«

»Ich mag Picknicks. Ich lade Griff zum Picknicken ein.«

»Das habe ich schon gehört. Wir können ja ein bisschen üben. Ich habe diese hübschen Erdbeeren klein geschnitten und Rührei mit Käse gemacht. Komm, wir tragen alles raus.«

»Mama will auch picknicken.«

»Sie kommt gleich nach.«

Shelby blieb, wo sie war, während Ada Mae Callie auf die Veranda lockte.

»Irgendetwas stimmt nicht. Daddy, ist noch jemand erschossen worden?«

»Nein, nichts dergleichen. Zunächst einmal … Es geht ihm gut.«

»Wem, Griff? Geht es um Griffin?« Ihr schlug das Herz bis zum Hals, und sie packte die Hände ihres Vaters. Der bewahrte die Ruhe, ganz egal, was passierte. »Wenn es um Clay oder Forrest gehen würde, wäre Mama völlig außer sich. Was ist Griff zugestoßen?«

»Er hatte einen kleinen Unfall, mehr nicht. Es ist nichts Schlimmes passiert, Shelby, wirklich nicht, sonst würde ich es dir sagen. Jemand hat ihn gestern Abend mit dem Wagen von der Straße gedrängt, sodass er gegen die große Eiche an der Black Bear Road gefahren ist.«

»Gedrängt? Wie gedrängt? Wer denn? Warum?«

»Setz dich und hol tief Luft.« Clayton machte den Kühlschrank auf und nahm eine Cola heraus. »Er hat nur ein paar Schürfwunden vom Sicherheitsgurt und vom Air Bag und eine Platzwunde am Kopf. Emma Kate hat ihn gestern Nacht in die Klinik gefahren und untersucht. Ich werde ihn mir heute ansehen. Aber wenn Emma Kate sagt, dass er keinen Arzt braucht und nicht ins Krankenhaus muss, können wir uns darauf verlassen.«

»Gut, aber ich möchte mich lieber mit eigenen Augen davon überzeugen.«

»Das kannst du«, sagte er nach wie vor gelassen. »Wenn du dich beruhigt hast.«

»Es muss passiert sein, nachdem er von mir weg ist. Hätte er nicht darauf bestanden, mir nachzufahren, damit ich gut nach Hause komme ... Ich möchte sofort zu ihm und mich von seinem Zustand überzeugen. Könnt ihr so lange auf Callie aufpassen?«

»Mach dir wegen Callie keine Sorgen. Griff ist nicht bei sich zu Hause, sondern bei Emma Kate, da sie ihn nicht allein lassen wollte.«

»Gut.« So langsam bekam sie wieder Luft. »Das ist gut.«

»Ich nehme jedoch an, dass er gerade auf dem Weg zum Revier ist. Forrest und Nobby sind runter ins Tal und haben Arlo Kattery eingebuchtet. Du weißt schon, mein Cousin Nobby?«

»Arlo? Hat er Griffin von der Straße gedrängt?« Sie presste die Hände gegen die Lider. »Bestimmt war er wieder betrunken und ist gerast wie verrückt.«

»Keine Ahnung, vermutlich. Geh zu Griff aufs Revier, dann weißt du mehr. Richte ihm aus, dass er um zehn einen Termin bei mir hat. Vorher darf er weder fahren noch mit irgendwelchen Geräten hantieren.«

»Versprochen. Und Callie ...«

»Callie geht es prima. Fahr nur.«

»Danke, Daddy.«

Als sie hinausrannte und die ungeöffnete Cola stehen ließ, wusste Clayton, dass seine Kleine ziemlich verknallt war. Seufzend griff er nach der Dose und öffnete sie selbst. Das war vernünftiger, als morgens um halb acht nach einem Glas Whiskey zu greifen.

* * *

Griff betrat das Revier. Seine Augen waren blutunterlaufen. Die Haut um das linke herum hatte sich über Nacht grünblau verfärbt. Wie von der Tarantel gestochen, rannte er auf Forrest zu.

»Ich möchte mit dem Mistkerl reden.«

Forrest nahm das Telefon in die Hand, das er sich zwischen Ohr und Schulter geklemmt hatte. »Ich ruf gleich zurück«, sagte er und legte auf.

»Du solltest dich erst ein bisschen beruhigen.«

»Von wegen. Ich kenne Arlo Kattery nicht, habe noch nie ein Wort mit ihm gewechselt. Ich will wissen, warum er mich absichtlich von der Straße gedrängt hat.«

»Forrest?« Der Sheriff stand in der Tür. »Lass Griff ruhig zu ihm, damit er ihm gehörig die Meinung sagen kann.«

Forrest zögerte.

»Wenn ich an seiner Stelle wäre, würde es mir genauso gehen.«

»Na gut, okay. Nobby, kannst du bitte diesen Typen aus dem Labor zurückrufen?«

»Klar. Dein Auge sieht gar nicht so schlimm aus, Griff.« Nobby, der seit zwanzig Jahren bei der Truppe war, sah Griff forschend ins Gesicht. »Ich habe Schlimmeres gesehen. Am besten, du legst ein rohes Steak drauf, das hilft.«

»Gut, wird gemacht.«

Griff wollte sich gerade umdrehen, als Shelby hereingeschossen kam.

»Ach, Griffin.«

»Shelby, gerade hab ich ihm gesagt, dass es gar nicht so schlimm ist.«

»Er hat recht«, bestätigte Griff rasch. »Ich bin okay. Es tut gar nicht weh.« Es schmerzte höllisch, aber weh tat es nicht.

»Daddy hat mir erzählt, dass es Arlo Kattery war. Warum hat der Mann nach wie vor seinen Führerschein, wenn er ständig so betrunken durch die Gegend fährt wie damals zu Schulzeiten?«

»Wir wissen nicht, ob er betrunken war, als er Griff von der Straße gedrängt hat.«

»Natürlich war er betrunken. Wieso sollte er so was sonst machen?«

Forrest wechselte einen kurzen Blick mit dem Sheriff, der unmerklich nickte.

»Wieso gehen wir nicht zu ihm und fragen ihn? Er war ziemlich beschwipst, als Nobby und ich ihn verhaftet haben. Zunächst hat er behauptet, er wäre den ganzen Abend zu Hause gewesen. Der Pflug war nach wie vor an seinem Wagen befestigt. Arlo bekommt Geld dafür, wenn er die Privatstraßen außerhalb der Stadt einebnet«, erklärte er Griff. »Im Mai braucht man schließlich keinen Schneepflug. Wir haben weiße Farbe daran gefunden. Und gelbe wie die vom Pflug an Griffs Heck. Als Nobby und ich ihn damit konfrontiert haben, hat er behauptet, jemand hätte ihm den Wagen gestohlen und den Pflug dranmontiert.«

»Quatsch.«

»Der Typ steckt so was von in der Scheiße«, sagte Forrest zu Griff. »Aber es bringt nichts, sich mit einem Betrunkenen rumzustreiten, der noch dazu bekifft ist. Also haben wir ihn mitgenommen und ihn eine Nacht drüber schlafen lassen, dass wir ihn heute wegen versuchten Mordes anklagen werden.«

»Ach, du meine Güte.« Shelby schloss die Augen.

»Genau diese Reaktion wollen wir bei ihm hervorrufen. Versuchter Mord ist vielleicht ein bisschen übertrieben«, sagte Forrest und hakte die Daumen im Gürtel ein. »Stattdessen wird es eher auf gefährlichen Eingriff in den Straßenverkehr, Fahrerflucht und Körperverletzung hinauslaufen.«

»Ach, da ist ganz schön Luft nach oben«, meinte Hardigan.

»Vermutlich ja. Ein paar Jahre dürfte er auf jeden Fall in den Knast wandern. Wir haben dafür gesorgt, dass die Information bei ihm einsickert. Wenn ich den Sheriff richtig verstanden habe, wird der Anblick von euch beiden seiner Erinnerung vielleicht ein wenig auf die Sprünge helfen.«

»Gut geraten, Forrest.«

»Na gut, schauen wir mal. Erwähnt bloß nicht das Wort

Anwalt, okay? In seinem Spatzenhirn ist dieser Gedanke noch nicht angekommen.«

Forrest öffnete eine Stahltür, die zu den drei Zellen führte.

In der mittleren lag Arlo Kattery auf einer Pritsche.

Shelby hatte damals im *Bootlegger's* einen Blick auf ihn werfen können. Auf ihn und seine blassen, stechenden Augen. Das Bild, das sich ihr bot, sah nicht viel anders aus als das, was sie vor Jahren am helllichten Tag von ihm gesehen hatte. Strohblondes, kurz rasiertes Haar, das Gesicht voller Bartstoppeln. Dazu diese kleinen Reptilienaugen, die gerade geschlossen waren, und der lange Hals mit dem Stacheldraht-Tattoo.

Er war eher klein und untersetzt, und seine Fingerknöchel waren voller Narben. Eine Folge der unzähligen Raufereien, die er meist selbst angezettelt hatte.

Forrest stieß einen schrillen Pfiff aus, bei dem Shelby zusammenzuckte, und Arlo schlug die Augen auf.

»Aufwachen, Freundchen, du hast Besuch.«

Augen so blassblau, dass sie fast farblos waren, erfassten Griff und schauten sofort wieder weg.

»Ich habe nicht um Besuch gebeten. Du solltest mich lieber rauslassen, Pomeroy, sonst mach ich dir Feuer unterm Hintern.«

»Aus meiner Sicht hast du gerade selbst ziemlich Feuer unterm Hintern, Arlo. Griff will verständlicherweise wissen, warum du seinen Wagen gerammt und ihn in die alte Eiche geschubst hast.«

»Das war ich nicht, das hab ich euch doch schon gesagt.«

»Ein Chevy Pick-up, dunkelrot, mit einem gelben Pflug vorne dran und einem Aufkleber auf der linken Hälfte der Heckklappe.« Griff starrte Arlo an und sah, wie dessen Kiefermuskeln mahlten.

»Es gibt in der Gegend einige Autos, auf die das zutrifft.«

»Nein, nicht mit diesen Merkmalen, nicht mit diesem lustigen Aufkleber. Er zeigt mehrere Einschusslöcher. Darüber steht: *Wenn Sie das lesen können, ist es zu spät.*« Forrest schüttelte den Kopf. »Ein echter Schenkelklopfer, Arlo. Berücksichtigt man dann noch die Farbspuren, ist der Fall eindeutig. Nobby redet gerade mit der Spurensicherung. Es dauert vielleicht ein bisschen, aber man wird das Gelb deinem Pflug zuordnen können und das Weiß Griffs Wagen.«

»Diese Laboruntersuchungen sind doch Quatsch. Der ganze Zirkus hier ist Quatsch.«

»Das Gericht wird die Sache nicht so auf die leichte Schulter nehmen. Es geht um versuchten Mord.«

»Ich habe niemanden ermordet.« Arlo wurde langsam aggressiv. »Da steht er doch, oder etwa nicht?«

»Deswegen sage ich ja auch *versuchter* Mord, Arlo. Du hast es versucht, aber nicht geschafft.«

»Ich habe keinen Mord versucht.«

»Aha.« Forrest nickte gespielt nachdenklich und schüttelte dann den Kopf. »Tut mir leid, aber das dürfte dir kein Gericht der Welt abnehmen. Weißt du, es gibt nämlich so etwas wie eine Rekonstruktion des Unfallhergangs. Die wird ergeben, dass du Griffs Wagen absichtlich mehrmals gerammt hast. Das ist gar nicht so einfach. Du kannst dich also nicht auf Unzurechnungsfähigkeit rausreden und behaupten, du wärst betrunken gewesen. Das Strafmaß dürfte das ohnehin kaum herabsetzen. Ich gehe davon aus, dass du ungefähr zwanzig Jahre bekommen wirst.«

»Niemals.«

»Klar«, mischte sich Griff ein. »Forrest, sing irgendwas und halt dir die Ohren zu, während ich diesem Arschloch sage, dass ich bei Gott schwören werde, dass ich es hinterm Steuer gesehen habe. Einschließlich jedes einzelnen Einschusslochs auf diesem bescheuerten Aufkleber, von seinem Autokennzeichen einmal abgesehen.«

»Das ist eine verdammte Lüge. Ich hatte die Kennzeichen mit einem Jutesack abgehängt.«

»Du bist wirklich bescheuert, Arlo«, murmelte Forrest.

»Er ist ein verdammter Lügner.« Außer sich vor Wut, steckte

Arlo die Hände zwischen den Gitterstäben hindurch. »Er lügt wie gedruckt.«

»Du hast versucht, mich umzubringen«, rief Griff ihm in Erinnerung.

»Ich habe gar nichts versucht. Außerdem sollte es gar nicht dich treffen, sondern sie.«

»Würdest du das bitte wiederholen?«, sagte Forrest betont leise, aber Griff hatte bereits einen Schritt nach vorn gemacht, Arlo zwischen den Gitterstäben hindurch am Hemd gepackt und dessen Kopf gegen die Metallstäbe geschlagen.

»Hör auf, Griff, das darfst du nicht.«

Trotzdem machte Forrest keinerlei Anstalten, Griff an der Wiederholung zu hindern.

»So, das reicht fürs Erste.« Forrest packte Griff an der Schulter. »Wir wollen schließlich nicht, dass er wegen einer Formsache davonkommt. Los, lass ihn.«

»Warum?« Shelby hatte sich die ganze Zeit über nicht von der Stelle gerührt. Weder als Arlo sie hasserfüllt angesehen noch als er sie als eigentliches Opfer benannt hatte. Auch nicht angesichts von Griffs Verhalten. »Warum solltest du mir etwas antun wollen? Ich hab dir nie was getan.«

»Du warst dir früher viel zu gut für mich, hast auf mich runtergeschaut und mir die kalte Schulter gezeigt. Nur um dann mit dem erstbesten Geldsack abzuhauen. Wie ich gehört habe, hat das nicht funktioniert.«

»Du hättest mir was angetan, nur weil ich damals auf der Highschool nicht mit dir gehen wollte? Ich habe ein Kind, eine kleine Tochter, die nur noch mich hat. Du hättest meine Kleine einfach zur Waisen gemacht, nur weil ich damals nicht mit dir gehen wollte?«

»Ich hatte nie vor, jemanden zum Waisen zu machen. Ich wollte dir bloß einen kleinen Schreck einjagen, dir eine Lektion erteilen. Das Ganze war ohnehin nicht meine Idee.«

»Wessen Idee war es dann, Arlo?«

Zum ersten Mal stahl sich so etwas wie Gerissenheit in Arlos Blick. Er sah zwischen Forrest und Shelby hin und her. »Ich könnte euch durchaus was erzählen, aber nur wenn ich dieses Immundings kriege. Ich geh ganz bestimmt nicht für zwanzig Jahre in den Knast. Für etwas, das ohnehin nicht meine Idee war.«

»Sag mir den Namen, und ich denk drüber nach. Wenn nicht, werde ich auf fünfundzwanzig Jahre plädieren. Es geht um meine Schwester, verdammt! Wenn du dich mit was auskennst, dann mit Blutsbanden. Du sagst mir sofort, wer dich dazu angestiftet hat, oder ich sorge dafür, dass du für eine sehr lange Zeit in den Knast wanderst.«

»Ich brauch eine Garantie, dass …«

»Nichts bekommst du.«

»Weniger als nichts«, verkündete Griff. »Ich finde bestimmt einen Weg, die Wahrheit aus dir herauszuprügeln. Wenn es so weit ist, wirst du dir wünschen, zwanzig Jahre in den Knast zu dürfen.«

»Ich hab dir nichts getan. Ich wollte dir bloß ein bisschen Angst machen. Sie hat mir tausend Dollar gegeben und mir weitere tausend versprochen, wenn ich dir einen gehörigen Schrecken einjage, dir eine ordentliche Lektion erteile. Ich wollte dich bloß ein bisschen von der Straße abdrängen, mehr nicht. Dann kamst du plötzlich aus der Gegenrichtung. Ich habe gewendet, und du bist schnurstracks zum alten Tripplehorn-Haus.«

»Du bist mir gefolgt?«

»Ich musste warten und dachte, na gut, dann mache ich es eben auf der Rückfahrt, wenn es dunkel ist. Das ist ohnehin besser. Dann ist er dir nachgefahren, und ich kam nicht an dich ran. Damit nicht alles umsonst war, dachte ich, wenn ich ihn von der Straße schubse, wird dir das genauso Angst machen. Du scheinst dich ja nur mit Yankees abzugeben. Mit ihm bist du sofort in die Kiste gehüpft, mich hast du keines Blickes gewürdigt. Ich habe gesehen, wie er dich ausgezogen hat.«

»Du hast uns zugeschaut.« Shelby war viel zu wütend, um sich zu ekeln. Sie wusste genau, wer ihn bezahlt hatte. »Hat dir Melody Bunker etwa gesagt, dass du spannen sollst?«

»Sie hat mir tausend Dollar gegeben und mir noch tausend obendrauf versprochen. Genaue Anweisungen habe ich keine bekommen. Sie hat nur gesagt, dass ich die Sache erledigen soll. Miss Etepetete ist sinksauer auf dich. Sie ist zu meinem Wohnwagen ins Tal gekommen und hat mir Bargeld gegeben. So sauer ist sie auf dich, weil du sie aus dem Salon hast werfen lassen.«

»Nun, ich hoffe, du hast beim Spannen gut aufgepasst, damit du was hast, woran du dich im Knast erinnern kannst. Eines kann ich dir sagen, ich bin mir nie zu gut für dich gewesen. Ich konnte dich bloß nicht leiden.«

Shelby wirbelte herum und machte Anstalten zu gehen. Forrest signalisierte Griff, ihr zu folgen.

»Warte, Rotschopf.«

»Ich halte das keine Sekunde länger aus. Ich bekomm kaum Luft. Wenn du seinen Kopf nicht gegen das Gitter geschlagen hättest, hätte ich es selbst getan. Er hätte dich umbringen können.«

»Hat er aber nicht.«

»Wenn du mir nicht hinterhergefahren wärst …«

»Bin ich aber.« Er packte sie an den Schultern. Wozu sich vorstellen, was alles hätte passieren können? »Er sitzt hinter Gittern, Shelby. Da bleibt er auch.«

»Und das nur, weil Melody in ihrem Stolz verletzt wurde. Dabei hatte sie das mehr als verdient. Sie weiß genau, wozu er fähig ist. Sie hat ihm Geld und einen Vorwand geliefert.«

»Wetten, dass sie heute Vormittag in der Zelle neben ihm sitzen wird?«

»Höchstwahrscheinlich«, sagte Forrest, als er zu ihnen stieß. »Eine Minute noch. Nobby, kannst du kurz auf diesen Idioten Arlo aufpassen? Ich habe ihm befohlen, alles aufzuschreiben.«

»Klar. Hat er gestanden?«

»Und wie, Sheriff. Ich werde Ihnen gleich alles ausführlich erzählen, anschließend beantragen wir einen Haftbefehl. Für Melody
Bunker. Wegen Anstiftung zu einer Straftat und gemeinschaftlich
begangener Körperverletzung.«

»Meine Güte, Forrest.« Hardigan seufzte laut und kratzte sich
im Nacken. »Bist du sicher?«

»Ich erzähl Ihnen gleich, was Arlo gesagt hat.«

»Er hat die Wahrheit gesagt«, schaltete sich Griff ein. »Er hat
sie nicht fälschlicherweise beschuldigt. Melody hat ihn dafür bezahlt. Mit Geld, das er vermutlich noch nicht ausgeben konnte.«

»Fahren wir zu seinem Wohnwagen«, schlug Forrest vor und
sah sich suchend um. »Wo ist Shelby?«

»Sie ist … Gerade eben war sie noch da. Ach, verdammt. Nein,
bitte nicht.«

»Melody. Meine Schwester kann ziemlich durchdrehen, wenn
bei ihr die Sicherungen durchbrennen. Sheriff?«, sagte Forrest,
während Griff bereits zur Tür eilte.

»Ja, begleite ihn. Genau das hat uns noch gefehlt. Dass deine
Schwester Florence Piedmonts Enkelin aus dem Fenster stößt.«

*　*　*

Shelby hatte nicht vor, Melody aus einem Fenster zu stoßen. Allein schon, weil sie gar nicht auf die Idee gekommen wäre. Sie
wusste nicht genau, was sie tun würde. Sie wusste nur, dass sie
etwas tun musste.

Es hatte nichts genutzt, diese Zicke zu ignorieren. Weder Zynismus noch eine direkte Konfrontation hatten geholfen.

Deshalb musste sie etwas finden, das der Sache ein für alle Mal
ein Ende bereitete.

Das Haus der Piedmonts thronte auf einem grünen Hügel, zu
dem eine weiße Treppe hinaufführte. Diese war gesäumt von kleinen Bäumen und perfekt getrimmten Hecken.

Von der erhöhten Lage aus konnte man ganz Rendezvous Ridge sowie die Berge und Täler der Umgebung sehen. Das Anwesen war noch genauso elegant wie vor dem Bürgerkrieg. Eine zierliche Veranda säumte die schneeweiße Fassade, bunte Blumenbeete setzten fröhliche Farbakzente.

Shelby hatte das Haus immer bewundert. Jetzt schoss sie darauf zu wie eine Rakete.

Sie wusste, dass Melody im Kutscherhaus wohnte, und raste direkt bis vor die Tür. Es dröhnte in ihren Ohren, als sie wütend aus dem Kombi sprang und an Melodys Auto vorbeiging. Wäre ihr niemand entgegengekommen, wäre sie schnurstracks ins Haus marschiert.

»Bist du das? Shelby Anne Pomeroy?«

Sie kannte die Haushälterin, die schon lange für die Familie arbeitete, Maybelines Schwester. Mühsam riss sie sich zusammen und schenkte ihr ebenfalls ein Lächeln.

»Wie schön, Sie zu sehen, Miz Pattie. Wie geht es Ihnen?«

»Prima.« Die große dünne Frau mit dem grau melierten Pferdeschwanz kam auf sie zu. Sie hatte einen Korb in der Hand, zur Hälfte gefüllt mit den ersten Rosen. »Was für ein schöner Frühling dieses Jahr, auch wenn es schon sehr heiß ist. Ich bin so froh, dass du wieder zurück bist, um ihn zu genießen. Mein Beileid wegen deines Mannes.«

»Danke, Miz Pattie, aber ich muss unbedingt mit Melody sprechen.«

»Die sitzt mit Mrs. Piedmont und Miz Jolene auf der hinteren Veranda. Ich nehme an, es geht um den Streit bei Miz Vi? Maybeline und Lorilee haben mir davon erzählt.«

»Ja, genau.«

»Dann geh nach hinten durch. Ich hoffe, ihr Mädchen bringt die Sache wieder in Ordnung.«

»Deshalb bin ich hier, um die Sache in Ordnung zu bringen. Danke.«

Erneut ließ Shelby die Wut hochkochen, während sie den samt-grünen Rasen überquerte. Sie hörte Frauenstimmen und roch Rosenduft.

Und da saß Melody Bunker. An einem Tisch mit weißer Tisch-decke, elegantem Porzellan und funkelnden, mit Saft gefüllten Karaffen.

»Ich werde mich nicht bei ihr entschuldigen, Grandmama, also hör endlich auf, mich dazu zu drängen. Ich habe nichts gesagt, was nicht der Wahrheit entspricht. Deswegen werde ich mir ganz bestimmt nicht die Blöße geben, bei diesen Leuten zu Kreuze zu kriechen, nur damit Jolene ihre miserable Friseurin zurück-bekommt.«

»Crystal ist nicht miserabel, Melody, und wir hätten nie …«

»Halt die Klappe, Jolene, und hör endlich auf zu jammern. Ich kann es langsam nicht mehr hören. Überhaupt sollten die kleine Schlampe und ihre lästige Großmutter …«

Bei Shelbys Anblick sprang sie erschrocken auf und traute ihren Augen kaum, als Forrest und Griff hinterhergerannt kamen.

»Verschwinde! Wir wollen dich nicht sehen.«

»Hier bestimme immer noch ich, wen ich sehen will und wen nicht«, schnauzte Florence sie an.

»Bitte, aber ohne mich.«

Melody wandte sich zum Gehen, doch Shelby packte sie am Arm und wirbelte sie herum. »Du hast ihn bezahlt. Du hast Arlo Kattery dafür bezahlt, dass er mir wehtut.«

»Finger weg. Ich weiß gar nicht, wovon du redest.«

»Und dann hast du auch noch die Unverschämtheit, mir ins Gesicht zu lügen.« Ehe sie sichs versah, ballte Shelby die Faust – und machte Gebrauch davon.

Schreie übertönten das Dröhnen in ihren Ohren, und trotz des roten Schleiers vor ihren Augen sah sie, wie Melodys Blick glasig wurde.

Dann merkte sie nur noch, dass ihr jemand die Arme auf den Rücken drehte. Sie trat um sich, denn sie war noch nicht fertig. Nicht einmal ansatzweise, aber der Klammergriff verstärkte sich.

»Hör auf. Komm, Rotschopf, reiß dich zusammen. Du hast ihr ganz schön eine verpasst.«

»Das reicht nicht. Nicht für das, was sie getan hat.«

Melody war auf der Veranda zu Boden gegangen. »Sie hat mich geschlagen. Ihr seid Zeuge, wie sie auf mich losgegangen ist.« Schluchzend fasste sie sich ans Kinn. »Ich werde sie anzeigen.«

»Na prima«, konterte Forrest. »Ich fürchte, die Anschuldigungen gegen dich sind deutlich schwerwiegender.«

»Ich habe nichts getan. Ich weiß gar nicht, wovon sie redet. Grandmama, es tut weh.«

»Jolene, hör auf zu fuchteln, als wolltest du gleich abheben. Hol lieber Eis zum Kühlen.« Florence, die bei dem ganzen Trubel aufgesprungen war, ließ sich schwer in ihren Stuhl zurücksinken. »Ich hätte gern eine Erklärung. Warum taucht dieses Mädchen mit wilden Anschuldigungen hier auf und greift meine Enkelin an?«

»Ich mach das«, rief Shelby, bevor Forrest etwas sagen konnte. »Lass mich los, Griffin. Ich tu auch nichts mehr. Bitte entschuldigen Sie, Mrs. Piedmont, wegen Melody tut es mir nicht leid, Ihretwegen schon. Das ist Ihr Zuhause, und ich hätte nicht einfach hier hereinplatzen dürfen. Aber ich war so außer mir, dass ich keinen klaren Gedanken fassen konnte.«

»Grandmama, schick sie fort, sie gehört ins Gefängnis.«

»Sei ruhig, Melody. Es tut bloß weh, wenn du redest. Warum also bist du hier reingeplatzt, Shelby?«

»Diesmal ist sie eindeutig zu weit gegangen. Das ist etwas ganz anderes, als Gemeinheiten zu verbreiten, Reifen zu zerstechen oder Lügen über mich in Umlauf zu bringen. Diesmal hat sie Arlo Kattery tausend Dollar gegeben und ihm noch einmal so viel versprochen, wenn er mir einen gehörigen Schrecken einjagt, mir eine Lektion erteilt.«

»Das habe ich nie getan. Warum sollte ich mich dazu herablassen, mit jemandem wie Arlo Kattery zu reden? Er ist ein Lügner, genau wie du.«

»Ich habe gesagt, dass du ruhig sein sollst, Melody Louisa. Warum glaubst du, dass Melody das gemacht hat, Shelby?«

»Weil Arlo Griff gestern Abend von der Straße gedrängt und sein Auto ruiniert hat. Schauen Sie ihn doch an, Mrs. Piedmont. Er wurde verletzt, nur weil er dafür gesorgt hat, dass ich heil nach Hause komme. Nur deshalb ist Arlo nicht an mich herangekommen. Nur deshalb konnte er nicht tun, wofür er bezahlt worden ist. Stattdessen hat er sich mit Griff angelegt. Sie ist runter ins Tal, zu Arlos Wohnwagen und hat ihn dafür bezahlt.«

»Die spinnt ja. Sie lügt.«

»O Gott.« Jolene stand in der Terrassentür, ein blaues Kühlpack in der Hand. »O mein Gott, Melody, nie hätte ich gedacht, dass du das ernst meinst. Nie hätte ich gedacht, dass du das tatsächlich machst.«

»Halt die Klappe, verstanden? Wag es bloß nicht, noch ein Wort zu sagen, Jolene, nicht ein Sterbenswort.«

»Ich werde nicht schweigen. Meine Güte, Melody, das ist kein Spaß mehr. Ich habe nicht geglaubt, dass sie es ernst meint, das schwöre ich bei Gott.«

»Du bleibst ruhig, Melody. Wie meinst du das, Jolene?«, fragte Florence. »Hör auf herumzustammeln, spuck's endlich aus.«

»Nachdem uns Miz Vi Hausverbot gegeben hat, hat Melody gesagt, dass sie genau weiß, wie sie Shelby eins auswischen kann. Dass sie ihr eine Lektion erteilen wird, die sie nie vergessen wird. Und dass Arlo es bestimmt gratis machen würde, auch wenn ein kleiner finanzieller Anreiz nicht schaden könne.«

»Lügnerin.« Melody rappelte sich auf, stürzte sich auf Jolene und wollte mit ihren langen Nägeln auf sie losgehen.

Sie hätte ernsthaften Schaden angerichtet, wenn Jolene ihr nicht das Kühlpack entgegengeschleudert hätte.

Jolene landete einen Volltreffer, sodass Melody zurückgeschleudert wurde und Forrest Zeit hatte, sie zu packen.

»Du solltest lieber auf deine Großmutter hören und den Mund halten. Jolene, erzähl weiter.«

»Was stimmt bloß nicht mit dir? Was ist nur mit dir los, Melody? Ich versteh das einfach nicht.«

»Halt den Mund, Jolene, das wird dir sonst leidtun.«

»Jolene.« Florence übertönte Jolenes erneutes Gejammer. »Du erzählst Deputy Pomeroy sofort alles, was du weißt. Melody, wenn du nicht sofort ruhig bist, werde ich dir, so wahr mir Gott helfe, höchstpersönlich eine Ohrfeige verpassen.«

»Ach, Miz Florence, ich hab bereits alles gesagt und ehrlich nicht geglaubt, dass sie es ernst meint. Ich war so außer mir und hab so geweint. Ich konnte mir nicht vorstellen, wer mir jetzt die Haare machen soll. Crystal weiß genau, wie ich sie haben will. Es ist schließlich mein Hochzeitstag, Miz Florence, und da hat Melody gesagt, was ich Ihnen gerade erzählt habe. Nie hätte ich gedacht …«

»Du widerliche Petze. Es war ihre Idee.« Melody zeigte auf Jolene. »Es war ihre Idee.«

»Das stimmt nicht. Vielleicht glaubst du mir nicht, Shelby, weil ich immer mitgemacht habe. Aber ich wollte nie jemandem wehtun. Ich bin es leid. Ich bin das Ganze so leid.«

Jolene setzte sich hin, schlug die Hände vors Gesicht und weinte.

»Tut mir leid, Miz Piedmont, aber ich muss die Damen mit aufs Revier nehmen, um die Angelegenheit zu klären.«

Florence saß aufrecht da wie ein Soldat und nickte. »Ja, das verstehe ich. Jolene, hör auf zu flennen und begleite Deputy Pomeroy. Melody, das gilt auch für dich.«

»Ich will aber nicht mit. Das hat sich dieser Abschaum doch bloß ausgedacht. Jolene lügt, sie lügt.«

»Ich lüge nicht.«

Daraufhin brüllten sich die beiden an, bis Forrest sich einmischte. »Ich rate euch dringend, euch zu beruhigen. Melody, kommst du freiwillig mit, oder muss ich dich mit Gewalt aufs Revier schleifen?«

»Fassen Sie mich nicht an.« Sie wehrte sich gegen seinen Griff. »Ich geh nirgendwohin, wenn ich es nicht will.«

Da sprang ihre Großmutter auf.

»Melody Louisa Bunker. Wenn du Deputy Pomeroy nicht begleitest und endlich den Mund hältst, werde ich nichts unternehmen, um dir zu helfen. Sondern alles dafür tun, dass deine Mutter dir auch nicht hilft.«

»Da ist nicht dein Ernst.«

»Und ob das mein Ernst ist. Du gehst mit Forrest, und zwar sofort. Oder ich will nie mehr was mit dir zu tun haben.«

»Na gut. Dann weiß ich, dass du genauso schlimm bist wie alle anderen.«

»Ich nehme Melody«, sagte Forrest zu Griff. »Am besten, du kümmerst dich um Shelby und Jolene. Du bist nach wie vor mein Hilfssheriff.«

»Von mir aus. Jolene?«

»Ich komme mit. Ich mach dir keinen Ärger, Shelby, es tut mir alles so leid, ich …«

»Am besten, ihr haltet alle unterwegs den Mund«, schlug Griff vor und erntete ein Lächeln von Forrest.

»Wie bereits gesagt, solltest du jemals den Beruf wechseln wollen … Melody, entweder du gehst freiwillig mit zum Streifenwagen, oder ich muss dir Handschellen anlegen.«

»Ich komme, aber Sie werden heute Abend Ihren Job los sein, das verspreche ich.«

Bevor er Melody abführte, sah Forrest zu Mrs. Piedmont hinüber. »Es tut mir leid, Mrs. Piedmont. Entschuldigen Sie, dass ich Ihren Familienfrieden stören musste.«

»Ich weiß.« Als sie Griff ansah, schienen Tränen in ihren Augen zu glänzen, aber sie hielt sich nach wie vor aufrecht. »Mir tut es noch viel mehr leid.«

19

Jolene hielt unterwegs nicht den Mund, sondern schluchzte ununterbrochen. Griff wünschte sich nichts sehnlicher, als in Ruhe weiterarbeiten zu können. Doch vorher musste er Shelby und Jolene aufs Revier bringen.

Sheriff Hardigan sah zwischen Griff und den beiden Frauen hin und her. Zwischen Shelby, deren Augen wütend funkelten, und Jolene, aus deren Augen unaufhaltsam Tränen flossen. Er zückte ein großes weißes Taschentuch und gab es Jolene. Dann sagte er unerwartet aufmunternd mitleidig: »Na, warum weinen wir denn so?«

»Forrest kommt gleich«, verkündete Griff.

»Ich bin anscheinend verhaftet.« Shelby stemmte die Hände in die Hüften und sah Hardigan unverwandt an. »Ich habe Melody Bunker mit einem Fausthieb niedergestreckt.«

»Aha«, sagte Hardigan nur, bevor er sich wieder auf Jolene konzentrierte.

»Ich wusste nicht, dass sie es ernst meint.« Die junge Frau schluchzte immer hysterischer. »Ehrlich nicht! Ich dachte, sie ist bloß sauer und redet irgendwas daher. Nie hätte ich gedacht, dass sie Arlo tatsächlich dazu anstiftet, Shelby etwas anzutun. Ehrlich, ich bin völlig fertig deswegen.«

»Das sehe ich. Warum kommst du nicht rein und erzählst mir in Ruhe, was passiert ist. Bringst du sie mit rein?«, fragte er Griff und zeigte mit dem Kinn auf Shelby.

»Okay.«

»Du bist Hilfssheriff?« Shelby musterte ihn eindringlich, während Hardigan Jolene in sein Büro führte.

»Das ist nur so eine Idee von Forrest gewesen.« Trotzdem war Griff heilfroh, als sein Freund mit einer starr dreinblickenden Melody hereinkam.

»Wo ist Jolene?«

»Der Sheriff redet gerade mit ihr.«

»Gut. Und du passt auf Shelby auf?«

»Ja, ja«, erwiderte Griff auf die immer gleichen Fragen.

Forrest führte Melody in den Pausenraum und kam wieder heraus. »Nobby, bitte bleib ein paar Minuten bei ihr, ich muss kurz was klären.«

»Kein Problem.«

Als Forrest sich an seine Schwester wandte, hob sie beide Handgelenke.

»Hör auf mit dem Quatsch.«

»Vielleicht will mir ja dein Hilfssheriff Handschellen anlegen?« Als sie die Geste wiederholte, nahm Griff ihr Gesicht in beide Hände.

»Hör auf damit. Sofort.«

Sie funkelte ihn wütend an, doch er ließ nicht los, sah ihr so lange in die Augen, bis sie laut aufseufzte. »Ich bin auf keinen von euch böse, Griff, echt nicht. Aber was dir passiert ist, finde ich schlimm. Ich bin einfach stinksauer. Bin ich verhaftet?«

»So weit wird es nicht kommen«, beruhigte sie Forrest. »Selbst wenn Melody darauf besteht … sie hat andere Sorgen. Außerdem hat sie diesen Fausthieb mehr als verdient.«

»Das kann man wohl sagen.«

»Du hast eine beeindruckende Rechte, Rotschopf.«

»Danke. Clay hat mir das beigebracht, aber angewendet habe ich es heute zum ersten Mal. Was soll ich machen?«

»Überlass das alles mir und dem Sheriff. Das hättest du von Anfang an tun sollen, anstatt das Herrenhaus zu stürmen. Nicht, dass ich dir diesen Fausthieb übel nehme, aber verschwinde jetzt bitte, geh zur Arbeit oder nach Hause.«

»Ich darf gehen?«

»Ja. Sollte sie dich anzeigen, sehen wir weiter. Aber ich bin mir sicher, wir bringen sie dazu, das bleiben zu lassen.«

»Na gut.« Shelby schaffte es nicht, noch länger wütend auf ihren Bruder zu sein. »Tut mir leid, dass ich so ausgerastet bin.«

»Das tut dir gar nicht leid.«

»Ja, das stimmt.« Sie wandte sich zum Gehen und hielt inne, weil Griff neben ihr herlief. »Nichts davon war meine Schuld. Ich bin es leid, ständig Verantwortung für Dinge zu übernehmen, für die ich gar nichts kann. Aber ...«

»Du brauchst dich nicht zu entschuldigen«, unterbrach er sie.

Sie schüttelte den Kopf. »Ich mache dir nur Probleme. Deshalb könnte ich gut verstehen, wenn du auf Distanz gehen willst. Ich werde traurig darüber sein, kann es dir aber nicht verübeln.«

Seine Antwort bestand darin, ihr Gesicht erneut in beide Hände zu nehmen und sie ausgiebig zu küssen.

»Das hätten wir also hiermit geklärt. Ich gehe jetzt zu deinem Vater, damit er mir die Erlaubnis gibt, endlich weiterarbeiten zu dürfen.«

Sie lächelte zaghaft. »Dein blaues Auge sieht ziemlich verwegen aus.«

»Genau das war meine Absicht. Wir sehen uns später. Der Tag hat ziemlich spannend angefangen.«

So konnte man es auch nennen.

Shelby ging zum Salon. Wenn es nach ihr ging, wünschte sie sich nichts sehnlicher als einen ganz normalen Vormittag ohne irgendwelche Aufregungen.

Bestimmt hatten sich die Ereignisse vom Vorabend und von diesem Vormittag bereits bei Viola rumgesprochen.

Da alle verstummten und sie anstarrten, als sie hereinkam, hatte sie eindeutig richtig geraten.

»Wie geht es dem jungen Mann? Ist er schlimm verletzt?«, fragte Shelbys Großmutter.

»Er ist auf dem Weg zu Daddy, aber ich glaube nicht, dass es schlimm ist. Er hat ein paar Schnittwunden und Blutergüsse.«

»Arlo Kattery soll wegen Fahrerflucht verhaftet worden sein«, schaltete sich Crystal ein. »Und Lorilee hat gesehen, wie du vorhin wie eine Verrückte zum Herrenhaus gerast bist.«

»Verrat uns bitte, was Melody damit zu tun hat«, forderte Viola sie auf. »Bald wird es ohnehin der ganze Ort wissen.«

»Sie hat ihn dafür bezahlt. Sie hat Arlo dafür bezahlt, den Wagen von der Straße zu drängen.«

Während alle nach Luft schnappten, ließ sich Shelby in einen Stuhl fallen. Sie war mehr als pünktlich, außerdem waren spannende Vormittage unglaublich anstrengend.

»Moment.« Mit zusammengekniffenen Augen drehte Viola den Stuhl, sodass sie Shelby in die Augen schauen konnte. »Melody hat den Kattery-Jungen dafür bezahlt, dass er Griffin Lott von der Straße schubst? Warum sollte sie so etwas tun?«

»Sie hat ihn dafür bezahlt, dass er mich verfolgt, aber Griff war im Weg, also ist er stattdessen auf ihn losgegangen.«

»Dass er … dich verfolgt? Aber das ist ja … Warum nur …« Da dämmerte es ihr, und sämtliche Farbe wich aus ihrem Gesicht. »Weil ich ihr Hausverbot erteilt habe.«

»Es ist weder deine noch meine Schuld, Granny. Wir können beide nichts dafür.«

»Jeder weiß, dass sie ein komplett verzogenes Gör ist. Sie hatte schon immer so was Hinterhältiges an sich. Dass sie so weit geht, hätte ich nie gedacht.«

»Sie hat Arlo tausend Dollar gezahlt und ihm weitere tausend versprochen, wenn er es tut.«

Viola nickte. Langsam kehrte Farbe in ihr Gesicht zurück, das knallrot anlief. »Ist sie verhaftet worden?«

»Sie haben sie aufs Revier geschleppt und verhören sie gerade.«

»Wenn sie sie nicht einsperren, weiß ich genau, warum.«

»Egal, was passiert. Für sie dürfte es so oder so unangenehm

werden. Ich bin nämlich zu ihr gerannt und hab ihr einen Fausthieb ins Gesicht verpasst. Ich habe rotgesehen und sie ausgeknockt.
Das würde ich jederzeit wieder tun.«

Wieder schnappten alle nach Luft, nur Viola grinste. Sie beugte
sich vor und umarmte Shelby. »So kenne ich mein Mädchen.«

»Ich wünschte, ich wäre dabei gewesen.« Maybeline verschränkte
die Arme. »Es ist zwar nicht gerade nett, so was zu sagen. Trotzdem wünschte ich, ich wäre dabei gewesen und hätte ein Handyfoto gemacht.«

»Tante Pattie hat erzählt, dass sie sich total aufführt und sie
rumkommandiert, sobald Miz Piedmont nicht da ist.« Lorilee
nickte bedächtig. »Insofern wäre ich ebenfalls gern dabei gewesen. Ich hätte sogar ein Video gedreht.«

Auch sie umarmte Shelby. »Mach dir deswegen keinen Kopf,
Shelby. Ich kenne viele Menschen, die gutes Geld dafür bezahlen
würden, zusehen zu dürfen, wie du dieser Göre einen Tritt in ihren
zweitplatzierten Hintern gibst. Stimmt's, Miz Vi?«

»Wo du recht hast, hast du recht, Lorilee.«

»Ich mach mir keinen Kopf.« Shelby tätschelte Lorilees Hand.
»Aber ich werde heute etwas früher anfangen, wenn ihr nichts dagegen habt, und mich um die Handtücher und das Lager kümmern. Damit ich wieder einen klaren Kopf kriege.«

»Gern.«

Crystal wartete, bis Shelby nach hinten gegangen war. »Und
was wird Miz Piedmont jetzt machen?«

»Warten wir's ab.«

Lange mussten sie nicht warten.

Am Nachmittag, als es ruhiger wurde, weil die Mütter ihre
Kinder von der Schule abholten und die berufstätigen Frauen
noch arbeiteten, bevor sie zum Schneiden, Färben oder auf eine
Massage vorbeischauten, kam Florence Piedmont in Violas Salon.

Wieder wurde es mucksmäuschenstill, fast wie in der Kirche.
Florence, die ein elegantes dunkelblaues Kostüm und Schuhe mit

flachen Absätzen trug, nickte erst Shelby an der Rezeption zu und dann Viola.

»Viola und Shelby, habt ihr kurz Zeit für ein Gespräch?«

»Natürlich. Ist jemand im Entspannungsraum, Shelby?«

»Äh, im Moment nicht. In einer Stunde stehen drei Behandlungen an, zwei laufen im Moment.«

»Dann passt es ja. Im Entspannungsraum können wir in Ruhe reden. Crystal, wenn mein Halb-vier-Termin kommt, drückst du der Kundin einfach eine Zeitschrift in die Hand.«

»Danke, Viola, dass du dir Zeit für mich nimmst.«

»Dasselbe würdest du auch tun.« Viola ging vor ihnen her und durchquerte die Umkleide. »Wir kennen uns schließlich schon ewig.«

»Allerdings. Wie geht es deiner Mutter, Vi?«

»Gut, wie immer. Und deiner?«

»Sie baut gerade etwas ab. Aber Florida gefällt ihr ausgezeichnet. Mein Bruder Samuel schaut täglich nach ihr.«

»Das hat er schon immer getan, er ist wirklich ein lieber Kerl. Bitte, setz dich.«

»Danke, Vi, das kann ich gut gebrauchen. Ehrlich gesagt bin ich zu Tode erschöpft.«

»Wir haben leckeren Pfirsichtee, Miz Piedmont. Heiß oder kalt?«, bot Shelby an.

»Dann nehme ich etwas heißen Pfirsichtee, danke. Wenn es nicht allzu große Umstände macht.«

»Nicht im Geringsten. Und du, Granny?«

»Das wäre nett. Danke, Schätzchen.«

»Was für ein schöner Raum, Viola. Er ist wirklich herrlich entspannend. Du warst schon immer äußerst geschickt in so etwas.«

»Das freut mich zu hören. Jeder von uns braucht manchmal so einen Rückzugsort zum Entspannen.«

»Davon könnten wir wahrlich mehr gebrauchen. Welche Wandfarbe ist das?«

»Goldene Dämmerung. Ein schöner Name.«

»Ja. Herrlich entspannend.« Sie seufzte. »Viola, Shelby, zunächst einmal möchte ich sagen, dass ich auch mit Griffin Lott reden werde, wenn wir hier fertig sind. Mit euch wollte ich jedoch zuerst sprechen. Ich hätte auch Ada Mae dazubitten sollen.«

»Die ist gerade in einer Gesichtsbehandlung. Das passt schon, Flo. Wir werden ihr ausrichten, was du zu sagen hast.«

»Ich möchte mich bei euch allen entschuldigen. Auch bei deinem Vater, Shelby, bei deiner Tochter und bei deinen Brüdern.«

»Mrs. Piedmont, Madam, Sie müssen sich für gar nichts entschuldigen.«

»Ich bitte euch, meine Entschuldigung anzunehmen.«

»Natürlich.« Shelby stellte ihnen den Tee in einer hübschen Tasse hin.

»Danke. Würdest du dich bitte setzen? Ich komme gerade vom Polizeirevier. Melody hat gestanden, bei Arlo Kattery gewesen zu sein und ihm Geld gegeben zu haben, damit er dir Probleme macht, Shelby. Sie hätte vermutlich nicht so schnell gestanden, wenn nicht mindestens drei Leute gesehen hätten, wie sie zu seinem Wohnwagen ins Tal gefahren ist. So schmerzlich das auch ist, ich hätte ihr keinen Anwalt besorgt, solange sie nicht die Wahrheit sagt.«

Viola nahm stumm Florences Hand.

»Keine Ahnung, was sie sich dabei gedacht hat. Wie sie auf die Idee gekommen ist, so was Hinterhältiges und Rücksichtsloses zu tun. Keine Ahnung, warum sie krankhaft eifersüchtig auf dich ist, Shelby. Als du damals zur Anführerin der Cheerleader gewählt worden bist, hatte sie einen hysterischen Anfall. Sie hat mich angefleht, der Schule eine Riesenspende zu machen, wenn sie dich absetzen und sie deinen Platz einnehmen kann. Und als du Ballkönigin geworden bist, ist sie nach Hause gekommen und hat ihr Kleid zerfetzt.« Florence seufzte. »Sie ist so aggressiv. Ich dachte, es hilft, wenn ich ihr die Leitung der Galerie übertrage und sie ins

Kutscherhaus ziehen lasse. Ich dachte, dass sie dann glücklicher und verantwortungsbewusster wird. Inzwischen ist mir klar, dass ich sie viel zu sehr verwöhnt habe. Ihre Mutter hat es sogar noch mehr übertrieben als ich. Melody ist meine Enkelin, meine erste Enkelin, und ich liebe sie.«

»Natürlich.«

»Ich habe in all den Jahren über viel zu viel hinweggesehen. Sie hat ernsthaften Schaden angerichtet, und es hätte noch schlimmer kommen können. Melody hat das mit Absicht getan. Dafür wird sie büßen. Ich habe keinerlei Recht, darum zu bitten, und erwarte auch gar nichts. Aber da sie meine Enkelin ist, tue ich es trotzdem. Der Sheriff hat angedeutet, dass sie … dass sie vielleicht nicht ins Gefängnis muss … Vorausgesetzt, Griffin Lott lässt mit sich reden …«

Zum ersten Mal zitterte Florences Hand, und sie stellte vorsichtig die Teetasse ab.

»Sondern dass sie fürs nächste halbe Jahr in eine private Besserungsanstalt kommt. Dort könnte man sie wegen ihrer Probleme behandeln. Man erwartet dort von ihr, dass sie arbeitet. Putzen, gärtnern, Wäsche machen – solche Sachen. Anschließend könnte sie ein weiteres halbes Jahr Sozialarbeit leisten, gefolgt von einem Jahr Bewährung. Das ist natürlich keine Gefängnisstrafe«, fuhr Florence fort. »Aber sie würde dort festsitzen und die Therapie bekommen, die sie so dringend braucht. Sie würde lernen, sich an Regeln zu halten. Ihre Bewegungsfreiheit wäre wie bei einem Gefängnisaufenthalt eingeschränkt. Wenn sie sich nicht an die Regeln hält, muss sie sowieso hinter Gitter. Ihre Mutter wird versuchen, das zu verhindern, aber ihr Vater … Ich habe bereits ausführlich mit meinem Schwiegersohn gesprochen. Er wird mich unterstützen.«

Etwas gefestigter griff Florence erneut zu ihrer Teetasse.

»Es geht um unsere Enkelinnen, Vi. Wer hätte je gedacht, dass es so weit kommt?«

Wieder nahm Viola ihre Hand. »Das Leben hält so manche Überraschung und so manches Hindernis für uns bereit. Wir tun, was wir können, um so gut wie möglich ans Ziel zu kommen.«

»Aber manchmal reichen die besten Vorsätze nicht aus. Möchtest du ein bisschen darüber nachdenken, Shelby?«

»Es ist nicht so, dass ich … Aber Griffin ist wirklich zu Schaden gekommen. Sie hat mit Arlos Hilfe dafür gesorgt, dass er verletzt wurde.«

»Eigentlich wollte sie dir schaden.«

»Miz Piedmont, eigentlich will ich nur, dass sie mich und meine Familie in Ruhe lässt. Ich habe ein Kind, an das ich denken muss. Mit meiner Kleinen möchte ich mir ein neues Leben aufbauen. Deshalb will ich, dass Melody uns in Ruhe lässt. Wenn Griffin mit Ihrem Vorschlag einverstanden ist, bin ich es auch. Er ist schließlich derjenige, der den Schaden hat.«

»Ich werde mit ihm reden. Es tut mir in der Seele weh, dass er verletzt worden und ein Mitglied meiner Familie dafür verantwortlich ist. Viola, hat Jackson dir schon gesagt, wie hoch der Schaden an Griffins Auto ist?«

»Nach allem, was er mir vorhin am Telefon erzählt hat, ist es ein Totalschaden.«

»Ach, Granny.«

»Na ja, man kann so gut wie alles reparieren, aber Jack meinte, das lohnt sich nicht. Wenn die Versicherung das genauso sieht, ist es wohl ein Totalschaden.«

»Ich werde für alles aufkommen, das verspreche ich.«

»Daran habe ich nie gezweifelt, Flo.«

»Ihr habt viel zu tun. Danke für eure Zeit und für euer Verständnis. Und natürlich für euer Entgegenkommen.«

»Ich bring dich zur Tür.« Viola legte den Arm um Florences Taille, und die beiden erhoben sich. »Ich geb dir eine Broschüre mit. Vielleicht ist dir ja irgendwann nach einer Hot-Stone-Massage oder nach einer Gesichtsmaske für jugendliche Haut.«

Shelby hörte, wie Florence lachte. »Es ist ein bisschen spät für Jugendlichkeit, meinst du nicht auch, Viola?«

»Es ist nicht zu spät, Flo. Für gar nichts. Es ist nie zu spät.«

* * *

Shelby nahm sich vor, in nächster Zeit nicht mehr aufzufallen. Sie hatte seit ihrer Rückkehr nach Rendezvous Ridge lange genug im Mittelpunkt gestanden und wusste aus Erfahrung, dass die letzten Ereignisse bald von anderen Neuigkeiten verdrängt werden würden.

Es genügte ihr vollauf, freitagabends im Zentrum der Aufmerksamkeit zu stehen, wenn sie im *Bootlegger's* auftrat. Den Gästen schien es ebenfalls zu gefallen, und es wurde auch niemand mehr erschossen.

Da Callie dann bei Granny übernachtete, war es für sie das Höchste, nach dem Freitagskonzert bei Griff zu schlafen.

Vor und nach ihrer Samstagsschicht im Salon widmete sie sich ihrer Tabelle und bezahlte weitere Schulden ab. Wenn es ihr gelang, eine weitere Kreditkarte schuldenfrei zu bekommen, warf sie jedes Mal jubelnd die Hände in die Luft.

Drei waren abgehakt, blieben noch acht.

Nach dem Sonntagsfrühstück stand sie am Herd, machte Backhuhn und hörte Callie entzückt aufschreien, die mit der Seifenblasenmaschine spielte.

Ada Mae kam herein und umarmte Shelby von hinten. »Das ist Musik in meinen Ohren. Ein schöneres Geräusch gibt es nicht.«

»Ich weiß. Sie ist so glücklich, Mama. Ich bin ganz gerührt.«

»Wie geht es dir?«

»Ich bin mindestens genauso glücklich wie meine Kleine, wenn sie mit der Seifenblasenmaschine spielt.«

»Du warst am Freitag wirklich gut bei Stimme, Schätzchen. Und hast schön ausgesehen in dem blauen Kleid.«

»Mit den 1960-ern werde ich auch viel Spaß haben. Ich übe

schon für nächste Woche. Tansy hat mir erzählt, dass sie auf jeden Fall anbauen wollen. Das wird aufregend.«

»Nur gut, dass Griff und Matt bei mir so gut wie fertig sind. Ich liebe mein neues Bad genauso sehr wie Callie ihre Seifenblasen-maschine.«

Ada Mae wirbelte einmal um die eigene Achse, und Shelby musste lachen.

»Die beiden sind wirklich fantastische Handwerker, nicht mit Gold aufzuwiegen. Du hattest anschließend bestimmt noch eine schöne Zeit.«

Shelby wurde ganz rot. »Ja, das stimmt. Du hast hoffentlich nicht auf mich gewartet, Mama?«

»Nein, nein, aber wenn das eigene Kind fortgeht, lauscht man instinktiv, wann es wieder nach Hause kommt. Egal, ob es nun vierzehn ist oder vierzig. Komm bloß nicht auf die Idee, dich dafür zu entschuldigen. Mir ist ganz warm ums Herz bei dem Gedanken, dass du einen so netten Freund hast. Ganz einfach, weil ich sehe, dass dir bei seinem Anblick ganz warm ums Herz wird.«

Sie wusste genau, worauf ihre Mutter hinauswollte. »Ja, das stimmt. Ich muss zugeben, dass ich eigentlich von Männern die Nase vollhatte. So gesehen, ist das wirklich erstaunlich. Trotzdem möchte ich nach wie vor nicht zu weit voraus planen.«

»Das macht doch nichts. Lass dir Zeit – und teste ihn gründlich aus.«

»Mama!«

»Glaubst du etwa, deine Generation hat den Sex erfunden? Und du willst nächste Woche einen Sixties-Abend machen? Die Leute damals haben das bestimmt auch geglaubt. Apropos Generationen. Wie ich höre, hat Florence Piedmont Griff das neueste Modell seines Wagens gekauft?«

»Ja, sie hat sich einfach nicht davon abbringen lassen. Grandpa wird den Unfallwagen ausschlachten. Das neue Auto wird bereits mit Griffs und Matts Firmenlogo bedruckt.«

Sie verstummte, um das Backhuhn aus dem Öl zu nehmen.

»War es richtig, dass wir Melody vor dem Gefängnis gerettet haben, Mama? Die muss jetzt in diese Besserungsanstalt und bekommt dort eine Therapie in Aggressionsmanagement.«

»Dort soll es zugehen wie in einem Country Club, und das ärgert mich wirklich. Aber ich glaube, dass wir das Richtige getan haben. Auf jeden Fall werden wir sie so schnell nicht wiedersehen. Miz Florence wird ihr den Job in der Galerie nicht freihalten.«

»Aha.«

»Du könntest ihn bestimmt haben, wenn du das möchtest.«

»Nein, nein, ich bin ganz zufrieden mit meinem Job. Ich arbeite gern für Granny. Ich mag die Mädels dort, die Arbeit und die Kunden. Jeder hat Verständnis, wenn etwas ist und ich nicht kommen kann. Melodys alten Job und Melodys altes Büro möchte ich ganz bestimmt nicht erben. Das wäre schlechtes Karma, wenn du verstehst, was ich meine.«

»Ja. Du bist genauso gut im Hühnchen-Ausbacken wie deine Großmutter, Schätzchen. Wenn du nicht zu weit voraus planen willst, solltest du aufpassen. So ein Backhuhn ist durchaus in der Lage, Männer zu einem Heiratsantrag zu bewegen.«

»Ich glaube, da besteht vorerst keine Gefahr.«

Keine Gefahr.

Das war alles, was sie wollte.

* * *

Als Griff nachmittags mit einem Mietwagen vorfuhr, war der Picknickkorb gut gefüllt. Callie trug ein gelbes Kleid mit dazu passender Schleife im Haar. Shelby hatte sich für Jeans und ihre alten Wanderstiefel entschieden.

Noch bevor Griff zur Tür kam, rannte ihm Callie entgegen und warf sich in seine Arme.

»Du siehst wirklich zum Vernaschen aus, kleiner Rotschopf, genau wie das Picknick.«

»Ich habe eine Schleife im Haar.« Callie zeigte darauf.

»Entzückend, genau wie deine Mutter. Komm, lass mich das nehmen.«

»Du hast Callie. Wir nehmen meinen Kombi, denn ich weiß, wo es hingeht. Die Picknickdecken liegen schon drin.«

»Ich muss nur noch kurz was aus meinem Wagen holen.«

Zuerst schnallte Griff Callie in ihrem Kindersitz fest. Wie ein alter Hase, dem Mann musste man wirklich nichts zweimal zeigen. Dann ging er zu seinem Mietwagen und kam mit einer Umhängetasche zurück.

»Ein kleiner Beitrag von meiner Seite«, sagte er und legte sie zum Picknickkorb in den Kombi.

»Ich hoffe, dort, wo ich hinwill, ist es noch genauso schön wie früher. Es ist eine Weile her, dass ich das letzte Mal da war.«

Sie bog in eine Nebenstraße ein, während Callie so aufgeregt schnatterte wie eine Elster. Mit jeder Serpentine, die sie nahm, kehrte eine neue Erinnerung zurück. Diese Aussicht! Die gute Luft! Und die Farben!

Sie schlängelte sich durch Grün- und Brauntöne, gelbe Wald- und Schwertlilien blitzten auf. Auf sonnenbeschienenen Wiesen blühte Akelei. Daneben im Schatten gedieh Berglorbeer, und Frauenschuh wiegte sich im Wind.

»Wie schön. Was für eine schöne Landschaft«, sagte Griff, während Callie sich wieder mit ihrem allgegenwärtigen Stoffhund Fifi unterhielt.

»Bald blüht der wilde Rhododendron. Ich liebe das viele Grün hier, Berge, wohin man schaut, und überall Wildblumen.«

Sie kamen an einem kleinen Farmhaus vorbei, vor dem gerade ein Junge in Callies Alter mit einem gelben Hund herumtollte.

»Seht ihr den kleinen Hund da? Wann bekomme ich endlich einen kleinen Hund, Mama?«

»Das ist ihre neueste Masche«, flüsterte Shelby. »Wenn wir ein eigenes Haus haben, können wir darüber nachdenken. Wir sind fast da«, setzte sie nach, in der Hoffnung, die zu erwartende Fragenlawine zu stoppen.

Sie bog auf einen schmalen Schotterweg ein. »Der gehört zu dem Farmhaus, an dem wir gerade vorbeigekommen sind. Daddy hat dort drei Kinder auf die Welt geholt. Vielleicht sind es inzwischen noch mehr. Außerdem hat er Hausbesuche gemacht, als die Großmutter noch lebte. Die Familie erlaubt uns, die Straße zu benutzen, auf ihrem Grund zu picknicken oder zu wandern. Sie hält große Stücke auf meinen Vater.«

»Das tue ich auch, schließlich hat er mir erlaubt, wieder zur Arbeit zu gehen.«

»Dein Auge sieht deutlich besser aus.«

»Ich habe es geküsst und heile, heile Segen gesagt, Mama, als ich mit Griff Pizza essen war. Sind wir bald da?«

»Weiter können wir nicht fahren.« Sie hielt am Straßenrand. »Wir müssen nicht weit laufen. Höchstens vierhundert Meter. Der Weg ist allerdings ein bisschen steil und holperig.«

»Das macht uns nichts aus.«

Griff nahm Callie auf die Schultern und trug den Picknickkorb. »Du nimmst die Tasche und die Decken. Es ist so schön ruhig hier.« Er entdeckte einen Rotkardinal, der sie von einem Weißdornzweig aus beobachtete.

»Das Schönste kommt erst.«

»Aber bestimmt keiner mit einem Gewehr?«

»Ich habe Daddy extra gebeten nachzufragen, ob wir picknicken dürfen. Der Eigentümer hat nichts dagegen. Wir hinterlassen alles so, wie wir es vorgefunden haben. Damals, in der Prohibitionszeit, haben sie Eindringlinge vielleicht noch in die Flucht geschlagen. Aus den Bergen wurde nämlich jede Menge Whiskey herausgeschmuggelt. Auch meine Vorfahren …«

»… waren Schwarzbrenner.« Er grinste.

»Es dürfte schwerfallen, Leute in der Umgebung zu finden, deren Vorfahren keine Schwarzbrenner waren.«

»Es war einfach ein bescheuertes Gesetz.«

»Bescheuert«, wiederholte Callie zu ihrem Leidwesen.

»Entschuldige.«

»Keine Sorge, das ist nicht das erste Mal. Das ist ein Wort für Erwachsene, Callie.«

»Ich mag erwachsene Worte.« Dann schrie sie laut auf. Instinktiv drückte Griff Shelby den Picknickkorb in die Hand und warf sich mit Callie zu Boden.

»Ein Kaninchen! Ich habe ein Kaninchen gesehen.«

»Meine Güte«, stöhnte Griff. »Du hast mir eine Heidenangst eingejagt, kleiner Rotschopf.«

»Fang das kleine Kaninchen, Griff, fang es.«

»Ich habe mein Kaninchenfangwerkzeug zu Hause vergessen.« Mit nach wie vor wild klopfendem Herzen griff er erneut zum Picknickkorb und setzte den Aufstieg fort.

Oben auf dem Gipfel sah er, dass sich die Anstrengung gelohnt hatte.

»Wow.«

»Es ist noch genau so, wie ich es in Erinnerung hatte. Der Bach, die Bäume, der große dunkle Walnussbaum … Und dahinter die Hügel und Täler.«

»Hiermit ernenne ich dich offiziell zur Picknickplatz-Königin.«

»Dieser Platz ist kaum zu toppen. Außer wir picknicken in deinem Garten.«

Kaum hatte Griff Callie abgesetzt, sauste sie auch schon auf den Bach zu.

»Callie, geh nicht zu nah ans Ufer.«

»Toll.« Er ging neben Callie in die Hocke. »Schau nur, die kleinen Wasserfälle und glänzenden Felsen.«

»Ich will schwimmen.«

»Hier ist es nicht tief genug zum Schwimmen, Schätzchen. Aber ich kann dir Schuhe und Strümpfe ausziehen, damit du die Füße hineinhängen oder hineinwaten kannst«, sagte Shelby.

»Gut. Ich darf waten, Griff.«

Callie ließ sich zu Boden fallen und fummelte an ihren Schuhen herum, während Shelby die Decken am rauschenden Bach mit den bemoosten Ästen und den dicken Farnsträuchern ausbreitete.

»Hast du keine Angst, dass ihr Kleid nass wird?«, fragte Griff.

»Ich habe was zum Wechseln für sie dabei. Welches kleine Mädchen möchte nicht gern im Bach planschen?«

»Du bist eine ziemlich coole Mutter.«

Während Callie planschte und kreischte, zog Griff die mit einer Kühlmanschette bestückte Flasche aus der Tasche.

»Champagner?« Shelby lachte entzückt. »Dagegen kommt mein Backhuhn natürlich nicht an.«

»Wart's ab.«

Sie trank Champagner und freute sich zu sehen, wie Griff genüsslich das Huhn verschlang. Callie tobte sich so richtig aus, indem sie Schmetterlinge jagte oder im Wasser planschte.

Shelby entspannte sich. Zum ersten Mal, seit sie Arlo Kattery entgegengetreten war, auch wenn sie durch Gitterstäbe voneinander getrennt gewesen waren.

Die Aussicht auf Gitterstäbe würde ihn noch eine ganze Weile begleiten.

Sie dagegen konnte die Natur genießen, das Zwitschern der Vögel und die Sonne, die golden zwischen den Bäumen hindurchfiel, während ihre Kleine im Bach spielte.

»Ich stelle dich auf der Stelle ein«, sagte Griff und nahm sich noch ein Stück Huhn und einen großen Löffel Kartoffelsalat.

»Hier oben ist die Welt einfach in Ordnung.«

»Deshalb kann man von solchen Plätzen nie genug kriegen.«

Sie strich über die Wunde an seiner Stirn. »Forrest sagt, dieser Harlow wurde immer noch nicht gefasst. Nachdem er erledigt hat, was er erledigen wollte, ist er bestimmt längst über alle Berge.«

»Das wäre logisch, ja.«

»Warum fährst du mir dann Samstagfrüh um zwei immer bis nach Hause nach?«

»Weil auch das logisch ist. Wann darf ich dir das nächste Mal hinterherfahren?«

Auf diese Frage hatte sie gewartet. »Vielleicht kann meine Mutter Callie diese Woche noch mal einen Abend hüten.«

»Wie wär's, wenn wir erst ins Kino gehen und dann zu mir?«

Sie lächelte. Auch das war ihr vergönnt. Eine Kinoverabredung mit dem Mann, der ihr Schmetterlinge im Bauch bescherte. »Warum nicht? Callie, wenn du nicht aufisst, gibt es nachher keine Cupcakes.«

* * *

Für Shelby war es ein perfekter Sonntagnachmittag gewesen, als sie zurückfuhren. Callie kämpfte auf dem Rücksitz gegen den Schlaf an.

Vielleicht hatte Griff Lust, sich noch etwas mit ihr auf die Veranda zu setzen, während Callie ein Schläfchen machte? Sie könnten Emma Kate und Matt einladen und später ein paar Burger auf den Grill legen.

»Ich nehme an, du willst heute noch an deinem Haus weiterarbeiten?«

»An Arbeit herrscht dort wahrhaftig kein Mangel. Wieso? Hast du eine andere Idee?«

»Wenn du ein bisschen bleiben willst, könnte ich Emma Kate und Matt einladen. Wir könnten ein Glas Wein trinken und ein paar Burger grillen.«

»Noch mehr leckeres Essen? Wie könnte ich da widerstehen?«

»Ich frag mal, ob Mama und Daddy einverstanden sind, und dann …«

Sie verstummte, denn als sie vor dem Haus ihrer Eltern hielt, kam ihnen ihre Mutter bereits entgegengerannt.

»O Gott, was ist jetzt wieder los?« Sie sprang aus dem Kombi. »Mama?«

»Ich wollte dir gerade eine SMS schicken. Bei Gilly haben die Wehen eingesetzt.«

»Wann genau?«

»Schon vor ein paar Stunden, aber sie haben erst Bescheid gesagt, als sie zum Krankenhaus gefahren sind. Daddy, also mein Daddy, hat Jackson abgeholt, und dein Daddy und ich fahren jetzt auch nach Gatlinburg ins Krankenhaus. Forrest holt Grandma. Clay sagt, es geht relativ rasch vorwärts. Keine Ahnung, warum mich Babys immer ganz kirre machen.«

»Es ist aufregend. Und beglückend.«

»Du solltest mitfahren«, schlug Griff vor.

»Äh, ich möchte meinen Großvater nicht mit zwei Kleinkindern allein lassen.«

»Ich kümmere mich um sie. Ich kümmere mich um Callie.«

»Na ja, wenn das so ist …«

»Ich will zu Griff! Bitte, Mama, bitte. Griff, ich will mit zu dir nach Hause. Darf ich mitkommen und bei dir spielen?«

»Das wäre wirklich toll«, sagte Ada Mae. »Shelby konnte nicht dabei sein, als Jackson geboren wurde. Es würde uns wirklich viel bedeuten, Griff.«

»Klar, kein Problem.«

»Juhu, juhu!«

Shelby sah, wie ihre Tochter übers ganze Gesicht strahlte. »Das kann Stunden dauern.«

»Nicht, wenn Clay recht hat. Los, Clayton, wir fahren«, rief Ada Mae. »Ich werde ganz bestimmt nicht die Geburt meines Enkels verpassen, nur weil du rumtrödelst. Vielen Dank, Griff. Callie, sei schön brav, sonst gibt es Ärger. Clayton Zachariah Pomeroy!« Ada Mae ging zurück ins Haus.

»Bist du sicher? Denn wenn …«

»Wir sind uns sicher, nicht wahr, Callie?«

»Ja. Los, fahren wir, Griff.« Begeistert strich sie sich mit beiden Händen übers Gesicht. »Fahren wir zu dir nach Hause.«

»Lass mich kurz überlegen … Ich geh nur schnell rein und hole ihr ein paar Spielsachen«, sagte Shelby.

»Ich hab Schere, Klebstoff, jede Menge Streichhölzer …«

»Du machst Witze! Gib mir zwei Minuten. Und nimm meinen Kombi. Vorausgesetzt, ich darf mir deinen Wagen leihen.«

»Logisch, es ist nur ein Mietwagen.«

»Prima. Also gib mir zwei Minuten oder besser fünf.«

Sie rannte zum Haus, aus dem ihre Mutter gerade ihren Vater zerrte.

»Ada Mae, ich bin Arzt. Ich sage dir, dass wir genügend Zeit haben.«

»Halt mir keine langen Vorträge, du hast schließlich noch nie ein Kind geboren. Wir fahren, Shelby.«

»In fünf Minuten komme ich nach. Ich kenne den Weg.«

Griff lehnte sich neben Callie hinten an den Kombi.

»Wir werden jede Menge Spaß haben, kleiner Rotschopf.«

20

Griff und Callie hatten tatsächlich jede Menge Spaß.

Griff bastelte eine Drachenmaske aus Pappe, setzte sie auf und scheuchte Callie durch den Vorgarten. Sie brachte ihn mit dem Zauberstab zu Fall, den er aus einem alten Rohr und noch mehr Pappe improvisiert hatte.

Als wach geküsster Prinz beantwortete er Shelbys erste SMS.

Bin im Krankenhaus. Alles läuft gut. Bei euch?

Er überlegte einen Moment.

Großartig. Suchen stark befahrene Straße zum Spielen.

Er rief Callie für eine Cola ins Haus. So, wie ihre Augen glänzten, bekam sie die anscheinend sonst nicht zu trinken. Er brauchte eine halbe Stunde, um sie von ihrem Cola-Rausch wieder runterzukriegen. Erschöpft und wieder ein Stück schlauer, verfrachtete er das Kind erneut ins Auto und fuhr mit ihm Obstsaft kaufen. Das war eindeutig die bessere Wahl.

Da entdeckte er ein Schild mit der Aufschrift *Welpen abzugeben*. Bestimmt würde es Callie Spaß machen, dort vorbeizuschauen.

In einem sauberen, trockenen Zwinger erwachten drei beige und ein brauner Welpe sofort zum Leben. Sie sausten japsend zum Zaun und wackelten mit ihren kleinen dicken Hinterteilen.

Callie quietschte nicht vor Entzücken und stürzte sich auch nicht gleich auf sie.

Stattdessen blieb ihr einfach nur der Mund offen stehen.

Dann drehte sie den Kopf und schaute Griff an, nichts als Ehrfurcht, Liebe und überbordende Freude im Gesicht.

Oje! Was hatte er nur angerichtet.

Sie umarmte seine Beine und drückte sie. »Hundebabys. Ich liebe dich, Griff. Danke, danke, danke.«

»Na ja, äh, ich dachte, wir schauen sie uns kurz an und …«

Doch sie war bereits zum Zaun gesaust.

Eine Frau mit einem Baby auf der Hüfte trat aus der Hintertür.

»Guten Tag«, sagte sie, während das Baby ihn misstrauisch beäugte.

»Hallo, wir haben gerade Ihr Schild gesehen, und da dachte ich, sie freut sich bestimmt, die Welpen anzusehen.«

»Bestimmt. Möchtest du zu ihnen in den Zwinger, Schätzchen? Sie sind wahnsinnig lieb und erst drei Monate alt.« Sie öffnete Callie das Tor. »Ursprünglich waren es acht. Die Mutter ist unsere Labrador-Retriever-Mischung Georgie und der Vater der schokobraune Labrador vom Cousin meines Vaters.«

Callie rannte hinein, ließ sich zu Boden fallen und wurde sofort von den Welpen bestürmt.

»Ist das nicht schön?«, sagte die Frau angesichts von Callies Entzückensschreien, die sich mit dem Japsen und spielerischen Knurren der Tiere vermischten.

»Ja, aber …«

»Die sind einfach ideal für Kinder.« Lächelnd jonglierte sie mit ihrem Baby. »Sanft, loyal und verspielt.«

»Ja, aber ich bin nicht der Vater. Die Schwägerin von ihrer Mutter bekommt gerade ein Baby, und so lange passe ich auf Callie auf.«

»Griff! Komm, Griff, und schau dir die Hundebabys an.«

»Gleich.«

»Gehen Sie nur. Lassen Sie sich Zeit. Sie geht sehr gut mit ihnen um. Viele Kinder in ihrem Alter ziehen sie am Schwanz oder an den Ohren und zerquetschen sie beinahe. Sie ist sanft und liebe-voll. Man kann ihnen inzwischen fast beim Wachsen zusehen«, fügte sie hinzu, als das Baby Griff endlich guthieß und ihm ein breites, sabberndes Grinsen schenkte.

»Ich will mir eigentlich keinen Hund anschaffen. Später viel-leicht. Sobald ich mein Anwesen hergerichtet habe.«

Die Frau kniff die Augen zusammen. »Sie haben das alte Tripple-horn-Haus gekauft, stimmt's? Sie sind der Kollege von Emma Kates Freund. Emma Kate und Doc Pomeroy haben meinen Lucas im Untersuchungsraum der Klinik auf die Welt geholt. Ich war eigentlich nur zur Kontrolle da, aber dann hatte es der Kleine auf einmal furchtbar eilig. Da blieb keine Zeit mehr, ins Krankenhaus zu fahren. Ist das Shelby Pomeroys Tochter?«

»Ja.«

»Das hätte ich mir denken können bei den Haaren. Falls Sie einen der Welpen möchten, gebe ich ihn zum halben Preis her. Schließlich haben mir der Opa des Mädchens und die Freundin Ihres Kompagnons bei der Geburt des Kleinen geholfen.«

»Na, wenn das so ist …«

»Griff, komm spiel mit den Hundebabys.«

»Spiel du nur, ich komme gleich.«

Er nahm den braunen Hund.

Nur mit ihren Namensvorschlägen konnte sich Callie nicht durchsetzen. Er würde seinen Hund keinesfalls Fifi nennen, nach ihrem geliebten Stoffhund. Auch nicht Esel wie Shreks besten Freund.

Er entschied sich für Snickers wie der Schokoriegel und kaufte Callie einen, damit sie die Anspielung verstand. Außerdem kaufte er Welpenfutter, einen Napf, eine Leine, ein Halsband und Hunde-leckerlis.

Nachdem sie alles in den Wagen geladen hatten und der Welpe das Innere des Autos erkundete, piepte es erneut.

Eine weitere SMS von Shelby.

Gilly super. Kind bald da. Wie läuft es auf der Straße?

Er wollte ihr von dem Welpen berichten, entschied sich aber dagegen. Die Vorstellung, Hundebesitzer zu sein, musste erst mal sacken.

Hungrig vom Spielen, betteln um Süßigkeiten. Auf geht's, Gilly!

Doch Babys haben ihren ganz eigenen Rhythmus, sodass Beau Sawyer Pomeroy erst um elf nach sieben das Licht der Welt erblickte. Ein perfekter Zeitpunkt, fand sein Vater, denn er wog gesunde dreitausendfünfhundertsechsundfünfzig Gramm. Shelby nahm sich ausgiebig Zeit, ihn zu bewundern. Er war ihrem Bruder wie aus dem Gesicht geschnitten. Sie reichte ihrer Mutter unzählige Taschentücher und umarmte die stolzen Eltern.
Dann schickte sie noch eine SMS.

Ein Junge. Beau Sawyer. Wunderschön. Eltern glücklich und wohlauf. Mache mich demnächst auf den Heimweg.

Nachdem Shelby es endlich geschafft hatte, sich von allen zu verabschieden und durch den Verkehr von Gatlinburg zu quälen, stand die Sonne bereits tief am Himmel. Fast hätte sie angehalten, um noch eine SMS zu schreiben. Vielleicht konnte sie etwas zum Abendessen mitbringen? Doch bestimmt hatte Griff inzwischen längst gegessen.
Sie stellte das Auto neben ihrem Kombi ab. Was für ein Tag!
Als niemand auf ihr Klopfen reagierte, war sie kurz beunruhigt. Sie machte die Tür auf und rief nach ihnen, hörte vertraute Geräusche.
Shrek.
Kopfschüttelnd ging sie ins Wohnzimmer.
Shrek und Esel stritten gerade auf dem großen Bildschirm.

Ihre Tochter lag, alle viere von sich gestreckt, mit Griff auf dem Sofa. Beide schliefen tief und fest.

Fast hätte sie laut aufgeschrien, als etwas Nasses, Kaltes ihren Knöchel berührte. Als sie nach unten sah, entdeckte sie einen knuffigen braunen Welpen, der sich sofort auf die Schnürsenkel ihrer Wanderschuhe stürzte.

»Nein, hör auf.« Sie hob den Welpen hoch und bewunderte ihn ausgiebig. »Wo kommst du denn her?«

»Von um die Ecke«, sagte Griff verschlafen und schlug die Augen auf.

»Wem gehört er?«

»Mir vermutlich. Es hat sich so ergeben. Er heißt Snickers.«

»Wie bitte?«

»Snickers. Ein schokobrauner Labrador-Retriever-Mischling.«

»Niedlich.« Gerührt kuschelte sie mit dem Welpen, der ihr ehrfürchtig das Kinn leckte. »Hast du gesehen, wie groß seine Pfoten sind?«

»Nein, ehrlich gesagt nicht.«

»Das wird ein ziemlich großer Hund.« Sie lächelte, als Snickers sich über ihre Wange hermachte und glücklich in ihren Armen zappelte. »Wer hat dich mehr angestrengt? Callie oder der Hund?«

»Ich glaube, wir haben uns gegenseitig müde gemacht. Und, was macht das Baby?«

»Alles bestens. Es heißt Beau Sawyer, falls du meine letzte SMS nicht bekommen haben solltest. Er ist gesund, wunderschön, und alle sind restlos begeistert. Ich kann dir gar nicht genug danken, Griff, dass du so lange auf Callie aufgepasst hast. Es hat mir sehr viel bedeutet.«

»Wir hatten Spaß. Wie spät ist es?«

»Fast halb neun.«

»Gut, wir dürften vor ungefähr zwanzig Minuten eingeschlafen sein.«

»Hast du schon was gegessen? Ich hätte uns eigentlich …«

»Es war noch Backhuhn vom Picknick übrig«, unterbrach er sie.
»Und ich habe Makkaroni mit Käsesauce gemacht, denn das
schmeckt allen. Ein paar Tiefkühlerbsen waren auch noch da.
Normalerweise benutze ich die eher als Eisbeutel, aber sie waren
genießbar.«

Er strich über Callies Rücken, und sie bewegte sich im Schlaf.
»Sie ist völlig hinüber.«

»Sie hatte einen schönen Tag. Genau wie ich.« Sie setzte den
Hund ab, der zu Griff hüpfte und auf dessen Schnürsenkel losging. Griff nahm ihn auf einen Arm und sah sich nach dem Knab-
bertau um, das er aus einem alten Seil gemacht hatte.

»Versuch's damit«, schlug er vor und legte es dem Hund hin.

»Hat sie es geschafft, dich zu dem Hund zu überreden?«

»Das war gar nicht nötig.« Er sah zur schlafenden Callie hinüber, die Fifi im Arm hatte und unwillkürlich die Beine bewegte.
»Ich musste nur in seine Augen sehen. Ich wollte mir ohnehin
einen Hund anschaffen, wenn auch eher im Herbst, wenn ich mit
meiner Renovierung weiter gewesen wäre. Jetzt ist es eben etwas
schneller gegangen. Außerdem war er ein Sonderangebot. Möchtest du etwas essen? Es sind noch Makkaroni übrig. Das Backhuhn ist leider alle.«

»Nein danke. Wir haben im Krankenhaus was gegessen. Ich
muss nach Hause, sie ins Bett bringen.«

»Wie wär's, wenn ihr einfach dableibt?«

Ein verführerisches Angebot, dem er Nachdruck verlieh, indem er sie in die Arme nahm.

»Das wäre toll, und Callie hätte bestimmt nichts dagegen. Aber
dafür ist es noch zu früh, Griff.«

Sie kostete den Kuss, den er ihr gab, genüsslich aus. Anschließend ließ sie den Kopf an seine Schulter sinken. »Es war ein schöner Tag.«

»Einer zum rot im Kalender anstreichen.«

Griff nahm Callie auf den Arm, die schlaff an seiner Schulter lehnte, während Shelby Picknickkorb und Tasche nahm. Der Hund sauste vor ihnen zur Tür und rannte draußen im Garten im Kreis herum, während Griff Callie anschnallte.

Dann sah er ihnen nach, während sie davonfuhren und der Himmel im Westen die Farbe ihrer Haare annahm. Auf einmal war es still.

Er mochte die Stille, sonst hätte er sich nie ein so abgelegenes Haus gekauft. Nachdem die Kleine den ganzen Tag geplappert hatte, war es ihm jedoch fast ein bisschen zu still. Er sah nach unten, wo Snickers sich wieder seinen Schnürsenkeln widmete.

»Hör auf damit.« Er musste nur seinen Fuß schütteln. »Komm, wir drehen eine Runde.«

Etwas, das sie vor Mitternacht am besten noch zweimal machten. Er hatte so viel Zeit darauf verwendet, den alten Holzboden zu restaurieren, dass er ihn sich nicht von einem Welpen ruinieren lassen wollte.

Griff improvisierte ein Hundekörbchen aus einem Pappkarton und ein paar alten Handtüchern und brachte ein weiteres Handtuch in eine welpenähnliche Kuschelform. Snickers war nicht ganz überzeugt, aber die Aufregungen des Tages zeigten ihre Wirkung. Der Welpe war genauso erschöpft wie Callie, und so konnte Griff guten Gewissens ins Bett gehen.

Zunächst wusste er nicht, was ihn geweckt hatte. Das Handydisplay zeigte zwei vor zwölf an. Snickers lag nach wie vor zusammengerollt in seinem Karton.

Obwohl man schlafende Hunde nicht wecken soll, hatte er ein seltsames Gefühl. Eines, das so seltsam war, dass er leise aus dem Schlafzimmer schlich und lauschte.

Alte Häuser ächzen und stöhnen, trotzdem griff er nach einer Rohrzange und machte ein Licht nach dem anderen an, während er nach unten ging.

Es war ein schwaches Klicken zu hören. Wie von einer zufallenden Tür.

Griffs Schritte wurden schneller, er ging schnurstracks zur Terrassentür und machte die Außenbeleuchtung an.

Nichts, nicht die kleinste Bewegung.

Hatte er die Hintertür abgeschlossen? Eher nicht, das musste er nach der letzten Gassirunde vergessen haben.

Griff betrat die hintere Veranda und lauschte auf die nächtlichen Geräusche, hörte den traurigen Ruf einer Eule und fernes Hundegebell.

Plötzlich wurde ein Motor angelassen, Reifen quietschten auf dem Kies.

Griff erstarrte und spähte in die Dunkelheit.

Jemand war bei ihm im Haus gewesen, ganz sicher.

Er ging wieder hinein und sperrte die Tür zu. Doch da sie aus Glas war, konnte man sich ziemlich einfach Zutritt verschaffen, wenn man denn unbedingt wollte.

Er sah sich um, suchte, ob etwas anders war als vorher.

Sein Blick huschte über das Notebook, das er auf der Kücheninsel abgestellt hatte.

Er hatte es aufgeklappt zurückgelassen, das war so eine Angewohnheit von ihm. Jetzt war es zugeklappt.

Als er es anfasste, war es warm.

Griff klappte es auf und begann zu suchen. Er war kein Computerfreak, fand aber schnell heraus, dass sich jemand Zugang zu seinen Daten verschafft und sie kopiert hatte. Bankdaten, E-Mail-Kontakte – einfach alles.

»Was zum Teufel?«

Die nächsten zwanzig Minuten saß er fluchend da und änderte sämtliche Passwörter und Benutzernamen.

Warum interessierte sich jemand für seine Daten?

Er verschickte eine Rundmail an Freunde, Verwandte und Kunden, an all seine Kontakte, und informierte sie, dass sein Notebook gehackt worden war, sie also nicht mehr auf seine alte E-Mail-Adresse reagieren sollten.

Nachdem er jede Tür und jedes Fenster kontrolliert hatte, nahm er das Notebook mit nach oben.

Er musste dringend Sicherheitsmaßnahmen ergreifen. Sowohl in Bezug auf seine Daten als auch auf sein Haus.

Eine Stunde, nachdem er aufgewacht war, versuchte er wieder einzuschlafen, lauschte auf jedes Ächzen, auf jeden Windstoß. Er wollte gerade eindösen, als der Hund wach wurde und wimmerte.

»Jaja, ist ja gut.« Er stand auf und schlüpfte wieder in seine Hose. »Dann drehen wir eben noch eine Gassirunde, Snickers.«

Bei dieser Gelegenheit erfasste der Lichtkegel seiner Taschenlampe einen deutlichen Fußabdruck in der weichen Erde neben der Kiesauffahrt.

***

»Dein blaues Auge ist noch nicht abgeheilt, und bei dir wurde eingebrochen?«

Matt trug eine zweite Farbschicht auf, während Griff Ada Maes Bad den letzten Schliff gab.

»Na ja, der Täter konnte einfach so hereinspazieren. Es war echt nervig, sämtliche Passwörter zu ändern, all meine Kontakte zu informieren und dann heute früh fast eine Stunde auf dem Polizeirevier zu verbringen, um Anzeige zu erstatten. Ich versteh das nicht! Wäre das Notebook nicht zugeklappt worden, hätte ich alles auf Hausgeräusche geschoben.«

»Bist du sicher, dass es vorher aufgeklappt war?«

»Absolut. Außerdem war es warm, obwohl ich es seit Stunden nicht benutzt hatte. Und dann der Fußabdruck. Von mir ist der nicht, Matt. Ich habe Größe sechsundvierzig, aber der war größer. Außerdem habe ich ein Auto gehört.«

»Was hat die Polizei gesagt?«

»Das ist auch ein Grund, warum ich heute so spät dran bin. Ich bin mit Forrest zum Haus gefahren. Der hat sich umgesehen und Fotos vom Schuhabdruck gemacht. Groß weiterhelfen wird uns das nicht. Da es kein Vandalismus war, scheidet der Kattery-Clan eher aus.«

»Na ja, du schwimmst zwar nicht gerade in Geld, aber arm bist du auch nicht. Bestimmt hat sich jemand gedacht, der Kerl hat das alte Haus gekauft und fährt einen neuen Wagen …«

»Nur, weil dieses Arschloch meinen alten zu Schrott gefahren hat.«

»Trotzdem.« Matt entfernte Snickers von seinen Schnürsenkeln und warf einen Tennisball, dem der Welpe nachjagte. »Oder der Täter hat geglaubt, er könnte sich bei deinen Konten bedienen.«

»Na, in dem Fall hat er wirklich Pech gehabt. Trotzdem, es ärgert mich, dass jemand einfach so in mein Haus eindringt. Nur gut, dass ich mir einen Hund angeschafft habe. Das muss Vorsehung gewesen sein.«

»Das kann man wohl sagen.« Grinsend trat Matt nach dem Ball. »Wie oft musstest du schon hinter ihm herputzen?«

»Mehrmals. Aber er kapiert es so langsam. Aus dem wird ein ganz toller Hund, ein ziemlich großer außerdem. Das dürfte genügen, um Leute abzuschrecken, die morgens um zwei bei mir einbrechen wollen. Am besten, du schaffst dir auch einen an, damit er nicht so allein ist.«

»Ich wohne in einer kleinen Wohnung, schon vergessen?« Matt stieg mit Pinsel und Farbeimer auf die Leiter. »Ich überlege allerdings zu bauen.«

»Das tust du schon, seit wir hierhergezogen sind.«

»Seit ich überlege, Emma Kate einen Heiratsantrag zu machen, nimmt die Überlegung konkretere Formen an.«

»Wenn du das tust, solltest du … Wie bitte?« Griff hätte beinahe die Nagelpistole fallen lassen. »Wann denn? Wow.«

»Jaja, ich weiß.« Matt lächelte verträumt.

»Während du heute Morgen bei der Polizei warst, habe ich zugesehen, wie sich Emma Kate für die Arbeit zurechtgemacht hat. Sie hat grüne Smoothies zubereitet und …«

»Grüne Smoothies! Hör mir auf damit.«

»Wenn du jeden Morgen einen trinken würdest, würde dir das bestimmt guttun.«

»Ich versteh nicht, wie man Grünkohl essen kann, geschweige denn trinken. Heißt das, du willst ihr einen Heiratsantrag machen, weil sie morgens grüne Smoothies zubereitet?«

Matt schob seine Kappe aus der Stirn.

»Ich habe sie angesehen, wie sie so barfuß dastand, morgenmuffelig und ungeschminkt. In ihrer Baumwollhose und dem blauen Oberteil, während die Sonne durchs Fenster fiel. Da habe ich mir gewünscht, dass das jeden Morgen so ist.«

»Dass dir eine morgenmuffelige Emma Kate grüne Smoothies macht?«

»Ja, genau. Ich kann mir nicht vorstellen, dass ich das irgendwann leid werde. Da dachte ich, du fährst heute nach der Arbeit mit mir zum Juwelier, damit ich ihr heute Abend einen Antrag machen kann.«

»Heute Abend?« Das genügte, um Griff aufspringen zu lassen. »Ist das dein Ernst? Wünschst du dir keinen feierlichen Rahmen für diesen Anlass?«

»Ich werde ein paar Blumen kaufen, aber ich finde, der Ring ist feierlicher Rahmen genug. Ich kenne ihre Größe nicht, aber …«

»Mach eine Schablone. Geh nach Hause, kram einen ihrer Ringe hervor und bastel eine Schablone für den Juwelier.«

»Darauf hätte ich auch selbst kommen können.«

»Was wirst du ihr sagen?«

»Keine Ahnung.« Matt drehte sich auf der Leiter zu ihm um. »Ich liebe dich, willst du mich heiraten?«

»Da musst du aber noch fleißig üben.«

»Hör auf, du machst mich ganz nervös.«

»Uns fällt schon noch was ein. Geh und kümmer dich um die Schablone.«

»Sofort?«

»Ja. Ich muss sowieso mit dem Hund raus, bevor er auf die Fliesen pinkelt. Wir machen eine kurze Pause.« Begeistert klopfte Griff seinem Kumpel auf die Schulter. »Meine Güte, Matt, du wirst heiraten.«

»Vorausgesetzt, sie sagt Ja.«

»Wieso sollte sie nicht Ja sagen?«

»Vielleicht möchte sie ja im Gegensatz zu mir nicht jeden Tag mit meiner Wenigkeit und grünen Smoothies frühstücken.« Matt kam die Leiter herunter. »Mir ist ein bisschen mulmig.«

»Vergiss es. Los, kümmere dich um die Schablone.« Griff nahm den Hund, der bereits auf eine Art herumschnüffelte, die ihm zeigte, dass es dringend war. »Ich muss schleunigst mit ihm raus. Los, geh schon! Nur so bekommst du, was du willst.«

»Ich geh ja schon.«

* * *

Shelby probte am frühen Morgen noch einmal. Sie war zufrieden mit ihrem Programm, das Stücke von den Beatles, von Johnny Cash und ein paar Motown-Hits enthielt. Mit einer Liveband hätte sie *Ring of Fire* deutlich langsamer gesungen und eine verführerische Ballade daraus gemacht.

Später irgendwann, dachte sie, als sie ihre Vormittagsschicht im Salon beendete. Sie nahm gerade Bestellungen von Wellnessgästen und Kolleginnen für das Mittagessen entgegen, als Jolene schüchtern den Salon betrat.

»Es tut mir leid. Miz Vi? Miz Vi, darf ich kurz reinkommen? Nicht für eine Behandlung oder so, ich … Ich habe mit Reverend Beardsley gesprochen. Er hat gesagt, dass ich mit Ihnen reden soll, falls Sie mich anhören.«

»Ist schon gut, Jolene.« Viola nickte ihr freundlich zu und entfernte Alufolie aus dem Haar ihrer Kundin. »Dottie, würdest du Sherrilyns Farbe auswaschen?«

»Natürlich, Miz Vi.« Dottie und Sherrilyn tauschten einen

vielsagenden Blick. Keine von ihnen wollte verpassen, was jetzt kam.

»Möchtest du mit in mein Büro kommen, Jolene?«

»Nein, Madam. Was ich zu sagen habe, Miz Vi, kann jeder hören.« Sie wurde ganz rot, und ihre Augen wurden feucht. Aber zur Erleichterung beziehungsweise zur Enttäuschung so mancher Kundin, brach sie nicht in Tränen aus.

»Miz Vi, Shelby. Zuallererst möchte ich euch sagen, dass es mir ganz furchtbar leidtut. Ich möchte mich für mein Benehmen bei meinem letzten Besuch entschuldigen, und ich …«

Ihre Stimme zitterte, und Tränen traten in ihre Augen, während sie ein paar Mal tief durchatmete. »Ich will mich auch für all die Male entschuldigen, an denen ich gemein zu dir war, Shelby. Ich schäm mich so dafür. Im Rückblick sehe ich manches klarer. Ich habe mir so gewünscht, mit Melody befreundet zu sein, dass ich Dinge getan habe, für die es keine Entschuldigung gibt.«

Ein paar Tränen kullerten über ihre Wange, aber Jolene ballte die Fäuste und fuhr fort: »Ich wusste, was sie damals zu Highschool-Zeiten mit deinem Wagen gemacht hat, Shelby. Aber erst hinterher, und ich hatte nichts damit zu tun.«

»Das glaub ich dir.«

»Trotzdem. Obwohl ich es wusste, habe ich kein Wort gesagt. Ich wusste es und habe so getan, als wäre es lustig. Als hättest du es nicht anders verdient. Ich wollte einfach nur, dass sie meine Freundin ist. Heute weiß ich, dass sie das nie war. Das macht es nur noch schlimmer. Was sie in deiner Anwesenheit über dich gesagt hat, Shelby, und über deine kleine Tochter … Spätestens da hätte ich dazwischengehen müssen. Ich hoffe, dass ich das mit meiner öffentlichen Entschuldigung ein bisschen gutmachen kann, wie Reverend Beardsley es nennt. Ich habe nur an mich gedacht, und das tut mir leid.«

Schniefend wischte sie sich die Tränen von den Wangen. »Ich wusste nicht, dass sie zu Arlo gegangen ist. Ich hätte es wissen müssen, vielleicht habe ich es sogar geahnt. Ich wollte es einfach nicht wahrhaben. Ich kann allerdings nicht ausschließen, dass ich trotzdem nicht den Mut gehabt hätte dazwischenzugehen. Dafür schäme ich mich.«

»Du bist dazwischengegangen«, sagte Shelby. »Als du das mit Griff erfahren hast.«

»Ich war so geschockt, als ich die Schnittwunden und Blutergüsse in Griffs Gesicht gesehen und gehört habe, was ihm zugestoßen ist. Da konnte ich nicht länger schweigen.«

»Jolene, ich werde dich etwas fragen. Ich möchte, dass du mir dabei in die Augen schaust.« Viola wartete, bis Jolene ihre Tränen weggeblinzelt hatte. »Weißt du etwas von dem Einbruch heute Nacht bei Griff?«

»Ach, du meine Güte! Nein, Madam, Miz Vi.«

»Was ist passiert?«, fragte Shelby. »Was ist …« Viola hob den Zeigefinger, und sie verstummte.

»Ich schwör's Ihnen, Miz Vi, ich schwöre es.« Jolene legte die Hand aufs Herz. »Das kann unmöglich Melody gewesen sein. Sie ist schon in diesem Institut in Memphis. Ich war heute Vormittag bei Miz Florence, um mich bei ihr zu entschuldigen, die hat mir das erzählt. Ist er verletzt worden? Hat ihn jemand ausgeraubt?«

»Nein.« Viola sah zu Shelby hinüber. »Nein. Es scheint nichts Ernstes zu sein, weil kaum etwas angerührt wurde. Der Kattery-Clan kann es demnach nicht gewesen sein.«

Viola stemmte die Hände in die Hüften. »Hast du uns sonst noch was zu sagen, Jolene?«

»Eigentlich nicht. Nur, dass es mir leidtut. Ich werde versuchen, mich zu bessern.«

»Du hast nie viel Schneid gehabt«, bemerkte Viola. »Das ist das erste Mal, dass du welchen bewiesen hast. Deshalb hebe ich mein Hausverbot auf. Du darfst wieder zu uns kommen, wenn du möchtest.«

»Ach, Miz Vi, danke, Miz Vi. Aber nur, wenn du auch einverstanden bist, Shelby.«

»Ich will doch hoffen, dass ich genauso gut verzeihen kann wie meine Großmutter.«

»Dann ist es an Crystal zu entscheiden, ob sie dir deine Hochzeitsfrisur machen will oder nicht«, fügte Viola hinzu.

»Ach, Miz Vi, äh, Crystal, wärst du so nett? Dich zu verlieren, wäre fast so schlimm, wie meinen Verlobten zu verlieren. Und den liebe ich wirklich.«

»Natürlich mach ich dir die Haare. Ich bin sehr stolz auf dich, Jolene.«

Schluchzend warf sich Jolene Crystal in die Arme.

»So, das hätten wir also geklärt. Ich nehm dich mit nach hinten, und dann bekommst du ein kühles Getränk.«

»Ich hatte solche Angst herzukommen, solche Angst.«

»Das macht mich umso stolzer.« Crystal strahlte Viola an und verschwand mit Jolene nach hinten.

»Dottie, shampoonieren bitte, die Show ist vorbei.«

Shelby wandte sich an ihre Großmutter. »Granny, was ist bei Griff passiert?«

»Das, was ich gesagt habe. Jemand ist bei ihm eingebrochen. Er meinte, sein Computer wär gehackt worden, wenn ich das richtig verstanden habe. Mehr weiß ich auch nicht. Am besten, du fragst ihn selbst.«

»Das werde ich. Aber erst muss ich die Bestellungen fürs Mittagessen abholen.«

Shelby eilte zu *Sid & Sadie* und anschließend in die *Pizzateria*. Voll bepackt kehrte sie zum Salon zurück.

Dabei wäre sie fast mit einem Mann zusammengestoßen, der eine der Umgebungskarten studierte.

»Entschuldigen Sie bitte. Ich hab nicht geschaut, wo ich hinlaufe.«

Er lächelte. »Ich auch nicht. Sie haben aber einen gesunden Appetit.«

Es dauerte eine Weile, bis der Groschen fiel, doch dann lachte sie. »Lieferservice.«

»Dann kennen Sie sich hier bestimmt aus.«

»Ich bin hier geboren und aufgewachsen, insofern ja. Haben Sie sich verlaufen?«

»Nicht direkt, ich bin für ein paar Tage hier und wollte den Wanderweg zu Miller's Wasserfall, zur Bonnie-Jean-Aussichtsplattform und nach Dob's Creek nehmen. Ich bin nur schnell in den Ort, um mir was zum Mittagessen zu holen, und weiß nicht mehr genau, wo ich mich befinde.«

»Ich helfe Ihnen gern.« Shelby warf einen Blick auf seine Karte. »Wenn Sie die Straße, auf der wir uns gerade befinden, geradeaus gehen, an dem großen Hotel vorbei und dann die linke Abzweigung nehmen, sehen Sie hier …«

»Ja.« Er senkte die Lider und nickte langsam. »Verstehe.«

Sie schilderte ihm den Weg und empfahl ihm *Sid & Sadie* für einen Mittagsimbiss.

»Vielen Dank.«

»Gern geschehen. Genießen Sie Ihren Aufenthalt in Rendezvous Ridge.«

»Das werde ich.«

Als sie davoneilte, faltete er die Karte zusammen und steckte sie in seine Tasche – zusammen mit den Schlüsseln, die er ihr unbemerkt aus der Handtasche entwendet hatte.

Teil III

Alles gut

Die lieben nicht, die ihre Lieb' nicht zeigen.

William Shakespeare

21

Am Abend räumte Shelby ihre Handtasche ein zweites Mal aus.

»Ich weiß genau, dass sie hier drin waren. Ich stecke sie immer in die Innentasche, damit ich nicht danach suchen muss.«

»Crystal, schaut noch mal hinten nach«, sagte Viola, die unter den Maniküretischen und Pedikürestühlen suchte. »Du solltest im Auto nachgucken. Vielleicht hast du sie heute Morgen fallen lassen.«

»Na gut. Doch ich sehe genau vor mir, wie ich sie heute Morgen eingesteckt habe. Aber da ich das dauernd so mache, verwechsle ich das vielleicht mit einem anderen Tag.«

»Ich ruf bei *Sid & Sadie* und in der *Pizzateria* an. Du hast so viel Zeug geschleppt, Schätzchen, dass sie dir vielleicht runtergefallen sind.«

»Danke, Granny. Ich hab einen Zweitschlüssel für das Auto, aber es ist ein unangenehmes Gefühl, den ganzen Schlüsselbund verloren zu haben. Da hängen schließlich auch die Schlüssel für das Haus meiner Eltern, für die Bar und für den Salon dran. Wenn er nicht wiederauftaucht, müssen wir alle Schlösser austauschen lassen. Ich verstehe nicht, dass ich so unaufmerksam sein konnte.«

Shelby strich sich das Haar zurück, als ihr Handy auf der Rezeptionstheke klingelte, auf der sie den gesamten Inhalt ihrer Handtasche ausgebreitet hatte.

»Es ist die *Pizzateria*. Hallo, Shelby am Apparat. Habt ihr – ach, danke. Ja, ich komme gleich und hole sie. Vielen Dank noch mal.«

»Jetzt brauchst du dir keine Gedanken mehr über das Austauschen von Schlössern zu machen«, sagte Vi.

»Ach, bin ich erleichtert.« Eine Riesenlast fiel von Shelbys Schultern. »Ich muss sie beim Abholen fallen gelassen haben, genau, wie du gesagt hast. Johnny meinte, die Kellnerin hätte sie vor der Theke gefunden. Tut mir leid, dass ich eine solche Hektik verbreitet habe.«

»Das ist nicht so schlimm. Ich sag den anderen Bescheid.«

»Ich komme noch zu spät zu Callie.« Shelby warf alles zurück in ihre Handtasche. Die konnte sie später aufräumen. »Hab ich dir erzählt, dass ich morgen auf Jackson aufpasse? Dann kann Clay in Ruhe Gilly und das neue Baby besuchen und zu Hause alles für ihre Rückkehr vorbereiten. Er meinte, Jackson könnte einen neuen Haarschnitt gebrauchen, also komme ich morgen mit Callie und ihm her, wenn es dir recht ist.«

»Ich freue mich über die Kleinen, du kannst sie jederzeit mitbringen. Wir beschäftigen sie schon irgendwie. Wenn noch Zeit ist, können wir Callie vielleicht sogar eine Prinzessinnen-Maniküre machen.«

»Also gut, bis dann.« Shelby küsste Viola auf die Wange und sauste hinaus.

Sie holte Callie ab. Sie wusste, dass ihre Eltern abends ausgehen wollten. Das machten sie regelmäßig, obwohl sie schon so lange verheiratet waren.

Shelby beschloss spontan, zu Griff zu fahren. Dort konnte Callie ein bisschen mit dem Welpen spielen, während Griff ihr detailliert schildern würde, was in der Nacht vorgefallen war. Erst, als sie in seiner Auffahrt hielt, fiel ihr ein, dass sie sich vorher hätte anmelden sollen. Nicht jeder stand auf Überraschungsbesuche.

Doch dafür war es zu spät, und außerdem war Callie schon ganz aus dem Häuschen.

Griff war mit dem Hund draußen und drehte sich strahlend um, während Snickers auf den Kombi zuschoss.

»Das ist ja ein Timing! Ich bin gerade erst nach Hause gekommen.«

Sie hob Callie aus dem Wagen, die sich einfach zu Boden plumpsen ließ und den wild wedelnden Hund umarmte.

»He, bin ich nur noch zweite Wahl?« Griff ging in die Hocke. »Werde ich gar nicht begrüßt?«

»Griff.« Callie lächelte verführerisch und streckte die Arme nach ihm aus. Dann küsste sie ihn auf die Wange und fuhr kichernd über seine Bartstoppel. »Du kitzelst.«

»Ich wusste nicht, dass Damenbesuch kommt.«

»Ich hätte vorher anrufen sollen. Es ist ein bisschen unverschämt, einfach so vorbeizuschauen.«

»Ich freue mich.« Mit Callie auf der Hüfte, beugte er sich vor und überraschte Shelby mit einem Kuss. »Ihr seid jederzeit willkommen.«

»Wenn Shrek Fiona küsst, zeigt sie ihr wahres Ich.«

»Stimmt. Zeigst du mir dein wahres Ich, Rotschopf?«

»Glaub schon. Wie geht's?« Leicht nervös beugte sie sich zu Snickers hinunter.

»Nicht schlecht. Er hat mich ganz schön herumkommandiert. Wir haben den Auftrag erledigt.«

»Erledigt?« Sie sah auf, während der Hund nach Kräften ihre Hände abschleckte. »Bei Mama? Ah, sie wird ganz aus dem Häuschen sein vor Freude. Daddy hat sie vom Salon abgeholt und fährt mit ihr nach Gatlinburg, um Gilly und das Baby zu besuchen. Danach gehen sie essen und ins Kino. Sie weiß noch gar nicht, dass ihr fertig seid.«

»Das wird sie merken, wenn sie nach Hause kommt.« Er setzte Callie ab. »Tu mir einen Gefallen, Kleine. Tob ein bisschen mit Snickers herum. Er braucht Auslauf.«

»Komm, Snickers, du brauchst Auflauf.«

»Ich hätte gern ein kaltes Bier. Möchtest du auch eines?«

»Lieber nicht, aber trink ruhig eines. Das hast du dir echt verdient nach den vielen Überstunden wegen dem Bad.«

Er dachte an die Fahrt nach Gatlinburg, an den Ring. Aber er hatte Matt schwören müssen, nichts zu verraten, bevor sein Antrag nicht erfolgreich über die Bühne gegangen war. »Ach, na ja …«

»Ich wollte nur kurz vorbeischauen, um Callie eine Freude zu machen. Und um dich zu fragen, was heute Nacht bei dir los war. Mir ist da im Salon so was zu Ohren gekommen.«

»Hier kann man wirklich nichts geheim halten. Ich weiß es selbst nicht so genau.« Er sah zum Haus hinüber und spürte, dass er immer noch wütend war. »Jemand ist bei mir eingebrochen und hat Daten von meinem Notebook kopiert.«

»Warum um alles in der Welt … Ach, vermutlich machst du all deine Bankgeschäfte online.«

»Ganz genau. Aber ich habe vorgesorgt, alle Passwörter sind geändert und sämtliche Karten gesperrt. Komisch ist es trotzdem. Es wäre viel einfacher, tagsüber einzubrechen und das Haus zu durchwühlen. Aber sich nachts mit einer Taschenlampe reinzuschleichen? Wirklich seltsam. Ich überlege, mir eine Alarmanlage installieren zu lassen. Zusätzlich zu meinem gefährlichen Wachhund.«

Shelby sah zu Snickers hinüber, der wild durch die Gegend tollte. »Er ist alles andere als ein Wachhund. Insofern ist das sicherlich vernünftig, auch wenn hier eigentlich selten eingebrochen wird. Im Grunde erst in letzter Zeit. Manchmal glaube ich, dass ich nichts als Ärger mitgebracht habe.«

»Hör auf damit.«

Shelby versuchte, den unangenehmen Gedanken zu verdrängen. »Hol dir erst mal dein Bier. Ich erlaube Callie, sich noch ein bisschen mit Snickers auszutoben, wenn es dir recht ist. Dann muss ich sie heimbringen und ihr was zu essen machen.«

»Wir können in meiner Küche was improvisieren.«

»Das wäre schön, und Callie wäre bestimmt begeistert, aber ich muss tausend Dinge erledigen. Ich bin ziemlich im Verzug, weil ich heute meinen Schlüsselbund verloren und bestimmt eine Stunde danach gesucht habe.«

»Du steckst ihn doch immer ins Innenfach deiner Handtasche?«

Sie runzelte die Stirn. »Dir entgeht wirklich gar nichts. Nun, heute muss ich danebengezielt haben, sodass er vor der Theke der *Pizzateria* gelandet ist. Keine Ahnung, wie ich das hingekriegt habe. Ich weiß genau, dass ich ihn im Lokal nicht rausgeholt habe. Trotzdem, da lag er.«

»Hattest du deine Handtasche immer bei dir?«

»Natürlich … na ja, nicht die ganze Zeit«, gestand sie. »Wenn ich arbeite, muss ich sie weglegen.«

»Lass uns dein Notebook kontrollieren.«

»Was? Wieso denn das?« Fast hätte sie gelacht, doch dann wurde sie nervös.

»Glaubst du etwa, dass mir jemand die Schlüssel aus der Handtasche geklaut hat, um sie dann vor der Theke der *Pizzateria* zu deponieren?«

»Lass uns einfach dein Notebook kontrollieren. Bestimmt ist alles in Ordnung. Callie kann so lange mit Snickers im Garten spielen. Auf der Fahrt zu dir können wir irgendwo halten und uns was zu essen holen.«

»Ich wollte eigentlich die Reste vom Sonntag essen, mit Kartoffelpüree und grünen Bohnen.«

»Super. Vorausgesetzt, das reicht für uns alle.«

»Wir werden schon nicht verhungern.« Schließlich wusste sich ein guter Koch zu helfen, und sie freute sich darauf, mehr Zeit mit Griff zu verbringen, aber …

»Glaubst du wirklich, jemand hat mir die Schlüssel geklaut? Das ist doch total verrückt.«

»Wir schauen einfach nach.«

So verrückt es auch sein mochte, er hatte da einen Verdacht.

Bevor sie losfuhren, schloss er das Haus gut ab. Sie nahmen die kurvige Umgehungsstraße, und als die Eiche auftauchte, warf Griff ihr einen grimmigen Blick zu.

Er dachte an Matt und fragte sich, ob sein Freund den Antrag bereits hinter sich gebracht hatte. Vermutlich nicht, denn sonst hätte Shelby längst einen Anruf oder eine SMS von Emma Kate bekommen.

Hoffentlich war es bald so weit. Er konnte zwar ein Geheimnis bewahren, aber nervös machte es ihn trotzdem.

Er schaute zu Snickers hinüber, der sich als perfekter Beifahrer entpuppte, den Kopf aus dem Fenster hielt und die Zunge im Wind flattern ließ. Der spontane Einfall, sich einen Hund anzuschaffen, war genau das Richtige gewesen.

Es dauerte nicht lange, und Callie beschäftigte sich allein im Garten. Wenn sie ihre geliebte Seifenblasenmaschine, einen Welpen und den alten Familienhund um sich hatte, war sie im siebten Himmel.

»Schau dir nur Clancy an, er wird fast selbst wieder zum Welpen. Snickers hat ihn mit seinem Besuch bestimmt fünf Jahre jünger gemacht.«

»Die Frau hat noch mehr Welpen.«

»Ich glaube, einer reicht fürs Erste. Ich hole schnell mein Notebook, damit du dich endlich entspannen kannst. Warum nimmst du dir nicht dein ersehntes Bier?«

»Gern.«

Während Griff wartete, überlegte er, was im schlimmsten Fall passiert sein konnte. Wenn auch ihr Computer gehackt worden war, konnte das bedeuten, dass ein Computerkrimineller in Rendezvous Ridge sein Unwesen trieb. Das wäre die logische Schlussfolgerung.

Seltsam wäre nur, wenn er es ausgerechnet auf sie beide abgesehen hätte, und dann noch so rasch hintereinander. Das sprach eher für einen persönlichen Racheakt.

Grübelnd stand er in der Küche und sah zu, wie die beiden Hunde mit seinem improvisierten Spielzeug Tauziehen spielten und Callie inmitten von Seifenblasen um sie herumhüpfte.

Sein Umzug nach Rendezvous Ridge war nicht so spontan gewesen wie der Hundekauf. Er hatte lange darüber nachgedacht, sämtliche Vor- und Nachteile gegeneinander abgewogen. Doch wie der Hundekauf war auch diese Entscheidung genau das Richtige gewesen.

Es war schön hier. Viel ruhiger als in Baltimore, genau das gefiel ihm. An manches hatte er sich erst gewöhnen müssen und sich dann eigentlich ganz gut eingelebt.

War es nicht interessant, ja, fast schon Schicksal, dass Shelby wenige Monate nach seinem Umzug nach Hause zurückgekehrt war? Wenn nicht, war es auf jeden Fall ein äußerst glücklicher Zufall.

»Ach, Griffin.«

»Was ist?« Er wirbelte herum. »Hat sich jemand Zugang zu deinem Computer verschafft?«

»Keine Ahnung, ich habe noch gar nicht nachgesehen. Aber das Bad.« Ehrfurcht lag in ihrer Stimme. »Es ist super. Ich habe nicht an euch gezweifelt und es mir genauso vorgestellt. Aber jetzt, wo ich es mit eigenen Augen gesehen habe … Ich werde eine ganze Packung Kleenex bereithalten müssen, denn wenn Mama kommt, wird sie weinen vor Freude. Es ist einfach perfekt und genau das, wovon sie geträumt hat. Und du hast alles blitzsauber hinterlassen.«

»Das gehört zum Service.«

»Du hast sogar Blumen hingestellt.«

»Das gehört bei Spezialkunden zum Service.«

»Deine Spezialkundin wird sich gar nicht mehr einkriegen vor Begeisterung und sich gleich nach dem Heimkommen in diese Luxuswanne legen. Sobald ich mir ein Haus leisten kann, bist du gebucht.«

»Ich setz dich auf die Warteliste. So, schauen wir uns die Sache mal an.«

»Gut.«

Sie stellte das Notebook auf die Küchentheke und fuhr das Gerät hoch.

»Hast du heute irgendwas runter- oder hochgeladen?«

»Clay hat heute Morgen neue Babyfotos geschickt, das war alles.«

»Lass sehen.« Griff drückte auf ein paar Tasten und schaute sich als Erstes den Browserverlauf an. »Hast du diese Dokumente aufgerufen? Und heute Nachmittag in einen dieser Ordner geschaut?«

»Nein.« Sie fasste sich an den Hals. »Nein, seit heute Morgen habe ich nichts mehr angerührt. Ich habe bloß meine Mails kontrolliert.«

»Shelby, jemand hat auf diese Ordner und Daten zugegriffen. Wie du siehst, wurden Daten auf einen USB-Stick kopiert.«

»Genau wie bei dir.«

»Ja.« Seine grünen Augen wurden dunkel vor Wut. »Du solltest deinen Bruder verständigen.«

»Ja. Meine Güte, warum tut jemand so etwas? Ich muss nachschauen, ob … Ich muss mein Konto kontrollieren.«

»Mach das sofort. Ich ruf deinen Bruder an.« Griff wählte Forrests Nummer.

»Es ist noch alles da.« Ihre Stimme zitterte vor Erleichterung. »Mein Geld ist noch da.«

»Forrest ist unterwegs. Du solltest deine Passwörter ändern, aber …«

Sie war bereits dabei. »Aber?«

»Wenn jemand Geld von deinem Konto abbuchen wollte, hätte er das längst getan. Warum hat er deine Daten geklaut? Ich habe meine Passwörter wenige Minuten nach dem Einbruch geändert. Bei dir hatte der Täter jedoch stundenlang Zeit, dein Konto leerzuräumen. Wenn er es denn gewollt hätte.«

»Welchen Grund sollte er sonst haben?«

»Vielleicht sucht er nach Informationen. Nach E-Mails, Konten, Internetseiten, die wir aufrufen, nach Kalendereinträgen. Mein ganzes Leben ist auf meinem Computer gespeichert. Und wir sind … ein Paar, nicht wahr?«

»Ich ... Ich denke schon.« Es war seltsam, das auszusprechen.

»Unsere beiden Computer wurden gehackt, im Abstand von nur zwölf Stunden. Vielleicht solltest du dich in deinem Zimmer umschauen, ob etwas anders ist als vorher, ob etwas fehlt. Ich passe so lange auf Callie auf.«

Nickend eilte sie davon.

Wieder schaute Griff aus der Hintertür und sah eine heile Welt. Ein hübsches kleines Mädchen, schillernde Seifenblasen, zwei glückliche Hunde und im Hintergrund die grünen Smoky Mountains.

Doch das war nur ein kleiner Ausschnitt aus einer Welt, die alles andere als heil war.

* * *

Es dauerte eine Weile, aber Shelby wollte nichts übersehen. Doch so gründlich sie auch suchte, alles schien unverändert zu sein.

»Nichts.« Sie kam wieder in die Küche und wartete, bis Griff sich umdrehte. »Alles ist genauso, wie es sein soll. Ich habe zusätzlich den Computer in Daddys Büro kontrolliert, und auch an dem hat sich jemand zu schaffen gemacht. Allerdings ohne etwas herunterzuladen. Es wurden nur Seiten aufgerufen, als niemand von uns zu Hause war.«

»Gut. Warum setzt du dich nicht?«

»Ich muss mich ums Abendessen kümmern. Callie hat Hunger.«

»Wie wär's mit einem Bier?«

Sie schüttelte den Kopf und seufzte. »Gegen ein Glas Wein hätte ich allerdings nichts einzuwenden. Ich bin mit den Nerven am Ende. Richtig am Ende.«

»Das sieht man dir gar nicht an. Wie wär's damit?« Er griff nach einer Rotweinflasche auf der Theke, die mit einem blauen Glasstopfen verschlossen war.

»Gern.«

»Ich schenk dir was ein.«

Er nahm ein Weinglas, während sie Kartoffeln schälte. »Du glaubst also, es ist was Persönliches?«

Sie versuchte, sich mit der vertrauten Tätigkeit zu beruhigen und logisch zu denken. »Zuallererst habe ich an Melody gedacht. Allerdings glaube ich, ehrlich gesagt, nicht, dass sie so was machen würde. Das ist viel zu kompliziert für sie.«

»Melody war es ganz bestimmt nicht. Die steht auf rohe Gewalt. Oder auf Vandalismus.«

Rasch schälte sie eine weitere Kartoffel. »Du denkst an den Mord. Das war Gewalt pur. Gewalttätiger kann man nicht werden.«

»Ich versuche nur, mir das logisch zu erklären.«

»Richard.« Ihre Hände erstarrten, und sie sah auf. »Richard hat mir all meine Probleme eingebrockt. Und deine Probleme hängen mit mir zusammen.«

»Nicht mit dir, Rotschopf.«

»Mit meinen Problemen«, verbesserte sie sich. »Ich gebe mir nicht die Schuld daran, das habe ich viel zu lange getan. Aber das ist nun mal eine Tatsache. Wir suchen also nach einer logischen Erklärung«, murmelte sie und begann mit der nächsten Kartoffel.

»Lass uns überlegen.« Die Haustür ging auf, und Griff verstummte. »Das muss Forrest sein. Überlassen wir das lieber den Profis.«

»Das wär mir auch am liebsten.«

Forrest kam herein und nahm sich ein Bier aus dem Kühlschrank. »Also, erzählt, was los ist.«

»Jemand hat sich meine Schlüssel gekrallt und sich damit Zutritt zum Haus und Zugriff auf mein Notebook verschafft. Genau wie bei Griff. Ich vermisse nichts, dabei bewahre ich etwas Bargeld in meiner obersten Schublade auf.«

»Also genau dort, wo ein Einbrecher zuerst nachschaut. Pack es woandershin. Eine Tamponschachtel ist sicherer.«

»Ich werd's mir merken. Dieser Einbrecher war eindeutig nicht auf Bargeld oder Wertgegenstände aus.«

»Informationen sind auch wertvoll. Wo waren deine Schlüssel?«

»In meiner Handtasche.«

»Komm schon, Shelby, lass dir nicht alles aus der Nase ziehen.«

»Na gut, na gut.« Seufzend griff sie nach ihrem Weinglas. Nachdem sie sich beruhigt hatte, fuhr sie mit dem Kartoffelschälen fort und erzählte von ihrer Schlüsselsuche.

»Ich weiß genau, dass ich sie beim Proben noch hatte. Ich habe sie aus dem Zündschloss gezogen. Dann habe ich den Schlüssel benutzt, den Derrick mir fürs *Bootlegger's* gegeben hat, damit ich frühmorgens proben kann. Genau das habe ich heute gemacht. Ich war vor allen anderen da und hab wieder abgeschlossen, als ich gegangen bin. Anschließend hab ich die Schlüssel ins Innenfach meiner Handtasche gesteckt. In solchen Dingen bin ich eigentlich nicht leichtsinnig.«

»Nein, das stimmt. Sie war schon immer gut organisiert«, sagte Forrest an Griff gewandt. »Manchmal versteht man zwar nicht ganz, warum sie was wohin tut, aber sie weiß genau, wo ihre Sachen sind.«

»Das spart viel Zeit. Dann bin ich in den Salon und habe meine Handtasche hinter der Rezeption verstaut. Niemand, der bei uns arbeitet, würde sich an meinen Schlüsseln vergreifen, Forrest. Ich kenne dort jeden und inzwischen auch die meisten Kunden. Die Stammkunden zumindest. Es kommen zwar Touristen, aber von denen könnte keiner so leicht unbemerkt hinter die Rezeption gehen und in meiner Tasche wühlen. So viel war heute nicht los.«

»Also ist deine Handtasche dort hinter der Rezeption geblieben, bis du nach Hause wolltest und deine Schlüssel vermisst hast?«

»Ja. Nein. Ich hatte sie dabei, als ich die Essensbestellungen fürs Mittagessen abgeholt habe. Bei *Sid & Sadie* und in der *Pizzateria*, wo sie aus irgendeinem Grund vor der Theke auf dem Boden gelandet sind. Ich dachte, sie wären mir rausgefallen.«

»Genau das solltest du auch denken und würdest es nach wie

vor tun, wenn unser Hilfssheriff nicht zwei und zwei zusammengezählt hätte.«

»So schwer war das nicht«, wiegelte Griff ab.

»Ja«, gestand Shelby. »Normalerweise hätte ich keinen weiteren Gedanken daran verschwendet.«

»Bist du mit jemandem zusammengestoßen, als du die Bestellungen abgeholt hast?«, fragte Forrest.

»Nein.« Stirnrunzelnd rief sie sich den von ihr zurückgelegten Weg wieder in Erinnerung, wie sie es bei ihrer Schlüsselsuche x-mal getan hatte.

»Ich bin erst nach der Rushhour los, weil Jolene vorbeigekommen ist, um sich zu entschuldigen. Das hat gedauert. Währenddessen hätte vermutlich jemand in meine Tasche greifen können. Ah, ich glaube, ich weiß, wer es war. Ich bin nämlich *fast* mit jemandem zusammengestoßen. Mit diesem Mann, der nach dem Rendezvous-Wanderweg gesucht hat.«

»Aha. Er wollte wissen, wie man dorthin kommt?«

»Ja. Er sei gerade in der Gegend und …« Sie schloss die Augen. »O mein Gott, bin ich blöd! Ja, er hat mich nach dem Weg gefragt, den ich ihm auf der Karte gezeigt habe, voll bepackt mit meinen Lunchpaketen. Danach bin ich in den Salon, hab die Tasche abgestellt und die Bestellungen verteilt. Nur als sie lose über meiner Schulter hing, kann sich jemand an meiner Tasche zu schaffen gemacht haben.«

»Wie hat er ausgesehen?«, fragte Griff und sah zu Forrest hinüber. »Entschuldige.«

»Keine Ursache. Genau das hätte ich auch als Nächstes gefragt.«

»Er war groß. Ich musste zu ihm aufsehen. Moment.« Sie schüttete die Kartoffeln in die Spüle, um sie zu waschen, und viertelte sie auf dem Schneidebrett. »Weiß, ungefähr Anfang vierzig. Er hatte eine Sonnenbrille auf. Ich auch, denn es war ein schöner Tag. Und er trug eine Baseballkappe.«

»Farbe? Logo?«

»Ich glaube, sie war beige. An ein Logo kann ich mich nicht erinnern. Er hatte dunkles Haar, nicht schwarz, aber dunkelbraun. Es war etwas länger. Über den Ohren hat es sich gelockt. Sein Bart war grau meliert. Ein kurz gestutzter Vollbart. Er sah aus wie … wie ein College-Professor, der Footballer trainiert.«

»Er war also ziemlich groß?«

»Ja. Groß und muskulös. Nicht dick und schwabbelig.« Sie setzte die Kartoffeln auf.

Nickend griff Forrest zu seinem Handy und wischte darauf herum. »So vielleicht?«

Sie betrachtete das Foto von James Harlow. »Nein, ein bisschen älter.«

»Ein grau melierter Bart, sagst du?«

»Ja, er hat ausgesehen wie so ein Uniprofessor.«

»Schau noch mal hin, und versuch ihn dir mit dem Bart und den längeren Haaren vorzustellen.«

Griff sah Shelby über die Schulter.

»Ich weiß nicht … Er hatte dickere Augenbrauen, aber dunkles Haar wie der hier und … Meine Güte, bin ich blöd.«

»Das sage ich auch öfter, Schwesterherz, aber in diesem Fall muss ich dir widersprechen.«

»Ich stand auf dem Bürgersteig und habe mich mit Jimmy Harlow unterhalten, ohne es zu merken. Nicht mal, als er mir den Schlüsselbund aus meiner Handtasche geklaut hat.«

»Das ist seine Spezialität«, rief Forrest ihr in Erinnerung. »Er hat sein Aussehen verändert und dich in einem unerwarteten Moment abgepasst. Dann hat er dir eine ganz normale Frage gestellt und dich dazu gebracht, dass du dich über die Karte beugst, damit er dir die Schlüssel klauen kann. Anschließend hat er dafür gesorgt, dass du sie an einem Ort wiederfindest, der dir plausibel vorkommt. Damit du alles auf deine eigene Unachtsamkeit schiebst und nicht auf die Idee kommst, dein Notebook zu kontrollieren.«

»Was wollte er? Wonach sucht er?«

Forrest sah Griff stirnrunzelnd an. »Was glaubst du, mein Freund?«

»Vermutlich wollte er wissen, ob wir irgendwo Millionen von Dollars verstecken. Oder versteckt haben.«

»Warum du?«, fragte Shelby. »Ich kann verstehen, dass er mich verdächtigt und davon überzeugt ist, dass ich Bescheid weiß.«

»Wir haben ziemlich viel Zeit miteinander verbracht, seit du zurück bist.«

»Ich weiß, dass du mit meiner Schwester schläfst«, bemerkte Forrest. »Du brauchst also nicht um den heißen Brei herumzureden. Also, du kehrst nach Rendezvous Ridge zurück und tust dich bald darauf mit ihm zusammen«, sagte er zu Shelby. »Mit jemandem, der ebenfalls erst vor wenigen Monaten hergezogen ist. Da fragt sich ein echter Gauner natürlich sofort, ob ihr euch nicht schon viel länger kennt.«

»Er hat Melinda Warren ermordet und ist somit der Einzige, der übrig ist«, sagte Griff.

»Sodass er die ganze Beute allein bekommt, vorausgesetzt, er findet den Schmuck und die Briefmarken. Du bist sein einziger Anhaltspunkt, Rotschopf.«

»Ich weiß nicht, wo das Zeug steckt. Vielleicht hat Richard es verkauft und das Geld verprasst? Genauso gut kann er es in die Schweiz gebracht haben. Deshalb kann dieser Jimmy Harlow nichts auf meinem Computer finden. Auf deinem erst recht nicht, Griffin.«

»Wir können nur hoffen, dass er jetzt genug hat«, sagte Forrest. »Verlassen dürfen wir uns darauf nicht. Ich werde den Sheriff anrufen und ihm alles erzählen. Was gibt's zum Abendessen?«

»Schinken, Kartoffelpüree und grüne Bohnen.«

»Das klingt gut. Ist das dein Hund da draußen, Griff? Der Welpe, den du Rachel Bell abgekauft hast?«

»Ja. Er heißt Snickers.«

»Er fängt gerade an, Mamas Rittersporn auszubuddeln. Die wird euch was erzählen, wenn sie das sieht.«

»Mist.« Griff stürmte nach draußen und rief nach seinem Hund.

Grinsend lehnte sich Forrest an die Küchentheke. »Ich stelle mir nur ungern vor, dass meine Schwester Sex hat.«

»Dann lass es eben bleiben.«

»Das versuch ich ja. Manche Leute brauchen ein bisschen, bis sie miteinander warm werden. Bei anderen klickt es sofort, sie sind einem vertraut, wenn du verstehst, was ich meine.«

»Ja.«

»Bei Griff und mir hat es sofort Klick gemacht. Bei Matt hat es etwas länger gedauert, aber inzwischen sind wir eng befreundet. Nicht zuletzt dank Griff.«

Forrest zückte sein Handy und wählte eine Nummer. »Was ich damit sagen will … Er ist ein Freund, ein sehr guter sogar. Da ich ihn kenne, hat er dich tausend Mal mehr verdient als sein Vorgänger … Hallo, Sheriff, ich hoffe, ich störe nicht beim Abendessen«, hob Forrest an und ging dann ein Stück beiseite, um ihm Bericht zu erstatten.

* * *

Das Abendessen schmeckte köstlich, obwohl sich Shelby kaum auf die Zubereitung konzentriert hatte. Danach scheuchte sie Griff und Callie nach draußen, um die ersten Glühwürmchen zu bestaunen, die über dem Rasen und in den Büschen leuchteten. Vor allem im Juni tanzten unzählige Lichter in den Wäldern und über den Hügeln.

Es wurde eindeutig Sommer, und der schneereiche Winter des Nordens war nur noch eine ferne Erinnerung.

Trotz der Glühwürmchen, des Miniaturgartens und der grünenden Hügel war ihr etwas von der Kälte bis hierher gefolgt. Ihre Kleine mochte zwar in der Obhut des Mannes, den Shelby liebte, mit den Lichtern im Garten tanzen. Aber ihr Bruder würde bald aufbrechen und sich näher mit dieser Kälte beschäftigen. Ihre Vergangenheit verfolgte sie, das ließ sich einfach nicht beschönigen.

Shelby war damals durchgebrannt, hatte sich ein Leben voller Abenteuer, Liebe und Leidenschaft vorgestellt, eine aufregende Zukunft. Nur um enttäuscht und mit einem Riesenberg Schulden nach Hause zurückzukehren. Das war jedoch längst nicht alles, und dem musste sie sich stellen.

Sie wünschte, sie hätte diese verdammten Millionen. Dann würde sie sie in Geschenkpapier verpacken, eine Schleife darum wickeln und ohne jedes Bedauern Jimmy Harlow überreichen.

Lass mich in Ruhe, dachte sie. Lass mich einfach in Ruhe, damit ich mir das Leben aufbauen kann, das ich bereits vor mir sehe.

Sie hatte keine Ahnung, was Richard mit dem Schmuck und den Briefmarken angestellt hatte. Oder mit dem Geld, das er dafür bekommen hatte, sollte er beides bereits verkauft haben. Wie denn auch, wo sie ihn nie wirklich gekannt hatte? Er hatte sich als jemand anders ausgegeben, genau wie Jimmy Harlow an diesem Nachmittag.

Inzwischen wusste Shelby, was Richard damals in ihr gesehen hatte. Ein potenzielles Opfer, eine Zielscheibe, denn so nannte man Leute wie sie. Jemand, der einem vorübergehend nützlich ist und den man dann eiskalt entsorgt, nachdem er seine Schuldigkeit getan hat.

Sie hatte nicht vor, sich ihr Leben von einem Mann kaputtmachen zu lassen, der sie bloß benutzt und von vorn bis hinten belogen hatte.

Shelby räumte die Teller weg und beschloss, sich noch ein Glas Wein zu gönnen. Sie würde Callie etwas länger mit den Glühwürmchen tanzen lassen, sie später baden und dann zu Bett bringen. Morgen würde sie sich damit beschäftigen, wie sie mit ihrer Vergangenheit endgültig abschließen konnte.

Sie schenkte sich Wein ein und wollte gerade in den Garten, gehen, als ihr Handy piepte.

Sie zog es hervor und las Emma Kates SMS.

Werden heiraten! Wusste nicht, wie sehr ich mir das wünsche, bis er gefragt hat. Ring am Finger und überglücklich. Muss morgen unbedingt mit dir reden. Im Moment zu beschäftigt. Schreibe dir aus dem Bad. Kann es kaum fassen. Muss Schluss machen.

Shelby las die Nachricht ein zweites Mal und spürte, wie ihre Mundwinkel nach oben wanderten. Auch ihre beste Freundin tanzte mit den Lichtern. Sie antwortete.

Freu mich wie verrückt. Bleib beschäftigt. Bin eifersüchtig, weil nicht klar, wann auch beschäftigt. Mehr morgen, alle Details! Liebe dich. Sag Matt, er ist ein Glückspilz.

Sie verschickte die SMS und betrat den Garten, um auch noch ein bisschen mit den Lichtern zu tanzen.

22

Shelby traf sich mit Emma Kate am Spielplatz, damit Callie und Jackson dort herumtoben konnten.

»Der Doc hat mir eine Stunde freigegeben, weil er ganz genau weiß, wie dringend ich mit dir reden muss. Schau mal.«

Emma Kate hielt ihr die Hand hin, und der Diamant mit Prinzessschliff funkelte ihr entgegen.

»Er ist wunderschön. Perfekt.«

»Siehst du, wie der Diamant in den Ring eingelassen ist?«

»Ja. Ich finde ihn wirklich toll, Emma Kate.«

»So bleibe ich nicht damit hängen, wenn ich mit meinen Patienten arbeite. Ich finde es rührend, dass er sich über solche Dinge Gedanken gemacht und genau die richtige Größe gekauft hat. Er hat mithilfe einer meiner Ringe eine Schablone gemacht. Was übrigens Griffs Idee war.«

»Ich hab so was gehört. Nachdem ich Griff von deiner SMS erzählt hatte. Vorher hat er nicht die kleinste Andeutung gemacht, dass er mit Matt einen Ring für dich ausgesucht hat.«

»Laut Matt kann Griff schweigen wie ein Grab, wenn es drauf ankommt.«

»Ich will alles ganz genau wissen. Hoppla, warte kurz.« Shelby eilte zu Jackson, der sich eine kleine Schramme zugezogen hatte. Nachdem sie ihm den Staub abgeklopft und sein Knie geküsst hatte, nahm sie eines seiner Spielzeugautos aus ihrer Tasche, damit er im Sandkasten damit spielen konnte.

»So, jetzt geht es wieder. Callie kann ihn ganz schön drangsalieren, aber so ist das eben, wenn man die Ältere ist.«

»Wir haben von Kindern gesprochen. Wir wollen zwar noch ein bisschen warten, aber in ein, zwei Jahren … Meine Güte, ich werde heiraten und Kinder haben.« Lachend fasste sie sich ans Herz. »Ich kann es kaum glauben.«

»Du wünschst es dir.«

»Zusammen mit Matt? Ja! Gestern hat er mir geschrieben, dass er Überstunden machen muss, aber etwas zu essen mitbringt. Er hat auch Wein gekauft und Blumen. Ich hätte etwas ahnen können, aber es war einfach schön, sich nichts fürs Abendessen überlegen zu müssen, eine gute Flasche Wein zu trinken und einen Blumenstrauß auf dem Tisch zu haben. Ich hab erwähnt, dass ich bald in den Salon müsste, um mir die Haare schneiden zu lassen. Er meinte nur, wie schön ich auch so aussehe. Wie schön alles an mir ist. Ich dachte, der will mich bestimmt bloß ins Bett kriegen.«

»Emma Kate.«

»Er kann auch direkter sein, aber so, wie er sich benommen hat … Ich hatte einen langen Tag hinter mir. Es tat so gut, sich um nichts kümmern zu müssen. Nach ein paar Gläsern Wein war ich herrlich entspannt. Vielleicht war ich ja diejenige, die ihn ins Bett kriegen wollte?«

Wieder legte sie seufzend die Hand aufs Herz.

»Dazu ist es natürlich auch gekommen. Aber vorher … vorher hat er meine Hand genommen und mich einfach bloß angeschaut. Wir sind seit fast drei Jahren zusammen, Shelby, aber in dem Moment hat mein Herz einen Schlag ausgesetzt. Und dann noch einmal, als er mir gesagt hat, dass er mich liebt. Dass sein Leben erst zusammen mit mir wirklich einen Sinn hat und er sich nichts sehnlicher wünscht, als es mit mir zu verbringen. Er ist sogar vor mir auf die Knie gefallen.«

»Das ist extrem süß, Emma Kate. Wie im Märchen.«

»So fühlt es sich auch an, dabei hab ich gar nicht damit gerechnet. Nie hätte ich solche Glücksgefühle erwartet, als er den Ring gezückt hat.«

»Was genau hat er gesagt? Wie hat er dir den Antrag gemacht?«

»Er hat einfach nur gesagt: *Heirate mich, Emma Kate. Verbring dein Leben mit mir.*« Emma Kate schossen Tränen der Rührung in die Augen, und ihre Stimme versagte. »*Lass uns gemeinsam etwas aufbauen.*«

»O Gott.« Shelby zückte Taschentücher. »Wie schön.«

»Ich weiß, es ist einfach nur schön. Also hab ich Ja gesagt. Ja, ich heirate dich. Und ja, ich werde mein Leben mit dir verbringen, eine gemeinsame Zukunft mit dir aufbauen. Da hat er mir den Ring angesteckt, und er saß wie angegossen. Ich musste weinen vor Glück, genau wie jetzt.«

Seufzend lehnte sie den Kopf an Shelbys Schulter. »Ich wollte dir schon gestern Abend alles erzählen, aber …«

»Du warst beschäftigt.«

»Ja. Schwer beschäftigt.«

Callie kam und tätschelte Emma Kates feuchte Wangen.

»Freust du dich?«

»Ja, Schätzchen, sehr. Ich werde Matt heiraten, und das macht mich überglücklich.«

»Ich heirate Griff.«

»Tatsächlich?«

»Ja. Ich liebe ihn.«

»Ich weiß genau, wie du dich fühlst.« Sie knuddelte Callie. »Und weißt du was? Auf meiner Hochzeit wirst du die Blumen streuen.«

Callie riss die Augen auf. »Mama«, sagte sie ehrfürchtig.

Um nicht ebenfalls in Tränen auszubrechen, nahm Shelby Jackson und sein sandiges Spielzeugauto auf den Schoß. »Meine Güte, Callie, was für eine Ehre. Du warst noch nie Blumenmädchen.«

»Und ich noch nie eine Braut. Das passt also perfekt«, sagte Emma Kate.

»Bekomme ich ein neues Kleid und Glitzerschuhe?«

»Nun, wir beide bekommen ein neues Kleid und Glitzerschuhe. Deine Mama auch. Du wirst meine Brautjungfer, das ist dir doch klar, Shelby?«

»Sicher.« Überglücklich schlang Shelby die Arme um Emma Kate und die Kinder. »Ich werde dich mit Hochzeitsgeschenken überschütten, so, wie wir uns das früher immer ausgemalt haben. Habt ihr euch schon ein Datum überlegt?«

»Wenn es nach meiner Mutter geht, müssen wir gleich morgen heiraten. Oder aber in zwei Jahren, damit sie mich bis dahin in den Wahnsinn treiben und eine Hochzeitsfeier im Herrenhaus des Gouverneurs planen kann. Mindestens!«

»Du bist ihre einzige Tochter.« Auch sie war die einzige Tochter, das wurde Shelby auf einmal bewusst. »Jede Mutter ist völlig aus dem Häuschen, wenn ihre Tochter heiratet.«

»Mama ist rund um die Uhr aus dem Häuschen. Sie redet von nichts anderem mehr als Brautkleidern, möglichen Locations für die Feier und Gästelisten. Matt und ich wollten nur standesamtlich heiraten, im Herbst. Wenn sich Mama durchsetzt, wird es eine riesige Hochzeit im nächsten April. Ich werde also im Frühling heiraten.«

»Gibt es etwas Schöneres? Am besten, wir feiern vorher eine große Verlobungsparty, Emma Kate. Feiern kann man gar nicht oft genug.«

»Ich will auch feiern«, schaltete sich Callie ein.

»Aber natürlich. Und du auch, Jackson, oder?«

»Bekomme ich dann Geschenke?«

»Auf dieser Party gibt es keine Geschenke.«

»Auch da ist meine Mama schon ein ganzes Stück weiter als du. Ich hätte gern bei uns im Garten gegrillt, aber sie will ein richtig schickes Hotel und liegt mir damit in den Ohren, ich soll was Passendes mieten. Diesbezüglich komme ich ihr gern entgegen, aber ansonsten werde ich meinen Willen durchsetzen und keine

Kompromisse machen. Ich erwarte, dass du mir dabei hilfst, sie zu bändigen.«

»Na klar! Wie wär's, wenn wir euch beim Schaukeln anschubsen?«, sagte sie zu den Kindern.

»Ich will hoch in die Luft fliegen.« Callie sauste zu den Schaukeln.

»Na klar, wozu sind Schaukeln sonst da?« Shelby setzte Jackson auf ihre Hüfte. »Komm, zukünftige Braut, schaukeln wir die beiden, dann können wir als Nächstes die Sache mit deinem Brautkleid schaukeln.«

»Eines meiner Lieblingsthemen.«

***

Shelby erzählte Emma Kate nichts von den gestohlenen Schlüsseln und auch nicht, dass sich jemand Zugang zu ihrem Notebook verschafft hatte. Sie wollte diesen besonderen Moment nicht kaputtmachen, hatte jedoch nach wie vor schwer an den Vorfällen zu knabbern.

Nachdem sie die Kinder mit Essen versorgt und schlafen gelegt hatte – halleluja! –, setzte sie sich an ihr Notebook. Erst die Arbeit, befahl sie sich und bezahlte sorgfältig Rechnungen, brachte ihre Excel-Tabelle auf Vordermann und überschlug, wann sie voraussichtlich die nächsten Kreditkartenschulden abbezahlen konnte.

Das dürfte noch eine ganze Weile dauern.

Die Secondhandverkäufe wurden weniger, was nicht weiter verwunderlich war. Dafür hatten sie in der Vergangenheit bereits große Finanzlöcher gestopft.

Sie versuchte das ungute Gefühl zu verdrängen, dass ein Fremder durch ihre E-Mails, Anwalts- und Finanzamtsschreiben und die Excel-Tabelle nun Einblick in ihre Probleme und das quälend langsame Abtragen ihrer Schulden hatte.

Doch sie durfte sich davon nicht runterziehen lassen. Sie musste positiv denken. Sobald Jimmy Harlow sich ihre missliche Lage klargemacht hatte, würde er einsehen, dass sie keine Millionen besaß. Denn sonst müsste sie ihre Schulden nicht so mühsam abstottern.

Von da an würde er sie bestimmt in Ruhe lassen, oder etwa nicht? Schließlich musste er ständig mit seiner Verhaftung rechnen, solange er in der Nähe blieb.

Andererseits waren ein paar Millionen Dollar ein riesiger Anreiz.

Von seinem Bedürfnis nach Rache einmal ganz abgesehen. Sie konnte das gut verstehen, es war ihr alles andere als fremd.

Bloß nicht aufgeben, ermahnte sie sich und machte eine neue Liste.

Sie sah sich die Bilder in ihrem Foto-Ordner an. Ob Harlow wohl gerade dasselbe tat? Versuchte er, aus ihrer Zeit mit Richard schlau zu werden, indem er ihre Fotos durchsah? Warum hatte sie sie nicht längst gelöscht? Die Aufnahmen von Richard und ihr in Paris, Trinidad, New York und Madrid? Lauter exotische Reiseziele.

Hatte Richard das gestohlene Geld auf ihren gemeinsamen Reisen verprasst? Gab es einen weiteren Bank- oder Flughafensafe, wo er es aufbewahrt und nach und nach abgeholt hatte?

Die Fotos zeigten ihr, wo sie wann gewesen waren.

Zuletzt in Atlanta, wo sie sich häuslich niedergelassen hatten. Zumindest was sie betraf, denn er war weiterhin ständig *auf Geschäftsreise* gewesen. Ab und an hatte sie mit ihm und dem Baby Urlaub gemacht, wenn er darauf bestand.

»Wo hat er bloß gesteckt, wenn ich nicht dabei war?«, fragte sie sich laut. »Warum wollte er manchmal unbedingt Frau und Kind dabeihaben, wo er sich sonst kaum für uns interessiert hat?«

Shelby stand auf und ging nervös hin und her. Um frische Luft reinzulassen, machte sie die Küchentür auf.

Er hatte sie natürlich zur Tarnung benutzt, dafür waren sie gut gewesen. Wie häufig hatte er wohl auf diesen Reisen mit Callie und ihr gelogen und gestohlen? Sie wollte nicht darüber nachdenken.

Aber sie musste.

Sie setzte sich wieder und versuchte, ihre Liste mithilfe der Fotos zu vervollständigen, sich an diese Orte zurückzuversetzen. Häufig war sie damals einfach nur müde und gestresst gewesen. Sie hatte es schwierig gefunden, ein Kleinkind in fremder Umgebung zu beruhigen, wo sie weder die Sprache noch das Land kannte.

Shelby grübelte und grübelte, machte sich Notizen und versuchte, sich an die Leute zu erinnern, die er ihr vorgestellt hatte und für die sie Cocktailpartys geben sollte. Lauter wohlhabende Leute.

Waren das potenzielle Opfer gewesen? Oder Partner?

Vermutlich sowohl als auch.

Als sie Schritte hörte, sprang sie mit lautem Herzklopfen auf und wirbelte herum, nicht ohne das Messer aus dem Küchenblock zu ziehen.

»Shelby? Shelby Anne?«

»Mama.« Mit einem Seufzer der Erleichterung steckte sie das Messer zurück und setzte ein Lächeln auf, kaum dass ihre Mutter hereinkam.

»Da bist du ja. Wo sind die Kleinen?«

»Die schlafen. Wir hatten einen anstrengenden Tag auf dem Spielplatz. Aber es dauert bestimmt nicht lange, bis sie aufwachen und was zu essen wollen.«

»Ich kümmere mich drum. Schau mal, ich hab Fotos gemacht, als ich das Baby heute Morgen im Krankenhaus besucht habe.« Sie zückte ihr Handy und zeigte Shelby die Bilder. »Sieht der Wonneproppen nicht aus wie ein kleiner Prinz? Das Kinn ist eindeutig vom Vater. Dann war ich bei Clay und habe dort alles auf Vordermann gebracht. Gilly und Beau dürfen morgen nach Hause.«

»Das ist ja großartig. Sie wird überglücklich sein, mit dem Baby zu Jackson zurückkehren zu dürfen.«

»Sie würde am liebsten sofort ihre Koffer packen, wenn sie dürfte. Aber morgen ist es tatsächlich so weit. Ich habe einen entzückenden Stoffhund gefunden und ihn in Beaus Wiege gelegt, außerdem habe ich einen schönen Strauß für Gillys Nachttisch besorgt. Das Kinderzimmer ist einfach nur niedlich. Ich werd Spaghetti machen, Gilly liebt meine Spaghetti. Die bring ich ihr vorbei, damit sich morgen Abend niemand ums Essen kümmern muss.«

»Du bist echt die Beste. Nicht nur als Mutter, sondern auch als Schwiegermutter.«

»Gilly ist eine echte Bereicherung. Den Rest des Tages werde ich dann mit meinen anderen beiden Enkeln verbringen. Damit du auch wieder deinen Spaß haben kannst.«

»Mama, du bist gerade erst aus Gatlinburg gekommen, bist wer weiß wie oft drüben bei Clay gewesen, um zu kochen. Gearbeitet hast du außerdem.«

»Ja.« Freudestrahlend nahm Ada Mae den Krug mit Eistee aus dem Kühlschrank. »Einkaufen war ich auch noch. Ich hab total niedliche Babysachen für den Kleinen gekauft. Außerdem ein Spielzeug für seinen großen Bruder Jackson und eine Kleinigkeit für Callie.«

»Wie gesagt, du bist echt die Beste, natürlich auch als Großmutter. Aber verwöhn sie mir bitte nicht zu sehr, Mama.«

»Ach, das tu ich doch gern.« Sie schenkte Eistee in zwei Gläser und gab ein paar Minzblätter hinein, die sie von der Pflanze auf der Fensterbank gezupft hatte. »Ich kann mich nicht erinnern, wann ich das letzte Mal so glücklich war. Es gibt nichts Schöneres als ein Neugeborenes. Und dann habe ich noch ein neues Bad, das aussieht wie aus einem Hochglanzmagazin. Gestern Abend hätte ich fast in der großen Badewanne übernachtet, so sehr gefällt sie mir. Meine Tochter und ihre Kleine sind auch wieder zu mir zurückgekehrt, alle sind glücklich und zufrieden, und mein Mann wird mich heute Abend ausführen. Ich bin wirklich wunschlos glücklich.«

Sie reichte Shelby ein Glas und küsste sie auf die Wange. »So, und jetzt sieh zu, dass *du* wunschlos glücklich wirst.«

»Wie bitte?«

»Wenn ich an deiner Stelle wäre, würde ich mich mit diesem klugen, gut aussehenden jungen Mann verabreden. Und mir als Nächstes was Schönes zum Anziehen kaufen.«

Shelby dachte an ihre Excel-Tabelle. »Ich habe genug anzuziehen.«

»Etwas Neues hebt die Stimmung merklich. Du arbeitest hart, Shelby. Ich weiß, dass du einiges abbezahlen musst und gerade wieder am Computer gesessen bist, um dich zu fragen, wie du das alles schaffen sollst. Ich habe dich zu einer intelligenten, verantwortungsbewussten jungen Frau erzogen. Trotzdem befehle ich dir, sofort loszuziehen und dir ein neues Kleid zu kaufen.« Ada Mae stemmte die Hände in die Hüften. »Und zwar von dem Geld, das du mit deiner Arbeit verdient hast. Das dürfte deine Laune deutlich verbessern. Für den Rest ist Griff zuständig. Ich werde nachher Suzannah bitten, Chelsea vorbeizubringen, damit die beiden Mädchen eine Pyjamaparty feiern können. Dasselbe würde ich dir auch raten.«

»Ich soll eine Pyjamaparty feiern?«

Ada Mae musste laut lachen und nippte an ihrem Tee. »So nennt man das unter zivilisierten Erwachsenen. Los, kauf dir ein Kleid, lass dich im Salon hübsch machen und bring Griff um den Verstand.«

»Dir ist schon klar, dass ich dich liebe, Mama?«

»Das ist ja wohl das Mindeste.« Sie drückte Shelby liebevoll an sich.

»Lass mich das hier nur kurz wegräumen. Ich habe nämlich nicht nur Rechnungen bezahlt. Damit komme ich schon klar, mach dir bitte deswegen keine Sorgen. Sondern ich hab auch versucht, aus meiner Vergangenheit schlau zu werden, indem ich mir Fotos aus der Zeit mit Richard angeschaut habe, um mich an unsere Reiseziele zu erinnern. Daran, wann wir dort waren und warum.«

»Du bist weiß Gott weit herumgekommen, und das kann dir keiner mehr nehmen. Ich habe mich über deine Postkarten, Briefe und E-Mails aus dem Ausland immer sehr gefreut.«

»Du hast sie nicht zufällig aufbewahrt?«

»Aber natürlich hab ich das, in einer extra Schachtel.«

»Mama, du bist eine Wucht. Darf ich sie haben? Ich geb sie dir auch wieder zurück.«

»Sie sind im Wohnzimmerschrank. In der blauen Schachtel mit den weißen Tulpen.«

»Danke, Mama.« Shelby umarmte sie erneut. »Danke.«

* * *

Shelby kaufte sich tatsächlich ein Kleid, ein schlichtes mintfarbenes Sommerkleid. Ada Mae hatte absolut recht. Es war ungemein befriedigend, dass sie es von ihrem eigenen Geld bezahlt hatte.

Sie brauchte nicht lange, um herauszufinden, wo Griff an diesem Tag arbeitete. Kurz darauf sah sie sich ihm und Matt gegenüber, die gerade verschwitzt und mit nacktem Oberkörper an eines der Häuser am Ortsrand eine Veranda anbauten.

»Hallo.« Griff wischte sich mit einem schweißdurchtränkten Bandana übers Gesicht. »Komm mir bloß nicht zu nahe, ich stinke wie ein Iltis.«

»Ich bin mit Brüdern aufgewachsen«, sagte sie nur und beugte sich vor, um den begeisterten Snickers zu begrüßen. »Gratuliere, Matt. Betrachte dich als umarmt.«

»Danke. Emma Kate hat mir schon erzählt, dass sie dich heute auf dem Spielplatz getroffen hat. Und dass du ihre Brautjungfer wirst. Darf ich dir meinen Trauzeugen vorstellen?«

»Nun, Trauzeuge, wir beide dürften einiges zu besprechen haben. Bis es so weit ist, möchte ich dich um einen Gefallen bitten.«

»Immer nur raus mit der Sprache.« Griff hob einen Krug an die Lippen und trank gierig daraus.

»Mama kümmert sich um die Kinder, und ich will ein paar Dinge … recherchieren. Da habe ich mich gefragt, ob ich das vielleicht bei dir machen kann? Als Gegenleistung für den ruhigen Arbeitsplatz koch ich dir was.«

»Klar. Bei dem Deal kann ich nur gewinnen. Aber da ich seit der Sache mit dem Eindringling abschließe …« Er griff in seine Hosentasche und zog einen Schlüssel vom Schlüsselbund. »Hier, damit kommst du rein.«

»Vielen Dank, ich weiß das sehr zu schätzen. Matt, wir müssen uns unbedingt bald zu viert treffen. Hochzeiten wollen langfristig geplant werden. Ich weiß, dass Miz Bitsy bei der Verlobungsparty das Sagen hat …«

»Bitte jag mir keinen Schrecken ein, solange ich mit gefährlichen Geräten hantiere.«

»Wir bremsen Miz Bitsy schon ein«, beruhigte ihn Shelby. »Emma Kate und ich haben bereits mit zehn angefangen, unsere Hochzeiten zu planen – auch wenn sie sich heute vermutlich keine silberne Kutsche mehr wünscht, die von sechs weißen Pferden gezogen wird.«

»Das wird ja immer schlimmer.«

»Um die wichtigsten Sachen werde ich mich kümmern, und in puncto Miz Bitsy weiß ich auch Rat.«

»Kannst du mir das schriftlich geben?« Matt nahm Griff den Krug ab.

»Ich verspreche es dir hoch und heilig. Aber zuerst musst du mir erzählen, was du dir vorstellst. Ich bin sehr gut darin, Dinge zu koordinieren.«

»Das sagt Emma Kate auch immer. Ich verlass mich da ganz auf dich, Shelby.«

»Gern, wir werden uns also bald zu viert treffen, einverstanden?«

»Wie wär's am Samstag bei mir?«, schlug Griff vor. »Wir schmeißen was auf den Grill und schmieden Pläne. Wenn deine Eltern nicht auf den kleinen Rotschopf aufpassen können, bringst du ihn eben mit«, kam er ihr zuvor. »Zur Not sperren wir Callie einfach in einen Schrank oder hängen sie an die Garderobe.«

»Ich regele das schon. Aber ich sollte jetzt wirklich gehen und euch in Ruhe weiterarbeiten lassen. Matt, betrachte dich erneut als umarmt. Du hast meine beste Freundin überglücklich gemacht. Ich liebe dich sehr.«

»Ich werde heiraten«, schwärmte Matt, nachdem Shelby gegangen war.

»Ganz genau, Kumpel. Warte kurz.« Griff legte die Nagelpistole weg und rannte Shelby hinterher. »He! Ich hab keine Fantasieumarmung bekommen.«

»Nein, aber nur, weil du später noch genügend bekommen wirst. Echte!«

»Tatsächlich?«

»Mama hat es mir befohlen.«

»Ich mag deine Mutter.«

»Ich auch. Also, bis später.«

»Wir werden so gegen vier, halb fünf fertig sein«, rief er ihr nach.

»Ich wart auf dich.«

»Gut zu wissen«, sagte Griff leise und lächelte zu Snickers hinunter, der Jagd auf seine Schnürsenkel machte. »Wirklich gut zu wissen.«

* * *

Zuallererst ging Shelby auf den Markt. Als sie Griff auf der Baustelle gesehen hatte, war ihr sofort eingefallen, was sie kochen wollte.

Dann breitete sie sich in seiner Küche aus und setzte sich so, dass sie die schöne Aussicht genießen konnte.

Doch nachdem sie die Aufbewahrungsschachtel ihrer Mutter geöffnet hatte, fand sie kaum Zeit dazu.

Sie unterbrach ihre Recherchen nur, um das Abendessen zuzubereiten und es in den Ofen zu schieben.

Es war seltsam und gleichzeitig faszinierend, mit einem gewissen zeitlichen Abstand auf das eigene Leben zurückzublicken. Im Grunde waren nur ein paar Jahre vergangen, doch sie kamen ihr vor wie eine Ewigkeit.

Heute sah Shelby, wie naiv sie damals gewesen war, ein unbeschriebenes Blatt. Richard war das nicht entgangen, und er hatte es sich geschickt zunutze gemacht.

Callie hatte sie reifen lassen, auch das entnahm sie den Briefen und Fotos.

Hatte sich ihre Mutter vom fröhlichen Plauderton ihrer Briefe, Mails und Karten täuschen lassen, nachdem ihre Tochter ebenfalls Mutter geworden war? Shelby glaubte nicht daran. Heute merkte sie selbst, wie hohl ihre damaligen Worte klangen.

Schon nach kurzer Zeit war sie unglücklich gewesen, und ihr Selbstwertgefühl hatte zunehmend gelitten. Nur wenn sie von Callie berichtete, schimmerte so etwas wie Freude durch.

Nein, ihre Mutter hatte sich ganz bestimmt nicht täuschen lassen. Ihr war mit Sicherheit aufgefallen, dass sie Richard nur selten erwähnte.

Im ersten Jahr hatte sie ihre Reiseziele, ihre Begegnungen und Erlebnisse noch ausführlich geschildert.

Sie sah alles wieder genau vor sich und nahm sich vor, sich noch mehr anzustrengen. Auch wenn sie ihre Fragen nach wie vor nicht beantworten konnte, hatte sie es immerhin geschafft, den Safe zu finden, der zu dem Schlüssel in seiner Jackentasche gehörte.

Shelby hatte gerade den Tisch gedeckt und den Wein auf die Theke gestellt, den sie besorgt hatte, als sie Griffs Wagen hörte.

Sie machte ein Bier auf und ging ihm entgegen.

Er sah verschwitzt, aber sehr attraktiv aus, als er sich lächelnd an den Wagen lehnte und sie über den Rand seiner Sonnenbrille hinweg musterte, während der Hund über den Rasen tobte.

»Genau das hat mir auf meiner Veranda noch gefehlt. Eine schöne Rothaarige und ein Kasten Bier.«

»Ich hab mir schon gedacht, dass du eines gebrauchen kannst.« Sie ging ihm entgegen. »Wie gesagt, ich bin mit Brüdern aufgewachsen.«

»Ich kann mehr als nur eines gebrauchen. Aber anfassen tu ich dich lieber immer noch nicht. Heute war es so heiß wie im August, dabei haben wir erst Mai.«

»Das passiert hier öfter.«

»Während ich dusche, kannst du dich seelisch darauf vorbereiten. Wie geht es Callie?«

»Die wird heute Hot Dogs mit ihrer Cousine und ihrer besten Freundin essen. Bis vorhin waren alle noch nackig, um sich vom Rasensprenger nassmachen zu lassen.«

»So einen Rasensprenger hätte ich jetzt auch gern. Dasselbe gilt für die Hot Dogs.«

»Auf die musst du noch eine Weile warten.«

»Wenn eine schöne Rothaarige mit kaltem Bier auf mich wartet, will ich nicht allzu wählerisch sein.«

Er begleitete sie ins Haus, während der Welpe versuchte, Schritt zu halten. Griff schnupperte. »Was ist denn das? Es duftet so gut.«

»Hackbraten mit Frühlingskartoffeln und Karotten.«

»Hackbraten?« Er schnupperte erneut. »Im Ernst?«

»Es ist ein bisschen heiß dafür, aber das ist ein anständiges Männeressen. Als ich dich vorhin gesehen habe, dachte ich, das könnte dir guttun.«

»Ich habe schon ewig keinen Hackbraten mehr gegessen. Seit ich das letzte Mal in Baltimore bei meiner Mutter war. Warum mögen die meisten Frauen bloß keinen Hackbraten?«

»Du hast deine Frage gerade selbst beantwortet. Ich werde kurz nach ihm sehen.«

»Ich geh duschen. Aber dann kannst du dich auf etwas gefasst machen, Rotschopf.«

Freudig erregt kehrte sie zum Herd zurück und überlegte, ob das Timing stimmte. Sie zögerte.

Selbstwertgefühl, dachte sie. Jetzt wusste sie wieder, wie sich das anfühlte.

Sie machte den Ofen aus und nahm die Hintertreppe.

Griff umklammerte das kalte Bier, während er sich das kalte Wasser genüsslich über den Kopf strömen ließ. Er hatte das Gefühl, literweise Schweiß fortzuspülen. Die Veranda versprach toll zu werden, aber der Wetterwechsel war unerwartet gekommen.

Der Frühling war bisher so mild gewesen, dass er ganz vergessen hatte, welch schwüle Sommertage die Smoky Mountains bereithalten konnten.

Heute hatte er einen kurzen Vorgeschmack darauf bekommen.

Sollte es erst richtig schlimm werden, müssten Matt und er früher mit der Arbeit beginnen und früher aufhören. Dann würde er auch mehr Zeit haben, sich um sein eigenes Haus zu kümmern. Außerdem gab es da noch die Ausbaupläne fürs *Bootlegger's*.

Und Shelby natürlich.

Genau in dem Moment, als er an sie dachte, ging die Glastür zur Dusche auf.

Sie stand direkt vor ihm, und das Haar fiel ihr in wilden Locken auf die Schultern. Sie trug nichts als ein Lächeln im Gesicht. Ohne ihn auch nur eine Sekunde aus den Augen zu lassen, nahm sie ihm das Bier aus der Hand und stellte es hinter sich ins Regal.

»Du wirst beide Hände brauchen«, verkündete sie.

»Du überraschst mich«, sagte er und griff nach ihr.

»Das Wasser ist kalt.« Sie legte den Kopf in den Nacken und ließ ihre Finger seinen Rücken emporwandern.

»Zu kalt?«

»Nein, angenehm. Und das hier ist noch angenehmer.« Sie stellte sich auf die Zehenspitzen und presste ihre Lippen auf seinen Mund. Kalt konnte man diesen Kuss wahrhaftig nicht nennen.

Es grenzte an ein Wunder, dass das Wasser nicht verdampfte, so heiß wurde ihm bei ihrem Anblick. Sein Blut geriet in Wallung. Auf einmal waren die anstrengenden Stunden wie weggeblasen, in denen er geschwitzt und geschuftet, sich Sorgen um sie gemacht und sie begehrt hatte.

Zarte Haut, gierige Lippen und zielstrebige Hände – in diesem Moment gab sie ihm alles, wonach er sich sehnte.

»Ich begehre dich, seit ich dich zum ersten Mal besitzen durfte.« Er kam kaum hinterher. »Ich konnte es kaum erwarten, dich zu berühren.«

»Und ich erst! Bitte nicht damit aufhören.«

Hitze und Lust ließen ihr Herz schneller schlagen. Je mehr er ihr gab, desto mehr wollte sie von ihm, und sie genoss ihre Maßlosigkeit.

Sie gehörte ihm, nur ihm, seinen schwieligen Händen und seinem muskulösen Körper, dem man den Handwerker anmerkte. Sein Mund, der ebenso geduldig wie fordernd war, machte sie ganz schwindelig.

Er packte sie an den Hüften und hob sie hoch. Diese überraschende Kraft, dieser feste Griff seiner rauen Hände gaben ihr das Gefühl, verletzlich, begehrenswert, stark zu sein.

Ohne ihn aus den Augen zu lassen, schlang sie die Beine um seine Taille und grub ihre Finger in seine Schultern.

Als er in sie eindrang, schrie sie laut auf. Zitternd und erregt wartete sie auf seinen nächsten Stoß.

Das Wasser rauschte herab und spritzte auf die Fliesen. Nichts als nasse Haut und ihre keuchende Atmung.

Sie fühlte sich unglaublich leicht und klammerte sich an ihn, während er sie dem Höhepunkt immer näher brachte.

* * *

»Warte«, stieß Griff hervor und schaffte es, das Wasser abzustellen. »Warte kurz.«

»Mhm. Ich habe das Gefühl, gleich selbst im Abfluss zu verschwinden.«

Shelby spürte, wie er sie aus der Dusche trug, blieb, wie sie war, auch als er mit ihr aufs Bett fiel.

»Einen Moment«, sagte er.

»Lass dir Zeit.«

»Das hatte ich eigentlich auch vor, aber dann standst du auf einmal nackt und nass vor mir. Warte, ich hol schnell ein Handtuch.«

»Ich hab mir ein neues Kleid gekauft.«

»Tatsächlich?«

»Ja. Und ich wollte es zum Abendessen anziehen, damit du es mir anschließend ausziehst. Ich hab mir auch keine Zeit gelassen.«

Bei dieser Vorstellung bekam er neue Energie. »Hast du das Kleid dabei?«

»Es hängt im Waschraum.«

Er streichelte sie zärtlich. »Wir können deinen Plan ja später immer noch in die Tat umsetzen und uns dann Zeit lassen.«

»Gute Idee. Ich hab bloß meinen Fön vergessen. Du hast vermutlich keinen?«

»Nein, tut mir leid.«

»Nun, dann werden meine Locken eben noch krisseliger. Hoffentlich habe ich ein paar Haargummis in der Handtasche.«

»Ich mag deine Haare.«

Sie schmiegte sich an ihn. »Und ich deine. Ich mag es, wie sie von der Sonne ausgebleicht werden. Für solche Strähnchen müsstest du bei meiner Granny viel Geld hinlegen.«

»Männer, die Hackbraten essen, lassen sich keine Strähnchen färben.«

Sie küsste seine Schulter. »Du hast trotzdem welche. Ich hol schnell Handtücher und mach den Ofen wieder an.«

»Du hast ihn ausgeschaltet?«

Sie schenkte ihm denselben verführerischen Blick, den Callie so gut beherrschte. »Ich wollte unbedingt zu dir unter die Dusche. Es dauert also noch ein bisschen, bis wir essen können.«

»Gute Idee. Ich hol die Handtücher.«

Er stand auf und ging ins Bad.

»Was für Recherchen hast du denn gemacht? Oder war das nur eine Ausrede, damit ich mich nass und nackig mache?«

»Nein, das war keine Ausrede. Was du soeben erlebt hast, gab es bloß gratis dazu.«

Lächelnd nahm sie ihm das Handtuch ab. »Griffin, meine Haare führen ein Eigenleben, und deshalb brauchen sie auch ein eigenes Handtuch.«

»Verstehe.« Er holte noch eines und nahm das Bier, das sie ins Regal gestellt hatte.

»Also, was hast du recherchiert?«

»Ach, dies und das.« Sie hüllte sich in das eine Handtuch und beugte sich vor, um das zweite um ihre Haare zu schlingen. »Nichts, worüber wir jetzt sprechen sollten. Es geht um Richard und alles, was mit ihm zusammenhängt.«

»Darüber willst du nicht reden?«

»Doch.« Sie richtete sich auf und fixierte das Handtuch auf eine Weise, die er bewunderte. »Ich würde gern mit jemandem darüber reden, der die Sache von außen betrachten kann. Eigentlich wollte ich Forrest davon erzählen, morgen vielleicht, auch wenn er vermutlich längst selbst darauf gekommen ist. Aber …«

»Zieh dein neues Kleid an. Dann reden wir darüber, bis der Hackbraten fertig ist.«

23

Shelby machte den Ofen wieder an, schlüpfte in ihr Kleid und band die Haare zusammen, damit sie nach dem Trocknen nicht allzu wild vom Kopf abstanden.

Dann leistete sie Griff auf der hinteren Veranda mit einem Glas Wein Gesellschaft. Gemeinsam saßen sie einfach nur da und betrachteten die Berge mit ihren in den Himmel ragenden runden Kuppen und Kämmen.

»Als die Kinder schliefen, habe ich ein paar Rechnungen bezahlt und mir überlegt, was Jimmy Harlow wohl mit den Informationen anfängt. Mit meiner Anwaltskorrespondenz, meiner Liste von Gläubigern und meiner Excel-Tabelle, in der ich festgehalten habe, was ich verkaufen konnte. Es ist mir unangenehm, dass ein Fremder Einblick darin hat. Andererseits hilft es mir vielleicht, wenn er sieht, dass ich nichts habe, worauf er scharf sein könnte.«

»Das sehe ich genauso. Du musst positiv denken.«

»Das ist aber noch nicht alles. Schließlich wird er auch alle Fotos sehen, die ich auf meinem Notebook habe. Ich bewahre sie in einem einzigen Ordner auf und bin nie dazu gekommen, sie durchzusehen, geschweige denn, alles zu löschen, was mich an die Zeit mit Richard erinnert. Ich hatte genügend andere Sachen um die Ohren. Das bedeutet, dass Harlow jetzt weiß, wo wir im ersten Jahr überall gewesen sind. Er kann unsere damalige Route nachverfolgen wie auf einer Landkarte.«

Griff nickte. »Genau das kannst du auch.«

»Ja, darauf bin ich auch schon gekommen. Ich glaube nämlich, dass Richard mich nicht einfach so zu diesen Orten mitgenommen

hat. Inzwischen ist mir klar, dass er nie etwas ohne Hintergedanken getan hat. Ich war nur eine Tarnung für ihn. Als Callie
kam, haben wir einen Familienvater aus ihm gemacht. Was, wenn
er den Schmuck, die Briefmarken oder beides an einem dieser
Orte versteckt oder unterwegs Teile der Beute verkauft hat? Als
ich mir die Bilder angesehen habe, wurde mir bewusst, dass er auf
unseren Reisen auch gearbeitet hat. Auf unserer sogenannten
Hochzeitsreise genauso wie später, als er mit seiner schwangeren
Frau unterwegs war. So eine schwangere Ehefrau ist ein idealer
Deckmantel.«

»Da hast du sicherlich recht. Es muss wehtun, sich das einzuge-
stehen.«

»Darüber bin ich längst hinaus. Bei der Beschäftigung mit den
Fotos und Briefen, die ich nach Hause geschickt habe, ist mir wieder eingefallen, was er ständig zu mir gesagt hat, zumindest im
ersten Jahr. Wenn wir jemanden getroffen haben, sagte er immer,
ich solle einfach ich selbst sein. Denn das werde die anderen be-
zaubern. Ich solle mir keine Gedanken machen, dass ich mich
nicht mit Kunst, Wein oder Mode auskenne. Eigentlich hatte ich bis
dahin nie Probleme damit gehabt, neue Leute kennenzulernen.
Aber von da an war ich nervös.«

»Er hat dir das Gefühl gegeben, fehl am Platz zu sein … min-
derwertig.«

»Ja, aber ich sollte vor allem *ich selbst* sein, damit ich nicht versuche, andere zu beeindrucken und sofort durchschaut werde.«

Sie nippte an ihrem Wein und ließ das Thema auf sich beruhen.

»Ich dachte, ich recherchiere online, was damals so in der Zei-
tung stand, als wir an den entsprechenden Orten waren. Gab es
einen Raubüberfall? Einen groß angelegten Betrug? Oder Schlimmeres? Weil Mama meine Briefe und Postkarten aufbewahrt hat,
steht mir reichlich Material zur Verfügung. Ich konnte mir also
alles durchlesen, mir in Erinnerung rufen, was wir gemacht

haben, wo genau wir in Paris oder Madrid waren und wen wir bei diesen Gelegenheiten getroffen haben. Ich bin völlig in meine Vergangenheit abgetaucht.«

»Und ist dir dabei im Nachhinein etwas Ungewöhnliches aufgefallen?«

»So einiges. Warum war er in Memphis? Bestimmt hat er nicht blind auf die Landkarte getippt und beschlossen, dorthin zu fahren. Aber er ist dort gewesen. Nur vier Tage nachdem er diese Frau, Lydia Redd Montville, ausgeraubt und ihren Sohn angeschossen hat.«

»Wenn die Brünette recht hat, auch vier Tage nachdem er Harlow und sie übers Ohr gehauen hat und mit der Beute auf und davon ist.«

»Ganz genau. Er muss sie also entweder bei sich gehabt oder irgendwo versteckt haben. In einem Banksafe vielleicht. Er hat damals eine neue Identität angenommen und trug jede Menge Bargeld mit sich herum. Zumindest aus meiner Sicht. Und dann hat er mich entdeckt, die mehr als bereit war, sich beeindrucken und entführen zu lassen.«

»Willst du meine Meinung hören?«

Sie atmete tief durch. »Ich denke schon.«

»Die Polizei hat nach einem allein reisenden Jake Brimley gesucht. Er muss gewusst haben, dass ihn seine ehemaligen Kumpels verpfeifen werden, und hatte einen Plan. Eine neue Identität, genügend Startkapital und ein verändertes Äußeres. Aber etwas hat ihm gefehlt. Er musste Teil eines Paares werden.«

»Vermutlich hast du recht.«

»Jemand wie die Brünette kam dafür nicht infrage, denn so eine Frau hätte ihn sofort durchschaut. Es musste jemand Junges, Naives, Formbares sein. Jemand, der nur darauf wartete, sich verlieben zu können.«

Ihr blieb nichts anderes übrig, als zu nicken und laut zu seufzen. »Und da kam ich wie gerufen.«

»Er war ein professioneller Betrüger, Shelby. Nachdem er dich ausgesucht hatte, hattest du nicht den Hauch einer Chance. Er erobert also eine junge, atemberaubend schöne Rothaarige und reist nicht mehr allein, fällt mit ihr auf. Als romantisches Paar. Das lässt alles andere in Vergessenheit geraten. Wohin hat er dich als Erstes mitgenommen?«

»Er ist vier Tage in Memphis geblieben. Noch nie zuvor hatte ich so einen charmanten Mann getroffen. Jemanden, der so interessant ist und von so vielen Reisen erzählen kann. Unser Gig war vorbei, und ich wollte eigentlich für eine Woche nach Hause. Aber als er meinte, er müsse geschäftlich nach New York, und mich bat, ihn zu begleiten, bin ich mit.« Sie lachte.

»Einfach so. Nur für ein paar Tage. Ein Abenteuer, mehr nicht, hab ich mir gedacht. Außerdem war es aufregend.«

»Warum auch nicht?«, erwiderte Griff.

»Wir haben ein Privatflugzeug genommen. Ich kannte niemanden, der schon mal mit einem Privatflugzeug geflogen ist.«

»Keine Sicherheits- und keine Gepäckkontrollen. Man kann mitnehmen, was man will.«

»Daran hab ich noch gar nicht gedacht. Er hat fast immer ein Privatflugzeug genommen. Damals fand ich es einfach bloß cool. Ich war noch nie in einer Metropole wie New York gewesen, und er war so süß, so aufmerksam und … Na ja, ich hab gedacht, unsere Verknalltheit beruht auf Gegenseitigkeit. Es ging mir nicht ums Geld, Griff. Aber natürlich hat es mir gefallen, dass er mir schöne Kleider gekauft und mich zum Essen ausgeführt hat. Es kam einfach alles zusammen. Ich war wie geblendet.«

»Dafür hat er gesorgt.«

»Unfassbar, dass alles gelogen war, was er zu mir gesagt hat. Dass er ein Leben lang auf mich gewartet hat zum Beispiel. Ich wollte ihm alles geben, alles, was ihm bis dahin gefehlt hat. Als er mich damals gebeten hat, nicht nach Hause zurückzukehren, sondern mit ihm nach Dallas zu gehen, bin ich mitgefahren, wieder auf eine Geschäftsreise. Ich habe alles aufgegeben und ihn begleitet.«

»Wieder eine Großstadt.«

Shelby schloss die Augen und nickte. »Ja. Du erkennst also ein Muster? Wir haben jedes Mal Millionenstädte angesteuert und sind nur wenige Tage geblieben. Manchmal hat er mir einen Stapel Bargeld in die Hand gedrückt und mich gebeten, einkaufen zu gehen, er hätte eine Besprechung. Dann kam er mit Blumen nach Hause, mit weißen Rosen. Er hat mir erklärt, dass er ständig unterwegs ist, aber mit mir sesshaft werden will.«

»Genau das, wovon du geträumt hast. Er war ein Meister darin, andere zu durchschauen, genau das zu sagen, was sie hören wollten.«

Shelby schwieg einen Moment und genoss den Sonnenuntergang, das Flüstern der Blätter in den Bäumen und das Rauschen des Bachs.

»Hätte ich mir damals einen Traummann backen können, er hätte ausgesehen wie Richard. In den ersten Wochen sind wir jedenfalls kreuz und quer durchs Land gereist, Griffin.«

»Um seine Spuren zu verwischen.«

»Vermutlich ja. Ich frage mich, ob er Teile der Beute aus dem Einbruch in Florida unterwegs versteckt hat. Wenn er in Philadelphia einen Safe hatte, dann vielleicht auch anderswo. Melinda Warren hat so was angedeutet. Das Geld schien ihm jedenfalls nie auszugehen. Vielleicht hat er sich bei diversen Safes bedient. Oder er hat unterwegs neue Diebstähle verübt.«

»Wahrscheinlich beides.«

Sie schmiegte sich an ihn und sah ihm ins Gesicht. »Ja, das glaub ich auch. Als ich die Fotos und Briefe durchgesehen habe, musste ich wieder an St. Louis denken. Als ich dort aufgewacht bin, war er fort. Angeblich spazieren, wie er mir später erklärt hat. Um in Ruhe nachzudenken. Er ist erst bei Tagesanbruch zurückgekommen und war total aufgedreht. Wir sind noch am selben Morgen abgereist. Er hat einen Mietwagen genommen, und wir sind nach Kansas City gefahren. Nur ein kurzer Zwischenstopp, hat er gesagt. Er wollte sich dort mit einem Geschäftspartner treffen. Dann hat er diese Cartier-Uhr aus der Tasche gezogen, als kleine Überraschung für mich. Als ich sie einige Jahre später anziehen wollte, war sie verschwunden. Er ist wütend geworden und hat mir vorgeworfen, nicht richtig aufgepasst und sie verloren zu haben. Ich hab jedenfalls im Internet nachgesehen und festgestellt, dass es in derselben Nacht in St. Louis einen Einbruch gegeben hat. Wieder ging es um Schmuck im Wert von einer Viertelmillion Dollar. Und um Uhren.«

»Er stiehlt sie in St. Louis und bringt sie in Kansas City zu einem Hehler.«

»Wahrscheinlich sollte die Uhr mein Anteil sein, zumindest vorübergehend. Das war übrigens nicht das einzige Mal. Wenn ich weitere Nachforschungen anstelle, mache ich vielleicht ähnliche Entdeckungen wie für St. Louis.«

Er drückte zärtlich ihren Arm. »Was schließt du daraus?«

»Ich weiß, dass ich das Ganze nicht ungeschehen machen kann.« Sie senkte den Blick, dachte an ihre Notizen, die vielen Postkarten und Fotos. »Vermutlich hat er an all diesen Orten Einbrüche verübt. Alles, was ich tun kann, ist, meine Informationen an die Polizei weitergeben. Hauptsache, ich sitze nicht untätig herum.«

»Davon bist du weit entfernt.«

»Im Moment sollte ich dir endlich dein Abendessen servieren.« Sie stand auf. »Danke fürs Zuhören.«

»Na, aber das ist doch selbstverständlich.« Griff begleitete sie. »Ich hab auch eine Liste gemacht.«

»Was denn für eine Liste?«

»Allerdings ohne die Informationen, die dir zur Verfügung stehen.« Er warf einen Blick auf die Schachtel und das Notebook.

»Wenn du nichts dagegen hast, würde ich gern einen Blick darauf werfen. Ich hab in erster Linie Namen notiert und wann was passiert ist. Warren, Harlow und Brimley, wie er sich damals nannte. Dann der Raubüberfall in Miami, die Schießerei, das Reinlegen seiner Partner. Danach kommst du. Mir war gar nicht klar, wie rasch nach Miami das passiert ist. Allzu viel Zeit kann jedenfalls nicht vergangen sein.«

»Ich war die ideale Kandidatin für ihn. So, wie ich mir eingebildet habe, dass er ideal für mich ist.« Sie stellte den Hackbraten auf einen Untersetzer und holte seine einzige Servierplatte aus dem Schrank. Sie tat das Fleisch und das Gemüse auf und drehte sich nach ihm um, weil er verstummt war.

»Was ist denn?«

»Ich möchte dich nicht beunruhigen, aber ich glaube nicht, dass er an diesem Abend zufällig in euren Club gekommen ist und dich angesprochen hat.«

»Wie kommst du darauf?«

»Ich glaube, dass er dich ein paar Tage lang ausspioniert hat. Du bist eine auffällige Erscheinung, Rotschopf, und als du mit neunzehn auf der Bühne standst, war das bestimmt auch schon so. Dein Name stand draußen auf dem Plakat, er konnte also Nachforschungen anstellen und Fragen stellen. Du warst Single, ungebunden.«

Nachdenklich garnierte sie die Platte mit Petersilie, roten und grünen Chilistreifen. »Eine echte Landpomeranze aus Tennessee. Eine Hinterwäldlerin.«

»Eine Hinterwäldlerin warst du nie. Und da stehst du auf der Bühne. Jung, knackig, unerfahren, aber zu allem bereit. Man braucht Mut, sich auf die Bühne zu stellen. Also schaut er sich an, was du so zu bieten hast, und spricht dich an, checkt dich ab. Zu diesem Zeitpunkt kann er bereits ganz gut einschätzen, was für ein Typ du bist. Und verwandelt sich in genau den Typen, auf den du stehst.«

»Was, wenn ich Nein gesagt hätte? Nein, ich kann nicht einfach so mit dir nach New York abhauen?«

»Tut mir leid, das zu sagen, aber dann hätte er weitergesucht und eine andere gefunden.«

»Das muss dir nicht leidtun. Ich bin erleichtert, dass es nie wirklich um mich ging. Es hatte nichts mit mir zu tun. Aber das macht die Sache nicht übersichtlicher.«

»Stimmt. Wow, sieht das toll aus.«

Zufrieden stellte sie die Servierplatte auf den Tisch. »Wie sagt meine Mama so schön? *Das Auge isst mit.* Sollte es nicht schmecken, sieht es wenigstens gut aus. Setz dich, ich gebe dir was auf, und anschließend erzählst du mir, was auf deiner Liste steht.«

»Houston, stimmt's?«

»Ja, wir waren etwa ein halbes Jahr in Houston.«

»Danach in Atlanta und Philadelphia. Anschließend in Hilton Head. Du hast gesagt, dass Richard stets Hintergedanken hatte. Warum wollte er, dass du mit Callie nach Hilton Head kommst?«

»Vielleicht hatte er dort irgendwas am Laufen und brauchte uns zur Tarnung?« Sie legte ihm eine dicke Scheibe Hackbraten sowie eine großzügige Portion Kartoffeln und Möhren auf den Teller. »Ach, Griffin, was ist, wenn es gar keinen Unfall gegeben hat? Was, wenn die Sache schiefgelaufen ist und er ermordet und im Ozean versenkt wurde?«

»Diese Frage wirst du vermutlich nie beantworten können. Hat er einen Notruf abgesetzt?«

»Jemand hat einen Notruf abgesetzt, aber … Griffin, Forrest meinte, dass Harlow um Weihnachten aus dem Gefängnis geflohen ist. Das mit Richard ist kurz nach Weihnachten passiert.«

»Wenn man an die Millionen ranwill, wäre es nicht sehr schlau, Richard umzubringen.«

»Nein, da hast du recht. Vielleicht kam es zu einer Rangelei? Zu einem Unfall? Vermutlich werde ich die Wahrheit nie erfahren. Außer Harlow wird gefasst.«

Sie tat sich eine kleinere Portion auf und setzte sich. »Vermutlich ist alles so gelaufen, wie die Polizei vermutet. Er hat es geliebt, Risiken einzugehen, ist gern schnell gefahren, abseits der Pisten gewedelt, getaucht, geklettert und Fallschirm gesprungen. Von einem Unwetter hat er sich ganz bestimmt nicht aufhalten lassen. Trotzdem ist es so ausgegangen. Was ist dir noch aufgefallen?«

»Der Privatdetektiv. Gut möglich, dass er derjenige ist, als der er sich ausgegeben hat, aber …« Nach dem ersten Bissen verstummte Griff. »Wow.« Er nahm noch eine Gabel voll. »Gut, spätestens jetzt bin ich mir sicher, dass ich dich nie mehr hergeben werde. Dieser Hackbraten ist besser als der von meiner Mama. Aber wenn du ihr steckst, dass ich das gesagt habe, werde ich dich als Lügnerin hinstellen.«

»Nie würde ich es wagen, den Hackbraten einer anderen Frau zu kritisieren. Schmeckt es dir wirklich?«

»Nachdem ich die Servierplatte abgeleckt habe, darfst du mich gern noch mal fragen.«

»Das muss am Bier liegen. An dem im Hackbraten, meine ich.«

»Im Hackbraten ist Bier?«

»Ein altes Familienrezept.«

»Ich werde dich definitiv nie mehr hergeben.« Er unterbrach seine Mahlzeit, um sie an sich zu ziehen und zu küssen.

»Ich habe seit Jahren keinen Hackbraten mehr gemacht. Schön, dass er so gut geworden ist.«

»Preisverdächtig.«

»Erzähl mir bitte, was dir zu dem Detektiv eingefallen ist.«

»Einverstanden. Also, dieser Privatdetektiv hat dich in Philadelphia ausfindig gemacht. Entweder ihn hat jemand geschickt, oder er verfolgt eigene Interessen. Er hat eine Lizenz, und er hat Stein und Bein geschworen, dass ihn die Brünette nicht beauftragt hat. Forrest sagt, er will den Namen seines Kunden nicht verraten.«

»Aus Forrest war ohnehin nicht viel rauszubekommen.«

Griff zuckte mit den Schultern. »Wir haben ein bisschen geredet. Aber der Detektiv hat ein Alibi für die Mordnacht, wir haben keine Handhabe gegen ihn. Noch nicht.«

Sie legte den Kopf schräg und nahm eine Karotte auf die Gabel. »Da weißt du mehr als ich.«

»Nicht viel. Laut Forrest haben sowohl die Witwe als auch ihr Sohn geleugnet, einen Privatdetektiv beauftragt zu haben. Die Versicherung hat gezahlt, und sie wollen die hässliche Angelegenheit möglichst vergessen. Die Polizei in Miami hat sie verhört. Anscheinend haben sie für den Zeitpunkt des Mordes ein Alibi.«

»Du bist gut informiert.«

»Er macht sich Sorgen um dich. Forrest, meine ich. Die meisten Informationen helfen uns nicht weiter, deshalb wollte er dich nicht damit belasten.«

»Ich bin lieber auf dem Laufenden.«

»Na ja, jetzt weißt du ja Bescheid. Alles andere ist reine Spekulation. Wir können mit großer Wahrscheinlichkeit davon ausgehen, dass Harlow in Ridge war. Und dass er die Brünette umgebracht hat. Wer hätte das sonst tun sollen? Außerdem hatte er ein Motiv, da sie ausgesagt hat, er hätte auf den Sohn der Witwe geschossen. Vielleicht stimmt das auch. Da die Waffe, die du in Philadelphia in Richards Safe gefunden hast, die Tatwaffe war, ist es jedoch logischer, dass …«

»Was? Was hast du da gerade gesagt? Die Waffe, die ich gefunden habe, Richards Waffe?«

Griff beschloss, ihr großzügig Wein nachzuschenken. »Hör zu, Forrest hat die Information selbst erst gerade bekommen. Die Polizei in Miami hat ballistische Untersuchungen vorgenommen und festgestellt, dass aus der Waffe, die du in der Bank gefunden hast, die Kugel abgefeuert wurde, die den Sohn getroffen hat. Ich habe ihn heute Nachmittag zufällig getroffen, und da hat er es mir erzählt.«

»Richard. Richard hat auf jemanden geschossen.«

»Vielleicht. Vielleicht ist er auch erst anschließend in den Besitz der Waffe gelangt. Logischer wäre allerdings anzunehmen, dass er der Schütze war. Harlow hat die Tat stets bestritten und ist diesbezüglich auch ein unbeschriebenes Blatt.«

»Melinda Warren hat gelogen. Sie hat Richard geliebt, den sie als Jake kennengelernt hat. Auf ihre Art hat sie ihn geliebt. Sie hat gelogen, obwohl er sie betrogen hat. Es ging ihr nicht nur ums Geld, sie hat mich nicht nur deswegen ausfindig gemacht. Sie war eifersüchtig, wütend und eifersüchtig, dass er so viele Jahre mit mir verbracht und ein Kind mit mir hat.«

»Gut möglich.« Zu diesem Schluss war Griff auch gekommen, er nickte. »Außerdem schließen die meisten Leute von sich auf andere. Sie konnte sich nicht vorstellen, dass du mit ihm zusammen warst, ohne eingeweiht zu sein. Sie war eine Lügnerin und Betrügerin, also musstest du ebenfalls eine sein.«

»Dasselbe dürfte Jimmy Harlow annehmen.«

»Keine Ahnung.«

»Du ruderst gerade zurück«, sagte Shelby, als Griff still wurde. »Weil du Angst hast, mich könnte das zu sehr beunruhigen.«

»Na gut. Harlow dürfte nicht in Richard verliebt gewesen sein, er sollte also logischer denken als die Brünette. Er kommt gleich mehrmals auf meiner Liste vor. Ich gehe davon aus, dass er sich noch in der Nähe aufhält. Nicht so weit weg wie Gatlinburg, wo die Brünette abgestiegen ist. Auch nicht in einem unserer Hotels, aber vermutlich auf einem Campingplatz, in einer Hütte oder einem Motel.«

»Damit er mich im Auge behalten kann.«

Er schwieg, gab ihr aber dann recht. Schließlich wollte Shelby lieber auf dem Laufenden bleiben. »Überleg doch. Er hat dich nicht direkt angesprochen, dich nicht bedroht. Er denkt langfristig, braucht Informationen. Er möchte mehr über dich erfahren. Wenn er erst einmal Bescheid weiß, wird er sich vermutlich damit abfinden, dass du ihm nicht weiterhelfen kannst. Besser frei als reich und im Gefängnis. Zumal aus diesen Reichtümern ohnehin nichts mehr zu werden scheint.«

»Hoffentlich hast du recht.«

»Wie gesagt, er denkt langfristig. Wenn er schlau ist, schaut er sich die Informationen genauso gründlich an wie wir. Er hat Richard besser gekannt. Zählt er eins und eins zusammen, wird auch er seine Spuren zurückverfolgen.«

Griffs Worte brachten sie dazu, sich ebenfalls zurückzubesinnen. »Am längsten sind wir in Atlanta geblieben, dann aber ganz schnell von dort weg. Ich glaube, dass er etwas zu erledigen hatte und anschließend dringend wegmusste. Ich hatte kaum Zeit zu packen, nachdem er mir seinen Entschluss mitgeteilt hatte. Er ist vor mir abgereist.«

»Das wusste ich nicht. Er ist ohne Callie und dich los?«

»Etwa zehn Tage vorher. Ich sollte alles packen und die Schlüsselübergabe erledigen. Dabei hatte ich gedacht, die Wohnung in Atlanta gehört ihm, aber sie war bloß gemietet. Ich brauchte nur die Schlüssel abzugeben und nach Norden zu fliegen. Fast hätte ich es nicht getan. Fast wäre ich stattdessen nach Hause gefahren. Doch dann dachte ich, vielleicht tut uns der Tapetenwechsel gut. Vielleicht kommt alles in Ordnung. Er hat was von einem großen Garten für Callie erzählt und dass wir noch ein Kind bekommen könnten.«

»Er hat mit dir gespielt.«

»Heute ist mir das auch klar«, sagte sie. »Seinen Unterlagen konnte ich entnehmen, dass er sich nach Callies Geburt hat sterilisieren lassen. Er hat dafür gesorgt, dass es kein weiteres Kind gab.«

»Ich würde gern sagen, wie leid mir das tut, weil es dich verletzt hat und einfach das Allerletzte ist. Aber …«

»Es ist mit Sicherheit besser so«, beendete sie seinen Satz. »Ich kann froh sein, kein weiteres Kind von ihm zu haben. Er hat mich von vorn bis hinten belogen, auch nachdem wir nach Philadelphia gezogen sind. Er muss gemerkt haben, dass ich Trennungsgedanken hegte. Er hat es so hingestellt, als wäre es das Beste für Callie, und mich so überredet, es wenigstens zu versuchen, mich zu bemühen.«

»Ein Neuanfang also.«

»Ja, so hat er es dargestellt. Ich glaube aber nicht, dass er in Atlanta etwas Wichtiges zurückgelassen hat. Er wollte einen Coup landen, bevor wir umziehen, und hatte mit Sicherheit vor, seine Beute mitzunehmen.«

Griff merkte, dass sie nur so tat, als würde sie etwas essen. Hätte er doch bloß nichts gesagt! »Du hast erzählt, dass er häufig ohne dich verreist ist.«

»Ja, vor allem, nachdem wir aus Atlanta fortgezogen sind. Ich wollte mich endgültig irgendwo niederlassen, ein ganz normales Leben führen. Irgendwann hat er gar nicht mehr gefragt, ob ich mitkomme, sondern mir nur noch gesagt, wann er verreisen muss. Manchmal nicht mal das. Ich kann nicht sagen, wo er überall war. Vielleicht hat er mir die Wahrheit gesagt, vielleicht aber auch nicht. Zumindest weiß ich, wo *ich* überall mit ihm war, und das ist besser als nichts.«

»Du könntest die Sache der Polizei überlassen.«

»Das werde ich auch, aber zunächst einmal möchte ich mir einen Überblick verschaffen.«

»Dasselbe versuche ich auch.«

»Warum?«

»Dir zuliebe«, sagte er wie aus der Pistole geschossen. »Und Callie zuliebe. Wenn du das nicht verstehst, habe ich wohl irgendetwas falsch gemacht.«

»Du magst es, Dinge zu reparieren.«

»Ja. Jeder sollte das tun, was er gut kann. Und ich mag dein Gesicht. Und deine Haare.«

Er griff danach, wollte ihr unbedingt das Haargummi entfernen.

»Und deinen Hackbraten«, fügte er hinzu und leckte seinen Teller sauber. »Außerdem mag ich es, den kleinen Rotschopf auf eine

Pizza einzuladen, und bin hin und weg, wenn Callie mir ihr zauberhaftes Lächeln schenkt. Ich mag es nicht nur Dinge zu reparieren, Shelby. Du bist weitaus mehr für mich als eine Baustelle.«

Schweigend stand sie auf, um die Teller abzuräumen.

»Überlass das mir. Du hast gekocht. Und zwar großartig.«

Während er aufräumte, machte sie das Notebook an und suchte nach einem bestimmten Foto. »Sag mir, was du denkst.«

Sie drehte das Notebook so, dass er den Bildschirm sehen konnte.

Stirnrunzelnd beugte sich Griff vor und musterte ihr Bild.

Es war auf einer der letzten Veranstaltungen aufgenommen worden, auf der sie mit Richard gewesen war. Beide trugen Abendkleidung.

»Du siehst fantastisch aus, aber auch traurig. Den gleichen Eindruck hatte ich, als ich dich zum ersten Mal gesehen habe. Du lächelst, aber nur mit dem Mund und nicht mit den Augen. Und was ist mit deinen Haaren passiert? Du siehst toll aus, wirklich, aber kein bisschen wie die Shelby, die ich kenne. Wo sind deine Locken geblieben?«

Sie sah ihn lange an und lehnte dann den Kopf an seine Schulter. »Weißt du, was ich mir jetzt wünsche?«

»Was denn?«

»Ich würde gern einen Spaziergang durch deinen Garten machen, den Sonnenuntergang bewundern und dir ungebetene Ratschläge in puncto Pflanzen geben. Dann möchte ich, dass du mir mein neues Kleid ausziehst. Was dir nicht weiter schwerfallen dürfte, da ich darunter nackt bin.«

»Können wir nicht gleich damit anfangen?«

Lachend schüttelte sie den Kopf. »Erst möchte ich dich ein wenig auf Touren bringen.«

»Schon passiert«, sagte er, als sie ihn nach draußen zog.

* * *

430

Als Shelby den Heimweg antrat, fuhr er wieder hinter ihr her und nutzte die Zeit zum Nachdenken. Anschließend machte Griff mit Snickers einen ausgedehnten Spaziergang und verbrachte eine gute Stunde mit dem Ausmessen eines Schranks in einem der Zimmer, die er ihr gezeigt hatte.

Eines nach dem anderen, ermahnte er sich, als er sein Werkzeug aufräumte.

Sein nächster Schritt bestand darin, sich an seinen Computer zu setzen und seinerseits nach unaufgeklärten Einbrüchen und Betrugsfällen in Atlanta zu suchen, die sich in dem Zeitraum zugetragen hatten, als Shelby dort gewesen war.

Dieses Rätsel musste sich doch lösen lassen. Schließlich hatte Richard nie etwas ohne Hintergedanken getan. Warum also hatte der Scheißkerl seine Zelte in Atlanta so abrupt abgebrochen?

Es war spannend, das herauszufinden.

* * *

Während Griff recherchierte, saß Jimmy Harlow an einem Notebook, das er auf einer Messe in Tampa gestohlen hatte. Die beschwipsten Messebesucher in dem vollen Hotel waren ideale Opfer gewesen.

So war er nicht nur mit dem Notebook samt geladenem Akku in einer schön gepolsterten Umhängetasche davonspaziert, sondern zusätzlich mit über zweitausend Dollar in bar, zwei Smartphones und den Schlüsseln für einen Geländewagen, den er sofort zum Ausschlachten weitervertickt hatte.

Er hatte sich falsche Papiere zugelegt – gute Kontakte waren wirklich Gold wert. Und einen uralten Ford, mit dem er die Grenze nach Georgia überquert und den er anschließend für fünfhundert Dollar einem Bekannten überlassen hat.

Dann war er eine Weile untergetaucht, ließ sich einen Bart und die Haare wachsen, färbte sie und verdiente sich als Taschendieb und mit kleineren Einbrüchen seinen Lebensunterhalt.

Auf Umwegen schaffte er es bis nach Atlanta, übernachtete in schäbigen Motels und stahl ab und zu ein Auto. Diese Fähigkeit hatte er sich schon als Jugendlicher angeeignet und immer weiter verfeinert. Bei einem Abstecher nach New Orleans überfiel er einen Drogenhändler, der eine Highschool belieferte, und schlug ihn zusammen. Er konnte es gar nicht leiden, wenn Minderjährigen Drogen verkauft wurden.

Außerdem schnappte er sich vor einer Bar in Baton Rouge einen soliden Jeep, den er in eine Werkstatt brachte.

Dort zahlte er für eine Umlackierung und fälschte mithilfe eines weiteren Kontakts die Autopapiere, damit sie zu seinem neuen Ausweis passten.

Die ganze Zeit über verfolgte er aufmerksam die Nachrichten und recherchierte im Internet, ob es Neuigkeiten in Bezug auf seine Nachforschungen gab.

Er stutzte sich den Bart, kaufte sich bequeme, lässige Kleidung und trug sie ein. Er cremte sich regelmäßig mit Selbstbräuner ein, um seine Gefängnisblässe loszuwerden.

Er kaufte Karten, gönnte sich sogar eine anständige Digitalkamera und klebte ein paar Nationalpark-Aufkleber auf seinen Jeep, wie ein typischer Tourist eben.

Er aß, worauf er Lust hatte und wann er Lust hatte. Er schlief, wenn er müde wurde, und stand auf, wenn sich die Müdigkeit gelegt hatte.

Genau davon hatte er jeden einzelnen Tag geträumt, als er im Gefängnis gesessen hatte. Davon, wieder frei zu sein, und davon, was er mit seiner neu gewonnenen Freiheit anfangen würde.

Er machte sich keine Illusionen in Sachen Ganovenehre. Dafür war er viel zu lange selbst einer. Aber wer betrogen wird, sinnt auf Rache. Es waren die Rachegedanken, die ihn antrieben.

Sie trieben ihn bis nach Atlanta, wo er den richtigen Leuten

Fragen stellte, die richtigen Leute schmierte, bis er die richtigen Informationen bekam.

Er stahl eine Kaliber .25-Pistole aus einem Haus in Marietta, die ein Trottel ungesichert auf dem Nachttisch aufbewahrt hatte, und entwendete eine 9 mm aus einer Schreibtischschublade.

Dabei hatte der Typ sogar Kinder, wie er sah, als er ein Jungen- und ein Mädchenzimmer entdeckte. Meine Güte, er betätigte sich regelrecht als Lebensretter!

Er ließ den Kindern ihre Spielekonsole, nahm aber ihre Tablets, noch ein Notebook, Geld aus dem Gefrierschrank, ein diamantenbesetztes Armband, Diamantohrringe und das Bargeld aus der Schmuckschatulle mit. Weil sie ihm passten, auch noch ein Paar robuste Wanderschuhe.

Als er nach Villanova kam, war die Frau, die mit Jake zusammen gewesen war, längst verschwunden.

Er knackte das Schloss und machte einen ausführlichen Rundgang. Jake hatte es sich wirklich gut gehen lassen, und das verursachte einen bitteren Nachgeschmack.

Mit einem Prepaid-Handy kontaktierte er den Makler und fand heraus, dass die Immobilie zum Verkauf stand. So gut war es seinem Rivalen anscheinend doch nicht gegangen.

Er verbrachte ein paar Tage in der Gegend, um sich einen Überblick zu verschaffen, und arbeitete sich dann bis nach Tennessee vor.

Er mietete sich eine Hütte, etwa sechzehn Kilometer von Rendezvous Ridge entfernt, natürlich ohne Anmeldung und für drei Monate. Er gab sich als Milo Kestlering aus Talahassee aus, wo er angeblich für einen Lebensmittelgroßhändler gearbeitet hatte. Geschieden, keine Kinder.

Er hatte alles Mögliche dabei, das seine neue Identität glaubwürdig machte. Der Vermieter hatte sich mit dem Geld zufriedengegeben.

Er hatte keinerlei Kontakte und musste vorsichtig sein, zumal wegen des Mordes an Melinda überall Polizei rumschnüffelte.

Sie war ihrer eigenen Dummheit zum Opfer gefallen, davon war Harlow überzeugt. Vielleicht hatte sie das Gefängnis leichtsinnig werden lassen. Wie dem auch sei, sie war keine Konkurrenz mehr.

Dafür musste er sich um die Rothaarige kümmern. Inzwischen hatte er, was er wollte. Zumindest vorläufig. Damit war er erst einmal beschäftigt.

Bei ihrem Freund war es echt knapp gewesen. Da hatte er es einfach zu eilig gehabt. Man sollte nur dann einbrechen, wenn niemand zu Hause ist. Aber die Haustür war nicht abgeschlossen gewesen, und das Notebook hatte direkt vor seiner Nase gestanden.

Jedenfalls hatte er jetzt die Daten, die er brauchte.

Es war nicht ohne Risiko gewesen, die Rothaarige auf der Straße anzusprechen. Aber sie hatte ihn nicht erkannt, obwohl sie ihn angeschaut hatte.

Nie hätte er gedacht, dass Jake auf so eine Frau stehen würde. Vielleicht hatte er sich gerade deshalb mit ihr zusammengetan.

Jetzt konnte er sich gründlich über sie Gedanken machen, denn das Material lag vor ihm, die Fotos und E-Mails. Ein ganzes Leben breitete sich auf seinem Bildschirm aus.

Mal sehen, was sich daraus machen ließ. Und wie er anschließend vorgehen würde.

24

Der wilde Rhododendron, der die Bäche säumte und die Hänge hinaufloderte, stand in voller Blüte. In höheren Lagen blitzten sternförmige gelbe Lilienblüten aus grünem Farndickicht.

Shelby nahm Callie auf Wanderungen und Schnitzeljagden mit. Oder sie saßen einfach nur da und lauschten dem Gesang der Hüttensänger und Junkos. Einmal erlaubte sie ihrer Tochter sogar, aus sicherer Entfernung einen Bären zu beobachten, der im reißenden Bach Fische fing, bevor er zurück ins Unterholz trottete.

Callie feierte ihren vierten Geburtstag im Garten des Hauses, in dem schon ihre Mutter aufgewachsen war. Mit gleichaltrigen Freunden, Verwandten und Bekannten, die ihr nahestanden.

Shelby konnte sich kein größeres Geschenk vorstellen.

Es gab eine Schokoladentorte in Form einer Burg, verziert mit sämtlichen Figuren aus dem Film *Shrek,* dazu Spiele, Geschenke, Luftballons und Girlanden.

»So einen schönen Geburtstag hat sie noch nie gehabt.«

Viola hatte ihren Urenkel auf dem Arm und sah zu, wie die Kinder mit einem von Callies Lieblingsgeschenken spielten, einer Wasserrutsche.

»Sie ist alt genug, um sich daran zu erinnern.«

»Es ist mehr als nur das, Granny.«

Viola nickte. »Ja, das stimmt. Fragt sie eigentlich manchmal nach ihrem Vater?«

»Nein. Seit ich in mein Elternhaus zurückgekehrt bin, hat sie ihn kein einziges Mal erwähnt. Als ob sie ihn vergessen hätte. Ich weiß nicht, ob das gut oder schlecht ist.«

»Sie ist glücklich. Eines Tages wird sie viele Fragen haben, die du ihr sicherlich beantworten kannst. Heute ist sie glücklich. Und bis über beide Ohren verknallt in Griff.«

Shelby lächelte und sah, wie sich eine klatschnasse Callie an Griffs Beine klammerte. »Allerdings.«

»Und was ist mit dir?«

»Nun, wir fühlen uns definitiv sehr zueinander hingezogen. Da er *mich* momentan glücklich macht, möchte ich lieber nicht zu weit in die Zukunft denken.«

»Dein Blick ist längst nicht mehr so traurig und besorgt. Du hast meine Augen. Ich habe sie Ada Mae, dir und Callie vererbt«, erklärte Viola. »Glaub nicht, ich könnte nicht darin lesen.«

»Ich würde sagen, die Traurigkeit ist weg und die Sorgen sind weniger geworden. Sag mal, willst du das Baby ganz für dich allein behalten, oder darf jemand anders auch mal ran?«

Viola küsste Beau auf die Stirn. »Bitte sehr. Er schläft wie ein Engel, trotz des ganzen Lärms. Nimm ihn kurz mit in die Sonne. Aber nicht zu lange. Andererseits, ein bisschen Vitamin D kann nicht schaden.«

Es tat so gut, wieder ein Baby im Arm zu halten, sein Gewicht und seine Wärme zu spüren, seinen Duft einzusaugen. Sie sah sich nach ihrer Tochter um. Wie groß sie geworden war, sie schoss wie Unkraut. Als Beau im Schlaf mit der Hand fuchtelte, spürte sie ein süßes Sehnen.

Clay, der fast genauso nass war wie die Kinder, kam zu ihr herüber. Sie schüttelte den Kopf.

»Komm bloß nicht auf die Idee, mir das Baby wegzunehmen. Dafür bist du viel zu nass. Außerdem bin ich gerade erst drangekommen.«

»Ich hab mir bereits gedacht, dass ich heute kaum Gelegenheit bekommen werde, ihn zu halten.«

»Bei dir ist er am liebsten, Clay.«

»Das behauptet Mama zumindest.«

»Und sie hat recht.«

»Ich bin gerade auf der Suche nach einem Bier. Gilly wird fahren. Möchtest du auch eines?«

»Ich bleib vorerst bei Limonade.«

Trotzdem legte er ihr den Arm um die Schultern und lotste sie zu der großen Wanne mit Bier. »Forrest hat mir erzählt, was bei dir los ist.«

»Bitte mach dir deswegen keine Sorgen. Du hast ein Neugeborenes, um das du dich kümmern musst, ganz zu schweigen von Gilly und Jackson.«

Er ließ den Arm, wo er war. Er hatte eine Art, sie in den Arm zu nehmen, die Shelby das Gefühl gab, etwas ganz Besonderes zu sein. »Trotzdem ist in meinem Herzen und in meinen Gedanken genug Platz für dich, Schwesterchen. Bei mir in der Arbeit ist niemand aufgekreuzt, der Ähnlichkeit mit Harlow hat, auch nicht in der Nachbarschaft. Ich weiß, dass die Polizei nach ihm fahndet. Was bleibt ihr auch anderes übrig? Höchstwahrscheinlich ist er längst weitergezogen. Trotzdem …« Er nahm ein Bier heraus und öffnete die Flasche. »Pass auf dich auf, Shelby. Ich bin froh, dass Griff ein Auge auf dich hat.«

Sofort verspannten sich die Schultern, um die er den Arm gelegt hatte. »Ich konnte bisher ziemlich gut selbst auf mich aufpassen.«

Nach einem Schluck Bier gab Clay ihr einen zärtlichen Nasenstüber – auch so eine Angewohnheit von ihm. »Sei nicht gleich eingeschnappt. Klar kannst du auf dich selbst aufpassen. Trotzdem ist es besser, wenn Griff wachsam ist. Deshalb musst du doch nicht gleich so aus der Haut fahren.«

»Ich fahre nicht …« Das Baby rührte sich und ließ ein klägliches Wimmern hören.

Clay sah auf die Uhr. »Pünktlich auf die Minute. Fütterungszeit.«

»Ich bring ihn zu Gilly.«

Sie war nicht eingeschnappt. Ein bisschen gereizt vielleicht, das war ihr gutes Recht. Zugegeben, sie hatte sich selbst in diese missliche Lage gebracht. Doch sie hatte viel Zeit, Energie und Kreativität darauf verwendet, sich und ihr Kind wieder daraus zu befreien.

Shelby wollte nicht, dass man ein Auge auf sie hatte. Das erinnerte sie zu sehr an ihre Vergangenheit. Hatte sie Richard nicht ebenfalls gestattet, ein Auge auf sie zu haben? Sämtliche Entscheidungen zu treffen, alles zu bestimmen, ihr zu sagen, wo es langging, ohne dass sie ein Wörtchen mitreden durfte?

Diesen Fehler würde sie ganz bestimmt kein zweites Mal machen. Sie würde peinlich darauf achten, ihrer inzwischen vierjährigen Tochter vorzuleben, was eine Frau alles erreichen kann, wenn sie hart arbeitet und ihren Prinzipien treu bleibt.

Wenn sie allein für sich sorgt.

* * *

Hinterher kümmerte sich Shelby um den Partymüll, während ihre Mutter und Großmutter die Küche in Ordnung brachten.

»Ich mache uns ein paar Margaritas«, verkündete Ada Mae. »Mama und ich haben gerade Lust darauf.«

»Ich könnte auch eine vertragen.«

»Forrest und dein Dad bleiben bestimmt beim Bier.« Während Ada Mae die Drinks mixte, spähte sie aus dem Fenster und nickte. »Sie scheinen gerade die Stühle und Picknicktische wegzuräumen. Keine Ahnung, worauf Matt und Griff Lust haben, aber Emma Kate macht bestimmt bei unserer Margarita-Party mit. Frag doch mal, was sie wollen.«

»Einverstanden.«

»Oder wollt ihr heute Abend zu viert ausgehen? Ach, schau nur, wie süß Griff mit Callie ist.« Ada Mae hielt inne und strahlte. »Er bindet ihr gerade Luftballons ans Handgelenk.«

»Bestimmt bildet sie sich ein, sie kann fliegen, wenn er nur genug Luftballons nimmt.«

»Schau doch nur. Er hebt sie hoch und gibt ihr das Gefühl zu schweben. Dieser Mann ist ein geborener Vater. Manche Männer sind einfach so«, bemerkte sie, während sie ihren großen Mixer hervorholte. »Dein Bruder Clay zum Beispiel. Er kann perfekt mit Babys umgehen. Schade, dass sie schon gegangen sind. Der kleine Beau musste nach Hause, und Jackson ist fast im Stehen eingeschlafen. Callie dagegen hat noch jede Menge Energie.«

»Das liegt an der Schokoladentorte und der ganzen Aufregung. Sie ist der reinste Wirbelwind. Das wird so bleiben, bis sie ins Bett muss.«

»Sie hat wirklich eine Schwäche für Griff und er für sie. Daran, wie ein Mann mit Kindern und Tieren umgeht, sieht man, was für einen Charakter er hat. Du hast einen echten Volltreffer gelandet, Shelby, und einen Kerl gefunden, der sich richtig um dich kümmert.«

»Ada Mae«, sagte Viola leise und verdrehte die Augen.

»Ich kümmere mich um mich selbst«, stellte Shelby fest.

»Aber natürlich, Schätzchen. Schau nur, was für ein kluges, reizendes Kind du großgezogen hast. Ganz allein. Trotzdem beruhigt es mich, dass du mit so einem netten Mann zusammen bist, der noch dazu gut aussieht. Wir haben seine Verwandten kennengelernt, als sie zu Besuch waren, um ihm mit dem alten Tripplehorn-Haus zu helfen. Lauter nette Leute. Du solltest ihn für Sonntag zum Abendessen einladen.«

Shelby bekam Herzklopfen. Sie wusste genau, was es bedeutete, wenn eine Frau aus dem Süden anfing, von Verwandten und Sonntagabend-Einladungen zu reden.

»Mama, Griff und ich sind erst ein paar Monate zusammen.«

»Er bringt dich zum Strahlen.« In sich hineinlächelnd, gab Ada Mae eine großzügige Menge Eiswürfel zu der Margarita-Mischung im Mixer. »Deine Kleine auch. Wenn er dich anschaut, könnte man meinen, du bist das siebte Weltwunder. Er geht völlig unverkrampft mit Freunden und Verwandten um und hat seine eigene Firma. So einen Mann sollte man sich nicht entgehen lassen.«

»Warte, ich helfe dir, Ada Mae«, sagte Viola und schaltete den Mixer ein, um ihre weiteren Worte zu übertönen.

Shelby lud ihn nicht für Sonntag zum Abendessen ein. Und sie schlug auch nicht vor, gemeinsam mit Matt und Emma Kate auszugehen. In den nächsten Tagen redete sie sich ein, ihm nicht aus dem Weg zu gehen. Sie hatte nur viel zu tun. Außerdem wollte sie beweisen, dass sie tatsächlich selbst auf sich aufpassen konnte.

Genau das tat sie dann, als Callie eine Spielverabredung mit einer neuen Freundin hatte, und ein freier Nachmittag vor ihr lag.

Sie nahm sich Zeit, ein neues Musikprogramm zusammenzustellen. Als Nächstes waren die 1950er an der Reihe. Dank der Gehaltserhöhungen, die sie in der Vorwoche in beiden Jobs bekommen hatte, würde sie demnächst wieder eine Kreditkartenschuld vollständig abtragen können.

Wenn sie sparsam war und sich trotz der guten Argumente ihrer Mutter keine neuen Klamotten gönnte, könnte es bereits an ihrem Geburtstag im November so weit sein.

Mehr konnte sie eigentlich nicht verlangen.

Als es an der Haustür klopfte, schloss sie das Notebook und machte auf.

Griff stand vor der Tür und lächelte sie an. »Hallo.«

»Hallo.« Sie versuchte, die Schmetterlinge in ihrem Bauch zu ignorieren, und trat höflich beiseite, um ihn hereinzulassen und um einen Willkommenskuss zu vermeiden.

»Deine Mutter wünscht sich Regale für den Hauswirtschaftsraum.«

»Sie hat Regale im Hauswirtschaftsraum.«

»Sie wünscht sich noch mehr.«

»Typisch meine Mutter. Warte, komm mit.«

»Wie geht es dir?«

»Gut. Wie gesagt, ich bin gerade sehr beschäftigt. Ich arbeite ein neues Musikprogramm aus und kümmere mich um meinen Papierkram, der einfach kein Ende zu nehmen scheint. So, bitte sehr. Siehst du? Es gibt bereits Regale.«

»Mhm.« Er betrat den von der Küche abgehenden Hauswirtschaftsraum und musterte die Einrichtung. »Keine schlechte Größe. Nicht viel Tageslicht. Viele Regale. Über der Waschmaschine und dem Trockner wären geschlossene Schränke allerdings deutlich praktischer. Werden hier auch schmutzige Schuhe abgestellt?«

Widerwillig ließ sie sich von seinen Überlegungen anstecken und musterte stirnrunzelnd den Raum. »Ja, eigentlich schon. Daddy und sie bewahren hier Gartenschuhe, Winterstiefel und solche Sachen auf.«

»Dann sollte sie diese Regale abbauen und eine Bank mit offenen Fächern für die Schuhe aufstellen. Dann kann man sich gemütlich hinsetzen, um Schuhe an- oder auszuziehen.«

»Ja, so wird der Raum viel besser genutzt. Die Idee wird ihr bestimmt gefallen.«

»Darüber kommen dann Regale hin. Weit genug oben, dass man sich nicht den Kopf stößt. Und ein längerer Tisch unters Fenster, zum Wäschezusammenlegen. Wenn das mein Haus wäre, würde ich ein größeres Fenster für mehr Tageslicht einbauen. Also, ein längerer Tisch und ein Spülbecken am anderen Ende statt in der Mitte, darüber die Trockenstange und darunter Schränke mit ausziehbaren Schubladen …« Er zuckte mit den Schultern. »Oder sie stellt da drüben offene Regale hin, und damit basta. Ich messe kurz was aus.«

»Gut. Ich lass dich allein.«

»Ist irgendwas?«, fragte er, während er Zollstock, Bleistift und Notizbuch zückte.

»Nein, wieso?«

»Seit Callies Kindergeburtstag bist du so distanziert.«

»Ich hab gerade viel um die Ohren.«

Er maß etwas aus und notierte sich ein paar Zahlen. »Erzähl keinen Scheiß, Shelby. Hältst du mich für blöd?«

»Nein, wirklich. Ich hatte viel um die Ohren.« Er hatte recht, sie verkaufte ihn wirklich für blöd. »Vielleicht brauchte ich einfach eine kurze Pause, mehr nicht.«

»Okay.« Er notierte erneut etwas und schaute auf. Seine grünen Augen suchten ihren Blick. »Hab ich dich irgendwie unter Druck gesetzt?«

»Nein, wirklich nicht … Ich musste nur … passt du auf mich auf, Griffin?«

Wieder notierte er ein paar Zahlen, machte eine grobe Skizze und ließ den Block sinken, um sie direkt anzuschauen. »Natürlich tu ich das.«

»Ich kann auf mich selbst aufpassen.« Das war die Wahrheit. So gesehen, spielte es keine Rolle, wie schnippisch oder abwehrend das klang. »Ich muss in der Lage sein, für mich selbst zu sorgen, und darf nicht zulassen, dass jemand anders das Ruder in die Hand nimmt.«

Sie sah, wie seine Augen funkelten, und entdeckte zu ihrem Erstaunen so etwas wie Wut darin.

»Weißt du, ich bin jemand, der ganz genau Maß nimmt. Wenn man sich dabei vertut, geht alles schief. Wenn du alles an Richard messen willst, ist das dein Problem, Shelby. Aber wenn du mich mit ihm vergleichen willst, werde ich wirklich sauer.«

»Das tu ich doch gar nicht, zumindest nicht direkt. Mit wem soll ich dich bitte sonst vergleichen? Noch vor einem halben Jahr habe ich geglaubt, verheiratet zu sein.«

»Was du nicht warst.«

Sein Ton war so kühl, dass sie zusammenzuckte.

»Eigentlich habe ich gedacht, dass es dir inzwischen ganz gut gelungen ist, dein Leben in die Hand zu nehmen und es nach deinen Vorstellungen zu gestalten. Sollte das mit uns nicht funktionieren, ist das hart, denn ich liebe dich. Das heißt allerdings noch lange nicht, dass ich damit einverstanden bin, mit diesem Mistkerl verglichen zu werden. Er hat dich betrogen und belogen, benutzt und kaputtgemacht. Da mache ich nicht mit. Und ich lass mich auch nicht einfach so wegschubsen, damit du eine Verschnaufpause bekommst. Nur weil ich auf dich aufpasse, wie jeder, dem du etwas bedeutest.« Griff verstaute den Meterstab an seinem Werkzeuggürtel. »Denk nach, wenn du in Ruhe nachdenken willst. Ich bespreche mich jetzt mit deiner Mutter.«

Er ging einfach an ihr vorbei und verschwand, bevor sie zur Besinnung kam. Laut war er nicht geworden. Seine Stimme war leise gewesen, aber so kalt, dass sie fröstelte und sich ganz elend fühlte.

Es war unmöglich, so mit ihr zu reden und sie dann stehen zu lassen. Er hatte diesen Streit vom Zaun gebrochen, jawohl. Dann hatte er sich einfach verdrückt, bevor sie sich verteidigen konnte.

Das musste sie sich nicht bieten lassen.

Shelby verließ den Hauswirtschaftsraum. Sie würde mit ihrer Mutter ein ernstes Wort reden müssen. Die hatte das bestimmt absichtlich eingefädelt, damit Shelby Zeit mit dem Traumschwiegersohn verbringen konnte. Wenn nicht, fraß sie einen Besen. Sie kannte schließlich ihre Pappenheimer.

Nur leider war Griff schneller. Bevor sie es zur Haustür schaffte, hörte sie ihn davonfahren.

Egal! Nervös lief sie auf und ab, bis sie die Treppe hochstapfte. Wer weiß, wozu es gut war. Am besten, sie beruhigte sich wieder, bevor sie ihm die Meinung sagte. Wie auch immer die aussehen mochte.

Weil ihre Wangen erhitzt waren, ging sie ins Bad und spritzte sich kaltes Wasser ins Gesicht. Ihr rauchte der Kopf, aber das würde sich bald legen.

Sie hatte ihn richtig wütend gemacht. So hatte sie ihn noch nie erlebt.

Vermutlich weil sie sich erst seit ein paar Monaten kannten. Nur gut, dass sie auf die Bremse getreten und etwas auf Distanz gegangen war.

Sie presste sich das Handtuch aufs Gesicht.

Er liebte sie. Das machte sie froh und traurig zugleich. Am liebsten hätte sie geweint und sich an ihn geklammert, als hinge ihr Leben davon ab.

Das kam jedoch nicht infrage, dafür war sie viel zu gestresst und aufgebracht. Sie konnte keinen klaren Gedanken fassen.

Am besten machte sie einen Spaziergang, um sich wieder zu beruhigen. Außerdem würde sie mit Emma Kate reden. Sofort!

Shelby ging nach unten und konnte es kaum erwarten, das Haus zu verlassen. Als sie die offene Haustür sah, rannte sie förmlich darauf zu.

»Jetzt hör mir mal gut zu«, hob sie an und verstummte, als sie Forrest und hinter ihm zwei Männer in schwarzen Anzügen sah.

»Da hat dich jemand ganz schön wütend gemacht«, sagte er gelassen. Da ihm Griffs Wagen entgegengekommen war, konnte er sich denken, um wen es sich handelte.

»Ich … geh nur kurz spazieren.«

»Das wird eine Weile warten müssen. Darf ich dir Mr. Boxwood und Mr. Landry vorstellen? Sie sind vom FBI und wollen mit dir reden.«

»Ach, okay, ich …«

»Ich könnte ein kaltes Getränk vertragen«, sagte Forrest.

»Natürlich, geht rein und setzt euch. Ich bring gleich was mit.«

Er hatte sie fortgeschickt, damit sie sich fangen konnte, und sie tat ihr Bestes.

Bestimmt schlechte Nachrichten, dachte sie, während sie Gläser mit Eistee füllte und automatisch Minze dazugab. Sonst würde das FBI bestimmt nicht bei ihr auftauchen. Sie stellte die Gläser auf ein Tablett, legte kleine hellblaue Servietten dazu und wollte die Plätzchen mit Zuckerguss aus der Dose nehmen, die ihre Mutter für unerwarteten Besuch bereithielt.

Doch das FBI war kein normaler Besuch, deshalb trug sie das Tablett ohne Plätzchen ins Wohnzimmer.

Sie hörte, wie Forrest ihnen vom Wildwasserrafting vorschwärmte und dass Clay ihnen ein tolles Erlebnis bieten könne, falls sie Zeit dafür hätten.

Der größere der beiden Agenten stand auf, als sie hereinkam, und nahm ihr das Tablett ab.

»Danke«, sagte er. Sie hörte den Südstaatenakzent in seiner Stimme.

Er war groß und schlank, fast dürr, hatte einen dunklen Teint, dunkle Augen und extrem kurz rasiertes Haar.

Er stellte das Tablett ab und gab ihr die Hand. »Special Agent Martin Landry. Das ist mein Partner, Special Agent Roland Boxwood. Danke, dass Sie sich Zeit für uns nehmen.«

»Es geht um Richard. Bestimmt geht es um Richard.« Sie sah zwischen den beiden Agenten hin und her.

Boxwood war gedrungener, muskulöser. Im Grunde das genaue Gegenteil von Landry. Sehr hellhäutig, schwedenblond und blauäugig.

»Setz dich, Shelby.« Forrest nahm ihre Hand und zog sie zu sich aufs Sofa. »Unsere Freunde sind extra aus Atlanta eingeflogen.«

»Atlanta«, murmelte sie.

»Sie haben mir erlaubt, dich auf den neuesten Stand zu bringen.« Er tätschelte kurz ihr Bein. »Ich habe die Informationen, die du, Griff und ich zusammengestellt haben, an die Polizei in Miami, Atlanta, Philadelphia und so weiter geschickt. Da die Liste ziemlich lang war, hat auch das FBI eine Zusammenfassung bekommen.«

»Das hattest du vor, ich weiß.«

»Nun, ihr Chef hat diese beiden hergeschickt, damit sie persönlich mit dir reden können.«

Als sie nickte, beugte sich Landry vor. »Ms. Foxworth …«

Die war sie nie gewesen. »Pomeroy bitte.«

»Ms. Pomeroy, Sie haben letzten Februar ein paar Uhren verkauft. An den Juwelier Easterfield in der Liberty Street in Philadelphia.«

»Ja. Richard besaß mehrere Uhren, insofern …« Sie schloss die Augen. »Sie waren gestohlen, oder? Ich hätte es wissen müssen oder zumindest ahnen können. Der Mann, der mich im Laden bedient hat, hat nichts davon gewusst. Er wollte mir bloß helfen. Ich werde das Geld zurückzahlen. Ich …« Sie hatte das Geld nicht. Selbst wenn sie all ihr Erspartes zusammenlegte, einschließlich des Geldes, das für den Hauskauf gedacht war, würde es nie im Leben reichen. »Wenn ich genügend Zeit bekomme, zahle ich alles zurück.«

»Mach dir deswegen keine Sorgen, Shelby.«

Mit heftigem Kopfschütteln sah sie Forrest an. »Er hat sie gestohlen, und ich habe sie verkauft. Ich habe das Geld ausgegeben. Das ist nicht korrekt.«

»Es fehlen weitere Gegenstände.« Jetzt ergriff Boxwood das Wort. Seine Stimme besaß einen düsteren Unterton, der Shelby Angst einjagte. »Manschettenknöpfe, Ohrringe, eine antike Haarspange.«

»Die Haarspange hab ich! Ich dachte, die ist nichts wert, deshalb habe ich gar nicht erst versucht, sie zu verkaufen. Ich hole sie.«

»Bleib sitzen, Shelby.« Forrest legte ihr die Hand aufs Bein. »Bleib einfach sitzen.«

»Sämtliche Wertgegenstände, die Sie in Pennsylvania veräußert haben, stimmen mit denen überein, die zwischen Mai 2011 und September 2014 in Atlanta und Umgebung gestohlen worden sind«, fuhr Boxwood fort.

»Bei mehreren Einbrüchen«, sagte sie leise.

»Das sind allerdings nicht alle. Wir möchten, dass Sie sich ein paar Fotos ansehen.«

»Ja, natürlich. Wir sind erst im Herbst 2011 nach Atlanta gezogen. Im Mai waren wir noch nicht da … Er war viel auf Reisen. Ich weiß nicht, ob …«

»Aber im April 2012 haben Sie dort gewohnt«, fuhr Boxwood fort.

»Ja, das stimmt.«

»Können Sie mir sagen, wo Sie am 13. April 2012 gewesen sind?«

»Ich … Nein, tut mir leid, das weiß ich nicht mehr. Das ist über drei Jahre her.«

»Überleg doch mal«, sagte Forrest gelassen, obwohl seine Hand nach wie vor Druck auf ihr Bein ausübte. »Das war kurz vor Ostern. Karfreitag.«

»Ach so. Ja, an Ostern war Callie fast ein Jahr alt. Ich habe ihr ein neues Outfit gekauft, mit Mütze und allem Drum und Dran. Ich hab sie an diesem Freitag mit zum Fotografen genommen. Die Fotos sind in meinem Album. Er hatte jede Menge Requisiten, Küken und Kaninchen, Körbe und bunte Ostereier. Ich habe Abzüge an Mama und Granny geschickt.«

»Ich kann mich an diese Fotos erinnern.«

»Das war am Freitagnachmittag, wann genau, weiß ich nicht mehr. Der Laden hieß *Kidography*. Was für ein genialer Name! Daran erinnere ich mich genau, weil ich mit Callie mehrmals da war. Und die Fotografin hieß Tate … genau, Tate Mitchell. Da bin ich mir ganz sicher. Nachdem ich an diesem Freitag zum ersten Mal bei ihr war, hab ich Callie in Spielklamotten gesteckt und sie zur Belohnung auf ein Eis eingeladen. Damit hatte ich sie nämlich bestochen. Obwohl sie noch so klein war, wusste sie genau, was *Eiscreme* bedeutet. Wir sind zu *Morelli's* gegangen. Ich hab ihr erlaubt, sich satt zu essen, obwohl es später noch Abendessen gab. Das weiß ich, weil ich gedacht habe, sie wird später bestimmt nichts mehr wollen. Es muss also am Spätnachmittag gewesen sein.«

»Was haben Sie an jenem Abend gemacht?«, fragte Boxwood.

»Lassen Sie mich überlegen.« Sie presste die Finger an die Schläfen. »Ich versuche gerade, mich zu erinnern. Es gab viel Verkehr, das weiß ich noch … Callie ist im Auto eingeschlafen. Ich hatte Angst, nach Richard nach Hause zu kommen. Er mochte das nämlich gar nicht. Nicht zu wissen, wo ich bin. Ich hab überlegt, ihm eine SMS zu schicken, es dann aber bleiben lassen. Er mochte es gar nicht, wenn man ihn bei der Arbeit gestört hat.«

Sie ließ die Hände sinken und atmete tief durch. »Wir sind gegen sechs nach Hause gekommen. Charlene, die für uns gekocht und geputzt hat, hatte über die Feiertage frei. Ich war froh, die Wohnung für mich allein zu haben. Ich mochte Charlene, bitte verstehen Sie mich nicht falsch, aber …«

»Zu Hause war niemand. Nur Sie und Ihre Tochter.«

Sie nickte Landry zu. »Ja, genau. Callie war nach den Fotos, dem Eis und dem Schläfchen im Auto ein wenig quengelig. Ich habe ihr Fifi, ihren Stoffhund, und ein paar Bauklötze gegeben. Dann hab ich schnell was zum Abendessen gemacht. Ich weiß wirklich nicht mehr, was, aber so gegen sieben, halb acht war ich fertig und erleichtert. Aber er war spät dran. Richard, meine ich. Ich hab das Essen warm gestellt, Callie gefüttert, sie gedrängt, wenigstens etwas zu essen. Irgendwann hat sie sich breitschlagen lassen. Ich hab sie gebadet, ihr vorgelesen und sie zu Bett gebracht. Dann hab ich Richard eine SMS geschrieben, um ihm zu sagen, dass sein Essen im Kühlschrank steht und er es sich warm machen kann, falls ich schon schlafe. Ich war wütend, nehme ich an, und müde.«

Sie rieb sich die Schläfen, versuchte, sich genau zu erinnern.

»Kurz nach Callie bin ich ebenfalls ins Bett. Ich hab nicht gehört, wann er nach Hause gekommen ist. Ich habe ihn erst am nächsten Morgen gesehen. Er hat im Gästezimmer geschlafen.«

Es war ihr peinlich zu sagen, wo er geschlafen hatte, und sie konnte ein Erröten nicht unterdrücken.

»Wenn er spät nach Hause kam, dann – äh – schlief er manchmal im Gästezimmer. Ich hab Callie Frühstück gemacht und Eier aufgesetzt. Wir wollten Ostereier färben. Richard ist erst gegen Mittag aufgestanden und war guter Dinge, zu Späßen aufgelegt und irgendwie aufgedreht. Er hat Callie zum Lachen gebracht, das weiß ich noch. Vermutlich sah er, dass ich ein bisschen genervt war, denn er hat eine entsprechende Bemerkung gemacht. Welche genau, weiß ich nicht mehr. Er hatte immer irgendeine Entschuldigung parat. Eine späte Besprechung, ich konnte nicht früher weg, so was in der Art. Dann hat er …«

Sie verstummte und rang die Hände. »O Gott, die Haarspange! Er meinte, er hätte eine kleine Osterüberraschung für mich, und hat mir die Spange gegeben. Er wollte, dass ich mir die Haare mache und Callie schön anziehe. Er wollte seine Damen zum Mittagessen ausführen. Da er Callie sonst nie irgendwohin mitnehmen wollte, hab ich mich riesig darüber gefreut und beschlossen, nicht mehr zu schmollen. Ich hab gemacht, was er wollte. Ich war daran gewöhnt zu machen, was er wollte. Die Haarspange.« Sie presste die Lippen zusammen. »Er hat sie gestohlen und dann mir gegeben. So, wie man seinem Hund ein Leckerli gibt.«

Shelby atmete tief durch. »Vermutlich können Sie das anhand der Zeitangaben auf den Fotos nachvollziehen, aber ansonsten kann ich nichts beweisen. Gut möglich, dass jemand gesehen hat, wie ich mit Callie heimgekommen bin. Andererseits warum sollte sich nach der langen Zeit noch jemand daran erinnern? Es war sonst niemand zu Hause. Wenn Sie glauben, dass ich mit Richard unter einer Decke gesteckt habe, kann ich Ihnen nicht das Gegenteil beweisen.«

»Das sind ganz schön viele Details für etwas, das so lange zurückliegt«, gab Boxwood zu bedenken.

»Es war Callies erstes Osterfest, ihr erster Termin in einem Fotostudio. Ich wollte gleich nach ihrer Geburt ein Familienfoto machen lassen, aber Richard hatte nie Zeit dafür. Es war also etwas Besonderes. Die Fotografin, Tate, hat auch eines von uns beiden gemacht, das ich meinen Eltern geschickt habe. Callie hatte sich ihr Mützchen vom Kopf gerissen, wodurch ihr die Haare wild vom Kopf abstanden, genau wie meine es in so einem Fall tun. Ich war nicht beim Friseur gewesen, um sie glätten zu lassen, wie Richard es lieber mochte. Es ist eines meiner absoluten Lieblingsfotos.«

Sie stand auf und nahm es vom Kaminsims. »Wir haben es am Freitag vor Ostern machen lassen.«

»Sie sieht ihrer Mutter wirklich ähnlich«, bemerkte Landry.

»Alles, was mit Callie zu tun hat, weiß Shelby wirklich ganz genau«, sagte Forrest.

»Gut möglich, ja. Vor allem, wenn etwas zum ersten Mal passiert ist.« Shelby stellte das Foto zurück auf den Kaminsims und setzte sich neben Forrest.

»Ach.« Fast wäre sie vom Sofa aufgesprungen, hätte Forrest sie nicht zurückgehalten. »Ich hab es in ihrem Babyalbum notiert. Ich hab die Fotos eingeklebt und Notizen dazu gemacht. Ich kann es gern holen.«

»Das dürfte im Moment nicht notwendig sein, Ms. Pomeroy.«

»Es ist nicht leicht zuzugeben, dass ich so naiv war«, sagte sie leise. »Dass ich hinters Licht geführt worden bin. Ich wusste nicht, dass er ein Dieb und Betrüger ist. Trotzdem habe ich in dem schicken Apartment gewohnt, all die Klamotten gehabt und eine Haushaltshilfe. *Weil* er ein Dieb und Betrüger war. Ich kann es nicht ungeschehen machen. Soll ich die Haarspange holen? Ich weiß, wo sie ist. Sie können sie ihrer rechtmäßigen Besitzerin zurückgeben.«

»Wir glauben, dass er die Haarspange, eine der Uhren, die Sie verkauft haben, und anderen Schmuck im Wert von etwa fünfundsechzigtausend Dollar bei Amanda Lucern Bryce in Buckhead entwendet hat. Sie wurde am Samstag, den 14. April 2012, von ihrer Tochter gefunden, und zwar nachmittags.«

»Gefunden?«

»Sie ist die Treppe hinuntergestürzt oder von jemandem hinuntergestoßen worden. Dabei hat sie sich den Hals gebrochen.«

Alle Farbe wich aus Shelbys Gesicht, fassungslos starrte sie Boxwood an. »Sie ist tot? Sie ist ums Leben gekommen? Richard … er war so gut gelaunt. Er hat Callie zum Lachen gebracht. Entschuldigung, aber ich brauch eine kurze Auszeit.« Sie stand abrupt auf, und ihre Beine zitterten. »Bitte entschuldigen Sie mich für einen Moment.«

Sie eilte auf die Toilette und beugte sich übers Waschbecken. Nein, sie würde sich nicht übergeben! Sie würde die Übelkeit zurückdrängen. Sie musste bloß tief durchatmen, ein paar Minuten lang tief durchatmen, dann konnte sie es mit dem Rest aufnehmen.

»Shelby.« Forrest klopfte an die Tür.

»Eine Sekunde bitte.«

»Ich komm rein.«

»Eine Sekunde, habe ich gesagt«, giftete sie, als er die Tür aufmachte, sank ihm aber in die Arme. »O Gott, Forrest. Er hat uns zum Mittagessen ausgeführt! Er hat diese Frau, die er bestohlen hat, einfach so liegen lassen, ist nach Hause gekommen und ins Bett gegangen. Dann hat er uns zum Essen ausgeführt. Er hat Champagner bestellt und gefeiert, während diese Frau tot in ihrem Haus lag, bis sie von ihrer Tochter gefunden wurde.«

»Ich weiß, Shelby, ich weiß.« Er strich ihr übers Haar und drückte sie. »Eines Tages wärst du an der Reihe gewesen, da bin ich mir sicher.«

»Wie habe ich mich bloß so in ihm täuschen können?«

»Da warst du nicht die Einzige. Keiner geht davon aus, dass du mit ihm unter einer Decke gesteckt hast.«

»Du bist mein Bruder. Natürlich glaubst du mir.«

»Kein Einziger«, versicherte er ihr und hielt sie auf Armeslänge von sich ab, um ihr in die Augen zu sehen. »Die beiden machen nur ihren Job. Du wirst dir Fotos vom Diebesgut ansehen und von Leuten, die er bestohlen hat. Du wirst ihnen sagen, was du weißt. Mehr kannst du nicht tun.«

»Ich möchte so gern helfen. Die Kleider, die ich getragen habe, die Kleider, die ich meinem Baby angezogen habe … Mir wird ganz schlecht, wenn ich daran denke, von welchem Geld das bezahlt worden ist.«

»Sag mir, wo die Haarspange ist, dann hol ich sie.«

»In der oberen Schublade des Schminktischs im Bad, das ich mir mit Callie teile. Darin befindet sich eine Schachtel, in der ich alle meine Haarspangen aufbewahre. Sie ist aus Perlmutt mit kleinen blauen und weißen Steinen. Ich dachte, das ist Modeschmuck, Forrest. Nie wäre ich auf die Idee gekommen, dass … Das ist schließlich bloß eine Haarspange.«

»Mach dir deswegen keine Gedanken. Wenn du nicht mehr mit ihnen reden willst, sag ich Ihnen, dass du nicht mehr kannst.«

»Nein, ich möchte ihnen alles sagen, was ich weiß. Was ich *heute* weiß. Ich geh wieder zurück ins Wohnzimmer.«

»Wenn es dir zu viel wird, sag einfach Bescheid.«

»Ich will es vor allem hinter mich bringen.«

Shelby kehrte zurück, und erneut stand Landry auf.

»Es tut mir sehr leid«, hob sie an.

»Sie müssen sich nicht entschuldigen. Wir wissen Ihr Entgegenkommen sehr zu schätzen, Ms. Pomeroy.«

Sie setzte sich und griff nach ihrem Glas Tee. Die Eiswürfel darin waren geschmolzen, aber er war immer noch kalt genug, um ihre trockene Kehle zu befeuchten. »Ist er ein Mörder? Wissen Sie das?«

»Möglicherweise.«

»Er war mir oder Callie gegenüber nie gewalttätig. Mit ihr hat er sich kaum beschäftigt und auch mit mir immer weniger. Manchmal konnte er ganz schön gemein sein, aber gewalttätig war er nie.« Vorsichtig stellte sie das Glas ab. »Ich habe ihn nie wirklich durchschaut. Sonst hätte ich ihn niemals an meine Kleine herangelassen. Callie wird in ungefähr einer Stunde nach Hause kommen. Wenn wir bis dahin nicht fertig sind, müssen wir woanders hingehen oder morgen weitermachen. Ich möchte nicht, dass sie etwas mitbekommt. Sie ist gerade erst vier geworden.«

»Das ist kein Problem.«

»Können Sie mir weitere Daten nennen? Wenn sie in der Nähe eines Feiertags, eines Arzttermins liegen, in der Nähe von etwas, das nicht ganz so alltäglich war, kann ich Ihnen vielleicht sagen, was ich damals gemacht habe. Was *er* damals gemacht hat. Ich weiß nicht, wie ich Ihnen sonst helfen kann, aber helfen möchte ich unbedingt.«

»Bleiben wir zunächst in Atlanta und arbeiten wir uns von dort aus weiter vor.« Landry nickte Boxwood zu.

»Am 8. August desselben Jahres …«, hob dieser an.

»Mein Vater hat am 9. August Geburtstag und Forrest am 5. August. Ich wollte meine Familie besuchen. Ich war länger nicht mehr zu Hause gewesen und wollte unbedingt, dass Callie ihre Familie trifft. Richard hat Nein gesagt. Am Samstag sei eine wichtige Wohltätigkeitsgala, da könne ich nicht einfach zu meinem Papi rennen. Ich sei seine Frau, und er erwarte von mir, dass ich ihn begleite und mich so benehme, als ob ich ins Ritz-Carlton gehöre und nicht nach Buckhead.«

»Am Samstag, den 8. August 2012, wurden Schmuck und seltene Briefmarken im Wert einer sechsstelligen Summe aus dem Haus von Ira und Gloria Hamburg entwendet. Sie waren am selben Abend auf einer Wohltätigkeitsgala.«

»Genau wie in Florida«, sagte Shelby. »Schmuck und Briefmarken. Er muss darauf spezialisiert gewesen sein.«

»Das kann man wohl sagen.« Landry lehnte sich zurück. »Erzählen Sie uns von diesem Abend.«

25

Shelby hatte die Hamburgs flüchtig gekannt, war einmal zum Abendessen bei ihnen gewesen. Richard hatte mehrfach Golf mit Ira Hamburg gespielt, und Richard und sie hatten die beiden in den Country Club eingeladen. Außerdem waren sie sich auf zahlreichen Galas oder Wohltätigkeitsveranstaltungen begegnet.

Es fiel ihr nicht schwer, sich diesen Abend minutiös ins Gedächtnis zu rufen, denn sie hatte sich die ganze Zeit vorgestellt, wie ihre Familie zu Hause feierte, während sie wichtige Geburtstage verpasste.

Sie erinnerte sich, dass Richard ihr ein Glas Champagner gebracht und ihr ungeduldig befohlen hatte, sich gefälligst unter die Gäste zu mischen, anstatt zu schmollen. Er werde kurz rausgehen, um eine Zigarre zu rauchen und mit potenziellen Kunden übers Geschäft zu reden.

Sie wusste nicht mehr genau, wie lange sie Konversation gemacht und wie befohlen für ein paar zu ersteigernde Objekte geboten hatte. Höchstens eine Stunde oder so.

»Als er dann wieder zu mir gestoßen ist, war er bester Dinge und meinte, er hätte nach mir gesucht. Ob wir nicht nachschauen sollen, was unsere Gebote machten, bevor die Auktion zu Ende geht. Ich bin wegen seiner sprunghaft gestiegenen Stimmung davon ausgegangen, dass er ein lukratives Geschäft gemacht hatte. Anschließend hat er ein hohes Gebot für dieses Weingebinde abgegeben.«

»Die Hamburgs wohnen nur einen Kilometer vom Hotel entfernt«, sagte Boxwood.

»Ich weiß.«

Sie erkundigten sich nach weiteren Daten. An manches konnte sich Shelby erinnern, anderes war in Vergessenheit geraten. Auf den Fotos erkannte sie Manschettenknöpfe, Diamantohrstecker, ein Armband aus Diamanten und Smaragden, das Richard ihr einmal geschenkt hatte, um ihr später vorzuwerfen, sie habe es verloren, nachdem es aus ihrer Schmuckschatulle verschwunden war.

Als die FBI-Agenten gingen, blieb Forrest bei ihr sitzen.

»Soll ich heute hier schlafen?«

»Nein, nein, es geht mir gut. Mama wird bald mit Callie nach Hause kommen. Aber … glauben sie mir? Bitte antworte nicht als mein Bruder, sondern als Polizist.«

»Sie glauben dir. Sie haben nur unterschiedliche Rollen gespielt. Einer war der Gute, der andere ein bisschen gemein. Boxwood hat ab und zu versucht, dir eine Falle zu stellen und dich ein wenig ins Kreuzverhör zu nehmen. Aber sie haben dir beide geglaubt. Du hast ihnen sehr geholfen, Shelby. Am besten, du vergisst das Ganze und lässt das FBI seine Arbeit machen.«

»Ich habe Diebesgut verkauft.«

»Du wusstest nicht, dass es Diebesgut war, und hattest keinerlei Veranlassung, auf so eine Idee zu kommen. Wir kriegen das schon wieder hin.«

»Wieso habe ich nichts gemerkt? Wie können sie mir das glauben? Wenn ich nicht wüsste, dass ich nichts weiß, würde ich mir selbst nicht glauben.«

»Der BTK-Killer hatte eine Frau und zwei Kinder. Er war sogar im Kirchenvorstand. Niemand kannte sein wahres Gesicht. Manche Leute können sich ausgezeichnet verstellen, Shelby, und wissen ganz genau, wie sie ihre kranke Persönlichkeit kaschieren müssen.«

»Er war nicht ganz normal, oder? Richard kann unmöglich normal gewesen sein.«

»Der Polizist hat ihn einen Psychopathen genannt, und ein Seelenklempner hätte vermutlich noch jede Menge andere komplizierte Begriffe dafür. Er war wirklich nicht normal. Doch das liegt hinter dir, du wirst ihm nie mehr begegnen. Du wirst dich zwar ein paar Dingen stellen müssen, aber ansonsten solltest du dich aufs Hier und Jetzt, auf deine Zukunft konzentrieren.«

»Das versuche ich ja. Meine Vergangenheit holt mich nur dauernd wieder ein.«

»Du bist eine Pomeroy, und die Mac Nees zählen ebenfalls zu deinen Vorfahren. Du schaffst das. Ruf mich bitte an, wenn du mich brauchst.«

»Versprochen. Keine Ahnung, was ich getan hätte, wenn du mir heute nicht beigestanden hättest.«

»Wieder etwas, worüber dir du keine Sorgen mehr machen musst.«

Shelby war klar, dass bald ganz Rendezvous Ridge über den FBI-Besuch Bescheid wissen würde. Deshalb weihte sie ihre Familie so schnell wie möglich ein.

Noch bevor die erste Kundin am nächsten Morgen im Salon auftauchte, erzählte sie ihrer Großmutter und ihren Kollegen davon.

»Ich finde, ihr solltet das wissen.«

»Ada Mae hat mich bereits gestern Abend angerufen und mir alles erzählt«, hob Viola an. »Weißt du, was ich dazu gesagt habe? Nichts von alledem ist deine Schuld, nicht das Geringste. Wir können diesem Unwetter dankbar sein, weil es Callie und dich von diesem Monster befreit hat.«

»Fast wünschte ich, er würde noch leben«, sagte Shelby nach einer Weile. »Damit ich ihm ins Gesicht sagen kann, was ich von ihm halte. Ich hasse die Vorstellung, dass er in dem Glauben gestorben ist, ich wäre ein Nichts. Ich wäre völlig ahnungslos.«

»Der Ex von meiner Schwester, drüben in Sweetwater, hatte

sechs Jahre lang eine Geliebte«, erzählte Vonnie. »Er hatte sogar eine gemeinsame Wohnung mit ihr, und keiner von uns hat das Geringste geahnt. Derselbe Mann ist jeden Sonntag in die Kirche gegangen. Lydia hätte vermutlich nie was gemerkt, wenn die Frau aus Sweetwater sie nicht angerufen und ihr erzählt hätte, dass Lorne sich eine dritte Frau zugelegt hat.« Vonnie zuckte mit den Schultern. »Das ist natürlich nicht ganz dasselbe. Doch wir haben große Stücke auf Lorne gehalten, bis wir davon erfahren haben.«

»Danke, Vonnie. Das mit deiner Schwester tut mir leid. Mir hilft die Geschichte ein bisschen.«

»Wir glauben, die Menschen zu kennen, doch manchmal stimmt das gar nicht.« Crystal bereitete alles für ihre nächste Kundin vor. »Die Cousine meiner Freundin Bernadette unten in Fayetteville musste eines Tages erfahren, dass ihr Mann zwölftausend Dollar unterschlagen hat. Im Computergeschäft ihres Vaters. Bernadettes Cousine ist trotzdem bei ihm geblieben. Wenn du mich fragst: Wer die eigene Familie bestiehlt, der ist wirklich totaler Abschaum.«

»Ach, das ist noch gar nichts.« Lorilee stemmte die Hände in die Hüften. »Ich hätte beinahe Lucas John Babbott geheiratet, erinnert ihr euch? Vor etwa zehn Jahren war ich drauf und dran, mit diesem Mann zum Altar zu schreiten. Eine innere Stimme hat mich in letzter Sekunde davor gewarnt. Ich habe gehört, dass er die Hütte seines Großvaters drüben in Elkmont geerbt hat. Wisst ihr, was er dort getrieben hat? Der Typ hat Meth gekocht und sitzt heute im Gefängnis.«

Andere griffen das Thema auf und erzählten eigene Anekdoten. Viola legte Shelby den Arm um die Taille. »Die Leute fragen mich ständig, wann ich in Rente gehe. Jack und ich, wir könnten doch reisen oder den ganzen Tag auf der Veranda sitzen und Limonade trinken. Dann denke ich mir immer, dass ich meinen Salon für nichts in der Welt aufgeben würde. Wo sonst hört man so spannende Geschichten, die außerdem die Kasse klingeln lassen?« Sie küsste Shelby auf die Wange. »Gut, dass du das Thema gleich angesprochen hast.«

»Na ja, ihr gehört schließlich mehr oder weniger zur Familie.«

»Trotzdem. Crystal, dein Neun-Uhr-Termin überquert gerade die Straße. Los geht's, Mädels!«

Am nächsten Tag traf sich Shelby nach der Arbeit auf einen Drink mit Emma Kate. Vorher hatte sie eine ganze Stunde mit Miz Bitsy verbracht.

»Ich stehe tief in deiner Schuld, also betrachte dich als eingeladen.«

»Da sage ich natürlich nicht Nein.« Shelby zückte ihr Notizbuch. »So, zunächst einmal reden wir über deine Verlobungsparty. Wann und wo sie stattfindet, steht bereits fest. Von den Blumen und dem Menü konnte ich sie abbringen. Ich habe ihr klargemacht, dass wir uns die wichtigen Sachen für die Hochzeit aufheben sollten. Dass wir es hübsch und elegant haben wollen und dass Eleganz auch Schlichtheit bedeuten kann. Da du dir für die Hochzeit das Farbschema Gelb und Lila ausgesucht hast, konnte ich sie für die Verlobung davon abbringen. Ich hab ihr Weiß vorgeschlagen, die Farbe der Braut. Das wünschst du dir doch, oder?«

»Ja, weiße Blumen. Davon konntest du sie überzeugen?«

»Ich hab ihr Fotos aus Zeitschriften und dem Internet gezeigt, und sie war auf Anhieb begeistert. Da ich bereits mit der Floristin gesprochen hatte, schlug ich vor, die Blumen gleich zu bestellen. Ich habe also die Gunst der Stunde genutzt, bevor sie sich etwas anderes in den Kopf setzen konnte.«

Stolz und zufrieden rieb sich Shelby die Hände.

»Das wäre somit erledigt.«

»Ich schulde dir zwei Getränke.«

»Emma Kate, du schuldest mir so viele Getränke, dass man sie gar nicht mehr zählen kann. Auch das Orchester aus Nashville konnte ich ihr ausreden. Stattdessen haben wir *Red Hot & Blue* gebucht. Der Vorschlag kam übrigens von Tansy. Ich weiß, wie gern du die magst.«

»Ach, wie schön. Männer in weißen Smokings, die Walzer spielen? Matt und ich sind große Fans von *Red Hot & Blue*, wir haben sie mal im *Bootlegger's* gehört.«

»Die sorgen richtig für Stimmung, außerdem könnt ihr sie sogleich testen und gucken, ob ihr sie auch für die Hochzeit engagieren wollt. Oder aber ihr entscheidet euch dann für eine andere Band oder einen DJ.«

Sorgfältig hakte Shelby einen Punkt nach dem anderen auf ihrer Liste ab. »Dann habe ich deiner Mutter erzählt, dass ich die Koordination mit dem Hotel übernehmen werde. Sie soll als zukünftige Brautmutter schließlich ausgeruht sein und sich von ihrer besten Seite zeigen. So habe ich das Gespräch darauf gelenkt, was sie an diesem Tag anziehen und wie sie sich frisieren wird. Außerdem habe ich ihr Skizzen von Tischdekorationen und Blumenschmuck gezeigt.« Shelby polierte ihre Nägel mit einem Blusenärmel. »Ich habe sie einfach mundtot gemacht und ihr anschließend keine Gelegenheit mehr gegeben, sich anders zu entscheiden.«

»Skizzen.«

»Außerdem habe ich beschlossen, dass du nichts davon zu sehen bekommst. Du musst mir einfach vertrauen. Lass dich überraschen! Bei deiner Hochzeit wirst du in jedes winzige Detail eingeweiht, aber die Verlobungsfeier soll eine Überraschung werden. Ich verspreche dir, du wirst begeistert sein.«

»Ich muss mir also gar keine Gedanken deswegen machen?«

»Nein.«

»Wenn ich nicht so in Matt verliebt wäre, würde ich glatt dich heiraten. Andererseits fehlen dir gewisse äußere Merkmale … mal ganz abgesehen davon, dass Griff und er einfach alles reparieren können. Matt ist übrigens gerade bei Griff und hilft ihm ein paar Stunden. Bestimmt kommt er erst um drei nach Hause.

Inzwischen redet Matt nur noch davon, wie er es anstellen soll, das richtige Grundstück für unser Haus zu finden. Er wünscht sich so sehr, wie Griff ein altes Anwesen zu renovieren.«

»Und, willst du das auch?«

»So, wie ich dir vertraue, dass du alles gut organisierst, vertraue ich auch ihm. Ich werde ein Wörtchen mitreden, aber er darf schon mal die Fühler ausstrecken.«

»Na gut.« Shelby beugte sich vor. »Dann lass uns über die Hochzeit reden.«

Sie schmiedeten Pläne, und Shelby machte sich Notizen.

»So, Schluss damit.« Zwanzig Minuten später bedeutete ihr Emma Kate, das Notizbuch aus der Hand zu legen. »Mir schwirrt der Kopf.«

»Der Anfang wäre also gemacht.«

»Mehr als nur das, aber ich möchte das Thema wechseln. Ich möchte wissen, wie es dir geht. Hast du noch was vom FBI gehört?«

»Nein, ich rechne ständig damit, dass sie wieder vor der Tür stehen, mit einem Haftbefehl wegen Beihilfe oder so. Aber noch ist es nicht dazu gekommen.«

»Wenn sie denken, du hättest was mit der Sache zu tun, sind sie keine richtigen Agenten.«

Forrest hatte genau dasselbe gesagt, aber es tat gut, das noch einmal aus dem Mund einer Freundin zu hören.

»Ich werde mir sämtliche Fotos und Briefe ein zweites Mal ansehen. Nach ein paar Tagen Pause, damit ich wieder einen klaren Kopf bekomme. Vielleicht fällt mir noch was ein.«

»Wozu das Ganze, Shelby?«

»Ich will Bescheid wissen. Ich erwarte nicht, eine Schatzkarte zu finden, die mich zu der Beute aus Miami führt oder zu den anderen Wertgegenständen, die noch vermisst werden. Davon dürfte es mehr als genug geben.«

»Ich wünschte, du könntest endlich loslassen. So, wie ich dich kenne, wird das jedoch nicht passieren. Nicht, wenn es dir wirklich wichtig ist.«

»Ja. Was, wenn ich auf etwas stoße, das die Polizei auf eine Spur bringt? Und was, wenn die Sachen dann gefunden werden? Zumindest für die Frau und ihren Sohn in Miami wäre das eine Genugtuung.«

»Shelby.« Emma Kate nahm ihre Hand und drückte sie. »Du versuchst, es wiedergutzumachen, wie du versuchst, diese Schulden abzubezahlen. Aber du kannst nichts dafür! Das ist bestimmt auch der Grund, warum du bei Griff auf die Bremse gestiegen bist.«

Shelby tat so, als müsste sie ihre Notizen ordnen. »Quatsch.«

»Ich denke schon. Ihr wart so glücklich und passt perfekt zusammen.«

»Ich will nichts überstürzen.«

»Man muss den Dingen Zeit geben, das finde ich auch.«

»Er scheint das anders zu sehen.«

»Mir gegenüber hat er nichts dergleichen gesagt. Matt gegenüber auch nicht, denn sonst wüsste ich das. Der ist nämlich nicht so verschwiegen wie Griff. Vielleicht verrät er mir ja heute Abend etwas, nachdem die beiden in Griffs Haus gearbeitet und Bier getrunken haben – du weißt schon. Wenn das so ist, kann ich Matt leicht aushorchen.«

»Er war so was von sauer auf mich. Ich weiß nicht, wie ich mit einem Mann umgehen soll, der so sauer auf mich ist. Zu Recht sauer.«

»Das würde mich auch aufregen.« Emma Kate lehnte sich lachend zurück. »Dass er zu Recht sauer ist. Dagegen kommt man einfach nicht an.«

»Das ist noch nicht alles. Er ist zu mir nach Hause gekommen, als ich bei der Arbeit war. Er wusste, dass ich arbeite, weil Mama auf Callie aufgepasst hat. Mama hat mir erzählt, dass er mit Callie rausgegangen ist. Er hat mindestens eine Stunde mit ihr geschaukelt und mit ihr und dem Welpen gespielt.«

»Tja, dieser Mann ist eindeutig ein Scheißkerl.«

»Ist ja gut, Emma Kate, ist ja gut.« Shelby seufzte. »Ich weiß nur nicht, was ich machen soll. Nach allem, was er zu mir gesagt hat, werde ich wohl noch ein bisschen sauer sein dürfen.«

Emma Kate nippte an ihrem Wein und runzelte die Stirn. »Könnte er vielleicht recht gehabt haben?«

»Aus seiner Sicht ja, aber das macht es nicht weniger schmerzhaft.«

»Ich vertraue dir in Bezug auf meine Verlobungsparty, und bisher hast du mich nie enttäuscht.«

»Das werd ich auch nicht.«

»Siehst du. Genau deshalb vertraue ich dir. Warum vertraust du mir dann nicht?«

»Ich … Natürlich tu ich das. Ich vertraue dir.«

»Gut. Dann geh zu Griff und rede mit ihm.«

»Ach, aber …«

»Bei mir gab's auch kein Wenn und Aber, als du mir von der Verlobungsparty erzählt hast. Also vertrau mir, und hör auf das, was ich dir sage. Geh zu Griff und rede mit ihm. Matt sagt, er hat seit Tagen schlechte Laune. Sprich dich mit ihm aus. Danach wird es euch beiden besser gehen. Wenn ihr wisst, wo ihr steht.«

Einen Teufel würde sie tun. War es nicht besser, die Dinge auf sich beruhen zu lassen? Trotzdem ließ sie der Gedanke das ganze Abendessen über nicht mehr los. Ja, er ging ihr sogar noch durch den Kopf, als sie Callie ins Bett brachte.

Shelby zwang sich, den Rest des Abends über den Fotos und Briefen zu brüten. Aber es ging einfach nicht.

Sie ging nach unten, wo ihre Eltern wie immer gemütlich fernsahen. Ihre Mutter strickte.

»Callie schläft. Macht es euch was aus, wenn ich noch mal wegfahre? Ich habe was zu erledigen.«

»Geh nur.« Ihr Vater schenkte ihr ein abwesendes Lächeln, bevor er sich wieder auf sein Footballspiel konzentrierte. »Wir sind da.«

»Sobald das Spiel vorbei ist, werde ich deinen Daddy auf die Veranda zerren. Dort werden wir ein Glas Tee trinken und den Duft der Kletterrosen genießen.«

»Ja, macht das. Danke. Ich bleib nicht lang.«

»Lass dir ruhig Zeit«, sagte ihre Mutter. »Nimm ein bisschen Lippenstift und mach dir die Haare schön. Du kannst unmöglich ohne Lippenstift zu Griff fahren.«

»Hab ich gesagt, dass ich zu Griff fahre?«

»Einer Mutter macht man so schnell nichts vor. Also hör auf mich und nimm den Lippenstift.«

»Es dauert nicht lange«, wiederholte Shelby und verschwand, bevor ihre Mutter sie auffordern konnte, sich umzuziehen.

***

Duschen kam nicht infrage, weil Griffs Arbeitstag aus seiner Sicht noch nicht zu Ende war. Sogar nachdem Matt gegangen war, hörte er nicht auf zu schuften. Er machte eine kurze Pause, ließ den Hund raus, schmierte sich ein Brot, holte den Hund wieder rein, konzentrierte sich aber ansonsten auf die Arbeit.

Er hatte den Schrank fertig zusammengebaut, und dank Matt war das Zimmer neu verputzt. Also widmete er sich der Erkerbank, von der aus man einen schönen Blick auf den Garten haben würde. Außerdem bot sie in ihrem Innern jede Menge Stauraum.

Er sah das Zimmer bereits fertig vor sich. Auch wenn es anstrengend war, er gab nicht auf.

Er gab niemals auf.

Nachdem er den Schrank abgeschliffen und die Erkerbank eingebaut hatte, musste der Raum nur noch gestrichen und geputzt werden. Gut, es fehlten Lichtschalter und Lampen, vielleicht eine Deckenleuchte mit Ventilator?

Er musste die richtige Lampe finden, die zu diesem Zimmer passte. Vielleicht würde er gleich im Internet recherchieren.

Dann das kleine Nebenzimmer, das als Nächstes drankam, vermutlich morgen und übermorgen. Schließlich hatte er Zeit dafür.

Griff hörte Musik, aber nichts sonst, bis Snickers anschlug. Als der Hund nach unten sauste, nahm Griff die Kopfhörer ab, packte seinen Hammer, prüfte sein Gewicht und folgte seinem Mitbewohner. Da hörte er das Klopfen. Er brauchte wirklich dringend eine Klingel. Obwohl der Notebookdieb bestimmt nicht vorher anklopfen würde, sah er aus dem Fenster … und entdeckte Shelbys Kombi.

Widerstrebende Gefühle wallten in ihm auf. Unbändige Freude, denn er hatte sie wahnsinnig vermisst. Und Verärgerung. Wessen Schuld war es bitte schön, dass er sie so lange vermissen musste? Verwirrung, weil es ihr kein bisschen ähnlich sah, nach neun noch vorbeizuschauen. Und Erleichterung, eine Riesenerleichterung darüber, dass sie trotzdem gekommen war.

Griff ließ den Hammer auf der Treppe liegen und nahm die letzten Stufen zur Tür, wo der Hund bereits wedelnd und bellend auf ihn wartete.

Beim Aufmachen fragte er sich, wie er verhindern sollte, dass ihm das Herz aus der Brust direkt in ihre Arme hüpfte.

»Ich hoffe, du hast nichts dagegen, dass ich vorbeischaue«, hob Shelby an. »Ich möchte gern mit dir reden.«

Er dagegen wollte sie am liebsten sofort hochheben, ihre Arme spüren, während sie sich wie wild küssten.

»Natürlich nicht.«

»Hallo, Snickers, braver Hund«, beruhigte sie ihn, während sie sich vorbeugte, um ihn zu kraulen. »Wie groß du geworden bist. Wollen wir uns raussetzen? Es ist so ein schöner Abend.«

»Gern. Kann ich dir irgendwas anbieten?«

»Nein, mach dir bitte keine Umstände. Du bist gerade dabei zu arbeiten, du riechst nach Schweiß und Sägemehl. Angenehm.«

»Ich bastle nur ein bisschen herum. Eine Pause wird mir guttun.«

Er ging hinaus und zeigte auf einen der Gartenstühle.

»Ich weiß, dass du sauer auf mich bist«, hob sie an, setzte sich und hörte nicht auf, den Hund zu kraulen, der mit den Vorderpfoten auf ihre Knie sprang. »Du hast mir ja gesagt, warum.«

»Ja.«

»Ich habe versucht, dir meine Gründe zu nennen, aber du scheinst sie nicht verstanden zu haben.«

»Ich verstehe sie sehr wohl«, erwiderte er. »Aber ich teile deine Meinung nicht.«

»Du hast nicht durchmachen müssen, was ich durchgemacht habe, Griffin. Zum Beispiel, dass FBI-Agenten bei mir klingeln.«

»Davon habe ich bereits gehört. Sie sollen äußerst dankbar für deine Hilfe gewesen sein.«

»Hat Forrest dir das gesagt?«

»Na ja, es ist nicht gerade ein Staatsgeheimnis. Außerdem waren sie auch bei mir.«

»Wie bitte?« Ihr Kopf schnellte herum. »Bei dir?«

»Nur um ein bisschen zu plaudern. Es ist schließlich auch kein Staatsgeheimnis, dass wir viel Zeit miteinander verbringen, seit du zurück bist. Das war kein Problem.«

Ihre Augen funkelten. Vor Wut, Entsetzen, Frust.

»Warum kannst du nicht verstehen, dass das ein Problem für mich ist, wenn sie kommen und dir Fragen stellen? Zu Dingen, mit denen du nicht das Geringste zu tun hast?«

»Du hast auch nicht durchmachen müssen, was ich durchgemacht habe, Shelby. Sie wussten von der Sache mit dem Notebook, haben also auch diese Spur verfolgt. Aus meiner Sicht ist es nur gut, wenn hiesige Polizei und das FBI bei diesem Fall zusammenarbeiten.«

»Er hat jemanden umgebracht.«

»Wie bitte?«

»Haben sie dir das nicht erzählt? Hat Forrest dir darüber nicht Bericht erstattet?«

»Nein. Tu nicht so schnippisch! Dein Bruder ist mein Freund«, fuhr er fort, bevor sie ihm noch etwas an den Kopf werfen konnte. »Er erstattet mir nicht Bericht, er redet mit mir.«

Zugegeben, sie war schnippisch gewesen. Andererseits … Sie befahl sich, ruhig zu bleiben und zu sagen, wofür sie gekommen war.

»Richard hat eine Frau in Atlanta umgebracht. Vielleicht ist sie auch bloß die Treppe hinuntergestürzt, als er sie bestohlen hat, so genau lässt sich das nicht mehr sagen. Er hat sie tot oder sterbend dort liegen lassen und ist einfach verschwunden. Das ist der Mann, mit dem ich glaubte, verheiratet zu sein. Mit dem ich ein Kind und fast fünf Jahre lang zusammengelebt habe.«

»Das ist hart für dich und tut mir leid. Aber was er getan hat und wer er war, das hat nicht das Geringste mit mir zu tun. Geschweige denn mit uns.«

»Mit mir aber sehr wohl, und deshalb zwangsläufig auch mit dir. Wieso begreifst du das nicht?«

»Weil das passé ist«, sagte er schlicht. »Und weil ich dich liebe. Weil ich spüre, dass du was für mich empfindest. Aber ich spüre auch, dass du dich gegen diese Gefühle wehrst und damit auch gegen mich. Nur weil ein Soziopath, Betrüger, Dieb und Mörder dich benutzt und getäuscht hat. Jetzt lässt du auch noch zu, dass du dich deswegen schuldig und dafür verantwortlich fühlst.«

»Ich muss Verantwortung für meine Entscheidungen übernehmen. Für mein Handeln und seine Konsequenzen.«

»Na gut«, sagte er nach einer kurzen Pause. »So gesehen, hast du recht. Aber wann hörst du endlich auf, dich deshalb fertigzumachen?«

»Ich kann es mir nicht erlauben, wieder Fehler zu machen.«

»Ich bin kein Fehler.« Er brauchte eine Weile, um sich zu fangen. »Sag nicht, dass ich ein Fehler bin.«

»Nein, nein, nicht du, sondern ich. Ich …«

»Es ist nicht deine Schuld, sondern meine? Hör auf mit dem Mist!«

»Ach, sei doch einfach mal ruhig! Natürlich empfinde ich was für dich. Genau das macht mir ja Angst. Weil ich mich nicht auf meine Gefühle verlassen kann, so viel habe ich gelernt. Ich habe eine kleine Tochter und muss für sie und mich ein neues Leben aufbauen. Ich muss mir sicher sein, das Richtige zu tun, und darf nicht egoistisch handeln. Deswegen brauche ich eine Verschnaufpause, verdammt noch mal! Ich brauche Zeit zum Nachdenken, denn ich kann mich nicht einfach von meinen Gefühlen mitreißen lassen. Ich habe andere Menschen verletzt, meine Familie. Das wird mir kein zweites Mal passieren. Letztlich habe ich mir selbst geschadet.«

Sie stand auf und ging zu ihm hin, sodass sie nur noch vom Verandageländer getrennt waren. Am anderen Ende des Gartens, in den Bäumen, tanzten unzählige Glühwürmchen.

»Ich mache mich nicht fertig, zumindest nicht mehr. Ich versinke auch nicht mehr in Selbstmitleid. Ich bin mit meiner Tochter nach Hause zurückgekehrt und baue uns etwas Neues auf. Das fühlt sich gut an, was eigentlich schon mehr als genug ist, Griffin. Dann bist du gekommen, und ich … diese Gefühle …«

»Ich wollte es langsam angehen lassen. Ich dachte, wir gehen in den ersten Monaten ein paar Mal zusammen mit Emma Kate und Matt aus, damit du dich an mich gewöhnst. Doch dann habe ich mich nicht mehr an meinen Plan gehalten.«

»Du hattest einen Plan?«

»Ich habe immer einen Plan. Manchmal muss man ihn ändern, um ihn zu verbessern. Ich wollte es langsam angehen lassen, aber … hab ich dich zu irgendwas gedrängt?«

»Nein.« Es wäre ebenso falsch wie unfair gewesen, ihn in diesem Glauben zu lassen. »Nein, du hast mich zu nichts gedrängt, Griff. Ich finde dich attraktiv und …« Sie sah zu den leuchtenden Pünktchen hinüber. Er hatte sie zum Strahlen gebracht, trotz der dunklen Bürde, die sie mitgebracht hatte. »Du hast mich umgehauen. Darauf war ich einfach nicht gefasst. Ich wollte … nein, ich will mit dir zusammen sein. Du bist das genaue Gegenteil von Richard. Vermutlich finde ich dich deshalb so attraktiv, weil du ganz anders bist. Kein bisschen eitel und angeberisch, sondern …«

»Langweilig?«

Sie schaute ihn an und war erleichtert, dass er grinste. »Nein, nicht langweilig. Sondern echt. Ich kann dir gar nicht sagen, wie sehr ich jemand brauche, der echt und authentisch ist. Auf einmal warst du da. Ich empfinde sehr viel für dich, und das macht mir Angst.«

»Das ist mir egal. Lass dir Zeit. Aber erfinde keine Ausreden, warum du mich angeblich nicht sehen kannst. Sei ehrlich zu mir.«

»Ich wusste nicht, wie ich das machen soll. Ich habe dich schließlich vermisst! Ich dachte, wir sollten uns lieber eine Weile nicht sehen, aber ich habe dich vermisst.«

»Ist diese Weile jetzt um?«

»Es fühlt sich viel länger an als nur eine Weile.«

»In diesem Punkt kann ich dir nur zustimmen. Du hast mir wahnsinnig gefehlt, Rotschopf.«

»Du hast Callie besucht, obwohl ich in der Arbeit war.«

»Ich habe auch sie wahnsinnig vermisst. Und mit Callie hatte ich keinen Streit.«

Nickend starrte Shelby in die Dunkelheit, auf die tanzenden Pünktchen. »Ich habe darauf gewartet, dass du kommst. Du warst am Freitagabend im *Bootlegger's*, bist aber nicht zu mir gekommen.«

»Du hast mir wehgetan.«

Sie wirbelte zu ihm herum. »Ach, Griffin …«

»Noch einmal, Shelby. Vergleich mich nicht mit ihm, denn das tut mir nicht nur weh, sondern macht mich auch wütend.«

»Es tut mir leid. Ich kann dir nicht versprechen, dass es nie wieder vorkommen wird, aber ich werde mich bemühen.«

»Das reicht mir.«

»Du hast mir auch wehgetan und mich wütend gemacht.«

»Das tut mir leid. Ich kann dir nicht versprechen, dass es nie wieder vorkommen wird, aber ich werde mich bemühen.«

Sie musste lachen. »Ich hab dich wirklich wahnsinnig vermisst. Damit meine ich nicht nur den Sex. Ich hab es vermisst, mit dir zu reden. Aber …«

»Oje.«

»Ich habe mir schon mal eingebildet, bis über beide Ohren verliebt zu sein. Dabei war ich gar nicht verliebt. Zumindest nicht so, wie es sein soll. Vielleicht brauchst du auch eine kleine Verschnaufpause.«

»Wenn er derjenige gewesen wäre, für den du ihn gehalten hast, was dann?«

»Ich …« Sie konnte nur mit den Schultern zucken.

»Das kannst du nicht sagen. Ganz einfach, weil er anders war. Er war nicht der, für den du ihn gehalten hast, also kannst du das nicht wissen. Aber ich weiß, dass ich mich schon bei unserer ersten Begegnung in dich verliebt habe. Und das war mehr als die sogenannte Liebe auf den ersten Blick. Schau dich an. Du bist die schönste Frau, die ich je getroffen habe.«

Sie wollte erneut lachen, hatte jedoch einen Kloß im Hals. »Soweit ich weiß, war ich klatschnass und ziemlich bedrückt.«

»Traurig und wunderschön. Dann bist du mit Callie nach Hause gegangen und hast den Kinderwagen mitsamt den ganzen Einkäufen den Berg hochgeschoben. Du warst so wütend auf dich, so erschöpft. Und sie war so süß. Schon da wollte ich dich. Ich wollte dir helfen. Aber auch Callie hat mich in nicht einmal zwei Minuten um den Finger gewickelt.«

»Ja, das kann sie gut.«

»Das hat sie von dir. Komisch, dass du das nicht siehst. Wie dem auch sei, spätestens, als ich dich singen hörte, war ich dir restlos verfallen. Und als ich dich singen sah, war ich erst recht hin und weg. Dann kamen wir zusammen, und es war endgültig um mich geschehen. Dass es so geblieben ist ...« Er steckte die Hände in die Hosentaschen und musterte sie. »Gut möglich, dass dir nicht gefällt, was ich dir gleich sagen werde.«

»Ich will es aber wissen. Jede Frau will so was wissen.«

»Na gut. Dass es so geblieben ist, liegt daran, dass du Melody ausgeknockt hast. Ich bin kein besonders aggressiver Mann, aber damals hab ich mir gedacht: Mann, Griff, du bist echt verliebt in sie. Du wärst blöd, wenn du es nicht wärst.«

»Das hast du dir doch gerade erst ausgedacht.«

»Nein.« Er kam auf sie zu und legte ihr die Hände auf die Schultern. »Ich musste dich unbedingt erobern, auch wenn ich mir gewünscht hätte, es wäre gar nicht erst nötig gewesen. Aber in dem Moment hab ich gemerkt, ja, ich will sie. Ich will ihr helfen. Ich kann sie heilen. Himmel Herrgott, aber eine Frau, die so einen rechten Haken hat? Die kann sich selbst heilen. Die tut, was sie tun muss.«

Schon sein Liebesgeständnis hatte sie total erweicht. Aber dieser letzte Satz und der bewundernde Tonfall ließen sie endgültig dahinschmelzen. »Das hast du gedacht?«

»Ich weiß, dass es so ist, und bewundere dich sehr. Und ich liebe dich. Deshalb dachte ich, ich kann dich ruhig ein bisschen schockieren, weil du damit klarkommst. Aber wenn du mich ansiehst, Shelby, solltest du auch *mich* sehen. Nur mich. Und wenn du an mich denkst, dann bitte nur an *mich*.«

»Ich kann überhaupt nicht denken, wenn du mich küsst und berührst.«

»Dann sollte ich das wohl öfter tun.«

»O Gott, das wünsche ich mir so sehr.«

Sie schlang Arme und Beine um ihn, presste ihren Mund auf seine Lippen.

Und er küsste und berührte sie.

»Komm, lass uns reingehen.« Er konnte gar nicht genug von ihr bekommen. »Lass uns ins Bett gehen.«

»Ja.« Sie strich ihm über den Rücken. Wieder fand sie seine harten Muskeln unheimlich erregend. »Ja.« Sie saugte seinen Duft nach Schweiß und Sägemehl ein. »Ja.«

Als sie auf die Haustür zugingen, sagte sie: »Warte mal.«

»Bitte, lieber Gott, sag jetzt nicht Nein.«

»Nein … das heißt Ja.« Sich nach wie vor um ihn schlingend, lachte sie erstickt auf. »Ich muss Mama eine kurze SMS schicken. Ich habe behauptet, ich wäre gleich wieder zurück, dabei dauert es jetzt doch ein bisschen länger.«

»Gut. Schreib deine SMS und beeil dich.«

»Okay.« Sie zückte ihr Handy und bemühte sich, beim Tippen nicht allzu sehr zu zittern. »Sie hat sofort gewusst, dass ich dich besuche. Insofern dürfte sie nicht sehr überrascht sein. Bestimmt kommt gleich eine Antwort.«

Sie schafften es ins Haus und bis zur Treppe, aber auf halbem Weg nach oben blieb Shelby stehen.

»Gibt es irgendein Problem?«

»Nein, nicht direkt. Sie schreibt …« Shelby stieß wieder ein ersticktes Lachen aus. »Sie schreibt, dass du mir mit dem Auto hinterherfahren wirst und ich dir das ersparen kann, indem ich bei dir übernachte. Dann schreibt sie noch, dass ich mir keine Sorgen wegen Callie machen soll, von wegen sie könnte morgen nach mir fragen. Stattdessen sollen wir lieber früh aufstehen und zu ihr zum Frühstücken kommen. Sie will Pfannkuchen machen.«

»Ich mag Pfannkuchen.«

»Ja, aber …«

»Schreib zurück: *Danke, Mama. Sehen uns morgen früh.*«

Er schob sie eine weitere Stufe hoch, sodass sie auf Augenhöhe waren, und küsste sie. »Bleib. Schlaf heute Nacht bei mir. Wach morgen mit mir auf.«

Wie hätte sie da widerstehen sollen? Sie strich ihm über die Wangen. »Ich bin nicht darauf vorbereitet. Ich habe keinen Schlafanzug dabei.«

»Wenn das ein Problem für dich ist, werde ich ebenfalls nackig schlafen.«

»Das ist nur fair.« Sie lachte erneut, und ihr wurde ein wenig schwindelig, als er sie hochhob und ins Schlafzimmer trug, während der Welpe sich beeilte, sie einzuholen.

26

Shelby machte sich wieder mit den 1950ern vertraut und nahm ein paar Bluegrass-Titel in ihr Programm auf.

Sie ging früh ins *Bootlegger's*, um zu proben, und staunte, dass sie bereits mehr als ein halbes Dutzend *Friday Nights* bestritten hatte.

Tansy klatschte, nachdem sie *Rolling in My Sweet Baby's Arms* beendet hatte.

»Ich bin begeistert.«

»Ich hab dich gar nicht bemerkt. Ich dachte, ich bau ein paar Bluegrass-Nummern ein, ein paar traditionelle Folksongs passen doch gut zu den Standards. Vor allem die von Patsy Cline. Wie wär's, wenn ich das Werk bestimmter Künstler besonders hervorhebe?«

»Super Idee! Noch besser wird es werden, wenn wir erst echte Musiker auf eine echte Bühne holen können. Was bereits im September der Fall sein wird, spätestens im Oktober, sagt Matt. Die Genehmigungen sind heute Vormittag erteilt worden.«

»Das sind tolle Neuigkeiten, Tansy.«

»Ich kann es kaum erwarten, so richtig loszulegen. Gleichzeitig ist mir ein bisschen mulmig zumute, schließlich stecken wir viel Geld in den Anbau. Doch die letzten Wochen haben gezeigt, dass die Leute besonders gern kommen, wenn es am Wochenende Livemusik gibt.«

»Du hast Derrick überredet, es jeden Samstagabend mit einer Band zu versuchen, stimmt's?«

Tansy warf triumphierend die Hände in die Luft. »Zumindest

den Sommer über, anschließend gucken wir, ob sich die Ausgaben bezahlt gemacht haben. Dass wir das stemmen können, haben wir in erster Linie dir zu verdanken, Shelby. Keine Ahnung, wie lange ich sonst an Derrick hätte hinreden müssen, den Anbau in Auftrag zu geben. Wären deine *Friday Nights* nicht so erfolgreich …«

»Sie machen mir einen Riesenspaß, und ich bin dankbar, dass du mir diese Chance gegeben hast. Es scheint sich für uns beide auszuzahlen.« Sie verließ die kleine Bühne. »Wie geht es dir?«

»Morgens ist mir immer noch etwas übel, dann bringt mir Derrick Cracker und Ingwerlimonade, was meistens hilft. Schau nur.« Sie zeigte Shelby ihr Profil und legte die Hände auf den Bauch. »Man sieht schon ganz schön was.«

»Meine Güte.« Shelby riss die Augen auf, als sie die kleine Wölbung sah. »Dein Bauch ist riesig.«

»Na ja, vielleicht nicht gerade riesig«, gestand Tansy lachend. Sie hob die Bluse. »Aber ich musste meine Hose schon mit einem Karabiner sichern, denn der Knopf geht nicht mehr zu. Ich werd auf Yogahosen umsteigen und mir so bald wie möglich Schwangerschaftsklamotten kaufen.«

Shelby konnte sich gut an dieses Glücksgefühl erinnern. »Heutzutage gibt es so schöne Sachen. Man hat gar nicht mehr das Gefühl, Zeltgewänder oder Oma-Klamotten zu tragen.«

»Ich hab im Internet schon ein paar Sachen in den Warenkorb gelegt. Jetzt lass ich dich lieber in Ruhe weiterüben. Vorher musst du mir aber sagen, wie's dir geht.«

Solche Bemerkungen waren unvermeidlich, solange ihre Vergangenheit sie verfolgte. »Es tut mir leid, dass ihr vom FBI befragt worden seid.«

»Derrick und ich hatten kein Problem damit, wirklich nicht.«

»Forrest hat gesagt, dass sie nach Atlanta zurück sind. Viel Neues konnte ich ihnen nicht über Richards Diebstähle erzählen. Trotzdem hab ich ständig das Gefühl, mich an etwas erinnern, ihnen hilfreiche Informationen geben zu müssen. Unterm Strich habe ich mehr von ihnen erfahren als sie von mir.«

»Was du da erfahren hast, ist ganz schön heftig.«

»Ich habe etwas daraus gelernt. Wenn ich möchte, dass aus Callie eine intelligente, selbstbewusste Frau wird, muss ich ihr das vorleben. Wenn sie lernen soll, wie befriedigend es ist, sich selbst etwas aufzubauen, muss ich es ihr vormachen. Genau das versuche ich.«

»Was dir ziemlich gut gelingt.«

»Ich hab das Bedürfnis, einen Ausgleich zu schaffen. Für das, was sie eines Tages über ihren Vater erfahren wird …«

»Wenn es so weit ist, kann sie auf dich und deine Familie zählen. Und wir, deine Freunde, sind schließlich auch noch da.«

»Nur Richard scheint nie verstanden zu haben, dass so etwas mehr wert ist als all der Schmuck, den er gestohlen, und all das Geld, das er sich erschwindelt hat. Wenn mich die gemeinsame Zeit mit ihm irgendwas gelehrt hat, dann das. Vorher habe ich viel zu viel als selbstverständlich hingenommen.«

***

Heute war für Shelby nichts selbstverständlich, weder das fröhliche Gelächter im Salon noch die wohligen Seufzer im Entspannungsraum.

Sie nahm ihre Großmutter spontan in den Arm, als sie die Waschstationen mit neuen Handtüchern bestückte.

»Womit habe ich das verdient?«

»Einfach so. Ich bin glücklich, bei dir arbeiten zu dürfen. Ich bin einfach nur glücklich.«

»Ich wäre auch glücklich, wenn ich einen Mann wie Griffin Lott hätte, der mich anstaunt, als wäre ich die Venus von Milo, Charlize Theron und Taylor Swift in einer Person.«

Crystal legte eine kurze Pause ein und klapperte mit der Schere.

»Ich steh wirklich auf Männer, aber wenn Charlize Theron reinkommen und sagen würde: *Hallo, Crystal, gehen wir zu dir oder zu mir?*, würd ich sie auf Anhieb mit nach Hause nehmen und es ausprobieren.«

Amüsiert spülte Viola ihrer Kundin die Haare aus. »Charlize Theron. Ist sie die Einzige, die dich dazu bringen könnte, der Männerwelt Adieu zu sagen?«

»Ich denke schon. Es gibt da zwar noch Jennifer Lawrence, die wirklich hübsch ist und mit der ich auf jeden Fall gern einen trinken gehen würde. Trotzdem, mit Charlize Theron kann sie einfach nicht mithalten. Für wen würdest du der Männerwelt Adieu sagen, Shelby?«

»Wie bitte?«

»Wer wäre dein Lesbentraum?«

»Darüber hab ich noch nie nachgedacht.«

Crystal hob mahnend den Zeigefinger. »Überleg doch mal.«

Nein, diese verrückten Salon-Unterhaltungen waren wirklich alles andere als selbstverständlich.

»Ich würd's mit Mystique versuchen«, sagte sie schließlich, und Crystal sah sie stirnrunzelnd an.

»Mit wem?«

»Das ist eine Superschurkin aus *X-Men*. Forrest und Clay waren ganz verrückt nach *X-Men*, weißt du noch, Granny? Jennifer Lawrence, mit der du gern einen trinken gehen würdest, spielt sie gerade. Mystique ist eine Gestaltwandlerin, eine Mutantin, die sich in jeden beliebigen Menschen verwandeln kann. So gesehen, dürfte ich gründlich auf meine Kosten kommen.«

»Ich glaube, das lässt sich nicht mehr toppen«, sagte Viola und ließ ihre Kundin im Frisierstuhl Platz nehmen.

* * *

Ein paar Stunden später kuschelte Shelby mit Beau und sah zu, wie Jackson und Callie auf der Schaukel spielten. Vermutlich würde es später regnen, aber noch war es ein lauer Frühlingsabend.

Ihr Vater machte Überstunden in der Klinik, sodass Clay ein paar Gartenarbeiten übernahm. Gilly saß im Schaukelstuhl auf der Veranda, weil ihre Schwiegermutter sie aus der Küche verbannt hatte.

»Ich bin geradezu unverschämt glücklich«, sagte Gilly.

»So muss es sein. Mir geht es ganz genauso.«

»Ich habe heute Griff gesehen.«

Shelby musste sich erst daran gewöhnen, dass man ihr Glück auf Griff bezog, auch wenn das nicht ganz falsch war. »Tatsächlich?«

»Ich war heute mit den Jungs spazieren, bevor es so heiß wurde. Er hat ein paar Meter weiter den Zaun von Miz Hardigan repariert, der Mutter des Sheriffs, du weißt schon.«

»Die war heute bei uns im Salon.«

»Ich bin kurz stehen geblieben. Es ist nett von den Jungs, dass sie bei ihr vorbeischauen und sich um solche Kleinigkeiten kümmern, ohne Geld dafür zu verlangen. Ich weiß das nur, weil sie es mir erzählt hat. Sie schenkt ihnen im Gegenzug Kekse und hat den beiden zu Weihnachten Mützen und Handschuhe gestrickt.«

»Schau nur, wie groß Jackson ist. Vor gar nicht allzu langer Zeit hat er es nicht allein auf die Schaukel geschafft, da mussten wir ihn noch reinsetzen.«

Gillys Augen füllten sich mit Tränen.

Shelby tätschelte ihr den Arm, und sie winkte ab.

»Ich hab noch zu viele Hormone. Und ich glaube, nach dem Mutterschaftsurlaub will ich nicht gleich wieder arbeiten.«

»Das ist mir neu. Ich dachte, du liebst deinen Job im Hotel.«

»Ja, und bisher habe ich mir das auch nicht vorstellen können. Bis …« Sie strich Beau über die Wange. »Ich schaff es einfach nicht, die beiden allein zu lassen. Ich möchte ein wenig bei ihnen bleiben. Ein Jahr oder so. Clay und ich haben bereits darüber gesprochen. Natürlich wird das finanziell ein bisschen eng, aber ...«

»Das ist hart. Eine schwierige Entscheidung. Es ist hart, sich überhaupt entscheiden zu müssen.«

»Ich liebe meine Arbeit, wirklich. Ich bin gut in dem, was ich tue, aber ich wünsche mir dieses eine Jahr, mehr nicht. Für mich und meine Familie. Ein Jahr ist nicht so lang, und mir würde es alles bedeuten.«

»Dann solltest du es dir nehmen. Du arbeitest schon seit dem College im Hotel. Bestimmt geben sie dir ein Sabbatical. Vielleicht können sie dir den Job nicht freihalten. Dort findet sich aber bestimmt eine andere Stelle, wenn du wieder so weit bist. Du wirst es nicht bereuen.«

»Für Clay ist das eine große Verantwortung.«

»Er hat breite Schultern, Gilly.«

»Nie hätte ich gedacht, dass ich hauptberuflich Mutter sein will. Und was ist mit dir? Was willst du?«

»Ich glaube, ich habe bereits alles, was ich will.«

»Für die Zukunft, meine ich.«

Shelby sah zur Küchentür. »Ich hab mir überlegt ... Aber bis auf Emma Kate habe ich keinem davon erzählt.«

»Dein Geheimnis ist bei mir gut aufgehoben.«

»Okay. Sobald ich aus dem Schlimmsten raus bin und eine eigene Wohnung habe, von der aus ich auch arbeiten kann, würde ich mich gern als Einrichtungsberaterin selbstständig machen.«

»In so was warst du schon immer gut.«

»Ich hab ein paar Online-Kurse gemacht, um etwas Erfahrung zu sammeln und mich fortzubilden. Nur ein paar. So viel ich eben schaffen konnte.«

»Ich kenne niemanden, der so viel schafft wie du. Mit Ausnahme von Granny vielleicht.«

»Ich habe einen enormen Nachholbedarf, nach all den Jahren des Nichtstuns. Na ja, und wenn ich mein Know-how unter Beweis gestellt habe, können mich Griff und Matt vielleicht ihren Kunden vorstellen.«

»Bestimmt! Sie renovieren regelmäßig Zimmer und Lounge-Bereiche im Hotel. Ich werde dort ein gutes Wort für dich einlegen, Shelby.«

»Ach, ich weiß nicht, ob …«

»Man sollte die Latte nicht zu tief legen.«

»Das stimmt. Aber vielleicht ist das ein bisschen zu hoch für den Anfang. Irgendwann kann ich mich bestimmt selbstständig machen. Vorher möchte ich erst ein paar Kurse belegen. Auf jeden Fall kann ich gut mit Geld umgehen. Bis dahin ist es zwar ein weiter Weg, aber ich spar schon ein bisschen für Fortbildungen.«

»Jedes Mal, wenn ich überlege, mich mit einem Catering für Kuchen und Gebäck selbstständig zu machen, hält mich genau das zurück, der geschäftliche Teil«, sagte Gilly und verdrehte die Augen. »Du hast jedenfalls MacNee-Blut in den Adern, und weißt du was?«

»Was denn?«

»Ich träume davon, unser Schlafzimmer zu renovieren. Für Jackson und Beau haben wir die Kinderzimmer neu gemacht, doch an unserem Schlafzimmer ist seit fünf Jahren nichts mehr renoviert worden. Das sieht man inzwischen auch.«

»So was neu zu gestalten kann viel Spaß machen, aber …«

»Da kommt sie schon wieder zum Vorschein, die MacNee«, sagte Gilly lachend. »Clay ist genauso. Das kostet Geld. Wenn ich zu Hause bleiben will, muss ich sparen. Trotzdem Shelby, ich wünsch mir nichts sehnlicher als ein anständiges Schlafzimmer. Einen Rückzugsort für Clay und mich, an dem wir nur wir selbst sein können. Wenn du mir hilfst, finden wir vielleicht eine Lösung, die nicht so teuer ist. Du könntest es als Übungsprojekt betrachten.« Gilly legte den Arm um Shelby. »Wir haben so einen Mischmasch aus seinen und meinen alten Schlafzimmermöbeln, dazu diese hässliche Lampe, die uns meine Tante Lucy zur Hochzeit geschenkt hat.«

»Die ist wirklich potthässlich.«

»Würde Lucy nicht behaupten, das wäre ein Erbstück, hätte ich sie längst absichtlich umgestoßen und dafür gesorgt, dass sie in tausend Scherben zerspringt. Ich will nichts Außergewöhnliches, nur eine kleine Auffrischung. Hilf mir, bitte.«

»Na klar.«

Die Lampe musste weg, aber die Möbel … Wenn man sie neu anstrich und die Polster neu bezog, müsste es eigentlich funktionieren.

»Ich hab jede Menge Ideen, die nicht viel kosten. Manchmal reicht es, die Dinge etwas umzustellen, neu einzusetzen, aufzupeppen und anzustreichen. Ein bisschen Farbe kann Wunder bewirken.«

»Ich bin schon ganz aufgeregt und gerührt. Hast du diese Woche irgendwann Zeit?«

»Ich könnte morgen Vormittag vorbeischauen, nachdem ich Callie bei Chelsea abgesetzt habe und bevor ich in den Salon muss. So gegen halb neun? Oder ist dir das zu früh?«

»Mit einem Kleinkind und einem Neugeborenen ist gar nichts zu früh. Ich hab schon überlegt, ob … Hallo, Forrest.«

»Hallo, Gilly.« Er kam aus der Küche und beugte sich über das Baby. »Wann fängt er an, etwas anderes zu tun, als zu schlafen?«

»Du kannst uns gern mal um zwei Uhr nachts besuchen.«

Gilly fing seinen Blick auf und verstand sofort. »Ich nehm ihn wieder und bring ihn seiner Großmutter. Damit ich ein bisschen Zeit in der Küche verbringen kann. Ob ihr das passt oder nicht.«

Sie ließ sich das Baby von Shelby geben und schlüpfte ins Haus.

»Nur eine Minute«, sagte Forrest.

»Klar. Setz dich.«

»Kommen die Kinder allein klar? Clay ist drüben im Gemüsegarten und macht einen auf Gärtner.«

»Das hat er von Daddy, und den Kindern geht es prima.«

»Dann lass uns kurz zusammen vors Haus gehen.«

»Warum?«

»Vors Haus«, wiederholte er und nahm ihren Arm.

»Du machst mich ganz nervös, Forrest, dabei hatte ich so einen schönen Tag.«

»Das tut mir leid. Es tut mir wirklich leid, dich an so einem Tag behelligen zu müssen.«

»Stecke ich in Schwierigkeiten? Glaubt das FBI ...«

»Nein, nichts dergleichen.« Er führte sie in den Vorgarten, außer Sicht- und Hörweite der Kinder. »Es geht um Privet, den Detektiv aus Florida.«

»Ich weiß, wer Privet ist«, sagte Shelby ungeduldig. »Hat er dir endlich verraten, wer ihn beauftragt hat?«

»Nein, und das wird er auch nicht mehr. Seine Sekretärin hat ihn heute Morgen tot aufgefunden.«

»Ach, du meine Güte, was ist passiert?«

»So, wie es aussieht, ist er zwischen zehn Uhr abends und Mitternacht ermordet worden. Mit derselben Waffe wie Warren.«

Eigentlich hätte sie nichts mehr schockieren dürfen. Doch sie war schockiert. »Er ist ermordet worden?«

»Ganz genau. Alles weist auf einen Einbruch hin, zumindest auf den ersten Blick. Auf einen sehr schlampigen allerdings. Dem Polizeibericht zufolge ist er an seinem Schreibtisch erschossen worden. Er hatte eine Neunmillimeterpistole in der Schublade. Ein Kopfschuss, genau wie bei Warren. Kein aufgesetzter Schuss, aber einer aus geringer Entfernung.«

»Lass mich kurz Luft holen.« Sie stützte sich auf die Oberschenkel. »Der Typ hat mir nicht gefallen. Er hat mich zu Tode erschreckt, weil er sich oben im Norden Zutritt zu meinem Haus verschafft und mich bis hierher verfolgt hat.«

»Man hat Fotos von Callie und dir in seinem Büro gefunden. In seinen Unterlagen.«

»Von Callie!«

»Dazu einige Notizen und eine Aufstellung seiner Ausgaben. Noch hatte er das Geld nicht bekommen, obwohl es laut seinen Unterlagen überfällig ist. Wer ihn mit deiner Beschattung beauftragt hat, ist unklar. Die dortige Polizei verhört gerade die Sekretärin und seinen Partner, aber niemand scheint etwas zu wissen. Es gibt keinerlei Unterlagen darüber.«

»Vielleicht hatte er keinen Auftraggeber. Vielleicht hat er gelogen.«

»Vielleicht.«

»Hast du nicht gesagt, dass alles auf einen Einbruch hindeutet? Der keiner war?«

»Die Tür ist von außen aufgebrochen worden, ein paar elektronische Geräte fehlen. Außerdem seine Uhr, sein Geldbeutel und Bargeld. Alles ist durchwühlt worden, aber nur oberflächlich. Ein unprofessioneller Einbruch, sollte man meinen. Aber Privets Tablet und Notebook sind weg. Und die Computer, die er zu Hause hatte, sind auch noch nicht aufgetaucht.«

»Es hat also auch jemand bei ihm zu Hause eingebrochen?«

»Ja, aber dort richtig professionell, denn es gibt keine Einbruchsspuren. Nichts verweist auf diesen Fall. Bis auf die Fotos, ein paar Notizen und eine Aufstellung mit Ausgaben. Ansonsten ist alles verschwunden.«

Shelby richtete sich wieder auf, ihr Gesicht glühte, und ihr war schwindelig. Trotzdem konnte sie einigermaßen klar denken. »Du glaubst, dass das, was ihm zugestoßen ist, mit diesem Raubüberfall in Florida zu tun hat.«

»Ja, weil er ihn und den Finderlohn erwähnt hat, als ich ihn aufgefordert habe zu verschwinden.«

»Damit wären wir wieder bei Richard oder besser gesagt bei Harlow. Harlow ist aus dem Gefängnis ausgebrochen und hat sich vermutlich eine neue Identität zugelegt. Er hat den Detektiv angeheuert, damit er ihm hilft, Richard zu finden. Stattdessen hat er Callie und mich gefunden. Weil Richard tot ist. Dann ist er hierhergekommen und auf seine Partnerin gestoßen. Die hatte ihn verpfiffen, also hat er sie umgebracht.«

»Wir wissen, dass er im Ort war. Du hast ihn mit eigenen Augen gesehen.«

»Der Detektiv hat Harlow also entweder für einen normalen Kunden gehalten oder steckte mit ihm unter einer Decke. Im Nachhinein dürfte das ziemlich egal sein. Trotzdem, er muss Harlow in sein Büro gelassen und mit ihm geredet haben.«

»Entweder hat Harlow nicht gefallen, was er ihm erzählt hat. Oder Privet ist zu einem Risiko für ihn geworden. Er hat es ausgeschaltet, einen Einbruch vorgetäuscht und mitgenommen, was nicht in fremde Hände fallen soll. Also alles, was ihn mit Privet in Verbindung bringen könnte. Dann hat er noch ein paar Wertgegenstände und etwas Bargeld eingesteckt und ist abgehauen.«

»Er kann mich unmöglich für ein Risiko halten, Forrest. Er hat die Daten gestohlen und weiß, dass ich nicht nur pleite bin, sondern auch einen Riesenberg Schulden habe. Wenn er nach den Millionen sucht, muss er wissen, dass ich ihm das Versteck nicht verraten kann.«

»Ich wüsste auch nicht, warum er hierher zurückkehren sollte. Aber ich möchte, dass du weiterhin gut auf dich aufpasst. Er hat inzwischen zwei Menschen ermordet. Miami hält uns auf dem Laufenden – ein Freundschaftsdienst. Ich kann mir vorstellen, dass sie das FBI einschalten werden. Das Blöde ist nur, Shelby, dass sie bis auf dich niemanden haben, der diesen Kerl auch nur flüchtig gesehen hat.«

»Mir hat er sich gezeigt.«

»Ja, das stimmt.«

Sie sah sich zu den spielenden Kindern um, zu ihrem älteren Bruder im Gemüsegarten. »Ich kann nicht davonlaufen, Forrest. Ich weiß nicht, wo ich sonst hinsoll, und für Callie ist es hier am sichersten. Ich habe diesem Mann nichts zu sagen. Wir müssen also davon ausgehen, dass er nur ein potenzielles Risiko ausschalten wollte, so, wie du bereits gesagt hast. Eine furchtbare Sache, aber genau das muss der Grund für seine Tat sein.«

»Vermutlich ja. Bitte geh nicht mehr ohne dein Handy aus dem Haus.«

»Das mache ich sowieso nie.« Sie klopfte auf ihre Hosentasche mit dem Handy, aber Forrest schüttelte den Kopf.

»Egal, wo du hingehst. Wenn du duschst, nimmst du es mit ins Bad und …« Er zog einen kleinen Behälter aus seiner Tasche.

»Was ist denn das?«

»Pfefferspray. Du hast zwar das Recht, eine Waffe zu tragen, kannst aber nicht damit umgehen.«

Weil er damit nicht ganz falschlag, wurde sie gereizt.

»So eine schlechte Schützin bin ich gar nicht.«

»Vergiss es. Außerdem solltest du im Beisein von Callie nicht mit Waffen hantieren. Ich handhabe das genauso. Also überlass mir das Schießeisen und nimm das Spray. Trag es stets bei dir. Wenn du in Schwierigkeiten gerätst, zielst du auf die Augen. Verstau es fürs Erste in deiner Hosentasche«, riet er ihr, als sie sich den Behälter genauer ansah.

»Gut, wenn dich das beruhigt. Aber ich wüsste nicht, warum Harlow es auf mich abgesehen haben soll, nicht zu diesem Zeitpunkt. Ich möchte diesen Teil meiner Vergangenheit endgültig hinter mir lassen, was nicht bedeutet, dass ich leichtsinnig bin. Doch keinesfalls werde ich zulassen, dass sie mein ganzes Leben beherrscht. Mama macht Partykartoffeln, dazu Kohlgemüse. Ich habe das Hühnchen mariniert, das Daddy nachher grillt, wenn er nach Hause kommt. Willst du nicht mitessen?«

»Ich würde gern Ja sagen, denn ich liebe diese Kartoffeln. Aber ich hab zu tun. Sag Mama, dass ich später komme und mich über die Reste hermache.«

»Gern. Ich muss nach den Kindern sehen.«

»Na gut. Bis dann.«

Er sah zu, wie sie das Haus umrundete. Ja, er hatte wirklich einiges zu tun. Zuerst würde er bei Griff vorbeischauen. Es konnte nicht schaden, seinen Freund einzuweihen. Je mehr Leute seine Schwester im Auge behielten, desto besser.

* * *

Griff verlegte auf allen vieren Badezimmerfliesen. Der goldene Sandton erinnerte an einen Meeresstrand. Das kleine Bad würde also bestimmt heiter wirken.

Nachdem er Forrest zugehört hatte, setzte er sich auf die Fersen.

»Das kann kein Zufall sein. Ein Einbruch bei einem Privatdetektiv, bei diesem Privatdetektiv, der dabei ermordet wird. Ihr könnt unmöglich glauben, dass das Zufall ist.«

»Wir ermitteln noch«, fuhr Forrest fort und lehnte sich an den Türrahmen, während Griff weiterarbeitete. »Und wir glauben auch nicht an einen Zufall. Unsere Aufgabe besteht darin, Privet zu Harlow, zu Warren sowie zu diesem Arschloch von Foxworth zurückzuverfolgen, zu diesem Fall in Miami vor fünf Jahren. Vermutlich hat Harlow den Detektiv umgebracht, aber man fragt sich, warum. Was wusste dieser Privet oder wen kannte er? Da muss mehr dahinterstecken.«

»Ein Trost ist das nicht gerade.«

»Nein, das kann man wohl sagen.«

»Das, was damals in Miami seinen Anfang nahm, ist noch lange nicht zu Ende.«

»Nein.«

»Hätte Harlow das Diebesgut gefunden, wäre er längst über alle Berge. Vielleicht war der Privatdetektiv der Letzte auf seiner Liste, und jetzt ist er endgültig fort. Verschwunden.«

Griff platzierte die Abstandshalter und legte die nächste Fliese. »Na ja, wenn der Privatdetektiv gewusst hätte, wo die Beute ist, wäre er ebenfalls längst über alle Berge gewesen.«

»Das ist wirklich alles sehr seltsam.«

»Du hast Angst, dass diesem Jimmy Harlow ein paar Steinchen in seinem Puzzle fehlen. Und dass er glaubt, Shelby hätte sie.«

Forrest ging in die Hocke. »Wir können kaum mehr tun, als nach ihm suchen, sein Bild herumzeigen und Leute befragen. Das FBI verfolgt seine Spur. Soweit ich gehört habe, gibt es da jedoch nicht viel zu verfolgen. Sie sind auf ein paar ehemalige Partner von Foxworth, Harlow und Warren gestoßen. Nichts davon hat sie irgendwie weitergebracht. Andererseits werden sie uns Hinterwäldlern nicht ihre gesamten Ermittlungsergebnisse auf die Nase binden.«

»Glaubst du, sie halten Informationen zurück?«

»Keine Ahnung. Ich wüsste zwar nicht, warum. Ausschließen möchte ich es nicht. Ich weiß nur, dass wir in Rendezvous Ridge einen ungeklärten Mordfall haben, und das gefällt mir gar nicht. Meine Schwester ist darin verwickelt. Das gefällt mir erst recht nicht, genauso wenig wie meinen Kollegen. Wir passen auf sie auf, fahren zusätzlich Streife und so. Aber sie wird kaum mit dem Sheriff ausgehen oder die Nacht mit Nobby verbringen.«

»Nein, denn sonst käme ich wegen eines tätlichen Angriffs gegen die Staatsgewalt ins Gefängnis. Ich pass auf sie auf, Forrest. Sie wird damit leben müssen, auch wenn es ihr kein bisschen passt. Ist sie erst mal zu mir gezogen, dürfte es deutlich einfacher werden.«

Jetzt setzte sich Forrest auf die Fersen. »Ach ja, wird sie das?«

»Aber natürlich. Ich hab eine neue Alarmanlage eingebaut. Ein echter Scheißjob, aber sie tut ihren Dienst. Außerdem hab ich diesen gefährlichen Wachhund.«

Sie sahen beide zu Snickers hinüber, der schnarchend auf dem Rücken lag und alle viere von sich streckte.

»Der ist wirklich extrem gefährlich.«

»Er ruht sich zwischen seinen Streifengängen bloß ein bisschen aus.«

»Ganz genau. Du verstehst bestimmt, dass ich dich das nicht nur wegen der jetzigen Alarmstufe gefragt habe.«

Griff arbeitete konzentriert weiter. Fliesenlegen beruhigte ihn.

»Noch kann ich ihr das nicht vorschlagen, sie würde ausflippen. Dieser Mistkerl hat sie total traumatisiert. Dafür macht sie ansonsten rasche Fortschritte. Aber sie ist noch nicht so weit. Ich muss also dranbleiben und Geduld haben. Denn ich möchte sie tatsächlich bei mir haben. Ich möchte, dass Callie und sie zu mir ziehen.«

»Wenn du hartnäckig bleibst, mein Lieber, und sie überzeugst, zu dir zu ziehen, wird meine Mutter die Hochzeitsglocken läuten hören.«

»Prima, denn das ist der nächste Schritt meines Plans. Nur Shelby wird eine Weile brauchen, bis sie das in Erwägung ziehen kann.«

Forrest schwieg, als Griff die nächsten Abstandshalter setzte und weiteren Fliesenkleber auftrug.

»Du hast also vor, meine Schwester zu heiraten?«

Griff ging wieder auf die Fersen, ließ Schultern und Kopf kreisen. »Was sagst du zu dem Zimmer?«

Gehorsam richtete sich Forrest auf und ließ Bad und Schlafzimmer auf sich wirken. »Hübsch, die Fenster lassen viel Licht herein und bieten eine gute Aussicht. Ein ziemlich riesiger Schrank für ein zweites Schlafzimmer. Die Erkerbank ist auch sehr hübsch, genauso wie die Tatsache, dass es ein eigenes Bad gibt. Die Fliesen, die du da gerade verlegst, werden es richtig zum Strahlen bringen.«

»Ich überlege, eine frei stehende Badewanne einzubauen und ein in einen Schminktisch eingelassenes Waschbecken. Ich möchte gern dezent viel Stauraum schaffen. Über dem Schminktisch wird ein Medizinschrank angebracht. Von wegen mehr Stauraum und so. Ich möchte ihn aber rahmen, damit das Ganze stilvoller wirkt. Dann fehlt nur noch die richtige Beleuchtung.«

»Eine frei stehende Wanne und die richtige Beleuchtung? Klingt nach einem echten Frauenbad.«

»Ja. Die Schlafzimmerwände werden hellgrün, und an die Decke kommt ein Ventilator mit Lampe.«

»So viel zum Thema richtige Beleuchtung.«

»Ganz genau. Dazu kommen ein kleiner Einbauschrank und Handtuchstangen.«

Nickend drehte sich Forrest um die eigene Achse und sah alles genau vor sich.

»Du planst dieses Zimmer für Callie.«

»Grün ist ihre Lieblingsfarbe, wie sie sagt. Das muss an ihrem *Shrek*-Tick liegen, der sich irgendwann legen wird. Aber es ist eine Farbe, die gut zu ihr und einem Schlafzimmer passt. In ein paar Jahren wird sie Wert auf ein eigenes Bad legen.«

»Du bist wirklich ein vorausschauender Mann.«

»Ja. Ich liebe sie beide, und wie du weißt, bin ich ein guter Beobachter. Callie hat sich bereits für mich entschieden, und Shelby wird nachziehen. Sobald wir mit dem ganzen Mist abgeschlossen haben, den ihr dieses Arschloch eingebrockt hat.«

»Was, wenn das nicht klappt?«

»Dann werde ich eben warten. Sie ist die Frau meines Lebens, so viel steht fest. Und Callie? Die Kleine macht mich glücklich. Sie hat mich verdient, beide haben mich verdient. Ich bin nämlich eine wirklich gute Partie.«

»Meine Güte, Griff, wenn du Titten hättest, würde ich dich glatt selbst heiraten.«

»Siehst du?« Griff sah, dass er als Nächstes den Meterstab zücken und Fliesen zuschneiden musste. Er richtete sich auf. »Ich mach kurz Pause und schmier mir ein Brot. Möchtest du auch eins?«

»Danke, aber ich habe viel zu erledigen. Außerdem bekomm ich später bei meiner Mutter deutlich leckerere Sachen.«

»Wir begleiten dich zur Tür. Komm, Snickers, Zeit für eine neue Streife.«

Der Hund zappelte mit den Beinen, drehte sich mühsam auf die Seite und rappelte sich auf.

»Irgendwann werde ich mir auch einen Hund anschaffen«, sagte Forrest, als sie mit Snickers die Treppe hinuntergingen.

»Snicks Geschwister sind alle vergeben, aber ich habe ein Schild gesehen, das Beagle-Welpen anpreist. An der Abzweigung Black Bear und Dry Creek.«

»Noch ist es nicht so weit. Noch fehlt mir das richtige Zuhause dafür. Ich glaube nicht, dass der Sheriff einverstanden wäre, wenn ich mit einem Hund Streife fahre.« Forrest warf einen Blick auf die Alarmanlage. »Was machst du, wenn diese raffinierte Anlage losgeht?«

Griff zuckte mit den Schultern und öffnete die Tür. »Dich anrufen und nach meiner Rohrzange greifen? Die ist ziemlich schwer.«

»Eine Waffe dürfte schwerer wiegen als eine Rohrzange, mein Lieber.«

»Ich hab keine und will auch keine.«

»Du redest wie ein typisches Großstadtgewächs.«

Griff sog die Abendluft ein, während der Hund quer über die Wiese zum Wald und zum rauschenden Bach rannte.

»Das bin ich schon lange nicht mehr, aber ich will trotzdem keine Waffe.«

Er bewunderte das rosa Licht, in das die untergehende Sonne die Wolken über den Gipfeln tauchte.

»Ich habe hier nie Probleme gehabt. Obwohl ich wegen des Kupfers für meine Klempnerarbeiten Bedenken hatte. Dieses Zeug ist so wertvoll wie Gold und lässt sich leicht transportieren. Ansonsten gab es nie Anlass zur Sorge. Von dem Einbruch einmal abgesehen, den ich diesem Arschloch und seinen Altlasten zu verdanken habe.«

Forrest schaute gen Westen.

»Du hast dir echt ein schönes Fleckchen Erde ausgesucht, Griff, das hat wirklich Charme. Leider würden wir bei einem Notruf gute zehn Minuten brauchen, bis wir da sind. Du kannst eine Waffe auch mit Steinsalz laden, wenn du dir Sorgen machst.«

»Das mit den Waffen überlass ich lieber dir, Deputy. Mir ist meine Rohrzange lieber.«

»Ganz wie du willst.«

Genauso würde er es halten. Griff stand im Garten, ließ den Hund herumtollen und schnüffeln und sah zu, wie der erste funkelnde Stern am blasslila Firmament erschien.

Er würde tun, wozu er Lust hatte, zum Beispiel dieses Brot schmieren und dann mit den Fliesen in Callies Bad weitermachen.

»Auf die vordere Veranda kommt eine Schaukel«, sagte er laut, um sich dann vorzubeugen und Snickers zu kraulen, der zu ihm zurückgekehrt war. »Vielleicht sollte ich sie selbst bauen. Die Dinge bekommen einen ganz anderen Wert, wenn man sie selbst macht. Los, wir machen uns was zu essen, dann können wir weiter drüber nachdenken.«

Er aß in der Küche sein Sandwich und machte sich ein paar Skizzen. Wenn er gewusst hätte, dass ihn jemand mit dem Feldstecher beobachtete, hätte er sich vielleicht doch zu einer Waffe durchgerungen.

27

Es würde dauern, bis Callies Zimmer und die Schaukel auf der vorderen Veranda fertig waren. Im Moment hatte Griff jedoch ohnehin viel Zeit. Shelby war mit den Vorbereitungen für die Verlobungsparty beschäftigt. Die hauptsächlich darin bestanden, Miz Bitsy einzubremsen.

Hatte Shelby keine Zeit für ihn, arbeitete er am Haus weiter und schmiedete Zukunftspläne.

Als sie es endlich schafften, sich zu verabreden, wollte sie nicht von ihm ausgeführt werden, sondern lieber gemütlich bei ihm essen.

Er hatte nichts dagegen.

Shelby kam, als er gerade im Garten war und die Reifenschaukel aufhängte, die er mithilfe eines stabilen Hickoryasts konstruiert hatte.

»Toll«, rief sie, »Callie wird sich sofort darauf stürzen.«

»Cool, was? Den Reifen hab ich von deinem Großvater.«

Er hatte ihn waagrecht aufgehängt und einen mittelgroßen genommen, der perfekt für den Po eines kleinen Mädchens war. Die Eisenkette hatte er durch einen Gartenschlauch geschoben, damit sie den Ast nicht beschädigte.

»Das ist so lieb von dir.«

»Möchtest du sie ausprobieren?«

»Klar.« Sie reichte ihm eine große Thermoskanne und beugte sich vor, als er sie für einen Kuss an sich zog.

»Was ist denn da drin?«

»Limonade mit Schuss, nach einem Rezept von meinem Großvater. Die ist echt der Hit.« Sie eilte zum Reifen und zog an der Kette. »Das sieht sehr stabil aus.«

»Ja, und Spaß macht es auch.« Er gab ihr einen Schubs.

Sie lehnte sich zurück, ließ die langen Haare flattern und lachte laut. »Und ob das Spaß macht. Wie bist du bloß darauf gekommen?«

Noch wollte er ihr nicht verraten, dass er sich mehrere Schaukeln angeschaut hatte. »Ach, nur so eine Schnapsidee. Ich hatte einen Freund, als ich ungefähr in Callies Alter war. Wie hieß er gleich wieder? Ach so, ja, Timothy Mc Naulty. Der hatte auch so eine Schaukel im Garten. Da stand der Reifen aber senkrecht. So finde ich es praktischer.«

»Ich bin begeistert. Und Callie wird erst recht begeistert sein.«

Der Hund saß wie hypnotisiert da und drehte den Kopf hin und her, während er Shelbys Schaukeln aufmerksam verfolgte. »Ich könnte schwören, dass er wieder ein Stück gewachsen ist, seit ich ihn das letzte Mal gesehen habe.«

»Mein nächstes Außenprojekt ist eine Hundehütte, eine sehr große.«

»Die wird er brauchen.«

Sie sprang von der Schaukel. »Tut mir leid, dass ich in letzter Zeit so beschäftigt war. Ich hatte wirklich keine Minute für mich.«

»Das Gefühl kenne ich. Kein Problem, Rotschopf. Unsere besten Freunde heiraten. Da gibt es viel zu organisieren.«

»Die Sache wird ein übertriebenes Schaulaufen, wenn ich Miz Bitsy nicht einbremsen kann. Das kostet mich echt meine ganze Energie. Die Frau kommt so schnell vom Hundertsten ins Tausendste, dass ich kaum mithalten kann. Gerade hat sie sich in den Kopf gesetzt, dass Emma Kate mit einer Kutsche zur Zeremonie fahren soll. Dabei ist noch gar nicht entschieden, wo die eigentlich stattfinden soll. Mit einer von weißen Rössern gezogenen Kutsche. So eine hatte Emma Kate auf ihrer Liste, als sie zwölf war. Es war nicht leicht, sie wieder davon abzubringen.«

»Emma Kate steht wirklich tief in deiner Schuld.«

»Das kann nicht schaden. Warum machen wir nicht … Wow, Griff, du hast ja noch eine Schaukel!« Sie rannte schnurstracks darauf zu, sodass sich ihr grasgrünes Sommerkleid im Wind bauschte. »Ich bin begeistert. In Blau! Wo hast du die bloß her?«

»So blau wie deine Augen.« Er kam zu ihr auf die Veranda. »Ich hab sie so gestrichen. Ich hab sie gebaut.«

»Du hast sie selbst gebaut? Das hätte ich mir denken können.« Sie setzte sich darauf und stieß sich vorsichtig ab. »Sie ist einfach perfekt für freie Nachmittage und lauschige Abende. Noch perfekter wäre es allerdings, wenn du zwei große Gläser holst und dich zu mir setzt, damit wir die Limonade mit Schuss trinken können.«

»Bin gleich wieder da.«

Als der Hund versuchte, zu ihr hochzuklettern, hob sie ihn hoch, was ihr mittlerweile ganz schön schwerfiel. »Du bist fast schon zu groß.« Aber sie legte den Arm um ihn, schaukelte und fühlte sich wie im siebten Himmel.

Es war alles so grün und abgeschieden, darüber wölbte sich ein blauer, mit weißen Wolken betupfter Himmel. Sie konnte den Bach rauschen hören, der nach dem letzten Regen angeschwollen war, und das stete Klopfen eines Spechts, der dem restlichen Vogelchor den Takt vorgab.

»Er hat sich auf meinen Platz geschlichen«, sagte Griff, als er mit den Getränken kam.

»Er hat sich ausgeschlossen gefühlt.«

Griff ergab sich in sein Schicksal und nahm auf der anderen Seite des Hundes Platz, der vor Freude wild mit dem Schwanz wedelte.

»Einen besseren Ort für eine Schaukel hättest du gar nicht finden können.« Sie nippte an ihrem Drink. »Ich glaube, Großvater kann stolz auf mich sein.«

»Das kann man wohl sagen.«

»Diese Limonade trinkt sich weg wie nichts, knallt aber ganz schön rein. Man sollte nur vorsichtig daran nippen. Aber an so einem warmen Abend und auf einer Verandaschaukel schmeckt sie gleich dreimal so gut. Du hast ein echtes Paradies, Griffin.«

»Dieser Garten Eden erfordert allerdings jede Menge Arbeit.«

»Wenn Adam und Eva etwas Zeit in Gartenarbeit investiert hätten statt ins Pflücken von Äpfeln, wären sie vielleicht noch heute dort. Gärten, Häuser, das Leben – alles ist im Fluss, nicht wahr? Meines wurde kurz unterbrochen, aber ich hole vieles nach. Es ist so friedlich hier. Das Licht, die Schaukel, die köstliche Limonade. Du und dieser süße Hund … Alles, was diesen Frieden stört, muss endlich aufhören, damit wir uns nie wieder Gedanken darüber machen müssen.«

»Ist etwas passiert?«

»Ich bin mir nicht sicher. Du hast heute Nachmittag noch nicht mit Forrest gesprochen?«

»Heute nicht, nein.«

»Vermutlich, weil er gewusst hat, dass ich dich besuche und es dir ohnehin sage. Die Polizei glaubt, eine Art Zeugen gefunden zu haben. Was den Detektiv betrifft. Die FBI-Agenten verhören ihn gerade.«

»Was hat er mitbekommen?«

»Sie glauben nicht, dass er viel gesehen hat. Jedenfalls nichts, was uns tatsächlich weiterhilft. Der Mann, im Grunde kaum mehr als ein Junge, war im Haus, als Privet ermordet wurde. Er hat erzählt, dass er so ein Ploppen gehört hat. Einfach nur ein Ploppen wie von einem leisen Böller. Er hat nicht weiter darüber nachgedacht. Der Zeitpunkt passt, außerdem scheint er gesehen zu haben, wie der Mörder sich aus dem Staub gemacht hat.«

»Harlow?«

»Das wissen sie nicht genau. Er behauptet, die Person sei nicht groß und breit gewesen und hätte auch keinen Bart gehabt. Sie sei blond gewesen, sehr blond und habe eine Brille mit dunkler Fassung getragen, dazu einen dunklen Anzug. Er sagt, er sei sich nicht sicher. Er hätte nur kurz aus dem Fenster gesehen, als der Kerl das Gebäude verließ. Er hat beobachtet, wie er die Straße überquert hat und in einen großen Geländewagen gestiegen ist.«

»Eine Perücke, eine Brille, eine Rasur.« Griff zuckte mit den Schultern. »Wenn man nur flüchtig hinsieht und es dunkel ist, lässt sich schwer sagen, ob es Harlow war oder nicht.«

»Hinzu kommt, dass der Junge damals high war. An einem Ort, an dem er eigentlich gar nicht hätte sein dürfen. Deshalb hat er sich auch nicht gemeldet, bis man ihn wegen Drogenbesitzes verhaftet hat. Nicht zum ersten Mal. Er hat als Fotoassistent in dem Gebäude gearbeitet und war so spät da, weil er alles für einen Porno dekoriert hat, den er dort heimlich drehen wollte. Er versucht, einen Deal mit der Justiz zu machen, damit er nicht ins Gefängnis muss.«

»Er könnte also alles erfunden haben, um seinen Arsch zu retten.«

»Ja, aber der Zeitpunkt passt, genauso dieses Ploppen. Nur einmal. Die Polizei hat nie bekanntgegeben, wie oft auf Privet geschossen wurde. Diese Information sollte man also durchaus ernst nehmen.«

Griff überlegte, während sie weiterschaukelten und an ihren Drinks nippten. »Es fällt schwer, sich einen anderen Mörder als Harlow vorzustellen. Haben sie nicht gesagt, die Waffe ist dieselbe, mit der Warren umgebracht wurde? Außerdem wissen wir, dass Harlow zum Zeitpunkt ihres Todes in der Nähe war. Angenommen, es wäre so, und es ist eine weitere Person involviert. Diejenige, die den Detektiv beauftragt hat. Vielleicht hat sie was mit den Montvilles in Miami zu tun oder mit der Versicherungsgesellschaft. Oder Richard hat mal mit ihr zusammengearbeitet.«

»Vielleicht hat sie ja auch Richard umgebracht und das Bootsunglück inszeniert?«

»Findest du das nicht ein bisschen weit hergeholt?«

»Na ja, Richard wollte unbedingt dorthin. Deshalb frage ich mich, ob er jemanden treffen oder sich endlich um den gestohlenen Schmuck kümmern wollte. Jemanden, der reingelegt wurde. Nur dass er diesmal selbst das Opfer war.«

»Was würdest du tun, wenn du gerade Schmuck im Wert von mehreren Millionen in die Hände bekommen hättest, der nicht mehr heiß ist? Wenn du dabei Blut vergossen hast?«

»Ich würde so schnell und so weit wie möglich abhauen. Aber ...«

»Aber es gibt zwei Leute, die wollen, was du hast«, unterbrach Griff sie. »Also beauftragst du einen Detektiv und setzt ihn auf sie an. Und auf dich, Rotschopf, für den Fall, dass du etwas weißt.«

»Griff, dabei fällt mir ein, wie viele Leute ich nach Richards Tod in das Haus im Norden gelassen habe. Vielleicht habe ich ja seinen Mörder reingelassen, damit er eine Schätzung vornimmt oder etwas abholt. Vorausgesetzt, dass er überhaupt existiert. Abgesehen von den vielen Stunden, in denen ich gar nicht zu Hause war. Vielleicht hat sich ja jemand Zutritt verschafft und sich ungestört umgesehen. Falls Richard tatsächlich etwas Brisantes zurückgelassen haben sollte.«

»Es ist ziemlich riskant, bei Unwetter und auf hoher See ein Bootsunglück vorzutäuschen. Warum die Leiche nicht anderweitig verschwinden lassen? Oder sie einfach liegen lassen wie die anderen?«

»Keine Ahnung.« Sie grübelte und grübelte. »Um Zeit zu schinden vielleicht? Oder es war tatsächlich ein Unfall, und Richard sollte gar nicht sterben? Alles andere hat sich daraus ergeben. Doch die einfachste Lösung ist meist die richtige«, fuhr sie fort. »Richard ist bei einem Unfall umgekommen. Harlow hat die Frau und den Detektiv umgebracht. Der Zeuge war vollgekokst und konnte nur einen flüchtigen Blick aus dem Fenster werfen. Ich werde auf der Stelle aufhören, mir weiter Gedanken darüber zu machen. Dafür ist der Abend viel zu schön, und wir haben nur ein paar Stunden.«

496

»Vielleicht könntest du einfach bleiben und bei mir übernachten? Und ich bekomme wieder eine tolle Frühstückseinladung von deinen Eltern?«

Sie lächelte und nippte an ihrem Getränk. »Ich habe zufällig einen Schlafsack im Auto. Für den Fall, dass ich eine Einladung bekomme.«

»Ich hole ihn.«

»Danke. Er liegt vor dem Beifahrersitz auf dem Boden. Ach so, und auf dem Sitz befindet sich eine Decke. Würdest du mir die netterweise auch mitbringen?«

»Frierst du?«, fragte er, als er zum Wagen ging. »Es hat bestimmt 26 Grad.«

»Ich liebe warme Sommerabende, weil ich dann gar nicht mehr reingehen, sondern einfach draußen bleiben will, um den Himmel zu beobachten. Um zu sehen, wie sich das Licht verändert, und um die ersten Nachtvögel zu hören.«

»Wir können so lange sitzen bleiben, wie wir wollen.« Er kam mit dem Schlafsack und der Decke zurück. »Ich habe wieder auf mein Standardgericht zurückgegriffen, Steaks vom Grill.«

»Das klingt perfekt. Lass dir noch einen Moment Zeit damit.«

Sie nahm ihm die Decke ab und faltete sie auseinander.

»Wo ist der Hund hin?«

»Ach, ich hab ihn reingebracht zu seinem Kauknochen. Ich glaube, das ist für uns alle das Beste.« Sie breitete die Decke auf der Veranda aus, glättete sie und warf sich das Haar über die Schulter. Sie lächelte. »Ich finde nämlich, es wird höchste Zeit, draußen auf der Veranda übereinander herzufallen.«

Sie erstaunte ihn, erregte und entzückte ihn.

»Findest du?«

»Ja, ich finde, es ist fast ein bisschen spät dafür, aber ich bin mir sicher, du überzeugst mich vom Gegenteil.«

»Ganz bestimmt.« Er legte den Schlafsack weg und zog sie in seine Arme.

Er nahm sich Zeit, sodass sie von seinem Kuss dahinschmolz und ganz wacklige Knie bekam. Ihr wurde schwindelig vor lauter Glück. In seinen Armen liegend, ließ sie sich von ihm verführen, obwohl sie eigentlich ihn hatte verführen wollen. Sie wiegte sich mit ihm auf der alten Veranda hin und her, während sich der Himmel golden verfärbte und die Welt um sie herum verstummte.

Er zog den Reißverschluss ihres Kleides auf und liebkoste jeden Zentimeter ihrer nackten Haut. Zart wie Seide, glatt wie Quellwasser.

Er schob die Träger über ihre Schultern und genoss es, sie dort zu küssen. Sie waren kräftiger, als sie aussahen, scheuten sich auch nicht, schwere Lasten zu tragen.

Dann ließ er ihr Kleid zu Boden gleiten.

Die schöne Spitzenunterwäsche, die sie trug, nahm das zarte Grün ihres Kleids wieder auf.

»Ich hab sie extra dafür gekauft. Ich hätte das Geld lieber sparen sollen, aber ...«

»Es war jeden Penny wert. Ich werde mich revanchieren.«

»Das will ich hoffen«, sagte sie, bevor sein Mund wieder von ihrem Besitz ergriff. Ein bisschen wilder jetzt, sodass sie den Kopf in den Nacken legte und nahm, was er ihr schenkte, ihm gab, wonach er sich sehnte.

Er zog sie mit sich zu Boden, und sie knieten auf der Decke. Ihre Münder ließen gerade so lange voneinander ab, dass er sich sein T-Shirt über den Kopf ziehen konnte, und trafen sich erneut, nachdem er es beiseitegeworfen hatte. Erhitzte Haut unter ihren Händen, ein herrlicher Duft nach Wasser und Seife, als sie eine Spur von Küssen auf seiner Schulter hinterließ.

Darunter ein schwacher Duft nach Sägemehl, der sie wie seine rauen Hände daran erinnerte, dass er mit den Händen arbeitete.

Ein wohliger Schauer erfasste sie und brachte ihr Blut in Wallung, als er ihren BH öffnete. Die hart arbeitenden Hände umschlossen ihre Brüste, seine rauen Daumen liebkosten ihre Brustwarzen und weckten neue Sehnsüchte.

Alles an ihr gab sehnsüchtig nach, trotzdem spielten seine Hände weiterhin mit ihr, entdeckten und erregten sie.

Er drehte sie auf den Rücken, fuhr mit den Fingern den Saum ihres Höschens entlang, liebkoste die zarte Haut zwischen Schenkel und Scham.

Ein Laut entrang sich ihrer Kehle, eine Mischung aus Stöhnen und Seufzen. Er war hin und weg. Sein Begehren wurde stärker, aber er hielt sich zurück, strich mit der Hand über die Spitze und ließ die Leidenschaft unter dem dünnen Stoff hervorzüngeln, bis ihre Hände kraftlos zu Boden sanken.

Ihre Atmung ging schneller, und sie senkte die Lider über den magisch blauen Augen.

Sie gehörte ihm, nur ihm.

Er zog den dünnen Stoff fort, der sie trennte, und eroberte sie restlos.

Sie explodierte, ein Blitz durchzuckte ihren Körper, neues pulsierendes Begehren ergriff von ihr Besitz. Sie zerrte an seinem Gürtel und konnte es kaum erwarten, ihm ganz zu gehören, von ihm genommen zu werden.

Er half ihr auf und packte ihre Hände, um ihnen Einhalt zu gebieten, als diese an seiner Jeans zerrten.

»Nicht so eilig.«

Stoßweise atmend und erfüllt von schmerzender Sehnsucht, sah sie ihn an, sah in seinen Augen dasselbe Begehren, denselben Schmerz.

»Vielleicht hab ich es einfach eiliger als du.«

»Nur eine Minute.« Er hielt ihre Hände weiterhin fest und nahm erneut von ihrem Mund Besitz. »Ich liebe dich.«

»O Gott, Griff.«

»Ich muss es einfach sagen, du musst das wissen, während du nackt auf meiner Veranda liegst. Ich liebe dich. Ich habe keine Eile.«

»Ich weiß gar nicht mehr, wo mir der Kopf steht, so sehr überwältigen mich meine Gefühle. Sogar wenn du gar nicht da bist.« Sie verbarg ihr Gesicht an seiner Schulter. »Es stürzt gerade so viel auf mich ein.«

»Das macht doch nichts.« Er ließ sie zurücksinken und küsste ihre Hände, bevor er sie losließ.

Er legte sich auf die Decke, damit sie auf ihn klettern konnte, und fuhr ihr durch die Haare, ihre üppige rote Lockenmähne.

Sie war längst nicht so geduldig wie er, versuchte aber, sich zusammenzureißen, ihn mithilfe ihrer Küsse zu steuern, ließ zu, dass ihre Hände ihn neckten und liebkosten, und spürte das wilde Klopfen seines Herzens unter ihren Lippen.

Als sie schließlich durch nichts mehr getrennt waren, kam sie hoch und nahm ihn in sich auf.

Er füllte sie ganz aus, und sie umschloss ihn, sodass sie beide miteinander verschmolzen.

Sie legte seine Hände auf ihr Herz, damit er das wilde Klopfen spürte, während sie den Rhythmus vorgab.

Langsam, ermahnte sie sich, langsam – und genoss es. Lust brandete an wie Wellen an den Strand, staute sich auf.

In honiggoldenes Dämmerlicht getaucht, ritt sie mit ihm über dieses Meer, hoch und höher in die Wolken hinein. Sie klammerte sich auf ihrem Höhenflug an ihn und ließ sich endgültig mitreißen.

Irgendwann hörte Shelby wieder die Vögel in den angrenzenden Wäldern zwitschern, trillern und pfeifen, und die leiseste Brise in den Bäumen. Als ihr das Herz nicht mehr bis zum Hals schlug.

Sie genoss das selige Gefühl, glücklich und restlos zufrieden auf dieser Veranda zu liegen, neben sich den Mann, den sie ihrerseits wunschlos glücklich gemacht hatte.

»Was wohl der Paketbote gesagt hätte, wenn er jetzt in die Auffahrt gefahren wäre?«

Shelby seufzte selig auf. »Wieso, erwartest du etwa eine Sendung?«

»Man kann schließlich nie wissen. Ehrlich gesagt hab ich mir gar keine Gedanken darüber gemacht. Ganz einfach, weil ich keinen klaren Gedanken mehr fassen konnte.«

»Es tut gut, richtig abzuschalten. Ich habe das Gefühl, von morgens bis abends auf der Hut sein zu müssen. Nur wenn ich singe, kann ich so richtig loslassen. Und wenn du mich küsst. Auch eine Art Melodie, würde ich sagen.«

»Ich habe nachgedacht.«

»Aha.«

»Und bin zu dem Schluss gekommen, dass du wie eine Berggöttin aussiehst.«

Sie lachte erstickt auf. »Wie eine Göttin. Erzähl weiter.«

»Diese wilde rote Mähne und dazu die mondblasse Haut. Diese zierliche, aber zähe Frau mit den dämmerblauen Augen.«

»Das klingt wirklich wie ein Song.« Gerührt und ein bisschen verlegen, drehte sie sich um und schmiegte sich an seine Brust. »Du hast eine poetische Ader, Griffin.«

»Das war's dann aber auch schon.«

»Das ist mehr als genug.« Sie fuhr ihm über die Wange. »Du könntest ebenfalls ein Gott sein, mit diesen Zügen wie in Stein gemeißelt.« Sie fuhr ihm über die andere Wange. »Mit dem von der Sonne ausgeblichenen Haar und den stählernen Muskeln.«

»Wir passen eben hervorragend zusammen.«

Lachend berührte sie seine Stirn mit ihrer. »Wie tief ist dein Bach gerade, Griff?«

»Er dürfte uns ungefähr bis zum halben Oberschenkel reichen. Also bis zur Hälfte deiner Oberschenkel.«

»Das sollte reichen. Komm, lass uns planschen gehen.«

Er öffnete ein katzengrünes Auge. »Du willst im Bach planschen?«

»Mit dir schon. Das macht Appetit. Anschließend trinken wir

noch ein Glas Limonade mit Schuss, während wir das Abendessen zubereiten.«

Bevor er widersprechen konnte, stand sie auf und zog an seiner Hand.

»Wir sind nackt«, bemerkte er.

»Wieso sollten wir unsere Kleider nass machen? Komm, lass den Hund raus«, schlug sie vor und sauste davon.

Eine Göttin. Sie war wirklich eine Göttin. Oder wie nannte man das noch gleich? Eine Wassernymphe. Aber vermutlich hatten Wassernymphen nicht so lange Beine.

Griff ließ den Hund raus, während Shelby über seine Wiese rannte. Anschließend konzentrierte er sich auf die praktischen Dinge des Lebens und sauste hinein, um zwei Handtücher zu holen.

Er war nicht prüde und wäre beleidigt gewesen, wenn man ihm das vorgeworfen hätte. Es fühlte sich nur sehr seltsam an, splitterfasernackt durch den Vorgarten zu laufen.

Bevor er die Baumreihe erreichte, hörte er lautes Geplansche, Gelächter und das freudige Fiepen des Hundes.

Sie ließ das Wasser spritzen und zauberte einen Bogen aus silbrigen Perlen in die Luft. Die Tropfen fingen das Licht ein. Der Hund schlabberte Wasser, bellte, schwamm ein wenig ins Tiefe und schüttelte sich dann im Flachen.

Griff hängte die Handtücher an einen Ast.

»Das Wasser ist herrlich kühl. Wenn man hier eine Angel reinhält, könnte unter Umständen was anbeißen. Folgt man dem Bach dahin, wo er breiter und tiefer wird, hat man mit Sicherheit ein Abendessen am Haken.«

»Ich habe nie geangelt.«

Nackt richtete sie sich auf, so erstaunt war sie. »Noch nie in deinem Leben?«

»Ich bin an der Peripherie einer Großstadt aufgewachsen, Rotschopf. Ich war ein Stadtmensch.«

»Das müssen wir so bald wie möglich ändern. Angeln wird dir guttun, es entspannt. Außerdem bist du ein geduldiger Mensch, es dürfte dir also Spaß machen. Inwiefern warst du ein Stadtmensch?«

»Ich?« Er kam ins Wasser. Sie hatte recht, es war herrlich kühl. »Ich habe eher Sport gemacht. Im Winter hab ich Basketball gespielt und im Sommer Baseball. Football war nie mein Ding, dafür war ich nicht robust genug.«

»Ich mag Baseball.« Sie setzte sich ins Wasser, ließ sich davon umströmen. »Ansonsten hätte mich mein Vater bestimmt gegen ein anderes Kind eingetauscht. Wieso spielst du eigentlich nicht im Softballteam der Raiders in Rendezvous Ridge mit? Die sind ziemlich gut.«

»Nächstes Jahr vielleicht. Dieses Jahr stecke ich jede freie Minute in mein Haus. Hast du keine Angst vor spitzen Steinen? Oder davor, dass ein Fisch dorthin schwimmt, wo ich gerade war?«

Sie lachte und lehnte sich zurück, um das Haar nass zu machen. »Du bist wirklich noch ein Stadtmensch. Ich kenne ein paar gute Gumpen zum Schwimmen, die müssen wir bei Gelegenheit ausprobieren.«

»Vielleicht baue ich einen Schwimmteich. Ich hab an einen Pool gedacht, aber der müsste aufwändig gewartet werden. Außerdem passt er nicht hierher, ein Schwimmteich dagegen schon.«

»Das kannst du auch?«

»Ich glaube schon. Irgendwann einmal.«

»Ich schwimme für mein Leben gern.« Entspannt, ja, fast ein bisschen verträumt, zog sie die gespreizten Finger durchs Wasser, um es zu kräuseln. »Ich habe angefangen, Callie das Schwimmen beizubringen, bevor sie laufen konnte. Da wir im Apartmenthaus in Atlanta einen Pool hatten, konnten wir das ganze Jahr schwimmen. Wenn sie etwas älter ist, werde ich sie mit einer von Clays Gruppen zum Raften mitnehmen. Sie ist überhaupt nicht ängstlich, es wird ihr gefallen. In einem Jahr oder so.« Sie legte den Kopf schräg. »Hast du das mal ausprobiert?«

»Wildwasserrafting? Ja. Dabei hat man ordentlich Tempo. Ich will die Erfahrung wiederholen, wenn meine Eltern im August zu Besuch kommen.«

Ihre Hände erstarrten. »Äh … deine Eltern kommen zu Besuch?«

»Ja, und zum Arbeiten. Anfang August wollen sie mir eine Woche mit dem Haus helfen. Vorher will ich noch jede Menge selbst erledigen. Außerdem will ich, dass sie dich kennenlernen.«

Ihr Magen zog sich nervös zusammen.

»Damit sie sich mit eigenen Augen davon überzeugen können, dass ich nicht übertreibe.«

»Du hast ihnen von mir erzählt?«

Er musterte sie ausgiebig. »Was hast du denn gedacht?«

»Na ja.« Sie setzte sich auf, aber ihr Magen spielte noch immer verrückt. »Meine Familie feiert Anfang August ein großes Gartenfest. Wenn es zeitlich passt und du meinst, deine Eltern würden gern kommen, sind sie herzlich eingeladen.«

»Ich habe gehofft, dass du das sagst. Frierst du?«

»Nein.« Das war eher die Nervosität. Auf einmal sah sie sich unbehaglich um. »Mir ist bloß ein Schauer den Rücken heruntergelaufen. Trotzdem bin ich froh, dass du Handtücher geholt hast.« Sie stand auf und griff danach, während das Wasser von ihrer Haut tropfte. »Übers Abtrocknen hab ich mir gar keine Gedanken gemacht.«

Er nahm ihr Kinn und hob es hoch. »Fürchtest du dich davor, meine Eltern kennenzulernen?«

»Nein. Es macht mich nur ein bisschen nervös. Das ist ganz normal, findest du nicht? Es …« Sie zog fröstelnd die Schultern hoch. »Irgendwas sitzt mir im Nacken und macht mir Gänsehaut.«

Sie schlang das Handtuch um sich. Gleich ging es ihr eine Spur besser. Anschließend schmiegte sie sich an ihn. »Ich bin nervös wegen deiner Eltern. Trotzdem freue ich mich, sie kennenzulernen. Ich finde es sehr nett von ihnen, dass sie herkommen, um dir mit dem Haus zu helfen und Zeit mit dir zu verbringen. Bei einem solchen Sohn müssen sie wirklich sympathisch sein.«

»Du wirst sie mögen.«

»Bestimmt. Lass uns reingehen, einverstanden? Irgendwie werde ich das Gefühl nicht los, dass mir was im Nacken sitzt.«

Griff nahm das andere Handtuch und ihre Hand.

Blicke durch einen Feldstecher folgten ihnen, während sie zwischen den Bäumen hindurch und quer über die Wiese liefen.

28

Shelby ließ sich von ihrer Mutter zu einer Gesichtsbehandlung überreden. Sie hätte es besser wissen müssen. Halb nackt unter einer Decke liegend, konnte sie Ada Mae nicht entkommen.

»Wie schön, dass sich Griffins Eltern für diesen Sommer angekündigt haben. Ich hab dir ja erzählt, dass wir sie letzten Herbst kennengelernt haben.« Nach dem Reinigen und einem sanften Peeling trug Ada Mae ihr geschickt eine dicke energiespendende Maske auf.

»Wirklich ganz reizende Leute. Ich habe ihnen Tomaten aus dem Garten mitgebracht. Wir haben auf der Veranda gesessen und Tee getrunken, während seine Mutter im Garten gearbeitet hat. Die ist dem wuchernden Unkraut zu Leibe gerückt wie ein Berserker. Vor allem dem Giftsumach. Ich habe ihr gezeigt, wo man orangeblütiges Springkraut pflücken kann. Wie du weißt, hilft sein Saft gegen die Hautirritationen vom Giftsumach. Da sie aus Baltimore stammt, wusste sie das nicht. Wir haben nett miteinander geplaudert.«

»Du hast ihnen die Tomaten gebracht, damit sie dich auf ihre Veranda einladen.«

»So macht man das unter Nachbarn. Ich wollte damit nur sagen, dass seine Mutter Natalie eine nette Frau ist. Und seinen Vater Brennan fand ich ebenfalls sehr nett, außerdem sieht er unverschämt gut aus. Griff ist ihm wie aus dem Gesicht geschnitten, wirklich. Weißt du, was noch?«

»Was denn, Mama?«

»Matt mögen sie auch. Sie lieben ihn wie einen Sohn und

Emma Kate gleich mit. Das sagt viel über Menschen aus, wenn sie Fremde so herzlich in die Familie aufnehmen. Deine Maske muss noch ein wenig einwirken. In der Zwischenzeit massiere ich dir die Hände und Füße.«

Wäre es nach Shelby gegangen, hätte sie sich die Mühe nicht machen müssen. Andererseits massierte keiner so gut die Füße wie Ada Mae.

»Du brauchst eine neue Pediküre, Schätzchen, und sag nicht, du hättest keine Zeit. Jede, die bei uns arbeitet, ist eine Visitenkarte für unsere Leistungen und Produkte. Du weißt ja, was deine Granny sagt. Du brauchst einen schönen Sommerlack. Wie wär's mit *Bezaubernder Blauregen?* Die Farbe passt toll zu deinen Augen.«

»Na gut, Mama.« Sie würde dafür sorgen, dass Maybeline oder Lorilee sie zwischendurch drannahmen.

»Deine Haut ist einfach wunderbar. Das gefällt mir.«

»Anständiges Essen, anständige Arbeit und miterleben zu dürfen, wie meine Kleine wächst und gedeiht, tut mir gut.«

»Nicht zu vergessen der anständige Sex.«

Shelby musste lachen. »Vermutlich darf man das nicht unterschätzen.«

»Ich weiß, dass du Sorgen hast, aber die werden vergehen. Dieser Jimmy Harlow ist meilenweit weg und tut weiß Gott wem Gott weiß was. Wenn ihn das FBI nicht findet, ist er bestimmt im Ausland. In Frankreich oder so.«

Mit geschlossenen Augen und bereits herrlich entspannten Füßen lächelte Shelby. »In Frankreich?«

»Das ist mir spontan eingefallen. Auf jeden Fall ist er längst über alle Berge.«

Ada Mae steckte Shelbys nach dem Peeling eingecremte Füße in kuschelweiche Socken und widmete sich dann ihren Händen.

»Dieser Tunichtgut von Arlo Kattery ist endlich von der Bildfläche verschwunden. Soweit ich weiß, sitzt er die nächsten fünf Jahre im Gefängnis. Und Melody Bunker soll angeblich nach

Knoxville ziehen, wenn sie aus dieser schicken Besserungsanstalt rauskommt. Zu Miz Florences Bruder.«

»Es ist mir völlig egal, wo sie hinzieht oder was sie tut. Dass sie mir Ärger gemacht hat, ist für mich unvorstellbar weit weg. Komisch. Jemand, der so eingebildet ist wie sie, merkt überhaupt nicht, dass er im Leben anderer so gut wie keine Spuren hinterlässt.«

»Nun, sie hat durchaus versucht, welche in deinem zu hinterlassen.«

»Das ist ihr nicht gelungen.«

»Du gehst dein Leben richtig an, Shelby, wir sind sehr stolz auf dich.«

»Ich weiß, das zeigst du mir jeden Tag.«

»Sag mir, was du dir wünschst, Schätzchen. Ich sehe, dass du was auf dem Herzen hast, also raus mit der Sprache.«

Entspannt seufzte Shelby. »Ich hab angefangen, ein paar Onlinekurse zu belegen.«

»Wusst ich's doch. Was denn für Onlinekurse?«

»Innenarchitektur. Es sind bloß ein paar Kurse, aber es läuft sehr gut und macht Spaß. Ich möchte gern noch mehr belegen, sobald ich es mir leisten kann. Dazu welche in Betriebswirtschaft. Damit ich Erfahrungen sammeln kann und mich fortbilde.«

»Du bist wirklich begabt in solchen Sachen. Meld dich ruhig an, Shelby Anne. Dein Daddy und ich werden die Kosten übernehmen.«

»Nein, die zahl ich selbst, Mama.«

»Jetzt hör mir mal gut zu. Wir haben hart gearbeitet, dein Daddy und ich, um deine Brüder aufs College zu schicken. Auch sie mussten arbeiten, aber den Großteil haben wir bezahlt. Das machen Eltern so. Wir tun, was wir können. Dich hätten wir genauso aufs College geschickt. Vorübergehend hast du einen anderen Weg gewählt, aber wenn du eine Ausbildung machen willst, bezahlen wir das. Du würdest für Callie genau dasselbe tun, also hör auf, etwas anderes zu behaupten.«

»Ich wollte dir nichts davon erzählen, weil ich geahnt habe, dass du so reagierst.«

»Frag deinen Vater, was er davon hält. Er wird dir dasselbe sagen wie ich. Du sitzt schließlich nicht tatenlos rum und erwartest, dass wir für deinen Lebensunterhalt aufkommen. Du arbeitest, ziehst dein Kind groß und bemühst dich, etwas aus deinen Begabungen zu machen. Wenn ich meiner eigenen Tochter nicht helfen darf, wem dann? Was wäre ich dann für eine Mutter?«

Als Shelby die Augen öffnete, sah sie genau das vor sich, was sie bereits geahnt hatte. Das Gesicht ihrer Mutter, die sich weit vorgebeugt hatte. »Ich liebe dich sehr, Mama.«

»Das solltest du auch. Du kannst dich gern revanchieren, indem du unser Wohnzimmer aufmöbelst. Weil wir im ersten Stock so viel renoviert haben, wirkt es irgendwie fad.«

»Wenn du Daddy erzählst, dass ich Praxis brauche, kannst du ihn bestimmt überreden.«

»Du wirst sie bekommen … und das Zimmer eine Verjüngungskur.«

Sie zog Shelby Handschuhe an und begann mit einer langsamen, herrlichen Nackenmassage. »Da ich nun weiß, was ich wissen wollte, noch etwas: Wenn Griffs Eltern zu Besuch kommen, solltest du an einem Abend unbedingt für sie kochen und ihnen zeigen, was für eine gute Köchin du bist.«

»Mama …«

»Ich weiß, die meisten Frauen mögen es nicht, wenn andere Frauen in ihrer Küche herumfuhrwerken.« Ada Mae blieb völlig ungerührt. »Aber seine Mutter wird ganz schön schuften, wenn sie bei Griff zu Besuch ist. Ich weiß es sehr zu schätzen, wenn man mir nach einem langen Arbeitstag eine leckere Mahlzeit vorsetzt. Hab ich dir das etwa nie gesagt, wenn du für uns gekocht hast?«

»Doch, aber …«

»Du solltest diesen Nudelsalat machen, den du neulich für Daddy und mich zubereitet hast. Mit den leckeren Hühnerbruststreifen und den jungen Erbsen.«

»Mama, bis dahin dauert es noch eine Ewigkeit.«

»Du wirst dich wundern, wie schnell die Zeit vergeht.«

»Ich weiß, deshalb steigt diese Woche Emma Kates Verlobungsparty, auch wenn Matt ihr gerade erst den Ring an den Finger gesteckt hat. Ich hab alle Hände voll zu tun. Es gibt so vieles, woran ich denken muss.«

»Ich würde dir dafür gern ein neues Kleid kaufen.«

Sie hatten schon öfter darüber geredet, und Shelby war sehr dankbar für dieses Angebot. Trotzdem wollte sie das Geld lieber in ihre Weiterbildung investieren.

»Danke, Mama, aber ich hab zu wenig Anlässe für solche Kleider. Wenn ich es nur einmal trage, ist es rausgeschmissenes Geld. Außerdem werde ich den ganzen Abend lang von einem zum anderen rennen, um sicherzustellen, dass alles so läuft wie geplant. An Miz Bitsy mag ich gar nicht denken.«

»Oje, das kann ich mir vorstellen.«

»Das wird den ganzen Samstagabend so gehen, und es wird mir leichterfallen, wenn ich kein langes Kleid trage.« Sie hatte in den letzten Jahren oft genug elegante Abendkleider getragen. Ihr Verkauf hatte ordentlich Geld in die Kasse gebracht.

»Soll ich die Haare offen tragen oder hochgesteckt?«, fragte sie, um ihre Mutter abzulenken.

»Ach, Granny könnte dir eine wunderbare Hochsteckfrisur machen, die deine Locken so richtig zur Geltung bringt, statt sie zu verstecken.«

Ada Mae sauste davon, und Shelby schloss einfach die Augen, genoss den Rest ihrer Gesichtsbehandlung.

Sie hatte noch viel zu tun, und die Zeit war knapp. Sie musste E-Mails schreiben, Anrufe machen, Texte mit dem Eventmanager absprechen, der lieber mit ihr zu tun hatte als mit der *begeisterten, kreativen* Brautmutter.

Shelby wusste genau, was er damit meinte.

Sie hatte ein hoffentlich letztes Gespräch mit der Floristin und eines mit Bitsy.

Trotzdem gönnte sie sich samt ihren neuen Blauregen-Zehen eine kurze Verschnaufpause draußen im Innenhof, zusammen mit ihrer Großmutter, die gerade einen langen Arbeitstag beendete.

»Du strahlst richtig, Kleines.«

Shelby nippte an ihrem Eistee. »Mama ist ein Genie.«

»Sie hat wirklich Talent, aber sie hatte auch fantastisches Ausgangsmaterial. Du wirkst sehr glücklich in letzter Zeit. Eine bessere Schönheitsbehandlung gibt es nicht. Es fällt schwer, jemanden zum Strahlen zu bringen, der nicht glücklich ist.«

»Ich bin auch glücklich. Callie wächst und gedeiht, wir haben ein neues Baby in der Familie, und meine beste Freundin heiratet. Die Arbeit hier hat mir gezeigt, wie sehr ich Rendezvous Ridge liebe. Außerdem sind da noch die tollen *Friday Nights* im *Bootlegger's.*«

Sie nahm einen Schluck Tee. »Zu guter Letzt habe ich einen tollen Freund, der mich sogar aus der Ferne zum Strahlen bringen kann. Wobei das natürlich an erster Stelle steht. Ich habe unverschämtes Glück, Granny. Nicht jeder bekommt eine zweite Chance.«

»Du hast für deine hart gearbeitet.«

»Das werde ich auch weiterhin tun. Jetzt, wo ich wieder strahle und meine Nägel tipptopp sind, möchte ich dich bitten, mir am Samstag vor der Verlobungsparty die Haare zu machen.«

Viola musterte Shelby über den Rand ihrer Brille hinweg. »Darf ich mit ihnen machen, was ich will?«

»Ich würde es nie wagen, einer Expertin dreinzureden.«

»Gut, ich habe da nämlich so eine Idee. Sag mir vorher, was du wirklich auf dem Herzen hast.«

Granny konnte in ihr lesen wie in einem offenen Buch. »Im Moment dreht sich alles um die Verlobungsparty. Stell dir vor, ich hab mit Miz Bitsy telefoniert und konnte sie gerade noch davon abbringen, ein Streichquintett für den Ballsaal zu buchen. Niemand weiß, was sie für die Hochzeit ausbrütet, wenn wir sie nicht daran hindern.«

»Sie liebt ihre Tochter abgöttisch, hat aber sehr seltsame Vorstellungen, die so gar nicht zu Emma Kate passen. Dich beschäftigt noch etwas anderes, Shelby, das seh ich dir doch an.«

»Ich möchte deine ehrliche Meinung hören. Ich … Ich bin wirklich dankbar, bei dir arbeiten zu können, Granny. Nicht nur, weil ich einen Job gebraucht habe, sondern auch, weil er mir geholfen hat, wieder richtig hier anzukommen und Teil der Gemeinschaft zu werden. Du sollst wissen, wie dankbar ich dir dafür bin.«

»Wenn du einen anderen Job in Aussicht hast, Shelby, hab ich keine Probleme damit. Ich bin nie davon ausgegangen, dass das eine Dauerlösung wird. Dass du den Salon übernimmst, passt genauso wenig zu dir wie Bitsys seltsame Ideen zu ihrer Tochter Emma Kate. Was hast du denn in Aussicht?«

»Es dauert noch ein bisschen, bestimmt ein halbes Jahr, wenn nicht noch länger, vermutlich länger«, korrigierte sie sich. »Ich belege gerade Onlinekurse in Innenarchitektur.«

»Dafür bist du genauso begabt wie Ada Mae für ihre Kosmetikbehandlungen. Ich hab mir immer vorgestellt, dass du zuerst mit deiner Stimme Karriere machst, um dann eines Tages die großen Villen einzurichten, die du dir damit verdient hast.«

»Ich kann nicht so viel Energie in eine Musikerkarriere stecken, wie es eigentlich nötig wäre. Die späten Auftritte, die Tourneen, das ist einfach nichts mehr für mich. Diese Chance habe ich endgültig vertan und leichtfertig über Bord geworfen. Dem darf ich nicht hinterhertrauern.«

»Das Leben stellt einen ständig vor neue Entscheidungen. Du wirst deine Wahl treffen.«

»Ich glaube, ich könnte Callie und mir damit was Schönes aufbauen, Granny.«

Lächelnd und mit aufmerksamem Blick nickte Viola. »Du
willst etwas aus dir machen. Du willst nicht irgendeinen Beruf
lernen, sondern hast eine Berufung.«

»Ja. Ich schneide in diesen Kursen ziemlich gut ab und werde
weitere belegen, auch in Betriebswirtschaft.«

Viola nickte erneut, und ihr Lächeln wurde breiter. »Du hast
eine natürliche Begabung dafür, aber ein bisschen Theorie kann
bestimmt nicht schaden.«

»Ich werde nichts überstürzen. Ich habe Gilly mit ihrem Schlafzimmer geholfen und Emma Kate Vorschläge für ihre Wohnung
gemacht, um zu sehen, ob ich in der Lage bin, auf die Bedürfnisse
anderer einzugehen. Jetzt möchte Mama, dass ich ihr Wohnzimmer aufpeppe. Keine Ahnung, was Daddy dazu sagt.«

Viola erwiderte Shelbys Grinsen. »Männer mögen generell
keine Veränderungen, aber irgendwann gewöhnen sie sich
dran.«

Ermutigt beugte sich Shelby in ihrem Stuhl vor. Schließlich
wusste niemand so gut, wie man sich erfolgreich selbstständig
macht, wie Viola Mac Nee Donahue.

»Ich hab jede Menge Ideen für Griffs Haus. Manchmal muss
ich mir direkt auf die Zunge beißen. Es ist schließlich sein Haus,
und er hat selbst einen ganz ausgezeichneten Geschmack.«

»Jeder, der einigermaßen intelligent ist, weiß eine zweite Meinung zu schätzen.«

»Na ja, manchmal beiße ich mir tatsächlich nicht auf die
Zunge. Bisher hat er noch nie beleidigt reagiert. Wie dem auch
sei, ich werde diese Kurse belegen, mir die nötigen Referenzen er-
arbeiten und mich dann selbstständig machen. Ich werde arbeiten, um Callie und mich zu finanzieren und diese verdammten
Schulden abzutragen. Ich will ganz klein anfangen, so wie Grandpa und du damals. Hältst du das für eine gute Idee?«

»Macht es dich glücklich?« Viola hob den Zeigefinger und trommelte dann damit auf dem Tisch herum. »Das darf man nämlich nie vernachlässigen, Shelby. Es ist schwer genug, jeden Tag zur Arbeit zu gehen und mit einem Chef auskommen zu müssen, für den man nicht gern arbeitet. Aber wenn du dich selbstständig machst, hängt alles nur von dir ab. Macht dich deine Selbstständigkeit nicht glücklich, solltest du lieber als Angestellte arbeiten und die Verantwortung und die damit verbundenen Sorgen anderen überlassen.«

»Genau deshalb wollte ich erst mit dir reden, bevor ich weitere Schritte unternehme. Es macht mich glücklich, Granny. Schon die kleinen Veränderungen bei Gilly und Emma Kate haben mich glücklich gemacht. Zu sehen, wie begeistert sie waren. Zu wissen, dass ich erkannt habe, was ihnen gefällt. Außerdem war ich wirklich überglücklich, als Griff die Farbe verwendet hat, die ich für den Eingangsbereich vorgeschlagen habe. Und dass er die bemalte Truhe gekauft hat, die ich bei *The Artful Ridge* gesehen hatte. Ich musste nur erwähnen, wie gut sie ans Fußende seines Bettes passen würde – und genauso ist es auch.«

»Dann tu, was dich glücklich macht.«

Laut seufzend lehnte sich Shelby zurück. »Ich mache einen Schritt vorwärts und zwei zurück. Zumindest fühlt es sich so an. Ich habe auch geglaubt, Richard glücklich zu machen.«

»Da hast du einen Fehler gemacht«, sagte Viola ungerührt. »Es wird nicht dein letzter sein, bevor deine Zeit auf Erden vorüber ist. Nicht, wenn du das Glück hast, ein langes, erfülltes Leben zu leben.«

»Ich kann nur hoffen, dass es der größte ist, den ich jemals machen werde.« Sie nahm Violas Hand. »Wirst du mir helfen? Nicht mit Geld natürlich, sondern wenn es losgeht. Darf ich dich dann mit meinen Fragen bombardieren, denn ich werde sicherlich viele davon haben.«

»Ich wäre beleidigt, wenn du es nicht tun würdest. Mein Geschäftssinn ist sehr ausgeprägt, dasselbe gilt für deinen Großvater. Wer, glaubst du, hat deinem Vater beim Aufbau seiner Praxis geholfen?«

»Das ist leicht zu beantworten. Ich verlass mich auf dich.«

»Und ich mich auf dich. Ah, welch gut aussehender Mann schaut denn da bei uns vorbei?«

»Miz Vi.« Matt ging zu ihr an den Tisch und beugte sich vor, um sie auf die Wange zu küssen. »Bitte entschuldigen Sie, aber ich bin nicht ganz taufrisch. Ich komme direkt von den Umbauarbeiten im *Bootlegger's*.«

»Und, wie läuft's?«

»Das Fundament ist fertig, morgen kommt jemand von der Bauaufsicht. Und, wie geht es dir, Shelby?«

»Gut, danke. Möchtest du ein kaltes Getränk?«

Er winkte mit dem Energydrink, den er mitgebracht hatte.

»Ein Glas mit Eiswürfeln vielleicht?«

»Echte Männer brauchen keine Gläser.« Augenzwinkernd trank er aus der Flasche. »Emma Kate meinte, du willst mit mir reden? Unter vier Augen?« Jetzt wackelte er mit den Augenbrauen und brachte Shelby zum Lachen.

»Ja, aber ich habe nicht erwartet, dass du so schnell kommst. Du hast schließlich viel zu tun.«

»Du doch auch! Wie ich hörte, konntest du gerade noch ein Streichquintett abbiegen. Ich könnte dir die Füße küssen vor Dankbarkeit.«

»Setz dich«, befahl ihm Viola. »Nimm meinen Stuhl«, fügte sie hinzu, während sie aufstand. »Ich schlepp mich nach Hause und gönn mir einen etwas steiferen Drink als Eistee. Und benimm dich bitte in Gegenwart meiner Enkelin, Matthew.«

»Zu Befehl, Madam.«

»Bis morgen, Granny. Sag Grandpa liebe Grüße.«

»Danke zurück«, sagte Viola im Reingehen.

»Gibt es sonst noch was, das ich wissen muss? Da wir um die

Streicher gerade so rumgekommen sind?« Matt setzte sich, machte die Beine lang und seufzte. »Ah, tut das gut.«

»Jemand, der so schwer arbeitet wie du, sollte sich einmal die Woche eine Massage bei Vonnie gönnen. Damit bleibt man gesund und bekommt keine hartnäckigen Verspannungen.«

»Emma Kate sagt etwas Ähnliches, nur dass sie mir Yoga empfiehlt. Doch bevor ich mich zu einer Breze verknote, lasse ich mich lieber massieren.«

Vermutlich wollte er so schnell wie möglich nach Hause, anstatt zu warten, dass sie endlich zur Sache kam.

»Ich wollte eigentlich erst nach der Party mit dir darüber reden beziehungsweise dann, wenn ich den Kopf freihabe. Aber ich habe gerade mit Granny darüber gesprochen. Sie und Mama sind die Einzigen, die ich bisher eingeweiht habe.«

»Es geht also nicht um die Party.«

»Nein, die wird perfekt, mach dir deswegen keine Sorgen. Es geht um Folgendes …« Sie atmete tief durch. »Ich habe angefangen, Onlinekurse zu belegen«, hob sie an und erzählte ihm alles.

»Griff findet auch, dass du Talent dafür hast. Man darf nicht alles für bare Münze nehmen, was einem ein Frischverliebter erzählt, aber ich konnte mich inzwischen selbst überzeugen. Schließlich hast du bei uns wahre Wunder vollbracht, und das für nicht einmal zweihundert Dollar.«

»Ich habe das, was ohnehin da war, nur ein bisschen umgestellt.«

»Es schaut so viel besser aus. Moderner. Super fand ich die Idee, die Spitzendeckchen ihrer Urgroßmutter zu rahmen. Ich war nicht gerade wild darauf und dachte, das ist viel zu mädchenhaft. Aber sie sehen toll aus.«

»Ach, sie hängen schon?«

»Sie hat sie gestern abgeholt, und wir haben sie genau dort aufgehängt, wo du es uns empfohlen hast. Selbst wenn es mir nicht gefallen würde, hätte mich Emma Kates Strahlen locker darüber hinweggetröstet. Doch das ist nicht der Fall.«

»Ich freu mich riesig, dass euch mein Vorschlag so zusagt.«

»Sie kann es kaum erwarten, die restliche Wohnung aufzupeppen. Normalerweise hätte ich nichts dagegen, aber ich will ehrlich zu dir sein. Ich versuche, sie davon abzuhalten, da wir uns am Sonntagnachmittag ein Grundstück anschauen wollen.«

»Du hast etwas gefunden. Wo?«

»Es ist gar nicht so weit von Griffs Haus entfernt. Knapp tausendzweihundert Quadratmeter, also deutlich kleiner als seines. Es fließt derselbe Bach durch.«

»Es ist bestimmt wunderbar. Ich wusste gar nicht, dass ihr so weit rausziehen wollt.«

»Emma Kate hat deswegen ein wenig Bauchschmerzen, aber wenn sie es erst mal gesehen hat, lässt sie sich bestimmt überreden. Vielleicht kannst du dir deine Vorschläge bis Baubeginn aufsparen.«

»Ehrlich gesagt wollte ich dich etwas fragen, Matt. Nur dich, nicht Griff und Emma Kate. Ob du mich weiterempfehlen würdest, wenn ich erst einmal genügend Referenzen habe und es sich so ergibt? Schau, ich habe zwei Kursprojekte auf meinem Handy.« Sie zückte es. »Auf dem Display sieht man keine Details, aber so kannst du dir einen ersten Eindruck verschaffen.«

»Du hast Griff noch nichts davon erzählt?«

»Nein.« Sobald sie die Projekte aufgerufen hatte, reichte sie Matt das Handy. »Er würde mich auf jeden Fall loben, dasselbe gilt für Emma Kate. Aber ich will kein gut gemeintes Lob. Und ich verspreche dir eines: Wenn dich das nicht überzeugt, werde ich ihm oder Emma Kate nichts davon verraten. Ich will dich da auf keinen Fall in was reinziehen.«

Sie atmete tief durch, während er ihr Projekt betrachtete und sich dann das zweite vornahm.

»Eure Arbeit, die von Griff und dir, ist wirklich super. Und euer

Ruf in der Gegend ist ausgezeichnet, obwohl ihr noch gar nicht so lange bei uns aktiv seid, nicht für hiesige Verhältnisse zumindest. Ich kann mir gut vorstellen, dazu beizutragen. Als externe Einrichtungsberaterin.«

Er schaute kurz zu ihr hinüber und dann wieder auf das Display.

»Das hast du dir alles selbst ausgedacht?«

»Ja. Diese Entwürfe existieren natürlich nur auf dem Papier, aber …«

»Die sind gut, Shelby, wirklich gut.«

»Ehrlich?«

»Ganz ehrlich. Bei uns entwirft Griff die meisten Sachen und macht auch Einrichtungsvorschläge, wenn der Kunde es wünscht. Du musst ihm das unbedingt zeigen.«

»Das mache ich, aber ich will nicht, dass er sich gezwungen fühlt …«

»Zeig sie ihm«, unterbrach Matt sie. »Wir sind ein Team. Wenn wir eine Entscheidung treffen, dann muss sie von uns beiden getragen werden. Ich kann dir also kein grünes Licht geben, bevor er nicht einen Blick daraufgeworfen hat. Ich kann dir nur versprechen, mich für dich ins Zeug zu legen.«

»Wirklich? Ist das dein Ernst? Warte.« Sie beugte sich vor. »Guck mir in die Augen«, befahl sie. »Sagst du das nur, um mir einen Gefallen zu tun?«

»Ich würde sagen, wir tun uns alle einen Gefallen damit.«

»Danke.« Sie setzte sich wieder. »Ich werd's ihm zeigen. Es wird etwas dauern, bis ich alle Referenzen zusammen und einen Businessplan ausgearbeitet habe. Doch da ich weiß, dass du mich weiterempfehlen wirst, fällt mir ein Stein vom Herzen.«

»Wie wär's, wenn du gleich freiberuflich bei uns einsteigst?«

»Ich bin noch nicht einmal mit der ersten Kurseinheit fertig.«

»Tansy treibt Derrick jetzt schon mit Farb-, Parkettmustern und Beleuchtungskonzepten in den Wahnsinn … Dabei ist erst das Fundament fertig. Wenn du mit ihr zusammenarbeiten könntest, würde das Ganze nicht so chaotisch ablaufen. Sie hat tolle Ideen, aber sie sind ziemlich unstrukturiert und vermischen sich manchmal mit ihren Vorstellungen fürs Kinderzimmer. Außerdem wär es eine echte Hilfe für sie. Sie wird dir bestimmt unglaublich dankbar sein.«

»Ich helfe gern, wenn sie das will.«

»Das wäre also gebongt. Dann kannst du mit Derrick besprechen, was du dafür haben willst, und …«

»O nein, ich werde kein Geld dafür verlangen, dass …«

Kopfschüttelnd gab er ihr das Handy zurück. »Das ist kein guter Businessplan.«

Sie lachte laut auf. »Nein, das stimmt.«

»Weißt du eigentlich, wie viele Freunde, Verwandte, Bekannte, aber auch Wildfremde sich gern von Griff und mir eine Terrasse bauen, die Fassade streichen und die Küche neu fliesen lassen wollten, als wir angefangen haben?«

»Nein.«

»Ich auch nicht. Es waren wirklich unzählige. Hör also auf den Rat eines Mannes, der das alles in- und auswendig kennt, und mach nicht den gleichen Fehler wie wir. Wenn dich Tansy wegen der Wiege oder der Farbe fürs Kinderzimmer um Rat bittet, ist das eine Sache unter Freundinnen und vollkommen in Ordnung. Aber wenn Derrick und sie ihr Lokal vergrößern, musst du Geld für deine Arbeit verlangen.«

»Na gut. Vorausgesetzt, sie wollen mich überhaupt engagieren.«

»Ich ruf Derrick an. Wenn er Interesse hat, wird er sich bei dir melden. Jetzt muss ich los.«

»Ich auch.« Sie erhob sich ebenfalls. »Mama hat Callie abgeholt, und die beiden fragen sich bestimmt schon, wo ich bleibe. Danke, Matt.« Sie umarmte und drückte ihn. »Heb dir am Samstag bitte einen Tanz für mich auf.«

»Aber klar doch. Zeig Griff deine tollen Projekte«, wiederholte er.

»Sobald ich Zeit dazu habe.«

Sie ging wieder hinein. Noch waren Kunden da. Ein paar Frauen nutzten den Entspannungsraum nach einer Behandlung, ein paar waren nach der Arbeit zum Haareschneiden gekommen.

Doch Shelbys Arbeitstag war vorbei.

Sie nahm ihre Handtasche, verabschiedete sich und ging. Nur um zufällig Griff in die Arme zu laufen.

Sein Kuss traf sie völlig unerwartet. Kein Wunder, dass ihr ganz besonders schwindelig wurde.

»Hallo«, sagte er.

»Hallo.«

»Ich hab deinen Kombi gesehen und wollte dich überraschen.«

»Ich war nur …« Der Schwindel legte sich, als sie sah, wie sich Crystal, ihre Kundin und die Shampooneuse allesamt die Nasen am Fenster platt drückten.

Als Shelby sie davonscheuchte, deutete Crystal ein wild klopfendes Herz an.

»So, wie es aussieht, sind wir heute Abend die Hauptattraktion.«

Griff grinste nur und winkte den Frauen zu, während Shelby ihn zu ihrem Kombi zog. »Überstunden?«

»Ehrlich gesagt, wollte ich kurz mit Granny reden. Danach hab ich mich mit Matt getroffen.«

»Ein Rendezvous? Muss ich eifersüchtig sein?«

»Nein, noch nicht. Weißt du, es gibt da etwas, worüber ich gern mit dir reden würde. Etwas, das ich dir zeigen muss.«

»Geht es um die große Party?«

»Nein, gar nicht. Wieso kommst du nicht mit zum Abendessen? Mama und Daddy freuen sich bestimmt, dich zu sehen. Und Callie wird begeistert sein.«

»Drei Rothaarige, ein Arzt und eine kostenlose Mahlzeit. Wer kann da schon Nein sagen.« Doch dann sah er an seinem Schlabber-T-Shirt und seiner staubigen Jeans hinunter. »Heute stand jede Menge Drecksarbeit auf dem Programm, und ich hatte keine Gelegenheit zu duschen.«

»Das kannst du bei uns zu Hause machen, wir essen im Garten. Wie fast immer bei diesem Wetter.«

»Dann fahr ich dir hinterher.«

»Ich sag nur schnell Mama Bescheid, damit du sie nicht ohne Lippenstift ertappst.« Sie wollte gerade zum Handy greifen, als sie eine SMS bekam.

»Ist die von deiner Mutter?«, fragte Griff, während sie sie las.

»Nein, von Derrick.«

Ja, bitte sag Ja. Rette mich aus dem Einrichtungsalbtraum.

»Das gehört zu dem Thema, über das ich mit dir reden will.« Sie ging zur Fahrertür. »Was machst du eigentlich im Ort?«

»Sieht ganz so aus, als hätte ich auf dich gewartet.«

Sie musste lächeln. Wie schon den ganzen Tag über.

Als Shelby in den Kombi stieg, fuhr ein dicker Geländewagen vorbei. Sie warf nur einen kurzen Blick darauf, hätte den Fahrer aber ohnehin nicht erkannt.

Er hatte erneut sein Äußeres geändert.

Sie fuhr nach Hause in die Hügel, und er wusste, was er tun musste und wann. Er freute sich, dass das, was in Miami seinen Anfang genommen hatte, so gut wie beendet war.

29

Als Griff am Samstag Vi's Salon betrat, sorgte Snickers für Riesentrubel. Stylistinnen wie Kundinnen gingen entzückt in die Hocke, kraulten ihm Bauch und Ohren und rissen den Hund zu einem wahren Freudentaumel hin.

Griff musste daran denken, wie er sich mit zwanzig den Kopf darüber zerbrochen hatte, wie man Frauen kennenlernt.

Dabei hätte er sich nur einen Hundewelpen ausleihen müssen.

Er war nur widerwillig hergekommen, weil Emma Kate ihn dazu gedrängt hatte, sich die Haare schneiden zu lassen. Das hasste er, aber ihre Bitte hatte erschreckend eindringlich geklungen.

»Du brauchst einen Nachschnitt«, sagte Viola, und sofort verspannten sich seine Schultern.

»Emma Kate sagt dasselbe, aber Sie sind beschäftigt, insofern …«

»Im Moment ist mein Stuhl frei. Nimm Platz, Griff.«

Der Welpe machte sofort Sitz und schien sehr stolz auf sich zu sein. Alle Frauen riefen im Chor: »Wie süß!«

»Ein Mann sollte gepflegt aussehen, wenn sein bester Freund Verlobung feiert.« Viola zeigte auf den Stuhl. »Sei brav und mach Sitz, genau wie dein Hund.«

»Nur ein bisschen nachschneiden.« Griff gehorchte widerstrebend.

»Habe ich dich jemals verunstaltet?«

»Nein, Madam.«

Sie hängte ihm einen Umhang um und griff nach ihrer Sprayflasche, um sein Haar nass zu machen.

»Du hast schönes Haar, Griffin. Wie ich sehe, pflegst du es gut. Ich nehme an, du bist als Kind von einem Herrenfriseur traumatisiert worden.«

»Sie haben extra einen Clown kommen lassen. Einen mit so einer verrückten Perücke. Es war schlimm, richtig schlimm. Haben Sie je *Es* von Stephen King gelesen? So eine Art Clown war das.«

»Hier gibt es keine Clowns.« Amüsiert strich sie ihm über die Wange. »Junge, Junge, du brauchst dringend eine Rasur.«

»Ja, darum kümmere ich mich später.«

»Ich werde dich rasieren.« Panik stand in seinen Augen, doch sie lächelte nur. »Hast du dich jemals von einer Frau nass rasieren lassen?«

»Nein.«

»Dann wartet eine echte Belohnung auf dich.« Sie stellte den Stuhl richtig ein und griff nach ihrer Schere. »Du hast noch gar nicht nach Shelby gefragt.«

»Sie verraten mir bestimmt, wo sie ist.«

»Sie ist hinten, mit sechs Frauen, die alle seit dem College miteinander befreundet sind. Sie sind für ein verlängertes Wochenende oben im großen Hotel abgestiegen. Es ist schön, so alte Freunde zu haben. Bei Matt und dir ist es genauso.«

»Ja, das stimmt.«

Sie plauderte zwanglos mit ihm, während sie feine Strähnen zwischen ihre Finger nahm und nachschnitt. Damit er sich entspannte, natürlich. Jedes Mal, wenn er sich im Abstand von mehreren Monaten zum Nachschneiden zwang, wandte sie dieselbe Taktik an.

Er sah ihr gern bei der Arbeit zu, bewunderte die raschen, erfahrenen, präzisen Bewegungen und die Art, wie sie die Augen zusammenkniff, um das Ergebnis zu beurteilen. Dabei redete sie die ganze Zeit mit ihm, gab Anweisungen oder beantwortete Fragen.

Sie schaffte es, ein halbes Dutzend Unterhaltungen gleichzeitig zu führen. Eine seltene Begabung, wie er fand.

»Sie wird immer eine Schönheit bleiben.«

»Shelby?«

Viola erwiderte seinen Blick im Spiegel und lächelte. »Warte nur, bis du sie heute Abend zu Gesicht bekommst. Sie müsste bald auftauchen und Callie zurechtmachen. Danach mache ich ihr die Haare. Ich sehe ihre Frisur schon genau vor mir.«

»Sie werden sie doch hoffentlich nicht glätten?«

»Auf keinen Fall. Sie sagt, dass sie früh ins Hotel muss. Ihr könnt also leider nicht zusammen fahren, sonst würdet ihr einen ziemlichen Auftritt hinlegen.« Sie wandte den Kopf. »Lorilee, ich bin so gut wie fertig, würdest du mir bitte ein Handtuch für Griffs Rasur holen?«

»Aber gern doch, Miz Vi.«

»Sie müssen mich wirklich nicht …«

»Griffin Lott, wie willst du mich dazu bringen, meinen Mann, mit dem ich seit fast fünfzig Jahren verheiratet bin, zu verlassen und mit dir durchzubrennen, wenn du mir nicht mal zutraust, dass ich dir nicht beim Rasieren die Kehle durchschneide?«

Also blieb ihm nichts anderes übrig, als den Kopf in den Nacken zu legen, während ein feuchtes, heißes Handtuch sein Gesicht bedeckte. Zugegeben, das fühlte sich toll an … bis er hörte, wie die Klinge gewetzt wurde.

»Ich benutze die Klinge meines Ururgroßvaters«, sagte sie wie nebenbei. »Aus rein sentimentalen Gründen natürlich. Er hat sie meinem Großvater vermacht, und der hat mir beigebracht, wie man einen Mann rasiert.«

Er spürte förmlich, wie sein Adamsapfel nervös auf und ab hüpfte.

»Wann haben Sie das zum letzten Mal gemacht?«

»Ich rasiere Jackson so gut wie jede Woche.« Sie beugte sich vor. »Betrachten wir es als Vorspiel.«

Er musste lachen, und sie entfernte das Handtuch. »Aber dafür kommt wohl eher meine Enkelin infrage. Ansonsten hab ich Bürgermeister Haggerty jeden Samstagvormittag rasiert, zumindest bis er in Rente gegangen und nach Tampa, Florida, gezogen ist. Inzwischen haben wir eine Bürgermeisterin.«

Sie goss etwas Öl in die Hände, rieb sie und ließ sie anschließend über sein Gesicht gleiten.

»Das macht die Bartstoppeln weicher und sorgt für ein sicheres Polster zwischen Haut, Rasierschaum und Klinge. Außerdem riecht es gut.«

»Das klingt aber gar nicht nach einer Großvaterrasur.«

»Man muss mit der Zeit gehen.« Geschäftig schlug sie Rasierseife mit einem dicken Pinsel schaumig. Den Schaum trug sie dann dick auf Gesicht und Hals auf. »Um auf unser ursprüngliches Thema zurückzukommen. Die derzeitige Bürgermeisterin rasiere ich nicht. Es gibt jedoch ein, zwei Kunden, die eine ordentliche Herrenrasur zu schätzen wissen und regelmäßig vorbeischauen. Andere gehen zu *Lester's Barbershop*. Der redet seit Langem davon, sich zur Ruhe zu setzen. Wenn es so weit kommen sollte, werde ich expandieren und auch Herren bedienen.«

»Sie schmieden ständig Zukunftspläne.«

»Das kann man wohl sagen, Griff.«

Sein Blick huschte über die Rasierklinge und ihren Perlmuttgriff.

»Der Trick besteht darin, in kurzen Bewegungen gegen die Haarwuchsrichtung zu rasieren. Will man eine besonders gründliche Nassrasur, führt man die Klinge anschließend rückwärts, so wie ich heute.« Sanft straffte sie mithilfe des Daumens die Haut unter seiner Kotelette. »Du spürst so gut wie keinen Druck, nicht wahr? Die Klinge muss die Arbeit tun. Wenn man das Gefühl hat, fester aufdrücken zu müssen, ist sie nicht scharf genug.«

Miz Vi ging ganz methodisch vor, ohne das Gespräch zu unterbrechen. Er entspannte sich, so gut es ging, auch wenn die Klinge über seinen Hals fuhr.

»Willst du meine Kleine heiraten, Griff?«

Er schlug die Augen auf und sah ihr direkt ins Gesicht, sah das belustigte Funkeln darin.

»Sobald sie so weit ist.«

»Das ist eine kluge Antwort. Ich hab ihr beigebracht, wie man einen Mann rasiert.«

»Tatsächlich?«

»Gut möglich, dass sie etwas aus der Übung ist. Doch früher hat sie sich dabei ziemlich geschickt angestellt. Apropos Shelby, da kommt sie schon.«

Er traute sich nicht, sich zu rühren, konnte nur die Augen bewegen. Er hörte, wie der Hund aufsprang, hörte ihre Stimme. Sie lachte.

»Sieh mal einer an. Ich wusste gar nicht, dass du dich gern rasieren lässt, Griffin.«

»Das ist eine Premiere.«

Shelby fuhr ihm mit zwei Fingern über die linke Wange. »Hm, glatter geht's kaum.«

»Das ist erst das Vorspiel«, wiederholte Viola, und Shelby kicherte.

»Da kann man schon auf komische Gedanken kommen, nicht wahr? Tut mir leid, Granny, aber ich muss los. Das Hotel hat gerade einen Notruf abgesetzt, denn anscheinend ist Miz Bitsy dort aufgetaucht, obwohl sie mir versprochen hat, es bleiben zu lassen. Jetzt muss ich Feuerwehr spielen, bevor sie einen Flächenbrand auslöst.«

»Na, dann saus los. Ich hab dir doch gesagt, dass du dir den Tag freinehmen sollst.«

»Ich dachte, sie wird hier bespaßt. Sie hat einen Termin für Haare und Nägel. Ich muss sie dringend loswerden, im Hotel die Wogen glätten und innerhalb einer Stunde zurück sein, um die Mädels zu holen. Ich hab versprochen, sie zu einer Lesung zu bringen. Tracey hat schon was vor und Miz Suzannah einen Zahnarzttermin. Ich kann unmöglich zulassen, dass Miz Bitsy sich zu diesem Zeitpunkt noch einmischt. Andererseits möchte ich Callie und Chelsea nicht enttäuschen.«

»Ich mach das schon.«

Shelby tätschelte Griffs Schultern, bevor sie zur Rezeption eilte, um ihre Handtasche zu holen. »Ich bezweifle nicht, dass du gut im Feuerwehr spielen bist, aber …«

»Nein, ich meine nicht Miz Bitsy, sondern die Kinder. Ich hol sie ab und fahr sie zu der Lesung.«

Wie schon der Welpe entlockte auch das den Damen im Salon ein ehrfürchtiges: »Wie süß!«

»Griff, ich rede von zwei Vierjährigen.«

»Das ist mir durchaus bewusst.«

»Musst du denn nicht zur Arbeit?«

»Matt hat sich heute freigenommen. Emma Kate hat einen Termin für die Besichtigung der Hochzeitslocation vereinbart.«

»Wo denn?«

»Keine Ahnung. Bis um drei hab ich Zeit, dann muss ich wieder wegen einer Materiallieferung vor Ort sein.«

»Die Mädels sollen gegen drei bei Miz Suzannah sein. Sie werden dort übernachten.«

»Na also. Ich hol sie ab und bring sie zu der Lesung. Danach können wir noch eine Stunde auf den Spielplatz gehen oder so, wenn du bis dahin nicht zurück sein solltest. Ich übergeb sie dir und bin rechtzeitig zur Materiallieferung wieder zu Hause. Du kannst mein Auto haben. Ich nehme den Kombi.«

»Ich weiß nicht, ob Tracey einverstanden ist, wenn du auf die Mädels aufpasst.«

»Ach, sie wird schon nichts dagegen haben, Shelby.« Viola redete ihr diese Sorge aus. »Sie ist nicht hysterisch, sie kennt Griff und weiß, wie eingespannt du heute bist.«

»Du hast recht. Mir schwirrt der Kopf.« Sie zog ihre Schlüssel aus der Tasche. »Danke, Griffin, ich beeil mich.«

»Lass dir Zeit. Wenn du bis drei nicht zurück bist, geb ich Callie einfach eine Nagelpistole zum Spielen und Chelsea bekommt eine Kettensäge. Damit werden die beiden bestimmt eine Weile beschäftigt sein.«

»Du bist mir eine echte Hilfe.«

»Die Schlüssel sind in meiner rechten Hosentasche.«

Sie zog die Brauen hoch. »Du willst doch nur, dass ich meine Hände in deine Hose stecke.«

»Ich wusste gar nicht, dass diese Chance besteht, als ich sie dort verstaut habe. Aber die Idee gefällt mir.«

Sie steckte die Hand in seine Hosentasche und umklammerte die Schlüssel. »Danke«, sagte sie erneut, küsste ihn und gurrte noch mal genüsslich. »Drückt mir bitte alle die Daumen«, rief sie und rannte zur Tür.

＊

Griff machte es sich im *Rendezvous Bookstore* bequem, wo einmal im Monat für Kinder vorgelesen wurde. Und wer lässt sich nicht gern Geschichten vorlesen? Er lehnte sich mit einem Glas Eiskaffee an eines der Regale, während ungefähr ein Dutzend Kleinkinder im Kreis saß und der Geschichte über einen Jungen und einen Drachen mit verletztem Flügel lauschte.

Er kannte Miz Darlene, eine pensionierte Lehrerin, die halbtags in der Buchhandlung arbeitete. Matt und er hatten ihr Haus im letzten Herbst um einen kleinen Anbau erweitert, um ein gemütliches Lesezimmer.

Das brauchte sie auch. Sie las wirklich toll, verstellte ihre Stimme und schaffte es, Trauer, Freude, Wundern und Staunen genau richtig zu dosieren.

Die Kinder klebten förmlich an ihren Lippen, und selbst er wollte unbedingt wissen, wie es mit Thaddeus und seinem Drachen Grummel weiterging.

Irgendwo begann ein Baby zu weinen. Er hörte, wie eine Frauenstimme es sanft beruhigte, dann Schritte, während die Frau mit ihm auf und ab lief, bis das Weinen aufhörte.

Sonne fiel durch die Fenster, und die in die Ladentür eingelassene Glasscheibe warf ein geometrisches Muster auf die alten Holzdielen.

Das Muster veränderte sich, als die Tür aufging und die Ladenglocke läutete. Dann kehrte es wieder zurück und veränderte sich erneut, als ein Schatten darauffiel. Mehr bekam Griff von dem Mann gar nicht mit. Er war nur ein Schatten, der dieses Muster vorübergehend störte.

Dann war die Geschichte zu Ende, und Callie rannte schnurstracks auf ihn zu.

»Griff, hast du das gehört? Hast du das gehört? Grummels Flügel wurde geheilt, und Thaddeus durfte ihn behalten. Ich hätte auch gern einen Drachen.«

»Ich auch.« Er nahm Callies Hand.

»Können wir ein Buch kaufen?«, fragte Callie »Das mit Thaddeus und Grummel?«

»Klar. Danach holen wir uns ein Eis und gehen zum Spielplatz.«

Sie kauften das Buch. Da es bereits einen zweiten Band gab, schenkte er den beiden Mädchen auch diesen. Dann gab es ein Eis, das schneller schmolz, als die Kinder es essen konnten.

Am Spielplatzbrunnen wusch er ihre Hände, bevor er Fangen mit den Kindern spielte, um ihr Zuckerhoch abzubauen.

Als er sich in gespielter Erschöpfung fallen ließ, tollten die Kinder aufgedreht um ihn herum.

Callie zog an Chelseas Hand, entfernte sich ein paar Schritte mit ihr und begann zu flüstern.

»Was habt ihr denn für Geheimnisse?«

»Chelsea hat gesagt, die Jungs müssen fragen.«

Er setzte sich auf und schlug die Beine übereinander. »Was fragen?«

Nach wie vor flüsternd, warf Callie auf eine erstaunlich erwach-

sene Art den Kopf in den Nacken und marschierte auf ihn zu.
»Ich kann fragen, was ich will.«

»Okay.«

»Können wir heiraten? Wir können in deinem Haus wohnen,
und Mama ist auch eingeladen. Ich lieb dich nämlich.«

»Wow! Ich lieb dich auch.«

»Also können wir heiraten, so wie Emma Kate und Matt. Und
alle zusammen mit Snickers in deinem Haus wohnen, bis dass der
Tod uns scheidet.«

Gerührt zog er sie an sich. »Ich kümmere mich drum.«

»Das kitzelt gar nicht.« Sie strich ihm über die Wange.
»Heute nicht.«

»Ich mag es, gekitzelt zu werden.«

Erneut zog er sie an sich. »Bald wird wieder gekitzelt.«

Als er ein Piepen hörte, zückte er sein Handy.

Tut mir leid, dass es so lange gedauert hat. Flächenbrand
gelöscht. Bin auf dem Rückweg.

Den Arm um Callie gelegt, antwortete er.

Sind auf dem Spielplatz, rauchen und trinken Bier. Können sofort
aufbrechen.

Ihre Antwort ließ nicht lange auf sich warten.

Lasst keinen Müll rumliegen. Bin gleich da.

Er steckte das Handy zurück in die Hosentasche. »Deine Mom ist
unterwegs, Callie.«

»Aber wir wollen mit dir spielen.«

»Ich muss wieder in die Arbeit. Doch bevor es so weit ist …«

Er stand auf, klemmte sich beide Mädchen unter den Arm und

brachte sie zum Quietschen, während er mit Snickers Fangen spielte.

Da entdeckte er den Mann, der die Buchhandlung betreten hatte, am anderen Ende des Spielplatzes. Zumindest glaubte er, ihn wiederzuerkennen. Er ertappte sich dabei, die Mädchen instinktiv enger an sich zu ziehen.

Doch der Mann sah nach links, winkte lächelnd und ging auf jemanden zu, der sich außerhalb von Griffs Gesichtsfeld befand.

Kinder!, dachte er und setzte die Mädchen wieder ab, damit sie ihn fangen konnten. Sie können die seltsamsten Ängste in einem wachrufen.

* * *

Shelby hetzte sich ab, tauschte das Auto mit Griff, übernahm die Kinder und fuhr sie zu Miz Suzannah. Sie umarmte Callie besonders innig, da ihre Tochter zum ersten Mal nicht bei Verwandten übernachtete.

Dann eilte sie zurück zum Salon, um sich die Haare machen und auf Crystals Drängen hin schminken zu lassen. Obwohl sie das lieber selbst übernommen hätte, konnte sie einfach nicht Nein sagen, weil sie Crystal nicht verletzen wollte. Sie war so nervös, dass Crystal ihr schwor, sie nicht zuzukleistern.

Es ging eindeutig schneller, wenn man sich von Profis zurechtmachen ließ. Währenddessen konnte Shelby SMS verschicken und beantworten, letzte Dinge mit dem Catering, der Floristin und Emma Kate klären.

Leider auch mit Miz Bitsy.

Die Mädels hatten Shelby so gesetzt, dass sie dem Spiegel den Rücken zukehrte, während sich zwei Frauen gleichzeitig an ihr zu schaffen machten. Dann drehten die den Stuhl herum, um sie zu überraschen.

Im Nu waren sämtliche Zweifel verflogen.

»Wow, ich sehe fantastisch aus.«

»Ich hab deine Augen mehr betont, als du das normalerweise machst«, hob Crystal an. »Ganz dezent, damit das Make-up genauso elegant wirkt wie deine Frisur.«

»Das kann man wohl sagen. Ich bin nach wie vor ich selbst, nur schöner. Niemand würde auf die Idee kommen, dass ihr fast eine Stunde zu zweit an mir herumgefummelt habt. Ich bin begeistert, Crystal. Von nun an vertrau ich dir vorbehaltlos. Und, Granny, meine Frisur ist einfach toll. Dieses dünne Haarband sorgt für etwas Glamour und betont die Locken, die hinten aus meinem Dutt fallen.«

»Und die Strähnen, die dein Gesicht umrahmen«, ergänzte Viola und arrangierte sie gekonnt.

»Ich weiß nicht, ob ich meinem neuen Erscheinungsbild gerecht werden kann, aber ich werde mich bemühen. Danke, danke vielmals.« Sie umarmte ihre Großmutter und Crystal. »Ich muss los, weil ich unbedingt vor Miz Bitsy im Hotel sein will. Wir sehen uns dort.«

Shelby blieb noch eine Stunde allein zu Hause, bevor ihre Mutter kam. Maximal zwei, falls Ada Mae beschloss, sich Haare und Make-up im Salon machen zu lassen.

Aber so lange würde sie gar nicht brauchen.

Sie holte sich eine Cola aus der Küche und atmete tief durch. Eigentlich hatte sie ihr schlichtes schwarzes Kleid tragen wollen. Doch wegen der griechischen Hochsteckfrisur, die sich ihre Großmutter ausgedacht hatte, überlegte sie es sich anders, als sie die Treppe hinaufging.

Natürlich war das schwarze Kleid für jeden Anlass geeignet und hatte sich bereits an drei der *Friday Nights* bestens bewährt. Das silbergraue, das sie aus ihrem früheren Kleiderschrank mitgenommen hatte, wartete nach wie vor auf seinen Einsatz. Es passte bloß nicht ins *Bootlegger's*. Aber zu dieser Verlobungsfeier …

Sie holte es heraus, hielt es sich an und drehte sich zum Spiegel.

Der Schnitt war fließend und passte perfekt zur Frisur. Nur ihre schwarzen Pumps passten nicht dazu, der Kontrast war einfach zu stark. Zum Glück hatte sie blaue Sandaletten mit flachem Absatz. Flache Absätze waren ohnehin praktischer, da sie bis spät in die Nacht auf den Beinen sein würde.

Außerdem hatte das Kleid Taschen, sie konnte ihr Handy also mitnehmen, was sehr angenehm war.

Das wäre also entschieden! Sie zog sich um und rundete ihr Erscheinungsbild mit Hängeohrringen und drei funkelnden Armreifen aus Callies Verkleidungskiste ab.

Sie packte ihr Kosmetiktäschchen und Kleidung zum Wechseln ein, da sie nach der Party ebenfalls auswärts übernachten würde. Bei Griff.

Keine Stunde später stieg sie hochzufrieden ins Auto und fuhr zum Hotel.

In den letzten drei Wochen hatte sie dort gefühlt mehr Zeit verbracht als in ihrem gesamten bisherigen Leben. Trotzdem musste sie lächeln, als sie die Kurve nahm und das große Anwesen durch die Bäume schimmern sah.

Sie parkte und nahm den Schieferplattenweg zur breiten Veranda, auf der zwei große weiße Übertöpfe standen, darin rote und weiße Begonien sowie blauer Männertreu.

Falls Emma Kate und Matt beschließen sollten, hier zu heiraten, würden diese Töpfe mit gelben Blumen und Lavendel bepflanzt werden.

Das Personal begrüßte sie, als sie die Lobby durchquerte und schnurstracks zum Ballsaal ging.

Es wurde wie wild dekoriert.

Shelby freute sich zu sehen, dass sie recht gehabt hatte. Die dunkelvioletten Tischtücher über den weißen sorgten für lässige Eleganz und bildeten den perfekten Hintergrund für die weißen Hortensien und die schlichten viereckigen Glasgefäße mit Teelichtern.

Dazu gab es eine bunte Mischung aus hohen und niedrigen Tischen.

Dasselbe wiederholte sich auf der Terrasse. Dort standen außerdem ein paar Tonkrüge mit weißen Calla-Lilien, Rosen, Päonien und üppigem Grün.

Das passte hervorragend zu Emma Kate.

Shelby entdeckte die Floristin und ging auf sie zu. »Kann ich noch was helfen?«

***

Als das zukünftige Brautpaar eintraf, war alles so, wie es sein sollte. Shelby sah am Gesicht ihrer Freundin, dass sich jede Minute, jede einzelne Fahrt und jede Diskussion mit Bitsy gelohnt hatten.

»Wow, Shelby!«

»Fang bloß nicht an zu heulen. Sonst brechen wir gleich beide in Tränen aus und ruinieren unser Make-up. Was schade wäre, denn wir sehen super aus.«

»Alles ist genau so, wie ich es mir gewünscht habe. Sogar besser! Ich glaub, ich träume.«

»Es war unser Traum.« Shelby nahm Emma Kates Hand und legte sie in Matts. »Ab sofort ist es euer Traum. Hiermit erkläre ich euch für verlobt.«

»Wir haben einen Wunsch.«

Shelby griff in ihre Tasche und zog die Faust heraus. »Ah, stimmt, einer ist noch frei. Was kann ich für euch tun?«

»Matt und ich wissen jetzt, was unser Lied ist, *Stand by Me*. Das kennst du doch, oder?«

»Klar.«

»Wir hätten gern, dass du es heute Abend für uns singst.«

»Ihr habt doch eine Band engagiert?«

»Wir wünschen uns so sehr, dass du es singst.« Emma Kate nahm Shelbys Hand. »Tust du uns den Gefallen? Bitte, Shelby, nur dieses eine Lied. Uns zuliebe.«

»Es ist mir ein Vergnügen. Ich werde das mit der Band besprechen. Zuerst bekommt ihr aber einen Drink und eine kleine Führung, bevor die Gäste kommen und ihr keine freie Minute mehr habt.«

»Griff müsste auch gleich da sein«, sagte Matt. »Ah, da ist er ja.«

»Meine Güte, wie siehst du denn aus.« Sie strich über das Revers seines dunkelgrauen Anzugs und freute sich, dass sie sich für das blassgraue Kleid entschieden hatte. »Ich bin hin und weg.«

»Berggöttin«, murmelte er. »Du raubst mir den Atem.«

Er führte ihre Hand zum Mund und küsste sie. Sie errötete, obwohl sie sich das als Rothaarige eigentlich schon zu Teenagerzeiten abgewöhnt hatte.

»Danke, Sir. Wir vier sehen fast genauso toll aus wie unsere Umgebung. Ich finde, wir sollten ein Glas Champagner trinken. Außerdem möchte ich dir die Terrasse zeigen, Emma Kate. Wir haben kleine weiße Lampions in die eingetopften Bäume gehängt. Das reinste Feenreich.«

»Blumen, Kerzen und Feenlichter«, bemerkte Griff, während sie die Dekoration auf sich wirken ließen. »Alles funkelt und ist trotzdem kein bisschen kitschig.«

»Ich musste Miz Bitsy jede Menge Kitsch ausreden. Trotzdem bin ich mir sicher, dass ihr das Endergebnis gefallen wird. Es könnte ein Gewitter aufziehen, aber nicht vor Mitternacht.«

Sie klopfte auf ihre Tasche mit dem Handy. »Ich schaue ab und zu auf die Wetter-App. Bisher gibt es keinen Grund zur Beunruhigung. Ah, da ist Miz Bitsy! Sieht sie in ihrem langen roten Kleid nicht toll aus? Am besten, ich gehe gleich zu ihr.«

»Brauchst du Verstärkung?«

Sie nahm seine Hand. »Gern.«

* * *

Shelby tanzte mit Griff. Erst später merkte sie, dass diese Erfahrung von keinerlei Erinnerungen an andere offizielle Partys oder elegante Anlässe überlagert wurde. Sie dachte keine Sekunde an Richard, der stets ausgesehen hatte, als wäre er bereits im Smoking geboren worden.

Sie lebte einfach im Hier und Jetzt.

Und tanzte mit ihrem Vater, der die paar Schritte zum Besten gab, die er in einem von Ada Mae initiierten Tanzkurs gelernt hatte. Natürlich auch mit ihrem Großvater, der sie zu einem Volkstanz animierte, bei dem sie kaum mitkam, als die Band ein paar Takte schneller spielte. Und mit Clay, der überhaupt kein Rhythmusgefühl besaß, sowie mit Forrest, der Clays Nichtbegabung gewissermaßen wieder wettmachte.

»Wie bist du denn reingekommen?«, fragte sie Forrest. »Du trägst keinen Smoking, geschweige denn Anzug und Krawatte.«

»Mithilfe meiner Dienstmarke.« Er umtanzte sie mit einem eleganten Wechselschritt. »Ich hab zu Miz Bitsy gesagt, dass ich im Dienst bin.«

»Stimmt das?«

Er grinste nur. »Aus meiner Sicht bin ich immer im Dienst. Das letzte Mal, dass ich wie ein Pinguin aussah, war auf dem Highschool-Abschlussball, und das soll auch so bleiben.«

»Sogar Nobby trägt Anzug.«

»Ja, und er musste mir versprechen, mich zu decken, falls jemand bezweifelt, dass ich im Dienst bin.«

»Womit hast du ihn bestochen?«

»Mit einem großen Cappuccino und Bärentatzen, frisch aus der Bäckerei.«

Lachend folgte sie seiner Drehung.

»Du siehst besser aus denn je, Schwesterherz.«

»Ich fühle mich auch besser denn je, großer Bruder. Schau nur, wie prächtig sich alle amüsieren. Emma Kate strahlt so, dass man fast geblendet von ihr ist.«

»Ich klau sie mir zurück«, mischte sich Griff ein.

»Dafür könnte ich dich glatt verhaften, aber ich will ausnahmsweise nachsichtig sein. Da drüben steht eine Blondine, die etwas Gesellschaft gebrauchen kann.«

Shelby folgte seinem Blick. »Heather? Eine Kollegin von Emma Kate aus Baltimore. Sie ist Single.«

»Das trifft sich ausgezeichnet.«

Griff zog Shelby an sich, während Forrest zu der Blondine hinüberging. »Du bist wirklich in Hochform, Rotschopf.«

»Ich weiß.« Sie umschlang seinen Rücken und schmiegte ihre Wange an seine. »Die Atmosphäre ist super. Es tut so gut zu sehen, wie sich Emma Kate und Matt freuen. Und Miz Bitsy – herrje, da fließen Tränen. Sie rennt zur Damentoilette. Warte, ich kümmere mich um sie.« Shelby drehte den Kopf und drückte ihm einen Kuss auf die Wange. »Es dürfte nicht lange dauern. Außer sie hat eine echte Heulattacke. Dann brauche ich mindestens zwanzig Minuten. Anschließend hab ich aber definitiv ein Glas Champagner nötig.«

»Ich werd eines bereithalten.«

Shelby ging Richtung Toilette, als ihr Handy klingelte.

»Miz Suzannah? Alles in Ordnung?«

»Es ist nichts Schlimmes, Schätzchen. Aber Callie hat Fifi vergessen und ist untröstlich. Das haben wir leider erst beim Zubettgehen gemerkt. Ich hab ihr Ersatz angeboten, aber sie ist völlig auf Fifi fixiert.«

»Keine Ahnung, wie ich das vergessen konnte. Ihr erster Übernachtungsbesuch sollte nicht in einer Katastrophe enden. Ich fahr schnell heim, hole Fifi und bring ihn vorbei. Das dauert keine Viertelstunde.«

»Es tut mir so leid, dass ich dich stören muss. Mein lieber Bill würde den Stoffhund gern holen, aber da deine Mutter die Haustür abgeschlossen hat …«

»Keine Sorge, ich bin schon unterwegs. Sag Callie, dass ich ihr Fifi bringe.«

Shelby sah, dass Crystal gerade zu den Toiletten ging. »Kann ich dich um einen Gefallen bitten? Miz Bitsy ist da drin und weint. Bloß Freudentränen, du weißt ja, wie nah am Wasser sie gebaut hat. Ich muss Fifi zu Callie fahren. Bist du so nett und tröstest Miz Bitsy oder bittest Granny darum? Und sag bitte Griff Bescheid, wenn du ihn siehst. Es dauert keine halbe Stunde, dann bin ich wieder da.«

»Aber sicher. Oder soll ich Fifi holen?«

»Danke, aber ich schaff das schon.«

»Ach so, ja, das wollte ich dir schon im Salon geben. Das ist der Lippenstift, den ich verwendet habe.«

»Danke, Crystal. Genieß die Party.«

»Das werde ich.«

Im Davoneilen verstaute Shelby den Lippenstift in ihrer rechten Tasche und das Handy in der linken. Sie erinnerte sich, wie sie für Callie gepackt hatte, wusste noch genau, dass Fifi vor ihr gelegen hatte, aber …

In diesem Moment sah sie vor sich, wie Callie den Stoffhund genommen und ihm von ihrem Übernachtungsbesuch erzählt hatte. Um ihn mitzunehmen, als sie ihrer Großmutter ins Nebenzimmer gefolgt war.

»Auf der Fensterbank«, murmelte sie leise vor sich hin. Wie hatte sie das bloß übersehen können.

Noch bevor sie jemand vermisste, würde sie Callie mit Fifi vereint haben und wieder zurück sein.

Shelby nahm die Umgehungsstraße, da es samstagnachmittags viel Verkehr geben konnte, und brauchte keine zehn Minuten bis nach Hause. Dankbar über die flachen Schuhe, rannte sie zur Tür. Das Lied musste sie erst am späteren Abend singen, sie konnte also problemlos eine halbe Stunde wegbleiben, aber nicht länger.

Sie eilte nach oben in ihr Zimmer.

»Da bist du ja, Fifi. Tut mir leid, dass ich dich vergessen habe.«

Sie nahm Callies heiß geliebten Stoffhund von der Fensterbank und wollte gleich wieder hinauseilen ...

... als er ihr den Weg versperrte. Der Hund entglitt ihren tauben Fingern.

»Hallo, Shelby, lange nicht gesehen.«

»Richard.«

Er hatte ungewohnt dunkles braunes Haar, das in weichen Wellen über seinen Kragen fiel. Dicke Bartstoppeln bedeckten seine untere Gesichtshälfte. Er trug ein T-Shirt mit Tarnmuster und eine khakifarbene Baumwollhose, dazu Springerstiefel. Alles Sachen, in denen er sich normalerweise nie freiwillig hätte blicken lassen.

O Gott.

»Die ... die Polizei hat mir gesagt, du wärst tot.«

»Sie hat gesagt, was sie sagen sollte. Es hat nicht lange gedauert, bis du dich zu Mami und Papi zurückgeflüchtet hast, nur um dann für einen dahergelaufenen Tischler die Beine breitzumachen. Hast du um mich geweint, Shelby?«

»Ich verstehe nicht.«

»Du hast noch nie besonders viel verstanden. Ich fürchte, uns steht ein längeres Gespräch bevor. Los, gehen wir!«

»Ich geh nirgendwohin.«

Er griff hinter sich und zog eine Waffe. »O doch.«

Die Waffe in seiner Hand kam ihr genauso irreal vor wie alles andere. »Willst du mich erschießen? Warum? Ich habe nichts, was dich interessieren könnte.«

»Aber du hattest es mal.« Er zeigte mit dem Kinn auf das Foto auf ihrer Kommode. Erst jetzt sah sie, dass er den Rahmen auseinandergenommen hatte.

»Ich kenne dich, Shelby. Du bist so durchschaubar. Dieses Foto würdest du nie zurücklassen. Das Bild von dir und dem Kind, das du mir geschenkt hast. Selbst wenn sie mich erwischen würden, die Beute hätten sie noch lange nicht. Weil ich alles, was ich brauche, bei meiner hübschen Frau und meiner Tochter aufbewahrt habe.«

»Hinter dem Foto«, murmelte sie.

»Der Schlüssel zum Paradies. Wir werden reden. Los, auf geht's!«

»Ich werde nicht …«

»Ich weiß, wo sie ist«, sagte er leise. »Sie übernachtet bei ihrer kleinen Freundin Chelsea. Bei deren Großmutter. Vielleicht schau ich dort kurz vorbei und besuche sie.«

Angst stieg in ihr auf, und sie erstarrte. »Nein, nein, lass Callie in Frieden, lass sie bloß in Ruhe.«

»Wenn du nicht mitkommst, werde ich dich erschießen. Als Nächstes kommt das Kind an die Reihe. Du hast die Wahl, Shelby.«

»Ich komm ja schon. Bitte lass Callie in Ruhe, nur dann komme ich mit.«

»Und ob du das tun wirst.« Er fuchtelte mit der Waffe und scheuchte sie hinaus. »Du bist so leicht durchschaubar. Ich wusste auf den ersten Blick, dass du das geborene Opfer bist.«

»Warum nimmst du dir nicht einfach, wofür du gekommen bist, und verschwindest? Wir bedeuten dir ohnehin nichts.«

»Wie weit würde ich da wohl kommen, nachdem du deinen Polizistenbruder verständigt hast?« Als sie das Haus verließen, legte er den Arm um ihre Taille und presste ihr die Waffe in die Seite. »Wir werden eine kleine Spazierfahrt machen und dafür mein Auto nehmen. Du fährst einen Kombi, Shelby? Ich schäm mich für dich.«

Dieser Ton, dieser arrogante Tonfall. Wie oft hatte sie ihn über sich ergehen lassen müssen? »Ich hab dir nie was bedeutet.«

»Ach, du warst mir wirklich sehr nützlich.« Er drückte ihr einen Kuss auf die Schläfe, und sie schauderte. »Anfangs hat es sogar richtig Spaß gemacht mit dir. Du warst eine echte Granate im Bett. So, da ist mein Wagen. Los, einsteigen und durchrutschen. Du wirst fahren.«

»Wohin fahren wir?«

»Ich kenn da einen ruhigen, kleinen Ort. Genau das Richtige für eine Aussprache.«

»Warum bist du nicht tot?«

»Das hättest du wohl gern, was?«

»Allerdings, so wahr mir Gott helfe.«

Er stieß sie in den Wagen und zwang sie, auf den Fahrersitz zu klettern.

»Ich hab dir nie was getan. Ich habe getan, was du wolltest und wo du es wolltest. Ich hab dir ein Kind geschenkt.«

»Du hast mich zu Tode gelangweilt. Los fahr, aber ohne gegen die Geschwindigkeitsbegrenzung zu verstoßen. Sobald du schneller oder langsamer wirst, schieß ich dir in den Bauch. Ein äußerst qualvoller Tod, kann ich dir sagen.«

»Ich kann nicht fahren, wenn ich nicht weiß, wo es hingehen soll.«

»Nimm die Umgehungsstraße um dieses Kaff am Arsch der Welt. Sobald du irgendwelche Tricks versuchst, Shelby, schalt ich dich aus und nehm mir als Nächstes das Kind vor. Für mich steht viel zu viel auf dem Spiel. Ich hab zu lange dafür gearbeitet, zu lange darauf gewartet, als dass ich es mir im letzten Moment von dir versauen lasse.«

»Glaubst du etwa, mich interessieren der Schmuck und das Geld? Nimm das Zeug und verschwinde.«

»Das mach ich auch, gleich Montag früh. Wärst du nicht nach Hause gekommen, hättest du gar nicht gemerkt, dass ich da war. Angesichts der Umstände feiern wir ein Wiedersehens-Wochenende, und danach bin ich weg. Tu einfach, was man dir sagt, dann wird alles gut.«

»Man wird nach mir suchen.«

»Aber man wird dich nicht finden.« Grinsend drückte er ihr den Lauf in die Seite. »Meine Güte, du dumme Kuh. Glaubst du etwa, ich war der Polizei nicht stets einen Schritt voraus? Dann

541

werde ich es wohl auch schaffen, einem Haufen Hinterwäldler zu entwischen. Rechts abbiegen. Langsam.«

»Dein Kumpel war da. Jimmy Harlow. Vielleicht schafft er es ja, dich zu stellen.«

»Das wohl kaum.«

Seine Stimme ließ ihr das Blut in den Adern gefrieren.

»Was hast du getan?«

»Zunächst einmal hab ich ihn aufgespürt. Langsam in den Kurven. Ich möchte nicht, dass die Waffe losgeht.«

Ihre Eingeweide zogen sich schmerzhaft zusammen, aber sie ließ die Hände ruhig auf dem Steuer liegen, während sie die Serpentinen nahm.

»Warum hast du mich geheiratet?«

»Es war damals einfach nützlich für mich. Aber ich hab es nie geschafft, etwas aus dir zu machen. Hör dich nur mal reden! Sieh dich bloß an! Ich hab dir jede Menge Geld gegeben, dir gezeigt, wie man sich kleidet, eine anständige Abendgesellschaft gibt, und du bist trotzdem eine doofe Hinterwäldlerin aus den Hügeln von Tennessee geblieben. Es ist erstaunlich, dass ich dir das bisschen Verstand, das du hast, nicht längst rausgeprügelt habe.«

»Du bist ein Dieb und ein Betrüger.«

»Ganz genau, Schätzchen.« Sein Grinsen wurde noch breiter. »Und ich bin verdammt gut darin. Du dagegen hast in deinem Leben nichts zustande gebracht. Bieg da links ein, auf das, was hier als Straße durchgeht.«

Er konnte sie für so dumm, unfähig und naiv halten, wie er wollte, aber sie kannte sich in diesen Bergen aus. Sie hatte so eine Ahnung, wo er hinwollte.

»Was ist damals in Miami passiert?«, fragte sie, um ihn in ein Gespräch zu verwickeln, ihn abzulenken, während sie die Linke in die Tasche ihres Kleides steckte.

»Ach, das erzähl ich dir schon noch. Es gibt überhaupt einiges zu erzählen.«

Es war gefährlich, während des Fahrens eine SMS zu schreiben und dabei gelassen zu bleiben.

Sie konnte nur beten, dass es ihr gelingen würde.

Shelby kannte sich nicht nur in den Bergen aus, sondern auch mit dem Mann neben ihr. Daher wusste sie, dass Richard sie umbringen würde, bevor er verschwand.

30

Die dunkle Landstraße wand sich in Serpentinen den Berg hoch und gab ihr einen Grund, vom Gas zu gehen. Sie ließ sich ihre Angst anmerken. Stolz war im Augenblick völlig fehl am Platz. Angst zu zeigen konnte eine Waffe sein oder zumindest ein Schutzschild. Shelby steckte die Hand in die Tasche und betete stumm, dass es ihr gelang, eine verständliche SMS zu verschicken.

»Warum bist du nicht abgehauen?«

»Ich haue nie ab«, sagte er, nach wie vor dieses selbstgefällige Lächeln im Gesicht. »Ich finde eine Lösung. Genau so jemand wie du hatte mir gefehlt, um meine neue Identität nach dem Bruch in Miami glaubhaft zu machen. Es hat nicht lange gedauert, bis ich gemerkt habe, dass aus uns kein Team werden kann. Doch zur vorübergehenden Tarnung warst du ideal.«

»Fast fünf Jahre lang, Richard?«

»Ich hatte nie vor, dich so lange zu behalten. Doch dann bist du schwanger geworden, und ich bin schließlich nicht blöd. Wer sucht nach einem Familienvater, einem Mann mit Frau und Kind? Außerdem musste ich ohnehin warten, bis meine Spuren kalt sind und Melinda aus dem Gefängnis kommt. Sie hat einen Wahnsinnsdeal ausgehandelt, das muss man ihr lassen. Ich hätte gedacht, dass sie doppelt so lange einsitzen muss. Dann wäre mehr als genug Zeit gewesen, um die Spuren zu verwischen. Aber sie war stets für eine Überraschung gut.«

»Du hast sie umgebracht.«

»Wie denn? Ich bin schließlich tot, schon vergessen? Achte auf die Straße, wir sind gleich da.«

Da draußen gab es nur ein paar einsame Hütten. Zumindest war das bis zu ihrem Wegzug aus Rendezvous Ridge so gewesen.

Sie drückte auf Senden. Hoffentlich. Denn sie musste die Linke wieder aufs Lenkrad legen.

»Du bist nicht tot, und du hast sie umgebracht.«

»Und nach wem fahnden die Deppen? Nach Jimmy, sodass ich fein aus dem Schneider bin. Das werde ich auch bleiben. Mitsamt den Millionen. Man muss langfristig planen, Shelby, und viel Geduld haben. Diesmal hab ich pro fünf Millionen jeweils etwas länger als ein Jahr gebraucht. Gar nicht so schlecht, wenn man in so einer Liga spielt wie ich. Fahr rechts ran und halt neben diesem Lieferwagen.«

»Wer ist noch da?«

»Niemand. Nicht mehr.«

»Meine Güte, Richard, wem gehört das Haus? Wen hast du umgebracht?«

»Einen alten Freund. Mach den Motor aus und gib mir die Schlüssel.« Wieder bohrte er ihr den Lauf der Waffe in die Seite. »Du bleibst, wo du bist, bis ich dich hole. Sobald du versuchst zu fliehen, jage ich dir eine Kugel in den Bauch. Und als Nächstes kommt Callie an die Reihe. Ich kenne Leute, die eine hübsche Stange Geld für so eine kleine Schönheit bezahlen.«

Nie hätte sie gedacht, dass er sie noch mehr anwidern könnte.

»Sie ist deine Tochter. Dein eigen Fleisch und Blut.«

»Glaubst du im Ernst, dass mich das irgendwie berührt?«

»Nein.« Ihre Hand steckte wieder in der Tasche ihres Kleides, und ihre Finger tippten hektisch. »Ich glaube, dass dich überhaupt nichts berührt. Ich dagegen würde alles tun, um Callie zu schützen.«

»Dann sollte uns das restliche Wochenende leichtfallen.«

Als er ausstieg, dachte sie für einen Augenblick daran, die Türen zu verriegeln, um mehr Zeit für das Verschicken ihrer SMS zu haben. Doch das würde ihn bloß unnötig wütend machen. Besser, sie ließ ihn in dem Glauben, vollkommen hilflos zu sein.

Was der Wahrheit leider ziemlich nahekam.

Nachdem er den Wagen umrundet und ihre Tür geöffnet hatte, stieg sie gehorsam aus.

»Willkommen in unserem winzigen Versteck.« Mit einer Taschenlampe leuchtete er ihnen den Weg zu einer kleinen, grob gezimmerten Hütte.

Seine Schuhe knirschten auf dem Kiesweg, der zu einer eingesackten Veranda führte. Zwei alte Stühle, ein klappriger Tisch – nichts, was sich als Waffe verwenden ließ.

Er verstaute die Lampe wieder in seiner Tasche und reichte ihr einen Schlüssel.

»Schließ auf.«

Sie tat wie geheißen, und als sie erneut seine Waffe spürte, trat sie von der dunklen Veranda in die dunkle Hütte. Als er das Licht anmachte, zuckte sie wider besseres Wissen zusammen. Das gelbliche Licht stammte von einer Wagenradlampe, die an der schrägen Zimmerdecke baumelte.

»Willkommen in der Hinterwäldler-Kate. Sie ist nicht besonders luxuriös, aber dafür haben wir sie für uns allein. Setz dich.«

Da Shelby nicht schnell genug gehorchte, stieß Richard sie auf einen Sessel mit rot-grün karierter Decke zu. Sie fing sich wieder und wollte gerade Platz nehmen, als sie Blutspritzer auf dem Boden sah, die zu einer geschlossenen Tür führten.

»Ja, das wirst du alles wegputzen, und anschließend hab ich eine Schaufel für dich. Du wirst Jimmy begraben und mir auf diese Weise viel Arbeit ersparen.«

»Das alles bloß wegen dem Geld?«

»Es geht immer nur ums Geld.« Das aufregende Funkeln, das sie einst so attraktiv gefunden hatte, leuchtete in seinen Augen. Nur dass sie mittlerweile wusste, was sich dahinter verbarg.

»Es geht immer nur ums Geld«, wiederholte er. »Um den Weg

zum Ziel, um das Gefühl, alle anderen übers Ohr gehauen zu haben. Darum zu wissen, dass man alles haben kann, wenn man nur will.«

»Auch wenn es einem gar nicht gehört.«

»Vor allem dann, du Dummerchen. Genau das ist ja das Reizvolle. Ich hol mir ein Bier« Er schenkte ihr ein breites Grinsen. »Kann ich dir was mitbringen, Schätzchen?«

Sie schwieg, und er ging zur winzigen Küchenzeile.

Aus seiner Sicht war sie wie gelähmt vor Angst, denn er machte sich nicht mal die Mühe, sie zu fesseln. Sie rang die Hände in ihrem Schoß, bis ihre Knöchel weiß wurden. Inzwischen war sie nicht mehr nur verängstigt, sondern auch wütend.

Die Tischlampe mit dem Fuß in Form eines Schwarzbären, der vor einem Baumstamm kauert – vielleicht war die schwer genug? Vorausgesetzt, sie bekam sie überhaupt zu fassen.

In der Küche gab es bestimmt ein paar Messer.

Die Winchester über dem Kamin war sicher nicht geladen. Aber wer weiß?

Ein Messingschild mit der Inschrift *William C. Bounty* war am Gewehrkolben befestigt.

Sie entspannte ihre Hände, schob die Linke wieder vorsichtig in die Tasche und ließ sie dort ruhen, als Richard zurückkam und gegenüber von ihr Platz nahm.

»Ist es nicht gemütlich hier?«

»Wie hast du das gemacht? Wie hast du das Bootsunglück überlebt?«

»Ich bin eben ein Überlebenskünstler. Melinda kam aus dem Gefängnis. Dass Jimmy es schafft auszubrechen, kam unerwartet und hat die Sache ein wenig verkompliziert. Dass Melinda ein Problem werden könnte, habe ich allerdings geahnt. Sie konnte noch nie gut loslassen, deswegen musste ich erst mit ihr fertigwerden, bevor ich kassieren konnte.«

Entspannt streckte er die Beine aus. »Ich hab von Anfang an

mit fünf Jahren gerechnet und gut geschätzt. Davor ein netter Urlaub mit der Familie, es kommt zur Tragödie, und schon bin ich von der Bildfläche verschwunden.«

»Wenn Callie nicht krank geworden wäre, wären wir dabei gewesen.« Angesichts seiner funkelnden Augen traf sie die Erkenntnis wie ein Schlag. »Du wolltest uns umbringen. Du wolltest deine eigene Tochter umbringen.«

»Der Urlaub der jungen Familie endet in einer Tragödie. So was kommt vor.«

»Damit wärst du niemals durchgekommen. Wenn dich die Behörden nicht geschnappt hätten, dann meine Familie.«

»Nicht, wenn ich bei dem Versuch gestorben wäre, euch zu retten. Danach hätte es nämlich ausgesehen. Ich hätte ein paar Tage damit verbracht, einen auf glückliche Familie zu machen. Die meisten Leute verlassen sich auf den ersten Eindruck. Ein gut aussehendes Paar, ein niedliches kleines Mädchen … Dann hätten wir einen Bootsausflug gemacht, wären weit genug rausgefahrenen, hätten dir genug Wein eingeflößt und gewartet, bis es dunkel wird.«

Er nahm einen genüsslichen Schluck Bier und grinste sie an. »Ich hätte das Kind über Bord geworfen, du wärst sofort hinterhergesprungen. Schon wäre die Sache erledigt gewesen.«

»Du bist ein Monster.«

»Ich bin ein Siegertyp. Als Nächstes hätte ich meine Taucherausrüstung angezogen und das Boot versenkt. Meinen gefälschten Ausweis und Kleider zum Wechseln hätte ich in einem wasserdichten Beutel dabei gehabt. Nach ein paar Stunden wäre ich in Hilton Head gewesen. So ist es dann auch gelaufen, nur dass ihr nicht mit wart.«

»Das Unwetter.«

»Ein unerwartetes Geschenk.«

»Du hättest da draußen sterben können. Wozu so etwas riskieren?«

»Du hast mich immer noch nicht verstanden, und das wirst du auch nie.« Er beugte sich vor, und wieder glomm dieses Licht in seinen Augen. »Genau das ist der Kick! Anschließend musste ich nur die Tauchersachen entsorgen, mir ein Taxi rufen, mich zu dem Auto bringen lassen, das ich auf dem Flughafenparkplatz abgestellt hatte, und nach Savannah zu meinem Safe fahren. Nur dass das alles gar nicht nötig gewesen wäre, wenn ich den Schlüssel zu meinem Safe in Philadelphia gefunden hätte.«

Er musterte sie ernst und nahm einen weiteren Schluck Bier. »Du hast dir Zugang verschafft. Wo war der Schlüssel?«

»In der Tasche deiner Lederjacke, in der bronzefarbenen, die ich dir vor ungefähr zwei Jahren zum Geburtstag geschenkt habe. Er hatte sich durchs Futter gebohrt.«

»So ein Mist aber auch.« Er lachte auf und schüttelte den Kopf, als hätte er einen Golfball nicht eingelocht. »Dieser Schlüssel hätte mir viel Zeit und Mühe erspart. Wie dem auch sei, ich bin tot, und wie sich herausstellte, hast du eine Zeit lang die trauernde Witwe gespielt. Und, hat es dir gefallen?«

»Ich wünschte, es wäre wahr gewesen.«

Lachend prostete er ihr zu. »Hier, in der tiefsten Provinz, hast du wieder etwas von deinem früheren Elan. Mal sehen, ob es für ein bisschen Hausarbeit reicht.« Er stand auf und ging in die Küche.

Als er mit einer Flasche Bleichmittel und einer Wurzelbürste zurückkam, sprang sie auf.

»Du willst, dass ich das Blut wegputze?«

»Du wirst dieses Blut abschrubben, ansonsten musst du dein eigenes gleich mit aufwischen.«

»Ich kann unmöglich …«

Er holte mit dem linken Arm aus und gab ihr eine Ohrfeige, die sie in den Sessel taumeln ließ.

Seltsam, dass sie der Schlag so schockierte, schließlich kannte sie sein wahres Ich inzwischen. Aber er hatte sie nie zuvor geschlagen.

»O Mann, genau danach hab ich mich jahrelang gesehnt.« Die tiefe Zufriedenheit auf seinem Gesicht ließ ihr das Blut in den Adern gefrieren. Wenn sie sich wehrte, konnte und würde er ihr sehr viel mehr wehtun. Trotzdem hob sie zitternd die Hand.

Wieder verspürte sie mehr Wut als Angst.

Doch nur die Angst ließ sie sich anmerken. »Ich wollte damit nur sagen, dass ich einen Eimer brauche. Einen Eimer mit Wasser und einen Mopp. Mit Wurzelbürste und Bleiche allein krieg ich das nicht weg. Bitte, tu mir nicht weh.«

»Warum hast du das nicht gleich gesagt?«

Sie ließ die Hand sinken und stellte sich vor, Callie, ihre Familie und Griff nie wiederzusehen, um in Tränen auszubrechen.

Sie wollte, dass er ihre Tränen sah, glaubte, dass sie zu mehr nicht fähig war.

»Wenn du anfängst rumzuheulen, bekommst du mehr als nur einen liebevollen Schubs. Los, such dir einen verdammten Eimer. Solltest du Mist bauen, wirst du dein eigenes Blut aufwischen.«

Sie ging zur Küchenzeile und sah sich hektisch um. Kein Messerblock. Bestimmt lagen die Messer in der Schublade. Außerdem standen ein schwerer gusseiserner Topf und eine Kaffeekanne auf dem Herd. Gefüllt mit heißem Kaffee wäre die gar keine so schlechte Waffe.

Sie schaute unter der Spüle nach, ob es dort etwas Brauchbares gab, außerdem in dem schmalen Schrank. Dort fand sie einen Mopp samt Eimer sowie ein altes Seil, eine rostige Kette, Feuerzeugbenzin und Ungezieferspray.

Shelby überlegte, ihm das Ungezieferspray in die Augen zu sprühen, da ihr Pfefferspray samt Handtasche in ihrem Kombi lag. Aber dafür saß er ihr viel zu dicht auf der Pelle.

Sie holte den Mopp und den Eimer aus dem Schrank und füllte Letzteren mit heißem Seifenwasser.

Sie trug ihn zum größten Blutfleck.

»Ich muss aufs Klo.«

»Verkneif's dir«, befahl er.

»Ich tue, was du mir sagst. Ich will das genauso schnell hinter mich bringen wie du, Richard, aber vorher muss ich aufs Klo.«

Er sah sie mit zusammengekniffenen Augen an. Sie senkte den Blick und ließ die Schultern bewusst hängen.

»Na gut. Die Tür bleibt offen.«

»Wenn du mir schon keine Privatsphäre gönnst, dann schau wenigstens nicht hin.«

Sie betrat das winzige Bad. Gab es vielleicht Rasierklingen in dem alten Medizinschrank? Das Fenster war zu klein, um sich hinauszuquetschen.

Sie klappte die Klobrille herunter, während er in der Tür stehen blieb.

»Schau mich bitte nicht an.« Sie stieß ein ersticktes Schluchzen aus. »Die Tür ist offen, du stehst direkt davor. Ich bitte dich nur, mich nicht anzustarren, um Himmels willen.«

Er lehnte sich gegen den Türstock und schaute zur Decke. »Du bist echt zimperlich für jemanden, der erst seit einer Generation in einem massiven Steinhaus lebt.« Sie befahl sich, ruhig zu bleiben, hob ihr Kleid und zog das Höschen herunter. Dabei griff sie in die Tasche ihres Kleides.

Bitte, lieber Gott, hilf mir, wenn du das siehst. Bitte mach, dass diese SMS durchkommt, flehte sie stumm.

Als sie fertig war, hatte sie ein ganz rotes Gesicht.

»Schrecklich, wie du aussiehst. Du bist ja ganz fleckig und verschwitzt, und deine Haare sehen aus wie ein Rattennest. Keine Ahnung, wie ich das so lange mit dir ausgehalten habe.«

Sie tauchte den Mopp in den Eimer, wrang ihn aus und begann, das Blut wegzuschrubben.

»Und, wie sieht deine schlagfertige Reaktion aus? Schmollen und heulen.« Er schniefte laut. »Meine Güte, was bist du nur für eine Memme. Glaubst du, der Arsch, den du vögelst, kann das ertragen?«

»Er liebt mich.« Das zu sagen, das zu wissen, gab ihr Kraft.

»Liebe? Du hast einen geilen Arsch. Das ist alles, was du hast und jemals haben wirst. Einen geilen Arsch, der in einem Bach in der Pampa rumplanscht.«

Sie erstarrte und schaute langsam auf. »Du hast uns nachspioniert? Du hast mir nachspioniert?«

»Ich hätte euch beide umlegen können.« Er hob die Waffe und zielte auf ihren Kopf. »Peng! Peng! Doch ich wollte es Jimmy in die Schuhe schieben. Damit sich der Kreis schließt.«

»Stattdessen hast du Jimmy umgebracht.«

»Eine unvermeidliche Planänderung. Keine Sorge, ich krieg das hin. Ich krieg alles hin. Los, streng dich an, Shelby.«

Sie schrubbte weiter und begann, eigene Pläne zu schmieden.

* * *

Griff unterhielt sich mit Derrick über die Baustelle und verlor jedes Zeitgefühl. Er hatte Shelby ein Glas Champagner geholt, aber die ließ auf sich warten. Er sah sich um und bemerkte, dass Miz Bitsy zurück war. Ein wenig verweint tanzte sie mit ihrem zukünftigen Schwiegersohn.

»He, Griff, hallo.« Crystal kam auf ihn zu und zeigte auf das Champagnerglas. »Ist das zu haben?« Sie nahm einen großen Schluck daraus. »Das kann ich gebrauchen, nachdem ich Miz Bitsy verarztet habe. Die hat geheult wie ein Schlosshund.«

»Na, da mussten Shelby und du ja ganz schön ran.«

»Ach, das hab ich ganz allein geschafft. Deshalb hab ich nach dir gesucht, wurde aber mehrmals aufgehalten. Was für eine tolle Party. Shelby musste kurz heim, Fifi holen und zu Callie bringen. Sie müsste eigentlich längst zurück sein.«

»Wann ist sie denn los?«

»Keine Ahnung, ich musste mich schließlich um den Schlosshund kümmern und dann um Miz Bitsys Schwester namens

Sugar. Als die dazustieß, haben die beiden um die Wette geheult. Das dürfte bestimmt zwanzig Minuten her sein. Shelby ist sicher bereits auf dem Rückweg.«

Vielleicht lag es an all dem Mist, der passiert war, auf jeden Fall war Griff sofort zutiefst beunruhigt. Er zückte sein Handy und wollte sie gerade anrufen, als sich piepend eine SMS ankündigte.

»Shelby hat geschrieben.«

»Na, siehst du.« Crystal tätschelte ihm den Arm. »Sie gibt dir nur Bescheid, dass sie gleich kommt. Kein Grund, so besorgt dreinzuschauen, Schätzchen.«

Als er die SMS aufrief, riss es ihn fast von den Füßen.

»Wo ist Forrest?«

»Forrest? Der stand vorhin da drüben und hat mit einer hübschen Blondine geflirtet. Ich …«

Griff rannte los, quer über die Tanzfläche, und ignorierte alle, die ihn begrüßen wollten. Er entdeckte Forrest, und sein Gesicht musste Bände sprechen, denn nach einem flüchtigen Blick auf ihn wurden Forrests Augen ganz starr.

Wortlos ließ er die Blondine stehen.

»Was ist passiert?«

»Sie steckt in Schwierigkeiten.« Griff hielt ihm das Handy hin.

richard lebt hat waffe muss fahren schwarzer drango westl auf bb rd KZ 529kpe

»Um Himmels willen.«

»Was soll das heißen?«

»Black Bear Road. Warte.« Forrest packte Griff am Oberarm, bevor sein Freund davoneilen konnte. »Wenn du wie ein Verrückter durch die Berge rast, wirst du sie bestimmt nicht finden.«

»Wenn ich untätig rumstehe erst recht nicht.«

»Das werden wir auch nicht. Nobby ist da drüben an der Bar. Hol ihn. Ich melde den Vorfall.«

»Ich fahre ihr nach, Forrest.«

»Das verbiete ich dir nicht, aber wir werden es so anstellen, dass wir sie auch finden. Hol Nobby.«

Sie zerrten Nobby gemeinsam mit Clay und Matt nach draußen.

»Wir müssen die Nerven behalten«, hob Forrest an. »Wir bilden zwei Gruppen. Der Sheriff fordert Verstärkung an. Wir werden die Gegend westlich von Rendezvous Ridge durchkämmen. Bestimmt nimmt er eher kleine Nebenstraßen. Clay, du suchst hier.«

Clay stützte sich auf Forrests Schulter und beugte sich vor, um die Karte auf dessen Handy zu betrachten. »Nobby und du, ihr deckt diesen Bereich ab. Haltet nach dem Wagen hier mit diesem Kennzeichen Ausschau. Matt, bist du sicher, dass du mitkommen willst?«

»Aber natürlich.«

»Bitte fahr in den Ort und tu dich mit dem Sheriff zusammen. Er wird …«

»Was ist los?« Viola stieß dazu. »Was ist passiert? Wo ist Shelby?«

Griff wartete keine Sekunde. »Du verschwendest bloß kostbare Zeit, während du dir eine Ausrede zurechtlegst, Pomeroy. Richard lebt noch. Keine Ahnung, wieso. Er hat Shelby entführt. Wir fahren ihnen nach.«

Alle Farbe wich aus Violas Gesicht, und aus ihren blauen Augen schossen Blitze. »Junge, wenn du ein Team zusammenstellst, werden dein Granddaddy und ich mit dabei sein.«

»Granny …«

»Hör auf, mich Granny zu nennen«, schrie sie Forrest an. »Wer hat dir das Schießen beigebracht?«

»Ich fahr los«, sagte Griff.

»Nobby, du beginnst dort, okay? Griff und ich fahren zusammen.«

»Callie?«, rief Viola.

»Es geht ihr gut, Griff hat nachgefragt. Außerdem haben wir

eine Streife vor Miz Suzannahs Haus postiert.« Forrest öffnete den Safe in seinem Auto und holte ein Gewehr sowie eine Schachtel mit Munition heraus.

»Ich hab dich schießen sehen, ich weiß, dass du damit umgehen kannst.«

Griff hatte zwar bisher nur auf Zielscheiben geschossen, aber er protestierte nicht.

Forrest stieg in den Wagen und nahm seinen geliebten Colt aus dem Handschuhfach. »Wir bringen sie wieder heil nach Hause, Griff.«

»Nicht, wenn wir noch länger hier rumsitzen.«

»Ich verlass mich drauf, dass du einen kühlen Kopf bewahrst.« Noch während er das sagte, trat Forrest aufs Gaspedal, und sie rasten los. »Dein Handy bleibt an, falls sie es schafft, eine weitere SMS zu schicken. Meines benutzen wir, um die anderen Teams zu koordinieren. Der Sheriff hat bereits das FBI verständigt. Das verfügt über eine Ausrüstung, die wir in Ridge nicht haben, sowie über eine deutlich bessere Kriminaltechnik. Wenn Shelby es schafft, ihr Handy anzulassen, werden sie es orten.«

»Er muss sie beobachtet haben oder im Haus gewesen sein.«

»Das werden wir alles herausfinden, sobald wir sie in Sicherheit gebracht haben.«

»Er muss die Frau ermordet haben.«

Forrests Gesicht war wie versteinert, während die Tachonadel immer höher kletterte. »Das befürchte ich auch.«

»Ich glaube, ich hab ihn sogar gesehen. Dieser Typ hat auf Anhieb ein ungutes Gefühl bei mir ausgelöst. Als ich mit Callie in der Buchhandlung war. Dann noch mal auf dem Spielplatz. Er hat mich beobachtet.«

»Lass uns lieber überlegen, was wir jetzt machen.«

Das Jetzt machte ihm eine Riesenangst. »Er muss einen Plan haben. Shelby hat gesagt, dass er nie planlos handelt.«

»Wir werden ihn finden und sie heil nach Hause zurückbringen.«

Bevor Griff etwas erwidern konnte, piepte sein Handy. »Das ist Shelby. Mann, die hat Nerven wie Drahtseile.« Er bemühte sich, die Satzfetzen zu lesen, während sie die Serpentinen hinaufrasten. »Old Hester Road.«

»Nein, sie meint *Odd Hester*. Ein paar Hütten und alte Campingplätze. Dort gibt es viel Wild. Ein abgelegener Ort. Gib das bitte Nobby durch, er weiß, was zu tun ist.«

»Was will er bloß von ihr?«

»Egal, was er will. Er wird es nicht bekommen.«

Die Angst brachte ihn schier um. »Wie weit ist es bis dorthin?«

»Weit, aber wir fahren deutlich schneller als sie. Koordinier die anderen, Griff.«

Er leitete die SMS weiter und zerrte an seiner Krawatte.

Er würde sie nicht verlieren. Er würde sie auf keinen Fall verlieren. Callie würde ihre Mutter nicht verlieren. Er würde tun, was er tun musste. Griff starrte auf das Gewehr in seinem Schoß.

»Noch eine SMS.«

rechter weg bei Maulbeerbäumen frei stehende Hütte auto

»Es steht also ein Wagen neben der Hütte.«

»Vielleicht hat er eine Geisel genommen. Oder sein früherer Partner wohnt dort. Gib den anderen Bescheid.«

Griff wusste nicht, wie Forrest es schaffte, den Wagen bei dieser Geschwindigkeit in den Haarnadelkurven auf der Straße zu halten. Mehr als einmal gerieten sie ins Schleudern, und die Reifen drohten über den Fahrbahnrand zu rutschen.

Trotzdem war das nicht schnell genug.

»Sie schreibt … William, sie meint William. William Bunty.«

»Bounty«, verbesserte ihn Forrest. »Ich weiß, wo das ist. Sie führt uns besser, als es das verdammte FBI mit seiner ganzen Ortungstechnik jemals könnte.«

»Wie weit ist das weg?«

»Zehn Minuten.«

»Sieh zu, dass es schneller geht.« Mit eiskalten Händen begann Griff, das Gewehr zu laden.

* * *

Shelby leerte den Eimer zweimal und füllte ihn wieder nach.

Vergeblich. Nichts konnte diese Flecken von den alten Holzdielen entfernen.

Trotzdem goss sie Bleichmittel auf den Fleck, ging auf alle viere und schrubbte daran herum.

»Genau für so eine Arbeit bist du gemacht.«

»Böden zu schrubben ist nichts Ehrenrühriges.«

»Es ist was für Loser. Du hast das schöne Leben eine Weile genießen dürfen. Weil ich dir das ermöglicht habe.« Er gab ihr einen sanften Tritt in den Hintern. »Ich hab dir einen Vorgeschmack auf das schöne Leben gegeben. Dafür solltest du mir dankbar sein.«

»Du hast mir Callie geschenkt, dafür bin ich dir dankbar. Du wolltest sie von Anfang an umbringen, stimmt's? Deine Kompagnons. Die Frau, mit der du zusammengelebt hast. Sie hat gesagt, dass sie mit dir verheiratet war. Stimmt das?«

»Nicht mehr als bei dir. Dass sie das geglaubt hat, war ihr einziger Fehler. So sind die Frauen – bescheuert. Sie hätte niemals aufgegeben, nicht einmal nach meinem Tod. Sie wollte die Beute und war verdammt nah dran. Ich bin ihr auf den Fersen gewesen, in der Kaschemme, wo du vor einem Haufen Proleten gesungen hast.«

Er schüttelte den Kopf und lief um sie herum, während sie schuftete. »Ich habe dich vor einem Leben voller Peinlichkeiten bewahrt. Als ob du mit deiner mickrigen Stimme etwas reißen könntest. Wenn du wüsstest, wie Mel mich angeschaut hat, als sie mich entdeckte! Das war wirklich unbezahlbar. Stopp, ich muss mich korrigieren. Das war ihr zweiter Fehler. Sie hat das Fenster runtergekurbelt und gesagt: *Jake, das hätte ich ahnen müssen.* Das waren ihre letzten Worte. Ja, in der Tat ein Fehler.«

»Sie hat dich geliebt.«

»Das sieht man mal, was Liebe anrichten kann.« Wieder gab er ihr einen Tritt. »Sie ist nichts anderes als eine Form von Betrug.«

Sie setzte sich auf die Fersen und richtete sich dann langsam mit dem Eimer auf. »Ich brauch mehr, um diese Flecken auszubleichen. Gibt es noch was davon?«

»Da hast du doch genug.«

»Ja, aber ich …«

Shelby schüttete ihm die Bleiche mit einer Spur von Blut ins Gesicht.

Als Richard schrie, hatte sie die Wahl. Zur Waffe greifen oder zur Tür rennen. Doch sie war zu nervös, um zu rennen.

Sie trat nach ihm, zielte auf seinen Schritt. Der Boden war nass, sodass sie ein wenig ins Schlittern geriet, was ihrem Tritt etwas den Schwung nahm. Trotzdem traf sie ins Schwarze. Als sie versuchte, seine Waffe zu packen, schoss er. Wie wild und geblendet.

Die Schüsse hallten in ihren Ohren. Sie duckte sich, griff nach dem Mopp und schlug ihm mit dem Holzgriff zwischen die Beine. Seine fuchtelnde Hand erwischte eine Strähne ihres Haars. Ihre Kopfhaut schmerzte höllisch.

Sie stieß den Ellbogen in dieselbe empfindliche Körperregion und wusste, dass sie ihn getroffen hatte. Nun war er genauso außer sich wie sie. Er schleuderte sie durchs Zimmer wie eine Lumpenpuppe.

»Schlampe! Du Schlampe!«

Sie drehte sich um. Sie wusste nicht, ob er etwas sehen konnte, und hoffte, dass er geblendet war. In ihrer Verzweiflung zog sie einen Schuh aus und warf ihn quer durchs Zimmer in der Hoffnung, er würde das Geräusch verfolgen.

Doch er kam langsam auf sie zu, das Weiße in seinen Augen war blutunterlaufen.

»Ich werde dich nicht nur einfach töten. Vorher werde ich dir wehtun.« Er rieb sich mit der freien Hand das linke Auge.

Was es nur schlimmer machte, wie sie wusste. Bitte, bitte mach, dass es schlimmer wird.

»Beginnen wir mit einer Kniescheibe.«

Sie wappnete sich gegen den Schmerz und fuhr entsetzt zurück, als die Tür aufsprang, zu der die Blutspuren führten.

Richard wirbelte herum und blinzelte, sah verschwommen, wie der blutige Berg von einem Mann auf ihn losging.

Schreckliche Geräusche waren zu hören, ein Grunzen und Zischen, aufeinanderprallende Knochen. Das einzige Geräusch, das für Shelby zählte, war das Klirren der Waffe, die Richard aus der Hand rutschte und zu Boden fiel.

Sie warf sich darauf und hätte sie beinahe fallen lassen, so glitschig waren ihre Hände vor Seife und Schweiß.

Schnell ging sie in die Knie und umklammerte mit beiden Händen die Pistole.

Der Riesenkerl blutete. Welche Kräfte ihn auch immer quer durchs Zimmer getrieben und auf den Mann hatten losgehen lassen, der auf ihn geschossen hatte … in diesem Augenblick verließen sie ihn. Richard hatte die Hände um den Hals des Mannes gelegt und drückte mit aller Macht zu.

»Tot. Ich dachte, du wärst tot, Jimmy.«

Dasselbe hab ich von dir auch gedacht, schoss es ihr durch den Kopf. Auf einmal fühlte sie sich kühl und gelassen. »Richard?«

Sein Kopf fuhr herum. Sie fragte sich, was er mit seinen verätzten Augen überhaupt wahrnahm. Hoffentlich sah er eine Rachegöttin vor sich.

Er fletschte die Zähne und stieß ein kurzes Lachen aus. »Dazu hast du nie den Mumm.«

Dann sprang er mit einem Satz auf sie zu.

*　*　*

Als Forrest den Wagen auf dem Kiesweg stehen ließ, ertönte der erste Schuss. Ihr Plan, sich leise anzuschleichen, während Verstärkung im Anmarsch war, löste sich in Luft auf.

Griff ließ sich zu Boden fallen und robbte über den Kies, während die nächsten Schüsse fielen.

»Los, rein da, schnell«, rief Forrest, während sie beide hinter dem Wagen hervorsprangen. »Falls er steht, bringst du ihn zu Fall.«

Sie erreichten gleichzeitig die Tür. Griff legte das Gewehr an.

Richard lag bereits am Boden.

Shelby kniete, hielt mit beiden Händen die Waffe. Ihr Gesicht blutete und hatte blaue Flecken. Ihr Kleid war an der Schulter zerrissen, die ebenfalls grün und blau war.

Ihr Blick war eiskalt und stählern, ihre Haare ein einziges Flammenmeer.

Nie hatte Griff sie so schön gefunden.

Mit der Waffe in der Hand wirbelte sie zu ihnen herum, und er sah, wie ihre Arme zitterten. Dann ließ sie die Pistole sinken.

»Ich glaube, diesmal ist er wirklich tot. Ich glaube, ich habe ihn umgebracht. Ich glaube, er ist tot.«

Griff drückte Forrest das Gewehr in die Hand. Als er die Arme um sie schlang, begann sein Herz endlich wieder zu schlagen.

»Ich hab dich gefunden. Es geht dir gut. Ich hab dich gefunden.«

»Bitte lass mich nie mehr los.«

»Nein.« Er löste sich von ihr, aber nur, um ihr die Waffe aus den starren Fingern zu nehmen. »Er hat dir wehgetan.«

»Das ist längst nicht so schlimm wie das, was er mit Callie vorhatte.«

»Es geht ihr gut. Sie ist in Sicherheit. Sie schläft.«

»Er hat gesagt, dass er sie umbringt, wenn ich nicht mitkomme. Er hat gesagt, dass sie als Nächste drankommmt.« Sie sah zu ihrem Bruder hinüber, der Richards Halsschlagader abtastete. »Ich musste sie beschützen.«

»Du hast in Notwehr gehandelt«, stellte Forrest beruhigend fest.

»Ist er tot?«

»Er atmet. Beide atmen noch, sind aber ziemlich mitgenommen. Es hängt von den Ärzten und vom lieben Gott ab, ob sie überleben.«

»Er hat auf ihn geschossen. Auf diesen Riesen, auf Jimmy. Er hat gedacht, er wäre tot, doch das stimmte nicht. Ich hab Richard Bleiche in die Augen geschüttet, aber das hat nicht gereicht. Ich bin ausgerutscht. Vermutlich, als ich ihm in die Eier getreten habe und er meine Haare gepackt hat. Er wollte mich erschießen, da kam der andere aus dem Zimmer da geschossen wie ein Dämon aus der Hölle. Ich konnte Richard die Waffe entwenden. Der Riese konnte nicht mehr kämpfen, weil er so geblutet hat. Richard hat ihn gewürgt. Ich hab seinen Namen gesagt. ›Richard‹, hab ich gerufen, damit er mich anschaut. Keine Ahnung, wieso, aber ich dachte, das würde ihn zum Aufgeben bewegen. Er hat mich unterschätzt. Er hat mich für schwach, dumm und feige gehalten. Genau das hat er mir auch gesagt. Er meinte, ich hätte nicht den Mumm, und dann ist er auf mich losgegangen. Aber den hatte ich sehr wohl, dreimal habe ich auf ihn geschossen. Ich glaube, es war dreimal. Erst beim dritten Mal ist er zu Boden gegangen.«

Forrest sah ihr direkt in die Augen. »Du hast in Notwehr gehandelt.«

Auf einmal war ihr Blick nicht mehr so stählern, sondern glasig. »Nimm es sofort zurück.«

»Was soll ich zurücknehmen, Schätzchen?«

»Dass ich eine miserable Schützin bin.«

Mit wackeligen Knien schmiegte Forrest seine Stirn an ihre. »Ich nehme es zurück. Griff, bring sie raus, ich kümmere mich um den Rest.«

»Es geht mir gut.«

Statt mit ihr zu diskutieren, hob Griff sie einfach hoch.

»Du bist gekommen.« Sie berührte seine Wange. »Irgendwie war mir klar, dass du es schaffen würdest. Ich wusste nicht, ob die

SMS durchkommen und wen sie erreichen. Meine Kontakte sind alphabetisch geordnet, es konnten also nur du, Forrest oder Granny sein, eventuell auch Grandpa. Wenn sie durchkommen, würdet ihr mir zu Hilfe eilen, so viel war klar. Ihr würdet mich retten.«

»Du hast dich selbst gerettet, bevor ich überhaupt die Chance dazu hatte.«

»Ich musste … Da kommt jemand.« Sie krallte sich an seine Schulter. »Die Lichter. Jemand …«

»Beruhige dich. Du bist in Sicherheit.« Er vergrub sein Gesicht in ihren Haaren. »Dir eilt die ganze Polizeieinheit von Rendezvous Ridge und wer weiß noch alles zu Hilfe.«

»Na dann. Bringst du mich zu Callie? Ich möchte sie nicht wecken. Sie soll mich erst sehen, wenn ich mich gewaschen habe, aber ich muss sie sehen. Ach, da ist Grandpas Ausgehauto. Lass mich runter. Lass mich runter, damit sie keine Angst bekommen.«

Griff stellte sie ab, ließ aber nach wie vor den Arm um ihre Taille liegen. Als er spürte, dass sie zitterte, zog er sein Jackett aus und hängte es ihr um die Schultern. Ihre Großeltern stiegen aus dem Wagen.

»Es geht mir gut. Ich bin unverletzt …« Der Rest war nicht mehr zu verstehen, da sie den Kopf an der Schulter ihres Großvaters vergrub. Sie spürte, dass er zuckte. Er weinte. Sie weinte mit ihm, während der Rest der Polizeitruppe nach und nach auftauchte.

»Wo ist der Mistkerl?«, fragte Jack.

»Drinnen. Ich habe auf ihn geschossen, Grandpa. Er ist nicht tot, immer noch nicht. Aber ich hab auf ihn geschossen.«

Jack nahm ihr Gesicht in beide Hände und küsste ihre nassen Wangen.

»Wo ist mein Mädchen?« Viola entriss sie ihm und musterte ihr Gesicht. »Du bist dazu erzogen worden, für dich und andere einzustehen. Genau das hast du getan. Jetzt bringen wir dich nach Hause und …«

Sie verstummte und riss sich zusammen. »Griff wird dich nach Hause bringen. Deine Eltern sind bei Suzannah und Callie. Um über ihren Schlaf zu wachen. Sie müssen dringend deine Stimme hören.«

»Ich ruf sie sofort an. Ich hatte mein Handy in der Tasche. Er hat nichts davon gemerkt. Richard hat so einiges nicht gemerkt. Sheriff.«

Ihr schwindelte, und für einen Augenblick drehte sich alles, als Hardigan auf sie zukam.

»Ich hab auf ihn geschossen. Er wollte mich umbringen, da hab ich auf ihn geschossen.«

»Bitte erzähl mir der Reihe nach, was passiert ist.«

»Sie hat Forrest eine Zusammenfassung gegeben«, mischte sich Griff ein. »Sie muss dringend weg, zu ihrer Tochter.«

Sheriff Hardigan berührte Shelbys blauen Fleck an der Wange »War er das?«

»Ja, Sir. Das war das erste Mal, dass er mich geschlagen hat. Ich denke, es wird das letzte Mal gewesen sein.«

»Geh nach Hause, Liebes. Wir reden morgen.«

Das dauerte noch eine Weile, denn Clay sauste auf Shelby zu, wirbelte sie durch die Luft und wollte sie gar nicht mehr loslassen. Dann kam Matt, der ihr sein Handy zuwarf, nachdem er sie umarmt hatte, damit sie mit Emma Kate sprechen konnte.

»Sag Forrest, dass ich seinen Wagen nehme.«

Griff entfernte sich von der Hütte, von dem Blutvergießen, von den grellen Lichtern und blieb kurz vor der Straße stehen.

Er zog Shelby an sich, hielt sie ganz fest.

»Nur eine Sekunde.«

»Lass dir so viel Zeit, wie du willst.« Langsam entspannte sie sich etwas. »Ach, Griffin, ich hab ganz vergessen zu sagen, dass Richard einen Schlüssel in der Tasche hat. Dort vermute ich ihn zumindest. Er war in dem Bilderrahmen mit dem Foto von Callie und mir versteckt. Am Montag wollte er zur Bank gehen, vermutlich zu einer der Filialen in Rendezvous Ridge. Dort wird er den Schmuck und die Briefmarken versteckt haben. Direkt vor unserer Nase, bei einer Bank in Rendezvous Ridge.«

Mit nach wie vor geschlossenen Augen sog Griff den Duft ihres Haars in sich auf. »Hier hätte das Zeug wirklich niemand vermutet.«

»Schlau ist er schon. Ich muss es ihnen sagen.«

»Das wirst du auch. Aber dafür ist morgen noch Zeit genug. Sie haben fünf Jahre gewartet, da dürfte eine Nacht mehr oder weniger egal sein.«

»Eine Nacht. Ich wünsche mir eine heiße Dusche, und ich möchte dieses Kleid verbrennen. Aber zuallererst möchte ich Callie sehen.«

»Das steht ganz oben auf der Liste.«

»Findest du nach Rendezvous Ridge zurück?«

»Nein, ich hab nicht die geringste Ahnung, wo wir sind.«

»Gut.« Sie nahm seine Hand. »Aber ich. Ich weiß, wie wir nach Hause kommen.«

Epilog

Shelby schlief lang und tief, getröstet vom Anblick ihres schlummernden Kindes.

Die Sonne stand hoch am Himmel, als sie aufwachte, und verwandelte die von ihr so geliebten Berge in glitzerndes Grün. Nach dem Gewitter, das aufgezogen war, während sie geschlafen hatte, glänzte alles wie frisch poliert.

Fast wäre sie zusammengezuckt, als sie ihr Gesicht im Spiegel sah, den blauroten Bluterguss auf dem Wangenknochen. Sie betastete ihn vorsichtig. Es tat weh.

Doch der würde heilen und verblassen.

Sie würde nicht zulassen, dass Richard Spuren bei ihr hinterließ. Oder bei ihrer Familie.

Dann hörte sie Stimmen und folgte ihnen in die Küche.

Sie sah, wie Griff an der Arbeitsfläche lehnte und ihre Großmutter anlächelte, während ihr Großvater Matt Reparaturtipps für sein Auto gab. Ihre Mutter stellte gerade ein hübsches Frühstückstablett zusammen, und ihr Vater stand in der Sonne und trank Kaffee. Emma Kate und Forrest steckten die Köpfe zusammen. Clay, Gilly und das Baby schmiegten sich aneinander.

»Das ist ja die reinste Party hier.«

Alle hörten auf zu reden und schauten sich nach ihr um.

»Ach, Schätzchen, ich wollte dir gerade das Frühstück ans Bett bringen. Du brauchst Ruhe.«

»Ich habe herrlich geschlafen, Mama, und es geht mir wieder prima.« Sie küsste ihre Mutter auf die Wange und stibitzte ein kleines Stück Speck von dem Teller, auf den sie eigentlich gar keinen Appetit hatte, um ihrer Mutter ein Lächeln zu entlocken. »Herrje, Emma Kate, deine Party.«

»Hör bloß auf damit.« Emma Kate sprang auf und umarmte sie fest. »Du hast mir einen Riesenschrecken eingejagt, Shelby. Bitte, mach das nie wieder.«

»Das versprech ich dir nur zu gern.«

»Komm her und setz dich«, befahl ihr Vater. »Ich möchte dich untersuchen.«

»Ja, Sir. Wo ist Callie?«

»Wir haben Jack auch zu Miz Suzannah gebracht, damit sie Gesellschaft hat.« Lächelnd nahm Gilly Shelbys Hand. »Wir dachten, du würdest länger schlafen.«

»Ich bin so froh, dass ihr alle da seid. Ich bin so froh, dass ich euch gleich nach dem Aufwachen sehe.« Sie schaute Griff an.

Dann setzte sie sich so, dass ihr Vater ihr Kinn nehmen und ihr Gesicht hin und her drehen, ihr mit einer Lampe in die Pupillen leuchten konnte. »Kopfweh?«

»Nein, kein bisschen. Wirklich nicht.«

»Hast du sonst irgendwo Schmerzen?«

»Nein. Na ja, meine Wange tut ein bisschen weh. Aber nur ein bisschen.«

»Da hab ich was für dich.« Viola gab ihr einen Eisbeutel und küsste sie auf den Scheitel.

»Das tut gut.«

Herrlich, dachte Shelby.

»Er hat mich geschlagen, weil er die Möglichkeit dazu hatte. Und er hat mich an den Haaren gezogen wie bei einem Kampf zwischen wild gewordenen Mädchen. Doch in erster Linie hat er versucht, mich mit Worten zu verletzen. Das ist ihm nicht gelungen. Nichts von dem, was er gesagt hat, kann mich … O Gott, fast hätte ich es schon wieder vergessen. Forrest, ich muss dir sagen, warum er überhaupt hier war, hier im Haus, als ich Fifi holen wollte. Er wollte …«

»Einen Schlüssel holen? Für den Safe, den er seit fast fünf Jahren unter dem Namen Charles Jakes angemietet hat?«

Nachdem man ihr dermaßen den Wind aus den Segeln genommen hatte, drehte sie den Eisbeutel um. »Ja. Genau.«

»Griff hat mir gestern Abend davon erzählt, als ich kurz vorbeigekommen bin. Du hast lange geschlafen, Shelby. Wir haben gefunden, was das FBI all die Jahre gesucht hat. In der Filiale der *First Bank of Tennessee*, mitten auf der Einkaufsstraße.«

»Die gesamte Beute? Hier?«

»Den größten Teil. Die Eigentümer und die Versicherungsgesellschaft werden gerade informiert. Darum kümmert sich das FBI.«

»Erzähl ihr den Rest, Forrest«, drängte ihn seine Mutter. »Ich kann es noch gar nicht richtig fassen.«

»Was denn?« Ihr Magen zog sich so schmerzhaft zusammen, dass sie nach der Cola griff, die ihre Mutter ihr hingestellt hatte. »Ist er tot? Hab ich ihn umgebracht?«

»Nein, das meinte ich nicht. Er hat die Nacht überlebt und gute Chancen durchzukommen.«

Mit geschlossenen Augen atmete Shelby hörbar aus. Sie hatte aus Notwehr gehandelt, genau, wie Forrest gesagt hatte. Doch sie wollte keinen Mord auf dem Gewissen haben, nicht einmal, wenn es um Richard ging.

»Er wird durchkommen?«

»Angeblich ja. Dann kann er den Rest seines Lebens hinter Gittern verbringen. Der andere ist auch wahnsinnig zäh. Er hat ebenfalls gute Chancen.«

»Ich habe ihn nicht umgebracht. Ich muss nicht damit leben, dass ich ihn umgebracht habe.« Wieder schloss sie die Augen. »Er kommt ins Gefängnis und wird dort nie wieder rauskommen.«

»Er wird den Rest seines Lebens in einer Zelle verbringen und weder dich noch Callie je wieder anrühren.«

»Erzähl ihr endlich die gute Nachricht«, drängelte Ada Mae. »Von diesem Mann ist genug geredet worden.«

»Dass er für den Rest seines Lebens im Gefängnis sitzen muss, ist schon eine ziemlich gute Nachricht, oder?«, bemerkte Forrest achselzuckend und grinste. »Für die Beute aus Miami ist ein Finderlohn ausgesetzt. Normalerweise beträgt er zehn Prozent. Vorher muss eine Menge Bürokratie erledigt werden, aber Special Agent Landry geht davon aus, dass dir etwa zwei Millionen bleiben werden.«

»Zwei Millionen was?«

»Dollar, Shelby. Hörst du mir überhaupt richtig zu?«

»Aber … er hat das Zeug doch gestohlen?«

»Und konnte dank der Informationen, die du uns gegeben hast, gefasst werden.«

»Darauf sollten wir anstoßen.« Als Ada Mae begann, die Hände vors Gesicht zu schlagen und zu weinen, legte ihr Jack den Arm um die Schultern. »Daddy, haben wir etwa keinen Sekt da?«

»Ich bekomme so viel Geld?« Shelby warf die Hände in die Luft und konnte ihr Glück kaum fassen. »Reicht das, um meine Schulden abzubezahlen?«

»Zunächst einmal sind es überhaupt nicht deine Schulden«, hob Viola an. »Du hast nichts mehr zu befürchten. Der Mann ist schließlich nicht tot, Shelby Anne, und du warst nie richtig mit ihm verheiratet. Wenn du dir nicht gerade einen völlig unfähigen Anwalt nimmst, wird von den Schulden kaum was übrig bleiben. Du wirst genug Geld haben, um einen fantastischen Neustart hinzulegen, wenn ich das so sagen darf.«

»Ich kann es kaum fassen. Das muss ich erst mal verarbeiten. Unvorstellbar, dass ich diesen Schuldenberg los bin. Ich bin ihn los!«

»Zuerst einmal musst du dringend etwas essen und dich ein bisschen erholen.«

»Ich will Callie sehen, Mama.«

»Was wirst du ihr sagen?«

»Die Wahrheit, zumindest so gut es geht.«

»Sie ist eine typische MacNee, Donahue und Pomeroy«, sagte Viola. »Sie wird es verkraften.«

* * *

Shelby nahm Callie mit zu Griff. Bestimmt tat es ihnen gut, mit einem Mann zusammen zu sein, der ihnen noch nie wehgetan hatte. Und Shelby wollte außerdem etwas Zeit mit ihm allein verbringen.

Sie saß mit Griff auf der Veranda, während Callie, umhüllt von Seifenblasen, mit dem Hund herumtobte.

»Ich kann nicht glauben, dass du ihr eine zweite Seifenblasenmaschine gekauft hast.«

»Es ist keine zweite. Sondern nur eine für hier.«

»Vielen Dank, dass ich sie mitbringen durfte.«

»Das ist immer okay, Rotschopf.«

»Ja, und das weiß ich auch. Mir ist gestern Abend so viel durch den Kopf gegangen, während dieser schrecklichen Fahrt und in der Hütte. Ich sage das, weil Daddy im Krankenhaus nachgefragt hat. Sie haben es beide überlebt. Richard versucht einen Deal mit der Justiz zu machen, aber die kommen ihm keinen Millimeter entgegen. Der andere hat so richtig ausgepackt. Forrest hat vermutlich recht. Richard wird nie wieder aus dem Gefängnis herauskommen. Ich muss mir also um Callie keine Sorgen machen.«

»Ich werde nicht zulassen, dass er ihr auch nur ein Haar krümmt.«

Sie hörte die Liebe in seiner Stimme.

»Das glaub ich dir sofort. Alles, was gestern Abend betrifft, ist in meiner Erinnerung ein wenig verschwommen. Ich weiß nicht, ob ich mich verständlich ausgedrückt habe.«

»Das spielt keine Rolle. Du bist ja da.«

»Ich würde uns später gern was Schönes kochen, uns dreien.«

»Das übernehme ich.«

Lächelnd lehnte sie den Kopf an seine Schulter.

»Du bist wirklich kein schlechter Koch, aber ich bin besser. Ich würd gern was ganz Normales kochen. Denn so fühle ich mich, wenn ich bei dir bin, ganz normal.«

»Dann bleib. Bleib zum Abendessen, bleib über Nacht, bleib zum Frühstück. Bleib einfach.«

»Callie ist auch noch da.«

Er schwieg einen Moment und stand dann auf. »Würdest du einen Moment mit reinkommen? Ich möchte dir etwas zeigen.« Als sie in den Garten schaute, drehte er sich um.

»He, kleiner Rotschopf, passt du für mich auf Snickers auf? Dass er im Garten bleibt? Wir sind nur eine Minute weg.«

»Na klar. Er liebt Seifenblasen, schau nur, Mama, sie machen Regenbogen.«

»Das sehe ich. Du bleibst mit Snickers im Garten, und wir gehen kurz rein.«

»Wo soll sie schon hingehen?«, sagte Griff und zog Shelby mit sich ins Innere des Hauses. »Außerdem kannst du sie vom Fenster aus beobachten.«

»Hast du mit einem weiteren Zimmer begonnen?«

»Es ist fast fertig.« Er führte sie nach oben. Sie konnte Callies Lachen durch die offenen Fenster hören, das freudige Bellen des Hundes.

Normal, dachte sie erneut. Sicher und normal.

Im ersten Stock öffnete er eine Tür.

Das Licht fiel durch die Fenster auf die hübschen grünen Wände. Er hatte einen Lichtfänger aus Kristall vor eine der Scheiben gehängt, der in allen Regenbogenfarben glitzerte.

»Ach, was für ein wunderbares Zimmer. Die Farben holen die Berge regelrecht ins Haus. Du hast eine Erkerbank gebaut!«

»Da drüben kommen ein paar Regale hin. Dann gibt es jede Menge Stauraum.«

Er öffnete die Tür des Einbauschranks, und sie riss ungläubig die Augen auf. »Das ist ja alles fertig, frisch gestrichen und wunderschön. Sogar eine Lampe gibt es. Ist das …« Sie öffnete die Tür nach nebenan. »Ein Bad. Ist das hübsch, so fröhlich. Und …«

In diesem Moment entdeckte sie die kleine Seifenschale, ein grinsender Shrek.

»Du hast das für Callie gemacht.«

»Na ja, ich dachte mir, sie braucht ein eigenes Zimmer, eines, das mitwächst. Du weißt doch, dass Callie und ich heiraten wollen. Man kann seine Braut unmöglich in einem halb fertigen Zimmer schlafen lassen.«

Tränen traten ihr in die Augen. »Sie hat so was erwähnt. Dass ihr heiraten wollt.«

»Willst du mitmachen?«

Sie drehte sich zu ihm um. »Wie bitte?«

»Schlechtes Timing.« Frustriert fuhr er sich umständlich durchs Haar. »Normalerweise kann ich das besser. Vermutlich bin ich ein bisschen durch den Wind. Ich möchte, dass sie genug Freiraum hat, ein Zimmer, in dem sie sich wohlfühlt. Vielleicht möchtest du ja manchmal bei mir übernachten, und dann kann sie hier schlafen. Du bekommst übrigens im zweiten Stock ein Arbeitszimmer.«

»Ein Arbeitszimmer?«

»Noch hab ich nicht damit angefangen, vielleicht möchtest du es ja woanders haben. Aber ich glaube, das wäre ein guter Ort dafür. Direkt gegenüber von meinem Arbeitszimmer. Deine Idee mit einem Büro im Erdgeschoss war gut«, fügte er hinzu. »Aber im zweiten Stock lassen sich Arbeit und Wohnen besser trennen.«

Shelby konnte ihm nicht ganz folgen. »Du willst mir ein Büro einrichten?«

»Wie willst du dich selbstständig machen, wenn du kein Büro hast?«

Sie ging zum Fenster, betrachtete Callie und den Hund. »Ich habe dir gar nichts davon erzählt.«

»Aber Miz Vi.«

»Das hätte ich mir denken können. Meinst du, ich kann das? Mich als Einrichtungsberaterin selbstständig machen?«

»Ich glaube, du kannst alles, was du willst. Das hast du bereits bewiesen. Wer oder was sollte dich aufhalten? Wie dem auch sei, die Räume sind da, außerdem könntest du so mehr Zeit bei mir verbringen. Du kannst es dir ja in Ruhe überlegen.«

»Was ist mit dir, Griffin? Wie wäre das für dich?«

»Ich liebe dich und kann warten. Du hast eine harte Zeit hinter dir, Shelby. Ich kann warten, trotzdem möchte ich euch so oft sehen wie möglich. Ich möchte, dass du meine Frau wirst. Ich möchte …«

Als er verstummte, schüttelte sie den Kopf. »Sag es. Das hast du dir verdient.«

»Ich möchte, dass Callie zu mir gehört. Sie hat *mich* verdient, verdammt noch mal! Ich tu ihr gut und werde immer für sie da sein. Ich liebe sie, sie gehört zu mir.«

Sie nahm auf der Erkerbank Platz und atmete tief durch.

»Ich werde für euch da sein. Mehr nicht. Du weißt, was Angst ist, denn du hast sie am eigenen Leib erlebt. Eine Angst, die einem die Kraft raubt, die einen völlig beherrscht. So hat es sich angefühlt, als Richard dich in seiner Gewalt hatte. Ich kann warten, Shelby, aber du sollst wissen, was du mir bedeutest. Was ihr mir bedeutet, Callie und du.«

»Ich kenne diese Angst. Ich kenne die Angst, von der du gerade gesprochen hast. Ich hab sie auch gespürt und gleichzeitig eine furchtbare, alles überwältigende Wut. Beides war so miteinander verstrickt, dass es sich nicht mehr trennen ließ. Die Angst und die Wut, meine Tochter nie mehr wiederzusehen, sie nie mehr zu Bett zu bringen, ihr nie mehr beim Spielen und Lernen zuzusehen, ihr nie mehr die Tränen zu trocknen. Die Angst und die Wut, dich nie mehr wiederzusehen, nie mehr von dir in den Arm genommen oder an der Hand gehalten zu werden. Und noch vieles mehr, was ich an dieser Stelle gar nicht alles aufzählen kann. Ich wusste, dass du kommen würdest. Und du bist gekommen.« Sie atmete tief durch. »Ich habe dir noch nie gesagt, dass ich dich liebe.«

»Das kommt schon noch.«

»Wie wär's mit jetzt?«

Sie sah, wie sich sein Gesicht, seine Augen unmerklich veränderten. Ihr wurde ganz warm ums Herz.

»Das passt mir ausgezeichnet.«

»Ich habe dir nie gesagt, dass ich dich liebe, weil ich mir selbst nicht vertraut habe. Dir schon, Griffin, dir habe ich auf Anhieb vertraut, und das hat mir Angst gemacht. Deshalb habe ich mir selbst nicht über den Weg getraut.«

Sie legte die Hand aufs Herz und spürte förmlich, wie es überquoll.

»Es ist alles so schnell gegangen, und ich wollte mich nicht davon mitreißen lassen. Ich darf mich nicht einfach so gehen lassen, habe ich mir gedacht. Trotzdem: Ich liebe dich. Ich liebe es, wie du dich Callie und mir gegenüber verhältst. Ich liebe einfach alles an dir. Gut möglich, dass mir das erst die Angst und die Wut klargemacht haben. Aber heute bin ich mir ganz sicher. Du hast dieses Zimmer für Callie renoviert, ein Zuhause für sie geschaffen. Sie ist ein Teil von dir, genau wie ich.«

Er ging zu ihr und nahm ihre Hand. »War das gerade ein Ja?«

»Eine ganze Reihe von Jas! Hast du nicht richtig zugehört?«

»Nach dem *Ich liebe dich* hab ich ein bisschen den Faden verloren.« Er zog sie an sich, und sie fielen übereinanderher, während der Lichtfänger funkelte und sich die Regenbogen drehten.

»Ich liebe dich«, murmelte sie. »Das macht mich glücklich. Genau wie Callie. Ich wusste gar nicht, dass ich zu solchen Empfindungen fähig bin. Du hast sie in mir geweckt.«

Überwältigt wiegte er sie hin und her. »Ich werde nie aufhören, dich zu lieben.«

»Ich glaube dir. Ich glaube dir, und ich … Wir werden uns etwas Wunderbares aufbauen. Mit deiner Hilfe kann ich endlich zuversichtlich in die Zukunft schauen.«

»Ich muss dir einen Ring aussuchen. Und Callie auch.«

Sie schmolz förmlich dahin. »Du hast recht. Sie hat dich verdient. Ich werde alles tun, um dich glücklich zu machen.« Sie lehnte sich zurück und nahm sein Gesicht in beide Hände. »Ich wünsche mir noch ein paar Kinder.«

»Jetzt, sofort?«

»Eigentlich schon. Ich möchte nicht länger warten. Wir können gut mit Kindern. Callie soll eine große, lärmende, chaotische Familie haben.«

Er grinste, und seine intelligenten Augen strahlten. »Wie groß soll sie denn sein?«

»Noch drei Kinder, also insgesamt vier.«

»Vier sind machbar. Das Haus ist groß genug.«

»Ich habe so viele Ideen für dieses Haus, bisher hab ich mich zurückgehalten.«

»Wirklich?«

»Ja. Ein paar davon werde ich eisern verfolgen.« Sie schlang die Arme um ihn. »Ich werde zusammen mit dir in diesem Haus arbeiten, an dieser Familie, an diesem Leben. Wir werden gemeinsam etwas Dauerhaftes, Echtes, Wunderschönes schaffen.«

»Ich glaube, wir haben längst damit angefangen. Wenn du so viele Ideen für das Haus hast und mir damit helfen willst, solltest du so bald wie möglich einziehen.«

»Wie wär's mit morgen?«

Sie liebte es, ihn freudig zu überraschen.

»Morgen ist machbar. Das ist anscheinend das Wort des Tages. Alles ist machbar.«

»Wieso erzählen wir Callie nicht gleich davon?«

»Wird gemacht. Bleib zum Abendessen«, sagte er, als sie die Treppe hinuntergingen. »Bleib über Nacht. Bleib zum Frühstück.

Ich weiß, dass ich noch kein Bett für sie habe, aber ich kann was improvisieren.«

»Das glaub ich dir sofort.«

Sie traten vor das alte Herrenhaus, das ihr Zuhause sein würde. Gingen zu dem kleinen Mädchen und dem tollpatschigen Welpen, die in einer Wolke aus glitzernden Seifenblasen herumtollten. Dorthin, wo die grünen Berge begannen und Wolken vor einem blauen Himmel über sie hinwegzogen. Dazu sang der Bach eine fröhliche Melodie, während das von Sonne und Schatten betupfte Wasser über die Kiesel strömte.

Shelby hatte nach Hause gefunden.

Endlich war sie angekommen.

Werkverzeichnis der im
Heyne und Diana Verlag
erschienenen Titel von
Nora Roberts

© Bruce Wilder

Die Autorin

Nora Roberts wurde 1950 in Silver Spring, Maryland, als einzige und jüngste Tochter von fünf Kindern geboren. Ihre Ausbildung endete mit der Highschool in Silver Spring. Bis zur Geburt ihrer beiden Söhne Jason und Dan arbeitete sie als Sekretärin, anschließend war sie Hausfrau und Mutter. Anfang der Siebzigerjahre zog sie mit ihrem Mann und den beiden Kindern nach Maryland aufs Land. Sie begann mit dem Schreiben, als sie im Winter 1979 während eines Blizzards tagelang eingeschneit war. Nachdem Nora Roberts jedes im Haus vorhandene Buch gelesen hatte, schrieb sie selbst eins. 1981 wurde ihr erster Roman *Rote Rosen für Delia* (Originaltitel: *Irish Thoroughbred*) veröffentlicht, der sich rasch zu einem Bestseller entwickelte. Seitdem hat sie über 200 Romane geschrieben, von denen weltweit über 450 Millionen Exemplare verkauft wurden; ihre Bücher wurden in mehr als 30 Sprachen übersetzt. Sowohl die Romance Writers of America als auch die Romantic Times haben sie mit Preisen überschüttet; sie erhielt unter anderem den Rita Award, den Maggie Award und das Golden Leaf. Ihr Werk umfasst mehr als 190 New-York-Times-Bestseller, und 1986 wurde sie in die Romance Writers Hall of Fame aufgenommen.

Heute lebt die Bestsellerautorin mit ihrem Ehemann in Maryland.

E-Books

Alle Romane in diesem Werkverzeichnis sind auch als E-Book erhältlich.

Besuchen Sie Nora Roberts auf ihrer Website
www.noraroberts.com

1. Einzelbände

Licht in tiefer Nacht *(Come Sundown)*
So lange Bodine denken kann, liegt ein Schatten über dem Familienanwesen. Ihre Tante Alice lief mit achtzehn fort und wurde nie wieder gesehen. Was niemand ahnt: Alice lebt. Nicht weit entfernt, ist sie Teil einer Familie, die sie nicht selbst gewählt hat …

Dunkle Herzen *(Divine Evil)*
Eine New Yorker Bildhauerin erlebt in ihren Albträumen eine »Schwarze Messe«, welche in ihrem Heimatort in Maryland stattfindet. Sie erinnert sich an den grauenvollen Tod ihres Vaters und entschließt sich zur Heimkehr in ihr Elternhaus. Dunkle Mächte werden daraufhin wiedergeweckt.

Erinnerung des Herzens *(Genuine Lies)*
Eine alleinerziehende Mutter und erfolgreiche Autorin soll für eine Filmdiva die Memoiren verfassen. Sie erhält deshalb immer häufiger Drohbriefe, je mehr sich die Diva in ihren brisanten Informationen öffnet.

Gefährliche Verstrickung *(Sweet Revenge)*
Die schöne Adrianne führt ein Doppelleben: bei Tag elegante Society-Lady, bei Nacht gefürchtete Juwelendiebin. Doch all ihre Einbrüche sind bloß Fingerübungen für ihren größten Coup: Sie will jenen Mann bestehlen, der einst ihrer Mutter das Leben zur Hölle machte. Nur einer könnte ihre Pläne zunichtemachen: Philip Chamberlain, Ex-Juwelendieb und Interpol-Agent …

Das Haus der Donna *(Homeport)*
Eine amerikanische Kunstexpertin wird zu einer wichtigen Expertise über eine Bronzefigur aus der Zeit der Medici nach Florenz eingeladen, doch vorher wird sie überfallen und mit einem Messer bedroht. Die Echtheit der Figur und der Überfall stehen in einem gefährlichen Zusammenhang.

Im Sturm des Lebens *(The Villa)*
Teresa Giambelli legt die Führung ihrer Weinfirma in die Hände ihrer Enkelin Sophia und in die von Tyker, dem Enkelsohn ihres zweiten Mannes, beide charakterlich sehr unterschiedlich. Als vergiftete Weine der Firma auftauchen, erkennen beide, dass sie gemeinsam für ihre Familie und das Weingut kämpfen müssen.

Insel der Sehnsucht *(Sanctuary)*
Anonyme Fotos beunruhigen die Fotografin Jo Hathaway, und deshalb kommt sie nach Jahren zurück in ihr Elternhaus auf der Insel Desire. Dort findet sie ihren Vater und die Geschwister vor. Jo versucht herauszufinden, weshalb ihre Mutter vor langer Zeit verschwand.

Lilien im Sommerwind *(Carolina Moon)*
South Carolina. Tory Bodeen findet keine Ruhe, seit vor achtzehn Jahren ihre beste Schulfreundin Hope ermordet wurde. Heimlich stellt sie Nachforschungen an, unterstützt von Hopes Bruder. Sie stellen fest, dass Hope das erste Opfer einer Mordserie ist.

Nächtliches Schweigen *(Public Secrets)*
Der Sohn eines umjubelten Bandleaders wird entführt und dabei versehentlich getötet. Die Tochter Emma beobachtet die Untat, stürzt dabei und verliert jede Erinnerung an die Täter.

Sie quält sich mit Vorwürfen und versucht mithilfe eines Polizeibeamten, ihr Gedächtnis wiederzuerlangen. Dadurch gerät sie in große Gefahr.

Rückkehr nach River's End *(River's End)*
Auf mörderische Weise verliert die kleine Livvy ihre Eltern, ein Hollywood-Traumpaar. Die Großeltern bieten ihr im friedlichen River's End eine neue Heimat. Jahre später kommen die Erinnerungen und damit die Gefahr, dass bedrohlicher Besuch eintreffen könnte.

Der Ruf der Wellen *(The Reef)*
Auf der Suche nach einem geheimnisumwitterten Amulett vor der Küste Australiens wird James Lassiter bei einem Tauchgang ermordet. Dessen Sohn Matthew und sein Onkel sind weiter auf der Suche, zusammen mit Ray Beaumont und dessen Tochter Tate, und entdecken ein spanisches Wrack.

Schatten über den Weiden *(True Betrayals)*
Nach der Trennung von ihrem Mann erhält Kelsey einen Brief von ihrer totgesagten Mutter. Diese widmet sich seit ihrer Entlassung aus dem Gefängnis der Pferdezucht in Virginia. Kelsey entdeckt dort ihre Wurzeln, verliebt sich, beginnt aber auch in der Vergangenheit ihrer Mutter zu forschen: Weshalb wurde ihr ein mysteriöser Mord zur Last gelegt?

Sehnsucht der Unschuldigen *(Carnal Innocence)*
Innocence am Mississippi ist für die Musikerin Caroline Waverly der richtige Ort der Erholung nach einer monatelangen Tournee mit Beziehungskonflikten. Tucker Longstreet, Erbe der größten Farm in Innocence, verliebt sich in Caroline. Drei Frauen werden

innerhalb einiger Wochen ermordet, eine von ihnen war die ehemalige Geliebte von Tucker.

Die Tochter des Magiers *(Honest Illusions)*
Roxanne teilt das geerbte Talent für Magie mit Luke, einem früheren Straßenjungen, den ihr Vater, ein Zauberkünstler, einst aufnahm. Allerdings erleichtern sie Reiche auch um deren Juwelen. Sie werden Partner in der Zauberkunst und in der Liebe. Ein dunkler Punkt in Lukes Vergangenheit lässt ihn verschwinden – Jahre später taucht er wieder auf …

Tödliche Liebe *(Private Scandals)*
Die erfolgreiche Fernsehmoderatorin Deanna Reynolds hat Glück im Beruf – und in der Liebe mit dem Reporter Finn Riley. Doch eine eifersüchtige Kollegin und anonyme Fanpost machen ihr das Leben schwer.

Träume wie Gold *(Hidden Riches)*
Philadelphia. Die Antiquitätenbesitzerin Dora Conroy kauft eine Reihe von Objekten und gerät damit ins Blickfeld von internationalen Schmugglern. Sie und der ehemalige Polizist Jed Skimmerhorn beginnen, Diebstähle und Todesfälle im Umkreis der geheimnisvollen Lieferung zu untersuchen.

Verborgene Gefühle *(Hot Ice)*
Manhattan. Auf der Flucht vor Gangstern landet der charmante Meisterdieb Douglas Lord im Luxusauto von Whitney. Dabei erfährt sie von Douglas' Plan, im Dschungel von Madagaskar einen sagenhaften Schatz zu suchen.

Verlorene Liebe *(Brazen Virtue)*
Zwei Schwestern. Während Grace unbekümmert alleine als Krimiautorin lebt, arbeitet Kathleen als Lehrerin an einer Klosterschule und verdient sich nebenbei Geld mit Telefonsex für den Scheidungsanwalt. Ein lebensgefährlicher Job, denn Grace findet Kathleen mit einem Telefonkabel erdrosselt.

Verlorene Seelen *(Sacred Sins)*
Washington. Blondinen sind die Opfer eines Frauenmörders, die Tatwaffe immer eine weiße Priesterstola. Mithilfe der Psychiaterin Tess Court versucht Police Sergeant Ben Paris die Mordserie aufzuklären. Doch nicht nur er hat ein Auge auf Tess geworfen.

Der weite Himmel *(Montana Sky)*
Montana. Der steinreiche Farmer Jack Mercy verfügte in seinem Testament, dass seine drei Töchter aus drei Ehen erst dann ihren Erbteil erhalten, wenn sie ein Jahr lang friedlich zusammen auf der Farm verbringen. Sie versuchen es, doch in dieser Zeit geschehen auf der Farm mysteriöse Dinge.

Tödliche Flammen *(Blue Smoke)*
Reena Hale ist Brandermittlerin und kennt durch ein schlimmes Kindheitserlebnis die Macht des Feuers. Neben Bo Goodnight interessiert sich noch jemand sehr für sie – allerdings verfolgt dieser Unbekannte ihre Spur, um die Macht des Feuers für seinen Racheplan zu benützen.

Verschlungene Wege *(Angels Fall)*
Reece Gilmore ist auf der Flucht: vor der Erinnerung und vor sich selbst. Als sie sich endlich in einem Dorf in Wyoming dem

einfühlsamen Schriftsteller Brody anvertraut, glaubt sie, zur Ruhe zu kommen. Doch die Vergangenheit holt sie bald ein.

Im Licht des Vergessens *(High Noon)*
Phoebe MacNamara kennt die Gefahr. Geiselnehmer, Amokläufer – kein Problem für die beim FBI ausgebildete Expertin für Ausnahmezustände. Aber erst die Liebe zu Duncan hat sie unverwundbar gemacht. Glaubt sie. Bis sie von einem Unbekannten brutal überfallen wird. Fortan muss sie um ihr Leben fürchten.

Lockruf der Gefahr *(Black Hills)*
Tierärztin Lilian führt auf ihrer Wildtierfarm in South Dakota ein erfülltes, aber auch abgeschiedenes Leben. Fast zu spät erkennt sie die Gefahr, der sie ausgesetzt ist, als ein Mann sie und ihre Familie bedroht. In letzter Minute nimmt sie die Hilfe ihrer Jugendliebe Cooper an. Kann er sie retten?

Die falsche Tochter *(Birthright)*
Als die Archäologin Callie Dunbrook an den Fundort eines fünftausend Jahre alten menschlichen Schädels gerufen wird, ahnt sie nicht, dass dieses Projekt auch ihre eigene Vergangenheit heraufbeschwören wird.

Sommerflammen *(Chasing Fire)*
Die Feuerspringerin Rowan kämpft jeden Sommer erfolgreich gegen die Brände in den Wäldern Montanas. Doch seit ihr Kollege dabei ums Leben kam, plagen sie Schuldgefühle. Hätte sie Jim retten können?

Gestohlene Träume *(Three Fates)*

Tia Marshs Leben gehört der Wissenschaft. Dass das Interesse für griechische Mythologie ihr einmal zum Verhängnis wird, ahnt sie nicht – bis sie Malachi Sullivan begegnet. Der attraktive Ire ist dem Geheimnis dreier Götterfiguren auf der Spur, und nicht nur er will die wertvollen Statuen um jeden Preis besitzen …

Das Geheimnis der Wellen *(Whiskey Beach)*

Eli Landon wird unschuldig des Mordes an seiner Frau verdächtigt. Im Anwesen seiner Familie an der rauen Küste Neuenglands sucht er Zuflucht. Auch seine hübsche Nachbarin, Abra Walsh, will dort ihre schmerzhaften Erinnerungen vergessen. Doch während sich die beiden näherkommen, holt sie die Vergangenheit ein.

Ein Leuchten im Sturm *(The Liar)*

Nach dem Unfall ihres Mannes erfährt Shelby, dass Richard ein Betrüger war. Der Mann, den sie geliebt hat, ist nicht nur tot – er hat niemals existiert. Shelby flüchtet mit ihrer Tochter zu ihrer Familie nach Tennessee, wo sie Griffin kennenlernt. Doch Richards Lügen folgen ihr und werden zur tödlichen Bedrohung.

2. Zusammenhängende Titel

a) Quinn-Familiensaga

– Tief im Herzen *(Sea Swept)*

Maryland. Der Rennfahrer Cameron Quinn kehrt zurück in die Kleinstadtidylle an das Sterbebett seines Adoptivvaters. Dieser bittet ihn, sich mit den beiden Adoptivbrüdern um den zehnjährigen Seth zu kümmern. Er ist ein ebenso schwieriger Junge, wie es Cameron einst war. Hinzu kommt, dass sich die Sozialarbeiterin Anna Spinelli einmischt, um zu prüfen, ob in dem Männerhaushalt die Voraussetzungen für eine Adoption gegeben sind.

– Gezeiten der Liebe *(Rising Tides)*

Ethan Quinn übernimmt während der Abwesenheit seiner Brüder die Rolle des Familienoberhaupts. Seine Arbeit als Fischer und die Verantwortung für den zehnjährigen Seth binden ihn an die kleine Stadt. Außerdem liebt er Grace Monroe, eine alleinerziehende Mutter, welche den Haushalt der Quinns führt.

– Hafen der Träume *(Inner Harbour)*

Gemeinsam kämpfen die drei Quinn-Brüder um das Sorgerecht für Seth, denn sie wissen, dass Seths Mutter eher am Geld als an dem Jungen gelegen ist. Da kommt die Bestsellerautorin Sybill in die Stadt und will unbedingt verhindern, dass Seth von Philipp und seinen Brüdern adoptiert wird.

– Ufer der Hoffnung *(Chesapeake Blue)*
Seth Quinn hat sich durch die Fürsorge seiner älteren Brüder zu einem erfolgreichen Maler entwickelt. Als er aus Europa nach Maryland zurückkehrt, wird er von seiner leiblichen Mutter mit der Publikation seiner Kindheitsgeschichte erpresst. Seth lernt Drusilla kennen, welche sich auch nicht mehr mit ihrer leiblichen Familie identifizieren kann.

b) Garten-Eden-Trilogie

– Blüte der Tage *(Blue Dahlia)*
Tennessee. Die Witwe Stella Rothchild kehrt mit ihren kleinen Söhnen in ihre Heimat zurück. Die Gartenarchitektin beginnt, sich ein neues Leben in der Gärtnerei Harper aufzubauen, unterstützt von der Hausherrin Rosalind. Alles ist gut, bis Stella dem Landschaftsgärtner Logan Kitridge begegnet. Doch jemand will diese Verbindung verhindern.

– Dunkle Rosen *(Black Rose)*
Rosalind Harper hat sich in die Arbeit gestürzt, um den Tod ihres Mannes zu überwinden. Besonders der Gartenkunst widmet sie sich. Doch in dem harperschen Anwesen geht ein Geist um. Rosalind engagiert den Ahnenforscher Mitchell Carnegie, um zu erfahren, um welche übernatürlichen Kräfte es sich dabei handelt.

– Rote Lilien *(Red Lily)*
Hayley Phillips kommt mit ihrer neugeborenen Tochter Lily zu ihrer Cousine Rosalind Harper und findet dort ein neues Heim.

Für Rosalinds Sohn Harper empfindet sie tiefe Gefühle, doch dann ergreift eine dunkle Macht von Hayley Besitz.

c) Der Jahreszeiten-Zyklus

– Frühlingsträume *(Vision in White)*
Gemeinsam mit ihren Freundinnen Parker, Laurel und Emma betreibt Mac eine erfolgreiche Hochzeitsagentur. Sie lebt und arbeitet mit den drei wichtigsten Menschen in ihrem Leben – wozu braucht sie da noch einen Mann? Doch als Mac Carter trifft, gerät ihr so gut ausbalanciertes Leben ins Wanken.

– Sommersehnsucht *(Bed of Roses)*
Freundschaft und Liebe – das geht nicht zusammen. Zu dumm nur, dass sich Emmas langjähriger Freund Jack völlig überraschend als ihre große Liebe erweist. Nun steckt Emma in der Klemme, zumal sie weiß, wie sehr Jack an seiner Freiheit hängt.

– Herbstmagie *(Savor the Moment)*
Laurel verliebt sich in den smarten Staranwalt Del, den Bruder ihrer Freundin Parker. Er ist für sie die Liebe ihres Lebens, aber sieht der heiß begehrte Junggeselle das ebenso?

– Winterwunder *(Happy Ever After)*
Parker ist anscheinend mit ihrem Beruf verheiratet – bis Malcolm in ihr Leben tritt. Aber wie soll sie mit ihm eine Beziehung führen, wenn er sich weigert, über seine Vergangenheit zu sprechen?

d) Die O'Dwyer-Trilogie

– Spuren der Hoffnung *(Dark Witch)*

Iona verlässt Baltimore, um sich im sagenumwobenen County Mayo auf die Suche nach ihren Vorfahren zu machen. Als sie den attraktiven Boyle trifft, bietet er ihr an, auf seinem Gestüt zu arbeiten. Schnell spüren beide, dass sie mehr verbindet als die gemeinsame Leidenschaft für Pferde. Doch dann droht ein dunkles Familiengeheimnis das Glück der beiden zu zerstören.

– Pfade der Sehnsucht *(Shadow Spell)*

Ionas Cousin Connor O'Dwyer hat die Frau fürs Leben noch nicht gefunden, doch auf wundersame Weise fühlt er sich immer mehr zur leidenschaftlichen Meara hingezogen. Das Glück wird getrübt, als Cabhan, der alte Feind der Familie, Meara benutzt, um sie alle zu vernichten. Hält der Kreis der Freunde dieser Herausforderung stand?

– Wege der Liebe *(Blood Magick)*

Branna und Fin waren schon mit 17 ein Paar, doch dann ist ihre Liebe zerbrochen. Branna liebt Fin zwar noch immer, sie fühlt sich aber von ihm verraten und misstraut ihm seither. Doch sie gehören beide zum magischen Kreis der Freunde und kämpfen gemeinsam gegen Cabhan, den unversöhnlichen Feind des O'Dwyer-Clans. Aber welche Rolle spielt Fin eigentlich in diesem Kampf? Ist er in die Machtspiele seines Vorfahren verwickelt, oder steht er aufseiten von Iona, Connor und Branna?

3. Sammelbände

a) Die Unendlichkeit der Liebe

(Drei Romane in einem Band)

Auch als Einzeltitel erschienen:

– Heute und für immer *(Tonight and Always)*
Kasey gewinnt das Herz von Jordan und seiner Nichte Alison,
aber jetzt fürchtet Großmutter Beatrice, dass sie die Macht über
ihre Familie verliert.

– Eine Frage der Liebe *(A Matter of Choice)*
Ein Antiquitätenladen im Herzen Neuenglands. Ohne Jessi-
cas Wissen dient er einer internationalen Schmugglerbande als
Umschlagplatz für Diamanten. Zu ihrem Schutz reist der New
Yorker Cop James Sladerman nach Connecticut, wo ihm Jessica
die Ermittlungen aus der Hand nimmt.

– Der Anfang aller Dinge *(Endings and Beginnings)*
Die beiden erfolgreichen Fernsehjournalisten Olivia Carmi-
chael und T.C. Thorpe sind erbitterte Konkurrenten im Kampf
um die neuesten Meldungen. Sie kommen sich näher, doch da
gibt es einen dunklen Punkt in Olivias Vergangenheit.

b) Königin des Lichts
   (A Little Fate)

(Drei Fantasy-Kurzromane in einem Band)

– Zauberin des Lichts *(The Witching Hour)*
Aurora muss den Königsthron zurückerobern, nachdem Lorcan ihre Eltern getötet und ihre Heimatstadt zerstört hat. Verkleidet gelangt sie an den Hof des Tyrannen. Dort trifft sie auf dessen Stiefsohn Thane und verliebt sich.

– Das Schloss der Rosen *(Winter Rose)*
Der schwer verletzte Prinz Kylar wird von Deidre, Königin der Rosenburg, auf welcher ewiger Winter herrscht, gerettet und gepflegt. Dafür will Kylar die Rosenburg von ihrem Fluch befreien.

– Die Dämonenjägerin *(World Apart)*
Kadra ist auf der Jagd nach den Bok-Dämonen. Dabei erfährt sie, dass sich der Dämonenkönig Sorak des Tors zu einer anderen Welt bemächtigt hat. Um beide Welten vor dem Untergang zu bewahren, folgt sie Sorak dorthin. Sie landet mitten in New York, in der Wohnung von Harper Doyle. Sie braucht seine Hilfe.

c) Im Licht der Träume
(A Little Magic)

(Drei Romane in einem Band)

– Verzaubert *(Spellbound)*
Der amerikanische Fotograf Calin Farrell begegnet im Schlaf
der Hexe Bryna, welche ihn um Hilfe bittet, und wird dazu
bewegt, nach Irland zu reisen, ins Land seiner Vorfahren. Dort
kommt er dem Rätsel auf die Spur: Die Vorfahren von Calin
und Bryna waren vor tausend Jahren ein Paar. Doch der Magier
Alasdir hatte ihr Leben zerstört – und er versucht es aufs Neue.

– Für alle Ewigkeit *(Ever After)*
Allena aus Boston soll eigentlich ihrer Schwester in Irland helfen. Durch Zufall verbringt sie stattdessen einige Tage im Haus
von Conal O'Neil. Die offenbar zufällige Begegnung scheint
vom Schicksal vorbestimmt zu sein, denn die beiden fühlen sich
stark zueinander hingezogen.

– Im Traum *(In Dreams)*
Die Amerikanerin Kayleen landet durch einen Sturm im Haus
des Magiers Draidor. Kayleen verliebt sich sofort in Draidor,
und er bereitet ihr einen im wahrsten Sinne des Wortes zauber-
haften Aufenthalt.